KB039425

세상이 변해도
배움의 즐거움은
변함없도록

시대는 빠르게 변해도
배움의 즐거움은
변함없어야 하기에

어제의 비상은
남다른 교재부터
결이 다른 콘텐츠
전에 없던 교육 플랫폼까지

변함없는 혁신으로
교육 문화 환경의 새로운 전형을
실현해왔습니다.

비상은 오늘, 다시 한번
새로운 교육 문화 환경을 실현하기 위한
또 하나의 혁신을 시작합니다.

오늘의 내가 어제의 나를 초월하고
오늘의 교육이 어제의 교육을 초월하여
배움의 즐거움을 지속하는 혁신,

바로, 메타인지 기반 완전 학습을.

상상을 실현하는 교육 문화 기업 비상

메타인지 기반 완전 학습
초월을 뜻하는 meta와 생각을 뜻하는 인지가 결합한 메타인지는
자신이 알고 모르는 것을 스스로 구분하고 학습계획을 세우도록 하는
궁극의 학습 능력입니다. 비상의 메타인지 기반 완전 학습 시스템은
잠들어 있는 메타인지를 깨워 공부를 100% 내 것으로 만들도록 합니다.

자율학습시
비상구
완자로 53

경 제

Structure

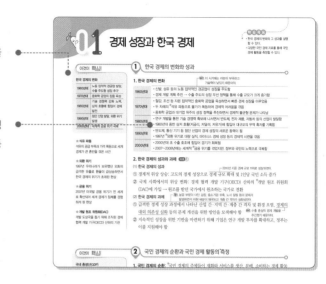

01 | 핵심 내용 파악하기

이 단원에서 꼭 알아야 하는 핵심 개념을 확인하고, 친절하게 설명된 내용 정리로 경제 교과 내용을 이해할 수 있습니다.

이 단원에서 학습해야 할 핵심 개념을 ●
한눈에 파악할 수 있습니다.

교과서에서 다루는 내용을 명확하게 정 ●
리하고, 어려운 개념이나 용어, 사례 등
에는 친절한 설명을 덧붙였습니다.

03 | 다양한 유형의 내신 문제 풀기

학교 시험에 자주 출제되는 유형의 문제들을 단계별로 풀어
보면서 실력을 향상시킬 수 있습니다. 또한 시험에서 비중
이 높아진 서술형 문제도 자신있게 대비할 수 있습니다.

04 | 수능 문제로 1등급 정복하기

사고력과 변별력을 요구하는 수능 유형의 문제를 풀면서 실
력을 향상시키고 난이도 있는 시험 문제에도 자신감을 얻을
수 있습니다.

교과서에서 강조하는 빈출·핵심 자료는 포인트를 확실하게
짚어 주는 자료 설명으로 구성하였습니다.

한눈에 보이는 정리 비법, 간단한 문제
로 확인하는 개념, 함께 알아 두어야 할
자료 등을 선생님이 강의하듯 꼼꼼하게
정리하였습니다.

학교 시험은 물론 수능에도 출제될 가
능성이 높은 중요 자료를 질문과 답변
형식으로 철저하게 분석하였습니다.

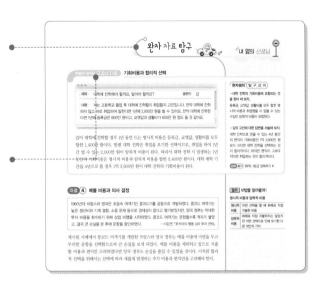

대단원의 핵심 내용을 한눈에 정리하고, 통합형 문제까지
풀어보면서 대단원 학습을 최종 점검할 수 있습니다.

교과 내용에서 강조하는 논술 주제들을 별도 구성하고, 논
술 포인트, 자료 분석 등을 통해 입체적인 논술 답안을 제공
하였습니다.

Contents

I 경제생활과 경제 문제

01. 경제생활과 합리적 선택   010
02. 경제 문제의 해결 방식   022
03. 경제 주체의 역할   032

II 시장과 경제 활동

01. 시장의 수요와 공급   050
02. 시장 균형과 자원 배분의 효율성   062
03. 시장 실패와 정부의 시장 개입   074

III 국가와 경제 활동

01. 경제 성장과 한국 경제   094
02. 실업과 인플레이션   106
03. 경기 변동과 경제 안정화 방안   118

IV 세계 시장과 교역

01. 무역 원리와 무역 정책   138
02. 환율   150
03. 국제 수지   162

V 경제생활과 금융

01. 금융과 금융 생활   180
02. 자산·부채 관리와 금융 상품   190
03. 금융 생활의 목표와 재무 설계   202

● 논술형 문제   215

완자와 내 교과서 비교하기

		완자	비상교육	미래엔	천재교육	지학사	씨마스
I **경제생활과 경제 문제**	01 경제생활과 합리적 선택	10~21	10~23	12~21	12~29	10~27	12~25
	02 경제 문제의 해결 방식	22~31	24~33	22~31	30~37	28~35	26~33
	03 경제 주체의 역할	32~41	34~47	32~41	38~47	36~43	34~47
II **시장과 경제 활동**	01 시장의 수요와 공급	50~61	52~61	46~55	52~63	50~61	52~71
	02 시장 균형과 자원 배분의 효율성	62~73	62~77	56~67	64~81	62~69	72~79
	03 시장 실패와 정부의 시장 개입	74~85	78~87	68~81	82~91	70~85	80~89
III **국가와 경제 활동**	01 경제 성장과 한국 경제	94~105	94~107	86~103	96~113	92~107	94~117
	02 실업과 인플레이션	106~117	108~117	104~115	114~123	108~119	118~127
	03 경기 변동과 경제 안정화 방안	118~129	118~129	116~127	124~131	120~129	128~137

		완자	비상교육	미래엔	천재교육	지학사	씨마스
IV 세계 시장과 교역	01 무역 원리와 무역 정책	138~149	134~145	132~145	136~149	136~145	142~155
	02 환율	150~161	146~157	146~155	150~161	146~153	156~163
	03 국제 수지	162~171	158~165	156~163	162~169	154~163	164~169
V 경제생활과 금융	01 금융과 금융 생활	180~189	170~179	168~178	174~185	168~178	174~184
	02 자산·부채 관리와 금융 상품	190~201	180~193	179~195	186~203	179~191	185~201
	03 금융 생활의 목표와 재무 설계	202~207	194~203	196~205	204~211	192~201	202~209

경제생활과 경제 문제

1 경제생활과 합리적 선택 ······················ 010

2 경제 문제의 해결 방식 ······················ 022

3 경제 주체의 역할 ······················ 032

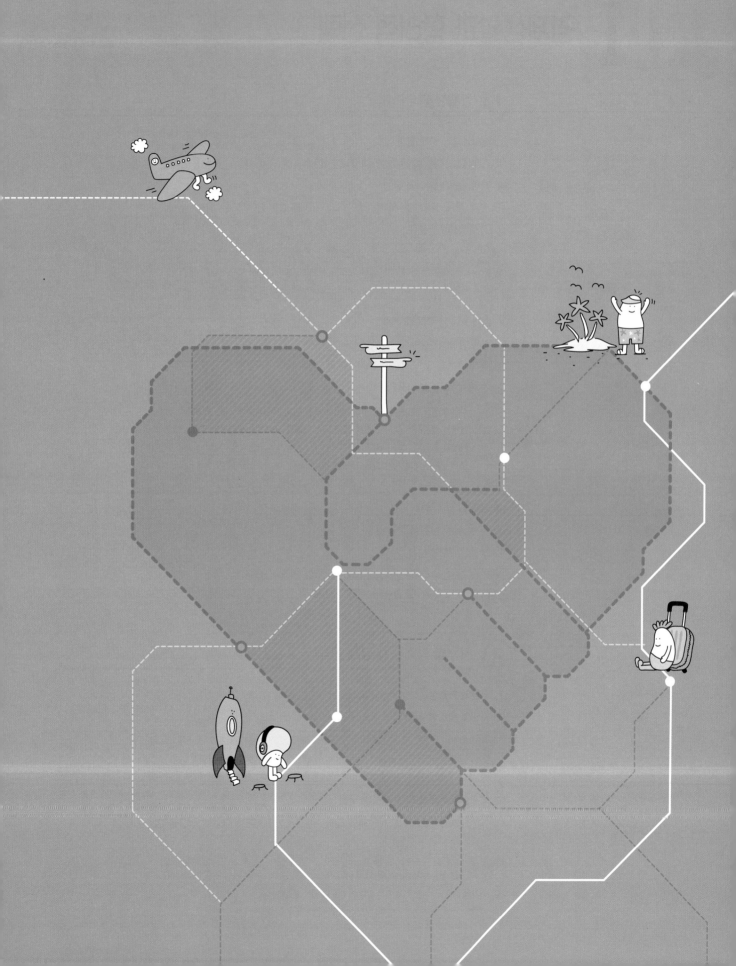

01 경제생활과 합리적 선택

학 습 목 표
• 경제 활동의 의미를 이해하고, 경제 주체와 객체를 구분할 수 있다.
• 자원의 희소성과 그로 인해 발생하는 경제 문제를 설명할 수 있다.

이것이 핵심!

경제 활동의 유형

생산	상품을 새롭게 만들어 내거나 그 가치를 증대시키는 행위
분배	생산 요소 제공에 대한 대가를 받는 행위
소비	분배받은 소득으로 상품을 구매하여 사용하는 행위

★ **생산 요소**
노동, 자본, 토지 등 생산 활동을 하는 데 필요한 것

★ **무역**
국가 간에 이루어지는 상거래로, 수출과 수입으로 구분된다.

① 경제생활의 이해

1. 경제생활과 경제 활동

(1) **경제생활**: 생활에 필요한 재화와 서비스를 획득하여 욕구를 충족하는 과정 ┐ 예 음식을 먹고 옷을 입으며, 집에서 휴식을 취하는 것처럼 모든 사람의 삶은 경제생활의 연속이야.

(2) **경제 활동의 의미와 유형**

① 경제 활동: 재화와 서비스를 생산, 분배, 소비하는 모든 활동

② 경제 활동의 유형 ┌ 꼭! 사람들은 분배를 통해 얻은 소득을 바탕으로 소비를 하며, 소비는 다시 생산의 원동력이 되지.

생산	생활에 필요한 재화나 서비스를 새롭게 만들어 내거나, 그 경제적 가치를 증대시키는 행위 자료①
분배	생산 활동에 참여하여 *생산 요소를 제공하고 그에 대한 대가를 받는 행위
소비	재화와 서비스를 구매하여 사용함으로써 만족을 얻는 행위 └ 예 임금, 이자, 지대 등

2. 경제 활동의 주체와 객체

(1) **경제 활동의 주체**

① 경제 주체: 생산, 분배, 소비 등의 경제 활동에 참여하는 행위 주체

② 경제 주체의 분류 자료②

가계	기업에 생산 요소를 제공한 대가로 소득을 얻어 재화와 서비스를 소비하는 주체	민간 부문
기업	가계가 제공하는 생산 요소를 활용하여 재화와 서비스를 생산하는 주체	
정부	가계와 기업으로부터 세금을 거두어 사회 전체가 필요로 하는 재화나 서비스를 생산하고, 경제 활동의 조정자 역할을 하는 주체 └ 예 도로, 국방, 치안 등	공공 부문
외국	*무역 활동의 주체로서, 다른 나라의 가계와 기업, 정부를 포괄함	해외 부문

(2) **경제 활동의 객체**

① 경제 객체: 경제 활동의 대상이 되는 것

② 경제 객체의 분류

재화	인간의 욕구를 충족하는 유형의 상품 예 옷, 음식, 집 등
서비스	인간의 욕구를 충족하는 무형의 상품으로, 인간의 행위로 나타남 예 의사의 진료, 교사의 강의 등

이것이 핵심!

자원의 희소성과 경제 문제

자원의 희소성		
인간의 무한한 욕구	>	상대적으로 한정된 자원

↓

기본적인 경제 문제
• 무엇을 얼마나 생산할 것인가?
• 어떻게 생산할 것인가?
• 누구를 위하여 생산할 것인가?

② 자원의 희소성과 경제 문제

1. 자원의 희소성

(1) **자원의 희소성** 자료③ ──VS 단순히 자원의 절대적 양이 적은 희귀성과는 달라.

의미	인간의 욕구는 무한한 데 비해 이를 충족해 줄 수 있는 자원의 양이 상대적으로 부족한 상태
특징	• 사람마다 욕구와 필요가 다름 → 희소성의 크기는 개인에 따라 다르게 느낄 수 있음 • 동일한 재화나 서비스라고 하더라도 희소성은 시대와 장소에 따라 다르게 나타남

└ Q!? 시대와 장소마다 사용 가능한 자원의 양이나 기술 수준이 다를 뿐만 아니라, 사람들의 선호와 취향도 다르기 때문이야.

(2) **희소성의 유무에 따른 재화의 구분**

무상재	인간의 욕구에 비해 존재량이 많아 아무런 대가를 지불하지 않고도 얻을 수 있는 재화 예 햇빛, 공기 등
경제재	인간의 욕구보다 존재량이 적어 대가를 지불해야만 얻을 수 있는 재화 예 사람들이 사용하는 대부분의 재화

└ 꼭! 깨끗한 물은 과거에는 돈을 주지 않고도 얻을 수 있는 무상재였으나, 최근에는 돈을 주고 사야 하는 경제재가 되었어.

완자 자료 탐구 내 옆의 선생님

자료 ① 생산의 의미

자동차 제조

자동차 운반

자동차 판매

자동차 홍보

경제학에서의 생산은 무언가를 만들어 내는 것뿐만 아니라 그것의 가치를 늘리거나 유지하는 것을 의미한다. 예를 들어 공장에서 부품을 만들어 자동차를 제조하는 것뿐만 아니라 자동차를 운반하는 것, 새로 출시한 자동차를 홍보하는 것, 매장에서 자동차를 판매하는 것은 모두 생산 활동에 해당한다.

문제로 확인할까?

생산에 해당하는 사례로 옳지 <u>않은</u> 것은?
① 환자를 진료한다.
② 딸기를 재배한다.
③ 병원비를 지급한다.
④ 학교에서 수업을 한다.
⑤ 판매 직전의 사과를 임시 창고에 보관한다.

③ 目

자료 ② 경제 활동의 순환

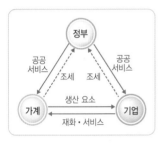

꼭! 가계는 소비의 주체, 기업은 생산의 주체, 정부는 소비와 생산의 주체에 해당해.

가계는 기업에 생산 요소를 제공한 대가로 소득을 얻어 재화와 서비스를 소비하며, 기업은 가계가 제공한 생산 요소를 활용하여 재화와 서비스를 생산한다. 정부는 세금을 바탕으로 경제생활의 기반이 되는 공공 서비스, 사회 간접 자본 등을 생산하여 공급하며, 이 과정에서 생산 요소를 구매하고 생산물을 소비하기도 한다. 최근에는 세계화·정보화로 국가 간 거래가 활발해지면서 경제 주체로서 외국의 중요성이 커지고 있다.

자료 하나 더 알고 가자!

경제 활동 유형의 사례

생산	재화를 제조·운반·보관하는 것, 교육이나 치료 등의 서비스를 제공하는 것 등
분배	임금(노동 제공의 대가), 이자(자본 제공의 대가), 지대(토지 제공의 대가)를 받는 것 등
소비	상품을 구매하는 것, 병원에서 진료받는 것, 대중교통을 이용하는 것 등

자료 ③ 자원의 희소성

(가) 수컷 향유고래의 창자에는 향수의 원료로 쓰이는 용연향이 생기는데, 값비싼 향수의 원료로 사용되는 용연향은 경제적 가치가 높아 '바다의 로또'로 불린다. 2016년에 오만 해변에서 어부가 발견한 용연향 80kg은 약 30억 원에 거래되었다.

(나) 필리핀 시장의 망고와 파파야 가격을 비교해 보자. 이 둘의 생산 비용은 비슷하고 생산량은 망고가 훨씬 많다. 당연히 양이 많은 망고의 가격이 더 쌀 것 같지만, 망고가 파파야보다 비싸다. 그만큼 망고에 대한 소비자의 욕구가 크다고 할 수 있다.

정리 비법을 알려줄게!

무상재와 경제재

구분	무상재	경제재
희소성	×	○
경제적 대가	×	○
유용성	○	○

(가)에서 용연향은 희귀하면서 동시에 희소한 성격을 가진다. 하지만 희귀한 것이 모두 희소한 것은 아니다. 희소성은 자원의 절대적인 양을 기준으로 하는 것이 아니라 인간의 욕구에 따라 결정되기 때문이다. (나)에서 망고는 파파야보다 많이 생산되지만 더 희소한 성격을 가진다. 이처럼 희소성은 인간의 욕구와 자원 존재량의 상대적 크기에 따라 결정된다.

01 경제생활과 합리적 선택

2. 기본적인 경제 문제

예 정부는 한정된 세입으로 사회 간접 자본에 투자할지, 사회 보장 제도를 확충할지 고민하는 경제 문제에 직면할 수 있어.

(1) **경제 문제**: 자원의 희소성으로 인해 모든 사회가 직면하는 선택의 문제

(2) **기본적인 경제 문제**

무엇을 얼마나 생산할 것인가?	• 생산물의 종류와 수량을 결정하는 문제 • 자원이 한정되어 있어 사람들이 원하는 모든 것을 생산할 수 없으므로 발생함 • *효율성을 우선시하여 결정함
어떻게 생산할 것인가?	• 생산 요소의 결합 방법과 생산물의 생산 방법을 결정하는 문제 • 이용 가능한 자원의 상대적인 양에 따라 결정이 달라질 수 있음 • 효율성을 우선시하여 결정함
누구를 위하여 생산할 것인가? (누구에게 분배할 것인가?)	• 생산물의 분배 방법을 결정하는 문제 • 사회 구성원 다수가 동의할 수 있는 합리적인 분배 방식이 필요함 • 효율성과 함께 *형평성을 고려하여 결정함

---

3 합리적 선택

1. 선택의 편익과 비용

금전적 이득뿐만 아니라 정신적 만족감과 같은 비금전적인 것도 포함하지.

(1) **편익**: 어떤 선택을 하였을 때 얻게 되는 만족이나 이득

(2) **기회비용**: 어떤 선택을 할 때, 지불한 명시적 비용과 그 선택을 함으로써 포기한 대안의 가치인 암묵적 비용 중 가장 큰 것을 합친 것(명시적 비용 + 암묵적 비용) [교과서 자료]

(3) **매몰 비용**: 이미 지불되어 회수할 수 없는 비용 [자료 4]

2. 합리적 선택

(1) **합리적 선택**: 여러 대안의 편익과 비용을 분석하여 *순편익이 가장 큰 대안을 선택하는 것

(2) **합리적 선택의 원칙**

Qн? 매몰 비용은 이미 지불되어 사라져 버렸기 때문에 새로 발생하는 이익이나 손해에 영향을 끼칠 수 없기 때문이야.

① 선택에 따라 새롭게 발생하는 비용과 편익만 고려해야 함 → 매몰 비용을 고려해서는 안 됨

② 기회비용이 같다면 편익이 큰 것을, 편익이 같다면 기회비용이 작은 것을 선택해야 함

(3) **합리적 선택의 의사 결정 모형**

문제 인식하기	선택해야 할 문제가 무엇인지 인식함
대안 나열하기	문제를 해결하기 위한 다양한 대안을 탐색하고, 실제로 선택 가능한 대안을 나열함
기준 설정하기	대안의 편익과 비용을 평가할 기준을 설정함
대안 평가하기	평가 기준에 따라 각 대안의 편익과 비용을 평가함
선택·실행하기	평가 점수가 가장 높은 대안을 선택하여 실행하고, 실행 결과를 평가하고 반성해야 함

3. 선택에 영향을 주는 경제적 유인

(1) **경제적 *유인**: 편익이나 비용에 변화를 주어 사람들의 행동이나 선택을 유도하거나 바꿀 수 있게 하는 유인

꼭! 금전적·물질적 혜택이나 손실을 주는 것을 말해.

(2) **경제적 유인의 종류** [자료 5]

긍정적 유인	보상으로 편익을 증가시키거나 비용을 감소시켜 어떤 행위를 더 하게 하는 유인
부정적 유인	벌금 등으로 비용이 증가하거나 편익이 감소하도록 하여 어떤 행위를 덜 하게 하는 유인

(3) **시장 경제와 경제적 유인**: 경제적 유인은 경제 주체가 편익과 비용을 고려하여 합리적으로 행동할 수 있게 유도하고, 이는 시장 경제를 움직이는 원동력이 됨

예 시장의 가격 상승은 소비자에게는 수요량을 줄이도록 하는 부정적 유인으로 작용하고, 생산자에게는 공급량을 늘리도록 하는 긍정적 유인으로 작용하지.

완자 자료 탐구

내 옆의 선생님

기회비용과 합리적 선택

제목	대학에 진학해야 할까요, 말아야 할까요?	글쓴이	갑

내용 저는 고등학교 졸업 후 대학에 진학할지 취업할지 고민입니다. 만약 대학에 진학하지 않고 바로 취업하여 일한다면 1년에 2,000만 원을 벌 수 있어요. 만약 대학에 진학한다면 1년에 등록금은 800만 원이고, 교잿값과 생활비가 600만 원 정도 들 것 같아요.

갑이 대학에 진학할 경우 1년 동안 드는 명시적 비용은 등록금, 교잿값, 생활비를 모두 합한 1,400만 원이다. 한편 대학 진학은 취업을 포기한 선택이므로, 취업을 하여 1년 간 벌 수 있는 2,000만 원이 암묵적 비용이 된다. 따라서 대학 진학 시 발생하는 1년 동안의 기회비용은 명시적 비용과 암묵적 비용을 합한 3,400만 원이다. 대학 재학 기간을 4년으로 볼 경우 1억 3,600만 원이 대학 진학의 기회비용이 된다.

완자샘의 탐구 강의

• 대학 진학의 기회비용에 포함되는 것을 찾아 써 보자.
등록금, 교잿값, 생활비를 모두 합한 명시적 비용과 취업했을 시 얻을 수 있는 수입인 암묵적 비용이 포함된다.

• 갑의 고민에 대한 답변을 서술해 보자.
대학 진학으로 얻을 수 있는 4년 동안의 편익이 기회비용인 1억 3,600만 원보다 크다면 대학 진학을 선택하는 것이 합리적이다. 하지만 편익이 그보다 작다면 취업하는 것이 합리적이다.

함께 보기 20쪽. 1등급 정복하기 4

자료 4 매몰 비용과 의사 결정

1960년대 프랑스와 영국은 초음속 여객기인 콩코드기를 공동으로 개발하였다. 콩코드 여객기는 높은 생산비와 기계 결함, 소음 문제 등으로 경제성이 없다고 평가받았지만, 양국 정부는 막대한 투자 비용을 회수하기 위해 상업 비행을 시작하였다. 콩코드 여객기는 운항할수록 적자가 쌓였고, 결국 큰 손실을 본 후에 운항을 중단하였다. — 이강연, 「포카라의 행동 심리 투자 전략」

제시된 사례에서 콩코드 여객기를 개발한 프랑스와 영국 정부는 매몰 비용에 미련을 두고 무리한 운항을 선택함으로써 큰 손실을 보게 되었다. 매몰 비용을 제외하고 앞으로 지출할 비용과 편익만 고려하였다면 양국 정부도 손실을 줄일 수 있었을 것이다. 이처럼 합리적 선택을 위해서는 선택에 따라 새롭게 발생하는 추가 비용과 편익만을 고려해야 한다.
└ 어떤 선택을 하더라도 매몰 비용은 회수할 수 없으므로, 합리적 선택을 위해서는 매몰 비용을 고려해서는 안 돼.

자료 5 정부 정책과 경제적 유인

(가) 에코 마일리지 제도는 신청자가 전기, 수도 등의 에너지 사용량을 줄이면 절감한 만큼 마일리지를 적립해 주고, 적립한 마일리지를 상품 구입 등에 사용할 수 있도록 한 제도이다.

(나) 「자원의 절약과 재활용 촉진에 관한 법률」에 따라 일회용품 사용 규제를 위반한 사업장에 과태료를 부과하자, 상점에서 일회용 비닐봉지를 소비자에게 제공·판매하지 않게 되었다.

정부는 사람들의 행동을 사회적으로 바람직한 방향으로 이끌고자 경제적 유인을 활용한 정책을 실시하기도 한다. (가)에서 에코 마일리지 제도는 신청자들의 편익을 증가시킴으로써 에너지 사용량을 줄이고자 한 것으로, 긍정적 유인에 해당한다. (나)에서 일회용품 사용 규제를 위반한 사업장에 과태료를 부과한 것은 일회용 비닐봉지 사용을 줄이고자 한 것으로, 부정적 유인에 해당한다.

정리 비법을 알려줄게!

명시적 비용과 암묵적 비용

명시적 비용	어떤 선택을 할 때 화폐로 직접 지불한 비용
암묵적 비용	화폐로 직접 지불하지는 않지만 어떤 선택으로 인해 포기한 다른 대안의 가치

자료 하나 더 알고 가자!

경제적 유인의 사례

긍정적 유인	상금 틀어서 예방 수사 신속 비용 지불 등
부정적 유인	쓰레기 종량제, 전력 요금 누진제, 환경 오염세 등

STEP 1 핵심 개념 확인하기

1 다음 괄호 안에 들어갈 알맞은 말에 ○표를 하시오.

(1) 고장 난 자동차를 수리하는 것은 (생산, 소비)의 사례이다.

(2) 재화와 서비스를 소비하는 경제 활동의 주체는 (가계, 기업)이다.

(3) 인간의 욕구를 충족하는 무형의 상품으로, 인간의 행위로 나타나는 경제 활동의 객체는 (재화, 서비스)이다.

2 다음 설명이 맞으면 ○표, 틀리면 ✕표를 하시오.

(1) 희소성은 자원의 절대적인 양에 따라 결정된다. ( )

(2) 희소성이 존재하여 대가를 지불해야 소비할 수 있는 재화를 무상재라고 한다. ( )

(3) 동일한 재화나 서비스라고 하더라도 시대와 장소에 따라 희소성이 달라질 수 있다. ( )

3 기본적인 경제 문제와 그 내용을 옳게 연결하시오.

(1) 무엇을 얼마나 생산할 것인가? • • ㉠ 생산물의 생산 방법 결정

(2) 어떻게 생산할 것인가? • • ㉡ 생산물의 분배 방법 결정

(3) 누구를 위하여 생산할 것인가? • • ㉢ 생산물의 종류와 양 결정

4 ㉠, ㉡에 들어갈 내용을 각각 쓰시오.

기회비용은 어떤 선택을 할 때 직접 지불한 (㉠   )과 그 선택을 함으로써 포기한 대안의 가치인 (㉡   ) 중 가장 큰 것을 합친 것이다.

5 다음 빈칸에 들어갈 내용을 쓰시오.

(1) (   )은 이미 지불되어 회수할 수 없는 비용이다.

(2) 합리적 선택은 여러 대안의 편익과 비용을 분석하여 (   )이 가장 큰 대안을 선택하는 것이다.

(3) 보상으로 편익을 증가시키거나 비용을 감소시켜 어떤 행위를 더 하게 하는 유인을 (   )이라고 한다.

STEP 2 내신 만점 공략하기

01 ㉠에 들어갈 경제 활동의 유형에 해당하는 사례로 옳지 <u>않은</u> 것은?

세상에 존재하는 자원 중 그대로 이용할 수 있는 것은 많지 않다. 대부분의 자원은 우리가 필요로 하는 형태로 변환해야 하며, 이를 위해서는 사람들의 노력이 필요하다. 이러한 노력이 더해질 때 자원은 우리가 이용하기에 좀 더 적합한 형태로 바뀌면서 그 가치가 증대된다. 이처럼 생활에 필요한 재화나 서비스를 새롭게 만들어 내거나, 그 가치를 증대시키는 행위를 (㉠)(이)라고 한다.

① 갑은 주문받은 음식을 손님에게 판매하였다.

② 을은 만들어진 자동차를 판매점으로 운반하였다.

③ 병은 어머니의 생신을 맞아 케이크를 구입하였다.

④ 정은 새로운 기계를 개발하여 냉장고를 제조하였다.

⑤ 무는 출하 시기를 조절하기 위해 가을에 수확한 사과를 겨울까지 보관하였다.

02 밑줄 친 ㉠~㉟에 대한 설명으로 옳은 것은?

㉠ 갑은 대학교를 졸업하고 ㉡ 햄버거 가게를 운영하고 있다. 이 햄버거 가게에서는 ㉢ 불고기버거, 새우버거 등과 같은 햄버거뿐만 아니라 ㉣ 커피와 과일 주스 등과 같은 음료를 판매하는데, 출퇴근길에 많은 직장인들이 이곳에 들러 다양한 ㉤ 제품을 구입한다. 갑은 최근 매출이 늘자 ㉥ 직원의 ㉦ 월급을 올려주기로 하였다.

① ㉠은 경제 주체, ㉤은 경제 객체에 해당한다.

② ㉡은 소비 활동에 해당한다.

③ ㉢은 재화, ㉣은 서비스에 해당한다.

④ ㉤은 재화의 가치를 증대시키는 활동이다.

⑤ ㉦을 받는 것은 분배 활동에 해당한다.

03 그림은 경제 주체 A~D를 구분한 것이다. 이에 대한 설명으로 옳지 <u>않은</u> 것은?

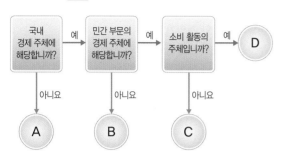

① A는 무역 활동의 주체이다.
② B는 사회 전체가 필요로 하는 도로, 치안, 국방 등을 생산한다.
③ C는 D에게 재화와 서비스를 제공한다.
④ D는 C가 제공하는 생산 요소를 구매하여 사용한다.
⑤ C, D는 B에게 세금을 납부한다.

04 다음 사례에 대한 설명으로 옳지 <u>않은</u> 것은?

> (가) ㉠ <u>갑국</u>은 홍수 피해를 예방하기 위하여 댐을 건설하였다.
> (나) 고등학생인 ㉡ <u>을</u>은 은행에 예금한 대가로 이자를 받았다.
> (다) ㉢ <u>여행사</u>에 근무하는 병은 국내 여행 상품을 개발하여 판매하였다.

① (가)에 나타난 경제 객체는 재화이다.
② (나)에서는 생산된 상품을 구매하여 만족감을 얻는 활동이 이루어졌다.
③ (다)에 나타난 경제 객체는 서비스이다.
④ (가), (다)에서는 경제적으로 가치 있는 것을 만드는 활동이 이루어졌다.
⑤ ㉠은 정부, ㉡은 가계, ㉢은 기업이다.

05 (가)~(라)에 해당하는 사례를 〈보기〉에서 고른 것은?

구분		경제 활동의 유형	
		생산	소비
경제 객체	재화	(가)	(나)
	서비스	(다)	(라)

> **보기**
> ㄱ. (가) – 갑은 콘서트를 관람하였다.
> ㄴ. (나) – 을은 스마트폰을 구매하였다.
> ㄷ. (다) – 정은 학교에서 강의를 하였다.
> ㄹ. (라) – 병은 공장에서 부품을 만들어 자동차를 조립하였다.

① ㄱ, ㄴ ② ㄱ, ㄷ ③ ㄴ, ㄷ
④ ㄴ, ㄹ ⑤ ㄷ, ㄹ

06 다음 사례를 통해 도출해 낼 수 있는 결론으로 가장 적절한 것은?

> 필리핀 시장의 망고와 파파야 가격을 비교해 보자. 이 둘의 생산 비용은 거의 비슷하지만 생산량은 망고가 훨씬 많다. 당연히 양이 많은 망고가 파파야보다 가격이 더 쌀 것 같지만, 실제로는 망고가 파파야보다 가격이 더 비싸다. 그 이유는 사람들이 파파야보다 망고를 더 선호하기 때문이다.

① 자원의 희소성은 상대적인 개념이다.
② 자원의 희소성은 시대에 따라 달라질 수 있다.
③ 인간의 필요와 욕구는 항상 동일하게 나타난다.
④ 사람들의 필요가 증가할수록 희소성은 작아진다.
⑤ 자원의 희소성은 자원의 절대적인 양에 따라 결정된다.

07 밑줄 친 ㉠, ㉡에 대한 설명으로 옳은 것은?

> 과거에는 대가를 지불하지 않고도 충분히 ㉠ 깨끗한 물을 마실 수 있었다. 하지만 환경이 오염되면서 깨끗한 물을 구하기 어려워지면서 최근에는 ㉡ 생수를 구입해 먹는 가정이 늘어나고 있다.

① ㉠은 사용해도 만족을 느낄 수 없는 재화이다.
② ㉡은 희소성이 없는 재화이다.
③ ㉠은 ㉡과 달리 존재량이 인간의 욕구보다 적다.
④ ㉡은 ㉠보다 유용성이 크다.
⑤ ㉡은 ㉠의 희소성이 커져서 나타난 것이다.

08 그림의 ㉠～㉣에 대한 설명으로 옳지 않은 것은?

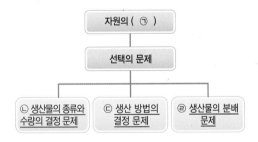

```
자원의 ( ㉠ )
      │
  선택의 문제
      │
 ┌────────┼────────┐
㉡ 생산물의 종류와   ㉢ 생산 방법의   ㉣ 생산물의 분배
 수량의 결정 문제     결정 문제        문제
```

① ㉠의 유무에 따라 무상재와 경제재로 구분할 수 있다.
② ㉡은 인간이 원하는 모든 것을 생산할 수 없기 때문에 직면하는 문제이다.
③ ㉢의 사례로 '생산비 절감을 위한 설비 자동화 도입'을 들 수 있다.
④ ㉣은 '누구를 위하여 생산할 것인가?'에 해당하는 문제이다.
⑤ ㉢, ㉣과 달리 ㉡을 해결하기 위해서는 형평성을 고려해야 한다.

09 (가)~(다)에 해당하는 경제 문제의 사례를 〈보기〉에서 골라 옳게 연결한 것은?

> (가) 어떻게 생산할 것인가?
> (나) 누구를 위하여 생산할 것인가?
> (다) 무엇을 얼마나 생산할 것인가?

보기
ㄱ. A 농장은 사과 생산량을 얼마나 늘릴지 고민하고 있다.
ㄴ. B국 정부는 어느 부문에 더 많은 예산을 편성할지 고민하고 있다.
ㄷ. C 은행은 창구 직원을 고용할지 자동화 기기를 설치할지 고민하고 있다.
ㄹ. D 기업은 근속 연수와 성과 중 무엇을 기준으로 임금을 지급할지 고민하고 있다.

	(가)	(나)	(다)
①	ㄱ	ㄴ	ㄷ
②	ㄴ	ㄹ	ㄱ
③	ㄷ	ㄱ	ㄹ
④	ㄷ	ㄹ	ㄱ
⑤	ㄹ	ㄱ	ㄴ

10 다음 대화에 대한 옳은 설명을 〈보기〉에서 고른 것은?

> • 갑: 요즘 환경 오염에 대한 정부의 규제로 전기 자동차에 대한 선호도가 높아지고 있습니다. 우리 회사도 대형 경유차 생산을 줄이고 전기 자동차 생산을 늘려야 합니다.
> • 을: 주력 생산 차량을 바꾸는 것보다는 생산성을 높이려는 노력이 필요합니다. 이를 위해 국내 공장을 해외로 이전하고, 자동화 설비를 도입해야 합니다.

보기
ㄱ. 갑의 제안은 '무엇을 얼마나 생산할 것인가?'를 해결하기 위한 것이다.
ㄴ. 을은 생산물의 분배 문제에 대한 제안을 하고 있다.
ㄷ. 갑은 을과 달리 효율성과 함께 형평성을 높이기 위한 제안을 하고 있다.
ㄹ. 갑과 을이 직면한 경제 문제는 자원의 희소성 때문에 나타난다.

① ㄱ, ㄴ 　　② ㄱ, ㄹ 　　③ ㄴ, ㄷ
④ ㄴ, ㄹ 　　⑤ ㄷ, ㄹ

11 경제 개념 (가), (나)에 대한 설명으로 옳지 <u>않은</u> 것은?

> (가) 이미 지급하고 난 뒤 회수할 수 없는 비용
> (나) 어떤 선택으로 직접 지불한 비용과 포기한 대안의 가치 중 가장 큰 것을 합친 것

① (가)는 매몰 비용이다.
② 합리적 선택을 할 때 (가)를 고려해서는 안 된다.
③ (나)는 기회비용이다.
④ 가격이 동일한 상품 중 하나를 소비할 때 포기한 대안들 중 가장 편익이 큰 것으로 (나)를 측정할 수 있다.
⑤ 합리적 선택은 편익이 (가)와 (나)의 합계보다 더 큰 대안을 선택하는 것이다.

12 ⭐중요 다음 사례에서 갑의 선택에 대한 옳은 분석을 〈보기〉에서 고른 것은?

> 갑은 음식점에서 한 시간당 8,000원을 받는 아르바이트를 하고 있다. 오늘 저녁에 친구들이 영화를 보러 가자고 하는데, 영화를 보려면 아르바이트 시간을 두 시간 정도를 빼야 한다. 그리고 영화 티켓의 가격은 10,000원이다. 고민하던 갑은 친구들과 영화를 보러 가기로 결정하였다.

〈보기〉
ㄱ. 갑의 선택에 따른 기회비용은 18,000원이다.
ㄴ. 갑의 선택에 따른 암묵적 비용은 8,000원이다.
ㄷ. 갑의 선택에 따른 명시적 비용은 10,000원이다.
ㄹ. 갑이 합리적 선택을 했다면 편익은 26,000원보다 크다.

① ㄱ, ㄴ   ② ㄱ, ㄷ   ③ ㄴ, ㄷ
④ ㄴ, ㄹ   ⑤ ㄷ, ㄹ

13 다음 사례에 대한 옳은 분석을 〈보기〉에서 고른 것은?

> 갑은 인터넷으로 응모한 이벤트에 당첨되어 A국 여행권을 경품으로 받을 수 있다. 이 경품은 ㉠ 본인 부담금이 발생하고, 경품 수령 후에는 취소나 양도, 일정 변경 및 재판매를 할 수 없다. 그러나 갑은 같은 기간에 B국을 여행하기로 하고 이미 ㉡ 계약금도 지불하였다. B국 여행 상품은 특가로 구입한 것이라 재판매가 안 되고, 취소하면 계약금도 환불받을 수 없어 갑은 어떤 결정을 내려야 할지 고민 중이다.

〈보기〉
ㄱ. ㉠은 A국 여행의 명시적 비용이다.
ㄴ. ㉡은 매몰 비용이므로 선택 시 고려해서는 안 된다.
ㄷ. B국 여행 선택 시 암묵적 비용은 발생하지 않는다.
ㄹ. B국 여행의 편익은 갑의 선택에 영향을 주지 않는다.

① ㄱ, ㄴ   ② ㄱ, ㄷ   ③ ㄴ, ㄷ
④ ㄴ, ㄹ   ⑤ ㄷ, ㄹ

14 다음 사례를 통해 알 수 있는 합리적 선택 시 유의해야 할 점으로 가장 적절한 것은?

> 1960년대 프랑스와 영국은 초음속 여객기인 콩코드기를 공동으로 개발하였다. 콩코드 여객기는 높은 생산비와 기계 결함, 소음 문제 등으로 경제성이 없다고 평가받았지만, 양국 정부는 막대한 투자 비용을 회수하기 위해 상업 비행을 시작하였다. 콩코드 여객기는 운항할수록 적자가 쌓였고, 결국 큰 손실을 본 후에 운항을 중단하였다.

① 편익을 고려한 선택을 해야 한다.
② 암묵적 비용도 기회비용에 포함시켜야 한다.
③ 이미 지불한 비용을 회수하기 위해 노력해야 한다.
④ 매몰 비용을 제외하고 앞으로 지출할 비용과 편익만을 고려해야 한다.
⑤ 새롭게 발생하는 비용뿐만 아니라 과거에 발생한 비용도 고려해야 한다.

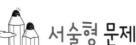
[15~16] 다음 글을 읽고 물음에 답하시오.

- ㉠ 에코 마일리지 제도는 신청자가 전기, 수도, 도시가스 등의 에너지 사용량을 줄이면 절감한 비율에 따라 마일리지를 적립해 주고, 적립한 마일리지를 상품 구입 등에 사용할 수 있도록 한 제도이다.
- ㉡ 음식물 쓰레기 종량제는 버린 음식물 쓰레기의 양만큼 비용을 부담하게 하는 제도이다. 실제로 2010년 일 평균 1만 3,671톤이었던 음식물 쓰레기 배출량이 제도 도입 후 점점 감소하였으며, 2013년에는 1만 2,663톤으로 감소하였다.

15 밑줄 친 ㉠, ㉡에 대한 설명으로 옳지 <u>않은</u> 것은?

① ㉠은 편익을 증가시키는 유인이다.
② ㉡은 비용을 감소시키는 유인이다.
③ ㉡은 특정한 행동을 억제하도록 하는 유인이다.
④ ㉠은 긍정적 유인, ㉡은 부정적 유인에 해당한다.
⑤ ㉠, ㉡ 모두 사람들이 합리적으로 행동한다는 것을 전제로 한다.

16 밑줄 친 ㉡에 나타난 경제적 유인과 그 성격이 유사한 사례를 〈보기〉에서 고른 것은?

┌─ 보기 ─────────────────────┐
ㄱ. A 기업은 업무 성과를 기준으로 경제적 보상을 차등 지급한다.
ㄴ. B국 정부는 불법 주정차를 하는 사람들에게 과태료를 부과한다.
ㄷ. C국 정부는 친환경 자동차를 구입하는 사람들에게 보조금을 지급한다.
ㄹ. D국 정부는 전력 사용의 낭비를 막기 위해 전기 요금에 누진제를 적용한다.
└───────────────────────────┘

① ㄱ, ㄴ   ② ㄱ, ㄷ   ③ ㄴ, ㄷ
④ ㄴ, ㄹ   ⑤ ㄷ, ㄹ

01 다음 글을 읽고 물음에 답하시오.

A 지역에서는 바나나보다 딸기를 구하기가 더 어렵다. 하지만 A 지역에서 바나나는 비싼 가격에 거래되고 있는 반면, 딸기는 ㉠ 아무런 대가를 지불하지 않고도 얻을 수 있다. 즉 ㉡ A 지역 사람들에게 바나나는 희소하고 딸기는 희소하지 않다.

(1) 밑줄 친 ㉠과 같은 특성을 가지는 재화를 무엇이라고 하는지 쓰시오.

(2) 밑줄 친 ㉡의 이유를 서술하시오.

02 다음 글을 읽고 물음에 답하시오.

회사에서 3천만 원의 연봉을 받고 직장 생활을 하던 갑은 직장을 그만두고 꽃집을 창업하였다. 창업 이후 1년간 총수입과 총지출 내역은 오른쪽 표와 같다. (단, 다른 요소들은 고려하지 않는다.)

총수입		1억 원
총지출	인건비	3천만 원
	재료비	3천만 원
	임대료	2천만 원
	기타 경비	1천만 원

(1) 갑이 1년 동안 꽃집을 운영한 것에 따른 기회비용을 계산하여 쓰시오.

(2) 갑이 직장을 그만두고 꽃집을 창업한 것이 합리적인 선택인지 아닌지, 그 이유를 들어 서술하시오.

STEP 3 1등급 정복하기

1 그림은 경제 활동의 유형 A~C를 질문에 따라 구분한 것이다. 이에 대한 옳은 설명만을 〈보기〉에서 있는 대로 고른 것은? (단, A~C는 각각 생산, 분배, 소비 중 하나이다.)

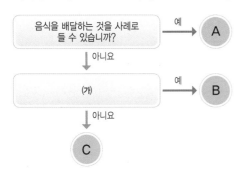

〉 경제 활동의 유형

완자샘의 시험 꿀팁
구체적 사례나 모식도를 통해 경제 활동의 유형을 찾고, 각각의 특징을 비교하는 문제가 자주 출제된다.

┌ 보기 ┐
ㄱ. A는 재화의 가치를 증대시키는 활동이다.
ㄴ. B가 소비라면, (가)에는 '렌터카 회사가 영업용 승용차를 구입하는 것을 사례로 들 수 있습니까?'가 들어갈 수 있다.
ㄷ. (가)가 '생산에 참여한 대가를 받는 활동입니까?'라면, 가계는 C를 통해 만족감을 얻는다.
ㄹ. 노동의 대가로 임금을 받는 것이 C의 사례라면, 택배 회사의 택배 서비스 제공은 B의 사례이다.

① ㄱ, ㄷ   ② ㄴ, ㄹ   ③ ㄱ, ㄴ, ㄷ
④ ㄱ, ㄴ, ㄹ   ⑤ ㄴ, ㄷ, ㄹ

─────────────────────

평가원 응용

2 밑줄 친 ㉠, ㉡에 대한 설명으로 옳은 것은?

> ㉠ A 버섯은 사람들이 식용으로 애용하는 버섯 중 하나이다. A 버섯은 농장에서 대량 생산이 용이하여 가격이 저렴하다. ㉡ B 버섯은 식이 섬유가 풍부하고 성인병 예방에 좋아 구입하려는 사람들이 많다. 하지만 B 버섯은 흙 속의 다이아몬드라고 불릴 정도로 채집하기 힘들어 매우 높은 가격에 거래된다.

① ㉠은 ㉡에 비해 희귀성이 크다.
② ㉠은 ㉡과 달리 존재량보다 인간의 욕구가 더 크다.
③ ㉡은 ㉠에 비해 희소성이 크다.
④ ㉡은 ㉠와 달리 경제적 가치가 있다.
⑤ ㉠은 무상재, ㉡은 경제재이다.

〉 자원의 희소성

┃완자 사전┃
• 희귀성
자원의 절대적인 존재량이 적은 상태

3 그림의 대화에 대한 설명으로 옳은 것은?

▶ 기본적인 경제 문제

 작년에 새롭게 출시한 A 제품으로 창사 이래 최대의 이익을 기록했습니다. 이러한 실적을 이어갈 수 있는 방안에 대해 말씀해 주십시오.

소비자의 선호가 빠르게 바뀌고 있으므로 A 제품의 생산을 줄이고 시장 전망이 더 좋은 B 제품의 생산을 늘려야 합니다. 갑

 을 A 제품에 대한 시장의 요구는 충분합니다. 생산 공정에 자동화 기계를 도입하여 A 제품 생산의 처리 속도를 더 높여야 합니다.

A 제품 생산을 위해 고생한 직원들을 격려하기 위해 이익금으로 직원들에게 특별 상여금을 지급해야 합니다. 병

① 갑의 제안은 기본적인 경제 문제 중 '어떻게 생산할 것인가?'를 해결하기 위한 것이다.
② 을은 생산 요소의 선택 및 결합 방법을 결정하는 문제에 관한 제안을 하고 있다.
③ 병의 제안은 경제 활동의 유형 중 소비 활동과 관련 있다.
④ 갑은 효율성을 높이기 위한 제안을 하고 있으며, 을, 병은 효율성과 함께 형평성을 높이기 위한 제안을 하고 있다.
⑤ 갑, 을, 병의 문제 인식은 모두 자원의 절대적인 존재량이 적다는 것을 기반으로 한다.

수능 응용

4 다음 자료에 대한 옳은 분석을 〈보기〉에서 고른 것은?

▶ 기회비용과 합리적 선택

완자샘의 시험 꿀팁
편익과 기회비용, 매몰 비용을 고려하여 어떤 선택이 가장 합리적인지 판단하는 문제가 자주 출제된다.

갑은 6개월 전 ○○ 회사의 ㉠ A 자동차를 3,000만 원에 구매했는데 최근 ○○ 회사는 ㉡ 최신형 B 자동차를 3,200만 원에 출시하였다. 이 회사는 A 자동차를 구매한 고객에 한해 700만 원의 추가 비용을 내면 ㉢ A 자동차를 최신형 B 자동차로 교체해 주는 행사를 하고 있다. 현재 A 자동차를 중고차 시장에 매도할 경우 ☐ (가) ☐ 만 원을 받을 수 있다. 이에 갑은 다음 세 가지 방안 중 하나를 선택하려고 한다. 단, 제시된 자료 이외의 다른 조건은 고려하지 않는다.
〈1안〉 ㉠을 중고차 시장에 매도하고 ㉡을 구매
〈2안〉 ㉢에 참여함으로써 ㉡을 구매
〈3안〉 ㉠을 계속 사용

보기
ㄱ. ㉠을 구매할 때 지불한 3,000만 원 전액은 매몰 비용이다.
ㄴ. ㉢에 참여하기 위한 700만 원의 추가 비용은 〈2안〉을 선택하는 데 따른 기회비용에 포함된다.
ㄷ. (가)가 '2,400'이라면 〈1안〉을 선택하는 것이 합리적이다.
ㄹ. (가)가 '2,500'이고 ㉡으로부터 얻게 될 편익이 ㉠으로부터 얻게 될 편익보다 600만 원이 크다면, 〈3안〉을 선택하는 것이 합리적이다.

① ㄱ, ㄴ   ② ㄱ, ㄷ   ③ ㄴ, ㄷ
④ ㄴ, ㄹ   ⑤ ㄷ, ㄹ

5 다음 자료에 대한 분석으로 옳은 것은?

비용과 편익 분석

표는 갑의 X재 또는 Y재 소비량에 따른 평균 효용을 나타낸 것이다. X재의 가격은 2,000원, Y재의 가격은 1,000원이며, 갑은 X재와 Y재를 소비하는데 자신의 용돈을 모두 사용한다. 단, X재, Y재 각각 최대로 소비할 수 있는 개수는 5개이다.

소비량	1개	2개	3개	4개	5개
X재	2,900	2,600	2,300	2,000	1,600
Y재	1,600	1,500	1,400	1,200	900

* 평균 효용 = 총효용 / 소비량

① 갑이 X재 4개를 소비할 때 얻는 총효용은 5개를 소비할 때보다 크다.
② 갑이 Y재 4개를 소비할 때 얻는 총효용은 5개를 소비할 때보다 작다.
③ 갑이 Y재 소비량을 1개씩 늘릴 때마다 추가적으로 얻는 효용은 모두 양(+)의 값을 가진다.
④ 갑의 용돈이 4,000원일 경우 X재 1개와 Y재 2개를 소비하는 것이 합리적이다.
⑤ 갑의 용돈이 6,000원일 경우 X재 1개와 Y재 4개를 소비하는 것이 합리적이다.

한자 사전

• 효용
소비자가 어떤 물건을 사거나 서비스를 이용하였을 때 느끼게 되는 만족감

6 밑줄 친 ㉠~㉣에 대한 옳은 설명을 〈보기〉에서 고른 것은?

경제적 유인

갑은 자신이 단장으로 있는 아마추어 오케스트라의 단원들이 자주 지각을 하자 지각을 줄이기 위해 ㉠ 지각 벌금제를 실시하기로 하였다. 갑은 ㉡ 지각을 하는 단원들에게 무조건 1,000원의 벌금을 부과하였다. 하지만 ㉢ 지각 벌금제가 시행된 이후 오히려 지각하는 사람들이 더 많아졌다. 이에 갑은 ㉣ 지각하는 단원들에게 지각 시간 10분당 3,000원의 벌금을 부과하는 방안으로 변경하였고, 이후 지각하는 단원들이 없어졌다.

보기

ㄱ. ㉠과 같은 성격을 가진 경제적 유인의 사례에는 '쓰레기 종량제'가 있다.
ㄴ. ㉢은 단원들이 지각에 따른 편익이 벌금보다 더 크다고 판단했기 때문이다.
ㄷ. ㉣에서 부과되는 벌금을 인상할 경우 벌금으로 얻는 수입은 반드시 증가한다.
ㄹ. ㉡은 긍정적 유인, ㉣은 부정적 유인에 해당한다.

① ㄱ, ㄴ   ② ㄱ, ㄷ   ③ ㄴ, ㄷ
④ ㄴ, ㄹ   ⑤ ㄷ, ㄹ

완자샘의 시험 꿀팁

구체적 사례에 나타난 경제적 유인의 종류를 파악하고, 그 특징을 묻는 문제가 자주 출제된다. 각각의 경제적 유인이 사람들의 어떤 행동을 유발하는지 유추할 수 있어야 한다.

02 경제 문제의 해결 방식

학습목표
- 경제 체제의 유형을 구분하고, 각 경제 체제의 특성을 설명할 수 있다.
- 시장 경제의 기본 원리와 이를 뒷받침하는 제도를 제시할 수 있다.

이것이 핵심!

다양한 경제 체제

전통 경제 체제	전통과 관습에 따라 경제 문제를 해결함
계획 경제 체제	정부의 계획과 명령에 따라 경제 문제를 해결함
시장 경제 체제	시장 가격에 기초한 자율적 선택에 따라 경제 문제를 해결함
혼합 경제 체제	시장 경제 체제와 계획 경제 체제의 요소가 혼합되어 있음

★ 관습
어떤 사회에서 오랜 시간 동안 지켜져 내려와 그 사회 구성원들이 널리 인정하는 풍습이나 질서

★ 생산 수단
생산 과정에서 노동의 대상이나 도구가 되는 모든 생산 요소를 말한다. 토지, 지하자원, 생산용 건물, 교통 및 통신 수단 등이 해당한다.

★ 국유
기업이나 생산 수단 등의 지배권 또는 소유권을 국가의 소유로 하는 것

① 다양한 경제 체제

1. 경제 체제의 의미와 유형

(1) **경제 체제**: 경제 문제를 해결하기 위해 희소한 자원을 어떻게 사용하고 배분할지를 결정하는 방식이나 제도

(2) **경제 체제의 특징**: 경제 체제에는 그 사회의 문화나 사회적 상황 등이 반영되어 있기 때문에 국가나 사회에 따라 다양하게 나타남

(3) **경제 체제의 유형**

구분 기준	유형	특징
경제 문제의 해결 방식에 따른 구분	전통 경제 체제	전통과 *관습에 따라 경제 문제를 해결함
	계획 경제 체제	중앙 정부의 계획과 명령에 따라 경제 문제를 해결함
	시장 경제 체제	시장 가격에 기초한 개인의 자율적인 선택에 따라 경제 문제를 해결함
생산 수단의 소유 형태에 따른 구분	자본주의	*생산 수단에 대한 개인의 소유를 보장함
	사회주의	생산 수단의 *국유 또는 공유를 원칙으로 함

2. 다양한 경제 체제

(1) **전통 경제 체제** 자료① ┌ 부족 단위의 생활을 하는 소규모 공동체에서 드물게 나타나고 있어.

의미	과거로부터 내려온 전통과 관습에 따라 경제 문제를 해결하는 경제 체제
장점	• 선택에 대한 고민이 다른 경제 체제에 비해 상대적으로 적은 편임 • 각종 상황에 대한 예측이 가능하여 사회의 안정에 기여함
단점	• 구성원들의 자유로운 선택이 제한되어 개인의 다양한 욕구를 충족하기 어려움 • 외부 상황 변화에 융통성 있게 대처하지 못하여 사회의 변화와 발전이 지연될 수 있음

(2) **계획 경제 체제** 자료②

의미	중앙 정부의 계획과 명령에 따라 경제 문제를 해결하는 경제 체제
특징	정부가 생산 수단의 대부분을 소유한 채 경제 문제에 대한 의사 결정을 내림 → 생산 수단의 국유를 원칙으로 하는 사회주의와 밀접한 관련이 있음
장점	• 중앙 정부의 강력한 정책 집행으로 국가의 정책 목표를 효과적으로 달성할 수 있음 • 자원이 특정 계층이나 집단에 편중되는 것을 막음으로써 분배의 형평성을 실현할 수 있음
단점	• 생산 수단에 대한 개인의 소유권이 제한되어 생산 동기가 부족해짐 • 소비자의 다양한 욕구를 일일이 반영하여 계획을 세우기 어려움 • 개인의 자유로운 선택이 제한되어 창의적이고 자발적인 경제 활동이 이루어지기 어려움

└ 일자리, 주거지 등도 정부의 결정에 따라야 하지.

(3) **시장 경제 체제** 자료③

의미	가계와 기업이 자신의 이익을 추구하는 과정에서 경제 문제가 시장 가격을 통해 자율적으로 해결되는 경제 체제
특징	정부는 국방, 치안 등 제한적인 역할만 하고, 대부분의 경제 활동은 시장에서 민간 경제 주체들이 스스로 결정함 → 생산 수단의 사유를 기본으로 하는 자본주의와 밀접한 관련이 있음
장점	• 자유롭고 창의적인 경제 활동이 이루어짐 • 각자의 이익을 최대화하기 위해 노력하는 가운데 사회 전체적으로 효율성이 증대됨
단점	• 개인의 능력이나 가정 환경의 차이, 사회적·경제적 구조 등의 요인에 의해 빈부 격차가 발생할 수 있음 • 급격한 경기 변동이 나타날 수 있음 • 개인의 자유로운 선택이 구성원 간에 충돌을 일으키거나 공동체의 이익을 침해하기도 함

완자 자료 탐구

내 옆의 선생님

자료 ① 전통 경제 체제

> 태평양 한가운데 위치한 아누타섬에는 300여 명의 주민이 살고 있다. 이 섬의 경제 활동은 대부분 바다에서 이루어지며, 이들은 함께 일하고 함께 나눈다. 먹을 만큼만 잡고, 잡아 온 물고기는 마을 사람들이 모두 모인 곳에서 족장이 분배한다. 이러한 생산이나 분배의 방식은 수백 년 동안 이어져 온 그들만의 관습이다.
>
> – SBS 스페셜, 「최후의 제국」

제시된 사례에서처럼 과거로부터 내려온 전통과 관습에 따라 경제 문제를 해결하는 경제 체제를 전통 경제 체제라고 한다. 전통 경제 체제에서는 구성원들이 전통 방식에 대해 공유하고 있으므로 각종 상황에 대한 예측이 가능하여 사회의 안정에 기여할 수 있다. 하지만 급변하는 외부 상황 변화에 융통성 있게 대처하지 못하는 문제가 발생할 수도 있다.

자료 ② 계획 경제 체제

> 1990년 이전의 구소련에는 시장이 존재하지 않았다. 무엇을 얼마나 생산할지는 정부가 결정하였다. 예를 들면, 정부는 못을 생산하는 기업에 못을 몇 개 생산할지 목표를 정해 준다. 그러면 그 기업은 목표를 쉽게 달성하기 위해 아주 작은 크기의 못을 생산한다. 그러자 정부는 이제 못의 무게를 기준으로 목표를 정해 준다. 그러면 기업은 더 빨리 목표를 달성하기 위해 아주 큰 못을 생산한다. 기업은 못의 품질에는 관심이 없다. 못은 '팔리는' 것이 아니라 수요자인 다른 어떤 기업에 '할당되기' 때문이다.
>
> – 모니크 아벨라르, 「프랑스 경제 사회 통합 교과서」

제시된 사례에서 못을 생산하는 기업은 소비자의 필요에 부합하기 위해서가 아니라 정부의 명령을 준수하기 위해 못을 생산하고 있다. 이를 통해 구소련에서는 계획 경제 체제를 운용하였음을 알 수 있다. 계획 경제 체제에서는 개인이 일한 만큼 분배받는 것이 아니기 때문에 생산 동기가 부족해지고, 개인의 창의적이고 적극적인 경제 활동이 이루어지지 않아 경제 활동의 효율성이 낮아질 수 있다.

자료 ③ 시장 경제 체제

> 사람은 누구나 생산물의 가치를 극대화하는 방향으로 자신의 자원을 활용하려고 노력하며, 개인이 자신의 이익을 추구할 때 효율적인 자원 배분이 가능하다. 예를 들면, 기업이 못을 생산할 때 어떤 못을 얼마나 생산할 것인가는 기업이 자신의 이익을 최대화할 수 있는 방향으로 자유롭게 선택하며, 이 과정에서 기업은 생산비를 낮추려고 노력한다. 즉 기업의 입장에서는 자신이 생산한 못이 시장에서 '팔리는' 것이므로 못의 가격과 품질에 관심을 기울일 수밖에 없다.

시장 경제 체제에서는 경제 주체가 각자 자신의 이익을 추구할 때 효율적인 자원 배분이 가능하다고 본다. 시장 경제 체제에서는 정부가 시장 개입을 최소화하고 가계와 기업이 자유롭게 경제 활동을 하므로 개인의 창의성이 발휘될 수 있으며, 각자의 이익을 최대화하기 위해 노력하는 가운데 사회 전체의 생산성이 높아질 수 있다. 반면 <u>경제적 배경, 교육 수준 등의 차이로 빈부 격차가 나타날 수 있으며</u>, 개인의 자유로운 선택이 서로 심각하게 충돌할 경우 사회에 무질서와 혼란이 생기기도 한다.

└ **VS** 계획 경제 체제는 부와 소득의 불평등을 완화하려는 목표를 지니지.

자료 하나 더 알고 가자!

경제 문제의 발생과 경제 체제

자원의 희소성으로 모든 사회는 기본적인 경제 문제에 직면하며, 사회마다 경제 문제를 해결하는 방식은 다르게 나타난다.

문제 로 확인할까?

계획 경제 체제의 특징으로 옳지 않은 것은?
① 개인의 소유권과 선택의 자유가 제한된다.
② 국가의 정책 목표를 신속히 달성할 수 있다.
③ 소비자의 욕구를 계획에 일일이 반영하기 어렵다.
④ 각 경제 주체가 소비와 생산을 자유롭게 결정한다.
⑤ 중앙 정부의 계획과 명령에 따라 경제 문제를 해결한다.

④ 답

정리 비법을 알려줄게!

계획 경제 체제와 시장 경제 체제

구분	계획 경제 체제	시장 경제 체제
자원 배분 수단	정부의 계획과 명령	시장 가격
의사 결정 주체	중앙 정부	개별 경제 주체
장점	분배의 형평성 실현	자율성 및 효율성 증대
단점	생산 동기 부족, 경제 활동의 효율성 저하	빈부 격차, 급격한 경기 변동, 사회 혼란 우려

02 경제 문제의 해결 방식

(4) 혼합 경제 체제 자료④

의미	시장 경제 체제와 계획 경제 체제의 요소가 혼합된 경제 체제
등장 배경	미국 정부가 1930년대의 ★대공황을 해결하기 위해 경제 문제에 개입함 → 시장 경제 체제를 바탕으로 하면서 정부의 역할을 강조하는 혼합 경제 체제가 등장함
특징	• 오늘날 대부분의 국가에서 채택하고 있음 • 국가가 추구하는 사회적 목표에 따라 경제 혼합의 정도는 국가마다 다르며, 정부의 역할도 국가마다 차이가 있음

이것이 핵심!

시장 경제의 기본 원리와 사회 제도

시장 경제의 기본 원리
시장 가격에 의한 자발적 선택과 교환, 자기 이익 추구, 자유로운 경쟁, 분업과 교환 등

↑

시장 경제를 뒷받침하는 사회 제도
• 사유 재산권의 보장
• 경제 활동의 자유 보장
• 공정한 경쟁의 보장

★ 가격 기구
시장에서 수요와 공급을 조절하고, 적정한 가격 배분의 상태를 실현하는 가격의 기능

★ 분업
생산 과정을 여러 부문으로 나누어 여러 사람이 분담해 일을 완성하는 것

★ 특화
각자 잘하는 일에 또는 자원을 가장 효율적으로 사용할 수 있는 일에 전념하는 것

★ 계약
개인들 사이에 거래를 두고 맺는 약속 가운데 법률적으로 구속력 있는 약속

★ 담합
공급자들이 협약이나 의결을 통해 가격이나 생산량을 조정하는 행위

2 시장 경제의 기본 원리와 사회 제도

1. 시장 경제의 기본 원리

(1) 시장 가격에 의한 자발적 선택과 교환

① 자유로운 선택과 교환: 시장 경제 체제에서 각 경제 주체는 무엇을, 언제, 어디서, 어떻게, 얼마만큼 생산하고 소비할 것인가를 독자적이고 자유롭게 선택함

② 시장 가격의 기능: 생산과 소비의 신호등 기능, 효율적인 자원 배분의 기능 → 시장 경제에서 ★가격 기구는 경제 주체의 경제 활동을 자동으로 조정하는 '보이지 않는 손'의 역할을 함 자료⑤
└ 어떤 상품의 가격이 정해지면, 생산자는 이 가격에 상품을 생산할지 말지 결정하고, 소비자는 이 가격에 상품을 살지 말지 결정하게 돼.

(2) 자기 이익 추구: 각 경제 주체는 자신의 이익을 극대화하는 방향으로 시장에 참여함 → 희소한 자원의 효율적 배분
└ 꿀! 시장 경제에서 경제 주체의 이익 추구는 경쟁을 전제로 해.

(3) 자유로운 경쟁: 소비자는 더 적은 비용으로 더 큰 편익을 주는 상품을 구입하려 하고, 생산자는 더 적은 비용으로 좋은 상품을 개발하여 더 많은 이윤을 얻으려고 경쟁함 → 사회 전체의 효율성 향상, 사회적 자원의 낭비 방지

(4) 분업과 교환: 사람들은 시장에서 ★분업과 ★특화를 통해 생산성이 높은 일에 전념하여 효율적으로 생산하고, 이를 통해 얻은 소득으로 필요한 상품을 구입함 → 사회 전체의 효율성 향상
└ 사람들은 시장을 통해 재화와 서비스를 교환하고, 필요한 물품을 구입하여 생활하지.

2. 시장 경제를 뒷받침하는 사회 제도

(1) 사유 재산권의 보장
┌ 건물, 토지, 기계뿐만 아니라 노동, 저작물, 아이디어까지 포함하는 개념이야.

① 사유 재산권: 개인과 기업이 사유 재산을 사용함으로써 얻은 이익을 소유하거나 자유롭게 처분할 수 있는 권리

② 사유 재산권의 보장: 헌법과 법률에서 재산의 처분, 수익, 이용에 관한 권리를 명시함 → 경제 활동의 동기 부여, 자원의 효율적 배분, 사회적 자원의 낭비 방지

(2) 경제 활동의 자유 보장: 개별 경제 주체가 자유롭게 경제적 의사 결정을 할 수 있도록 영업의 자유, ★계약 자유의 원칙, 직업 선택의 자유 등을 보장함 → 생산성 향상, 사회적 자원의 최적 배분 유도
└ 기업은 자신의 이익을 극대화할 수 있는 상품과 생산 방식 등을 자유롭게 결정할 수 있어.

(3) 공정한 경쟁의 보장: 시장 경제의 올바른 작동을 방해하는 독과점, 기업 간의 ★담합, 허위 및 과대 광고 등의 불공정한 경쟁 행위를 규제함 → 자원의 효율적 배분, 시장 경제의 유지 및 발전에 기여 교과서 자료

완자 자료 탐구 — 내 옆의 선생님

자료 ④ 헌법에 나타난 우리나라의 경제 체제

「헌법 제119조」
시장 경제 체제의 특성
① 대한민국의 경제 질서는 개인과 기업의 경제상의 자유와 창의를 존중함을 기본으로 한다.
② 국가는 균형 있는 국민 경제의 성장 및 안정과 적정한 소득의 분배를 유지하고, 시장의 지배와 경제력의 남용을 방지하며, 경제 주체 간의 조화를 통한 경제의 민주화를 위하여 경제에 관한 규제와 조정을 할 수 있다. ─ 계획 경제 체제의 특성

우리나라 헌법 제119조 ①항에서는 개인과 기업의 이익 추구를 위해 경제 활동의 자유가 보장되어야 함을 명시하고 있으며, ②항에서는 정부가 경제에 관한 규제와 조정을 할 수 있음을 명시하고 있다. 이를 통해 우리나라의 경제 체제가 시장 경제 체제를 중심으로 계획 경제 체제의 일부 요소를 받아들인 혼합 경제 체제임을 알 수 있다.

자료 ⑤ 보이지 않는 손

우리가 오늘 저녁을 먹을 수 있는 것은 푸줏간 주인, 양조장 주인, 빵 굽는 사람의 자비심 때문이 아니라 그들이 자신의 이익을 추구하기 때문이다. …(중략)… 개인은 공공의 이익을 증진할 의도도 없고 그가 얼마나 공공의 이익을 증진하는지도 모른다. 개인은 자신의 사적 이익만 추구하고 이 과정에서 그들이 의도하지 않은 어떤 목적을 달성하기 위해 '보이지 않는 손'에 의해 인도되고 있다.
─ 애덤 스미스, 「국부론」

애덤 스미스는 시장 경제에서 정부나 개인의 인위적인 조절 없이도 가격을 통해 자원이 배분되는 것을 '보이지 않는 손'이라고 표현하였다. 시장 경제 체제에서는 '보이지 않는 손'이라고 불리는 가격 기구를 통해 경제 주체들의 자유로운 선택과 자발적 교환이 이루어지며, 사회적으로 희소한 자원이 효율적으로 배분된다.

수능이 보이는 교과서 자료 — 공정한 경쟁을 보장하기 위한 제도

공정 거래 위원회는 확률형 게임 아이템을 판매하면서 획득 확률과 획득 기간에 관한 정보를 허위로 표시하는 등 거짓·과장·기만적 방법으로 소비자를 유인한 게임 사업자 3곳에 시정 명령을 하고, 과태료 총 2,550만 원, 과징금 총 9억 8,400만 원을 부과하였다. 이번 조치는 사업자에게 소비자의 구매 선택에 큰 영향을 미칠 수 있는 정보를 소비자가 오인하지 않도록 표시할 책임이 있음을 분명히 했다는 점에서 의의가 있다. ─ 「한국 정책 신문」, 2018. 4. 1.

제시된 사례에 나타난 허위 및 과대 광고를 비롯하여 기업 간의 담합 행위, 독과점 등 여러 가지 불공정한 경쟁 행위는 시장 경제의 원활한 작동을 방해한다. 따라서 정부는 공정한 경쟁이 보장될 수 있도록 규칙을 만들고 적용하는 역할을 해야 한다. 우리나라는 독점 및 불공정 거래에 관한 사안을 심의·의결하기 위해 공정 거래 위원회를 설립하여 운영하고 있다. ─ 경쟁 촉진, 소비자 주권 확립, 중소기업 경쟁 기반 확보, 경제력 집중 억제 등의 역할을 해.

문제로 확인할까?

시장 경제 체제의 기본 원리로 적절하지 않은 것은?
① 분업과 교환이 이루어진다.
② 자유로운 경쟁이 이루어진다.
③ 개인의 이익 추구를 보장한다.
④ 정부의 명령에 따라 경제 문제를 해결한다.
⑤ 각 경제 주체들은 시장 가격에 기초하여 의사를 결정한다.
④ 目

자료 하나 더 알고 가자!

사유 재산권의 보장

헌법 제23조 ① 모든 국민의 재산권은 보장된다. 그 내용과 한계는 법률로 정한다.

사유 재산권이 보장되면 사람들은 보다 많은 재산을 소유하기 위해 열심히 노력하고, 자원을 효율적으로 이용하려고 할 것이다. 반면, 사유 재산권이 보장되지 않는다면 사람들이 자원을 아껴 사용할 동기가 약해져 재산이나 자원이 낭비될 우려가 있다.

완자쌤의 탐구 강의

• 공정 거래 위원회가 허위 및 과대 광고를 규제하는 이유를 서술해 보자.
소비자에게 왜곡된 정보를 줄 수 있는 허위 및 과대 광고는 공정한 경쟁을 저해하여 시장 경제 체제가 제대로 작동하는 것을 방해하고 사회적으로 비효율적인 자원 배분이 이루어지도록 한다. 이와 같은 불공정 경쟁 행위를 규제함으로써 경쟁의 결과가 왜곡되지 않고 소비자들이 피해를 보지 않게 된다.

함께 보기 29쪽, 내신 만점 공략하기 12

STEP 1 핵심 개념 확인하기

1 ㉠, ㉡에 들어갈 내용을 각각 쓰시오.

> 생산 수단을 누가 소유하고 있느냐에 따라 경제 체제를 구분하기도 한다. 생산 수단의 사적 소유를 허용하는 경제 체제를 (㉠), 생산 수단의 국유나 공유를 원칙으로 하는 경제 체제를 (㉡)라고 한다.

2 다음 괄호 안의 내용 중 알맞은 말에 ○표를 하시오.

(1) (전통, 계획) 경제 체제에서는 전통과 관습에 따라 경제 문제를 해결한다.

(2) (계획, 시장) 경제 체제에서 정부는 국방, 치안 등 제한적인 역할만 한다.

(3) (계획, 시장) 경제 체제에서는 개인의 소유권과 선택권이 제한되어 생산 동기가 부족해진다.

3 다음 내용이 계획 경제 체제에 관한 것이면 '계', 시장 경제 체제에 관한 것이면 '시'라고 쓰시오.

(1) 정부가 무엇을 생산할지를 결정한다. ( )

(2) 소비자의 욕구를 일일이 반영하기 어렵다. ( )

(3) 개인의 능력 차이 등에 의해 빈부 격차가 커진다. ( )

(4) 시장 가격에 기초한 개인의 자율적인 선택에 따라 경제 문제를 해결한다. ( )

4 다음 설명이 맞으면 ○표, 틀리면 ×표를 하시오.

(1) 시장 경제 체제에서는 분배의 형평성을 실현하고자 한다. ( )

(2) 우리나라는 시장 경제 체제를 기본으로 하여 계획 경제 체제의 요소를 선택적으로 도입하고 있다. ( )

5 다음 빈칸에 들어갈 내용을 쓰시오.

(1) 시장 경제에서 ( )는 경제 주체의 경제 활동을 자동으로 조정해 주는 역할을 한다.

(2) ( )은 개인이나 기업이 사유 재산의 사용으로 얻은 이익을 소유하거나 자유롭게 처분할 수 있는 권리이다.

(3) 정부는 경제 주체들이 공정한 ( )을 할 수 있도록 독과점, 기업 간의 담합, 허위 및 과대 광고 등을 규제한다.

STEP 2 내신 만점 공략하기

01 교사의 질문에 옳은 답변을 한 학생을 고른 것은?

교사: 경제 체제에 관해 발표해 볼까요?

을: 계획 경제 체제의 구성원은 전통과 관습에 따라 경제 문제를 해결합니다.

병: 경제 문제를 해결하는 방식에 따라 자본주의와 사회주의로 구분할 수 있습니다.

갑: 경제 체제는 국가나 사회에 따라 다양하게 나타납니다.

정: 시장 경제 체제는 생산 수단의 사유를 기본으로 하는 자본주의와 밀접한 관련이 있습니다.

① 갑, 을 ② 갑, 정 ③ 을, 병
④ 을, 정 ⑤ 병, 정

02 다음 두 사례에 공통으로 나타난 경제 체제의 특징으로 적절한 것을 〈보기〉에서 고른 것은?

> • 남아프리카의 산(San)족은 사냥에 참여했는지 여부와 관계없이 잡은 사냥물을 모든 구성원이 균등하게 나눈다. 이는 이 사회에서 오래전부터 내려온 전통이다.
> • 태평양 한가운데 위치한 아누타섬의 주민들은 함께 일하고 함께 나눈다. 이들은 먹을 만큼만 잡고, 잡아 온 물고기는 마을 사람이 모두 모인 곳에서 족장이 분배한다. 이러한 생산이나 분배의 방식은 수백 년 동안 이어져 온 그들만의 관습이다.

⎡보기⎤

ㄱ. 외부 변화에 신속히 대처할 수 있다.

ㄴ. 사회의 변화와 발전이 지연될 가능성이 높다.

ㄷ. 미래의 상황을 예측하기 어려워 불안정한 생활을 하게 된다.

ㄹ. 구성원의 자유로운 선택이 제한되어 개인의 다양한 욕구를 충족하기 어렵다.

① ㄱ, ㄴ ② ㄱ, ㄷ ③ ㄴ, ㄷ
④ ㄴ, ㄹ ⑤ ㄷ, ㄹ

03 다음 사례에서 갑국이 채택하고 있는 경제 체제의 특징으로 가장 적절한 것은?

> 갑국에서는 중앙 정부가 자원 대부분을 소유한 채 경제 활동을 통제하고 경제 문제에 대한 의사 결정을 직접 내린다. 예를 들어 정부가 보유한 자원으로 주택과 공장 중 무엇을 생산할지를 결정하며, 주택을 건설하기로 했다면 주택의 종류, 생산 방식, 생산량 등도 정부가 결정한다.

① 국가의 정책 목표를 달성하기 어렵다.
② 개별 경제 주체의 자발적인 선택을 신뢰한다.
③ 정부의 계획과 명령에 의해 자원 배분이 이루어진다.
④ 부와 소득이 특정 계층이나 집단에만 집중되는 문제가 나타난다.
⑤ 개인의 창의적이고 적극적인 경제 활동이 이루어져 경제 활동의 효율성이 높은 편이다.

04 ㉠에 들어갈 경제 체제의 일반적인 특징을 〈보기〉에서 고른 것은?

> (㉠   )에서는 경제 주체들 간에 자유로운 생산, 분배, 소비 활동이 이루어진다. 지하자원이나 기계 등과 같은 생산 수단이 사유화되어 있으며, 생산물은 물론, 노동, 자본, 토지 등의 생산 요소도 시장에서 상품으로 매매된다.

┌ 보기 ┐
ㄱ. 자발적이고 창의적인 경제 활동이 이루어진다.
ㄴ. 경제 활동에 대한 정부의 시장 개입이 불가피하다.
ㄷ. 사회 전체의 효율성이 약화되는 문제점이 나타난다.
ㄹ. 경제 주체들이 시장 가격에 기초하여 자유롭게 의사 결정을 한다.

① ㄱ, ㄴ   ② ㄱ, ㄹ   ③ ㄴ, ㄷ
④ ㄴ, ㄹ   ⑤ ㄷ, ㄹ

[05~06] 그림은 경제 체제 A, B를 비교한 것이다. 이를 보고 물음에 답하시오. (단, A, B는 각각 계획 경제 체제와 시장 경제 체제 중 하나이다.)

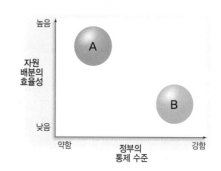

05 경제 체제 A, B에 대한 옳은 설명을 〈보기〉에서 고른 것은?

┌ 보기 ┐
ㄱ. A에서는 경제 주체들에게 부와 소득을 공평하게 분배한다.
ㄴ. B에서는 경제 주체의 창의성과 근로 의욕이 저해될 수 있다.
ㄷ. A와 달리 B에서는 생산 수단의 사적 소유를 인정한다.
ㄹ. B와 달리 A에서 정부는 국방, 치안 등의 제한된 역할만을 수행한다.

① ㄱ, ㄴ   ② ㄱ, ㄷ   ③ ㄴ, ㄷ
④ ㄴ, ㄹ   ⑤ ㄷ, ㄹ

06 B를 경제 체제로 운용하고 있는 국가에서 A의 경제 체제로 전환할 경우 예상되는 변화로 가장 적절한 것은?

① 개인의 생산 동기가 강화될 것이다.
② 자원 배분의 형평성이 증대될 것이다.
③ 민간 경제 주체 간의 경쟁이 줄어들 것이다.
④ 자원의 희소성으로 인한 문제가 사라질 것이다.
⑤ 개인의 경제 활동에 대한 제약이 강화될 것이다.

07 다음 헌법 조항을 통해 알 수 있는 우리나라 경제 체제의 특징으로 가장 적절한 것은?

> • 제23조 ① 모든 국민의 재산권은 보장된다. 그 내용과 한계는 법률로 정한다.
> • 제119조 ① 대한민국의 경제 질서는 개인과 기업의 경제상의 자유와 창의를 존중함을 기본으로 한다.
> ② 국가는 균형 있는 국민 경제의 성장 및 안정과 적정한 소득의 분배를 유지하고, 시장의 지배와 경제력의 남용을 방지하며, 경제 주체 간의 조화를 통한 경제의 민주화를 위하여 경제에 관한 규제와 조정을 할 수 있다.

① 모든 생산 수단을 정부가 소유하고 관리하고 있다.
② 정부가 시장에서 나타나는 모든 경제 문제를 해결하고 있다.
③ 시장 경제 체제를 중심으로 계획 경제 체제의 일부 요소를 받아들이고 있다.
④ 시장 경제에서 발생하는 문제를 해결하기 위해 계획 경제 체제를 채택하고 있다.
⑤ 정부가 어떠한 경우에도 개인과 기업의 경제 활동에 개입하지 못하도록 하고 있다.

08 밑줄 친 부분에 해당하는 내용으로 적절하지 않은 것은?

> 시장 경제 체제에서는 정부의 계획이나 사회의 전통에 따라 자원 배분이 이루어지는 것이 아님에도 불구하고 원하는 만큼의 재화와 서비스가 자율적으로 생산되고 거래된다. 어떻게 이런 일이 가능한 것일까? 이는 시장 경제가 몇 가지 기본 원리를 바탕으로 작동하기 때문이다.

① 경제 주체들 간에 자유로운 경쟁이 이루어진다.
② 경제 주체들이 분업과 교환을 통해 서로 협력한다.
③ 개인이나 기업이 자신의 이익을 극대화하기 위해 노력한다.
④ 국가가 개인과 기업이 경제 활동 방향을 결정하는 역할을 한다.
⑤ 경제 주체들이 시장 가격에 기초하여 자율적으로 경제 활동을 한다.

09 다음 주장에 부합하는 진술로 가장 적절한 것은?

> 우리가 오늘 저녁을 먹을 수 있는 것은 푸줏간 주인, 양조장 주인, 빵 굽는 사람의 자비심 때문이 아니라 그들이 자신의 이익을 추구하기 때문이다. …(중략)… 개인은 공공의 이익을 증진할 의도도 없고 그가 얼마나 공공의 이익을 증진하는지도 모른다. 개인은 자신의 사적 이익만 추구하고 이 과정에서 그들이 의도하지 않은 어떤 목적을 달성하기 위해 '보이지 않는 손'에 의해 인도되고 있다.

① 개인의 경제적 행위는 공익에 기초한다.
② 경제 문제에 관한 시장의 자율적 해결 능력은 불완전하다.
③ 정부의 개입을 통해 시장 경제의 문제점을 해결해야 한다.
④ 사익을 추구하는 개별적 동기가 공익과 충돌하는 문제가 나타난다.
⑤ 가격 기구를 통해 사회적으로 희소한 자원이 효율적으로 배분된다.

10 다음 글이 시사하는 바로 가장 적절한 것은?

> 휴대 전화 시장에 뛰어들려는 신생 기업을 생각해 보자. 이 기업이 기존 휴대 전화 생산 업체들과의 치열한 경쟁에서 살아남으려면 기존 가격으로 품질이 더 좋은 휴대 전화를 생산하거나 같은 품질의 휴대 전화를 경쟁 기업보다 싸게 생산해야 한다. 이처럼 경쟁은 기업의 생산성을 높이며, 비용을 줄이지 못하거나 생산성이 떨어지는 기업을 가려냄으로써 희소한 자원이 낭비되지 않도록 한다. 또한 소비자는 양질의 제품을 낮은 가격에 소비할 수 있게 되어 이득을 얻게 된다.

① 경쟁으로 희소한 자원이 균등하게 분배된다.
② 생산자 간의 경쟁은 소비자의 피해로 이어진다.
③ 자유로운 경쟁은 사회 전체의 효율성을 향상시킨다.
④ 정부가 시장에서 거래되는 상품의 가격을 결정해야 한다.
⑤ 과도한 경쟁을 막기 위해 정부가 시장에 개입해야 한다.

11 (가)에 들어갈 내용으로 가장 적절한 것은?

> 우리 헌법에서는 모든 국민이 직업 선택의 자유를 가지고 있음을 명시하고 있다. 또한 우리나라에서는 개인이 자기 의사에 따라 계약의 내용이나 형식 및 계약 체결을 자유로이 할 수 있는 계약 자유의 원칙과 같은 권리도 보장하고 있다. 이는 _____(가)_____을/를 통해 시장 경제 체제의 기본 원리를 뒷받침하기 위한 법적·제도적 장치이다.

① 공공복리 추구
② 사유 재산권의 보장
③ 분배의 형평성 추구
④ 자유로운 경제 활동의 보장
⑤ 시장에 대한 정부의 규제와 조정

★중요
12 다음과 같은 정부의 활동이 공통으로 추구하는 목적으로 가장 적절한 것은?

> • 대기업 계열사들 간의 부당한 내부 거래를 억제하는 제도를 마련하여 소수 기업에 경제력이 집중되는 문제점을 시정한다.
> • 사업자들이 거짓·과장 및 기만적 방법을 통해 소비자를 유인하는 행위가 있는지 지속하여 감시하고, 위법 사항을 적발할 경우 과태료를 부과한다.

① 경제적 불평등을 완화한다.
② 개인의 경제적 자율성을 약화한다.
③ 자원이 특정 계층에 집중되도록 한다.
④ 민간 경제 주체의 사익 추구를 금지한다.
⑤ 공정한 경쟁을 보장함으로써 자원의 효율적 배분을 유도한다.

서술형 문제

● 정답친해 07쪽

01 다음 글을 읽고 물음에 답하시오. (단, A, B는 각각 계획 경제 체제와 시장 경제 체제 중 하나이다.)

> • A에서는 정부가 생산 수단을 소유하고, 명령과 통제에 따라 정책을 강력하게 집행한다.
> • B에서는 사유 재산을 보장하고, 개별 경제 주체가 시장 가격에 따라 자유롭게 의사 결정을 함으로써 경제 문제를 해결한다.

(1) A, B에 해당하는 경제 체제를 각각 쓰시오.

(2) A, B에 해당하는 경제 체제의 장점을 각각 한 가지씩 서술하시오.

02 다음 글을 읽고 물음에 답하시오.

> 개인이나 기업이 사유 재산을 사용함으로써 얻은 이익을 소유하거나 자유롭게 처분할 수 있는 권리를 (㉠)(이)라고 한다. 우리나라는 (㉠)을/를 보장하기 위해 헌법과 법률에서 재산의 처분, 수익, 이용에 관한 권리를 명시하고 있다.

(1) ㉠에 들어갈 내용을 쓰시오.

(2) 시장 경제 체제에서 (1)을 보장함으로써 얻을 수 있는 효과를 서술하시오.

1 그림은 갑국과 을국에서 운용하는 경제 체제의 특징을 비교한 것이다. 이에 대한 설명으로 옳은 것은?

> 계획 경제 체제와 시장 경제 체제

> **완자샘의 시험 꿀팁**
> 계획 경제 체제와 시장 경제 체제의 상대적 특징을 비교하는 문제가 자주 출제된다.

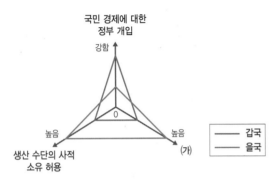

① 갑국과 달리 을국에서는 기본적인 경제 문제가 발생한다.
② 갑국보다 을국에서 이윤 동기에 따른 경제적 유인이 더 강조된다.
③ 을국보다 갑국에서 시장 가격의 기능을 더 신뢰한다.
④ 을국과 달리 갑국에서는 급격한 경기 변동이 나타난다.
⑤ (가)에는 '분배의 형평성 중시'가 적절하다.

수능 응용

2 밑줄 친 '정책'으로 인해 갑국 경제에 나타날 변화에 대한 추론으로 적절한 것을 〈보기〉에서 고른 것은?

> 경제 체제의 변화

> **완자 사전**
> • 민영화
> 국가나 공공 단체가 특정 기업에 갖는 법적 소유권을 민간 부문으로 이전하는 것

갑국은 정부의 계획과 명령에 의해서 경제 문제를 해결하는 경제 체제를 채택하고 있었다. 경제의 활력과 생산성이 갈수록 떨어지자 갑국은 시장 경제 체제의 요소를 도입하여 다음과 같은 정책을 실시하였다.
• 국영 기업 대부분을 민영화하였다.
• 사유 재산의 허용 범위를 확대하였다.

보기

ㄱ. 자원 배분의 효율성이 높아질 것이다.
ㄴ. 개인의 경제적 자율성이 약화될 것이다.
ㄷ. '보이지 않는 손'의 기능이 강화될 것이다.
ㄹ. 개인 간 소득 불평등 문제시 사라질 것이다.

① ㄱ, ㄴ   ② ㄱ, ㄷ   ③ ㄴ, ㄷ
④ ㄴ, ㄹ   ⑤ ㄷ, ㄹ

3 표는 경제 체제 A~C의 특징을 비교한 것이다. 이에 대한 설명으로 옳은 것은? (단, A~C는 각각 계획 경제 체제, 시장 경제 체제, 혼합 경제 체제 중 하나이다.)

비교 기준	비교 결과
자원 배분이 가격 기구에 의해 결정되는 정도	A > B > C
(가)	C > B > A

① A에서는 개인의 이기심에 따른 이익 추구가 보장된다.
② C는 균등 분배보다 차등 분배를 강조한다.
③ B는 A보다 분업과 특화의 원리를 더 강조한다.
④ C는 A보다 자원 배분 과정에서 경제 주체들 간의 자유로운 경쟁이 더 보장된다.
⑤ (가)에는 '경제적 효율성을 중시하는 정도'가 적절하다.

> **다양한 경제 체제**
>
> **완자쌤의 시험 꿀팁**
> 경제 문제를 해결하는 방식에 따라 경제 체제를 구분하고, 각 경제 체제의 특징을 비교하는 문제가 자주 출제된다.

4 다음 주장에 부합하는 진술로 가장 적절한 것은?

> 인간이 일을 하는 근본적인 동기이며 동시에 궁극적인 목적은 재산을 마련하여 이를 자신의 소유로 하기 위해서라는 사실을 부인할 사람은 아무도 없다. 노동자가 자신의 체력이나 기술을 다른 사람에게 제공하는 것은 자신의 생활에 필요한 것을 그 대가로 얻기 위해서이다. …(중략)… 모든 개인의 재산을 공유화한다면, 노동자가 자신의 임금을 투자할 수 있는 권리를 박탈함으로써 자기의 재산을 유용하게 활용하고 자기의 생활을 향상시킬 수 있는 권리와 희망을 빼앗아 버려 사태를 더욱 악화시키게 된다.

① 분업과 교환을 전제로 경제생활을 해야 한다.
② 경제 활동에 대한 정부의 개입을 확대해야 한다.
③ 사유 재산의 인정이 경제적 효율성의 증대를 보장한다.
④ 경제적 효율성과 분배의 형평성은 조화를 이루기 어렵다.
⑤ 사적 소유의 확대는 계층 간 갈등 및 대립을 초래할 수 있다.

> **시장 경제를 뒷받침하는 사회 제도**

03 경제 주체의 역할

학 습 목 표
• 가계, 기업, 정부의 경제적 역할을 설명할 수 있다.
• 경제 주체들이 경제 활동을 통해 상호 연관되어 있음을 알 수 있다.

이것이 핵심!

가계의 경제적 역할

재화와 서비스의 수요자	재화와 서비스를 소비함으로써 필요 충족 → 효용의 극대화 추구
생산 요소의 공급자	기업에 생산 요소를 제공하고 그 대가를 받음
납세자	정부에 소득세 등의 세금을 납부함

★ 효용
소비자가 어떤 물건을 사거나 서비스를 이용하였을 때 느끼게 되는 만족감

1 가계의 경제적 역할

1. 가계의 의미와 경제적 역할

(1) **가계**: 소득을 바탕으로 소비 활동을 하는 경제 주체 → 국가 경제를 구성하는 가장 기본적인 단위임

(2) **가계의 경제적 역할**

꾁! 가계가 벌어들이는 소득은 한정되어 있으므로, 가계는 주어진 소득 범위 내에서 가장 큰 만족을 얻을 수 있도록 소비해야 해.

재화와 서비스의 수요자	• 가계는 기업이 생산한 재화와 서비스를 소비하고, 소비를 통해 자신의 필요와 욕구를 충족함 → *효용의 극대화 추구 • 가계의 소비 방식은 기업이 생산하는 재화와 서비스의 종류와 양, 품질에 영향을 주며, 국민 경제에 큰 영향을 끼침 자료①
생산 요소의 공급자	• 가계는 기업에 노동, 자본, 토지 등의 생산 요소를 제공하고 그 대가로 임금, 이자, 지대 등의 소득을 얻음 자료② • 가계가 생산 활동에 참여하여 얻은 소득은 가계가 재화와 서비스를 소비할 수 있도록 하는 구매력의 원천이 됨 • 가계의 소득은 가계가 제공하는 생산 요소의 종류와 질에 따라 달라짐
납세자	가계는 소득세 등의 세금을 납부하여 정부의 재원 마련에 기여함

예 같은 노동의 양을 제공하더라도 노동의 질이 우수한 경우가 그렇지 않은 경우보다 소득이 높아.

2. 노동자의 권리와 의무

(1) **노동자의 권리 보호**: 노동은 인격과 분리하여 생각할 수 없는 특징을 가지고 있으므로, 사회는 노동자의 권리를 보호하기 위한 법과 제도를 갖추어야 함

(2) **노동자의 의무**: 노동자는 근로 계약에 명시된 자신의 책임을 다해야 함

└ 가계는 노동을 제공하고 소득을 얻는데, 이와 같이 노동을 제공하고 소득을 얻는 사람을 노동자라고 해.

이것이 핵심!

기업의 경제적 역할

재화와 서비스의 공급자	재화와 서비스를 생산하여 시장에 공급 → 이윤의 극대화 추구
생산 요소의 수요자	가계로부터 생산 요소를 구입하여 사용하고 그 대가를 지불함
납세자	정부에 법인세, 부가 가치세 등의 세금을 납부함

★ 이윤
총수입에서 총비용을 뺀 나머지

2 기업의 경제적 역할

1. 기업의 의미와 경제적 역할

(1) **기업**: *이윤 획득을 목적으로 재화와 서비스를 생산하는 경제 주체

(2) **기업의 경제적 역할** 자료③

재화와 서비스의 공급자	• 기업은 재화와 서비스를 생산하여 시장에 공급함 → 가계의 수요를 충족해 주며, 이를 통해 이윤을 얻음 • 이윤을 추구하는 기업의 경제 활동은 수입은 늘리고 비용은 줄이는 방향으로 이루어짐
생산 요소의 수요자	• 기업은 가계가 제공하는 노동, 자본, 토지 등의 생산 요소를 구입하여 사용하고, 그에 대한 대가로 임금, 이자, 지대 등을 지불함 • 기업의 생산이 확대되면 생산 요소에 대한 수요가 증가하여 사회 전체의 고용과 소득이 늘어나 → 국민 경제의 활성화에 기여
납세자	기업은 법인세, 부가 가치세 등과 같은 세금을 납부하여 정부의 재원 마련에 기여함

(3) **이윤 극대화를 위한 기업의 노력**

① 판매 수입을 늘리기 위해 소비자의 욕구나 필요를 파악하여 소비자가 원하는 상품을 생산하려고 노력함 → 소비자는 다양하고 질 좋은 상품을 소비할 수 있게 됨

② 생산 비용을 줄이기 위해 생산성을 높이고 원자재 비용을 절감하려고 노력함

완자 자료 탐구

내 옆의 선생님

자료 ① 소비의 중요성

> 무릇 재물은 우물과 같다. 우물은 퍼서 쓸수록 자꾸 채워지는 것이고, 이용하지 않으면 말라 버린다. 비단옷을 입지 않으니 나라 안에 비단 짜는 사람이 없어지게 된 것이고, 이 때문에 여공이 없어지게 된다. 삐뚤어진 그릇을 탓하지 않으니 일에 기교가 없고, 나라에 공장과 도야가 없어지게 되며 나아가서는 기술과 재주가 없어질 것이다.
>
> – 박제가, 『북학의』

제시된 글에서는 생산이 소비를 가능하게 하고 소비가 또다시 생산을 유도하는 경제 순환의 중요성을 강조하고 있다. 그리고 소비 주체인 가계가 품질 좋은 상품을 꾸준히 소비함으로써 생산이 늘어나고 기술이 발전할 수 있음을 보여 준다. 이처럼 가계의 소비는 기업이 생산 활동을 지속하게 할 뿐만 아니라 바람직한 방향으로의 기술 발전을 유도한다.

자료 ② 가계와 기업의 상호 작용

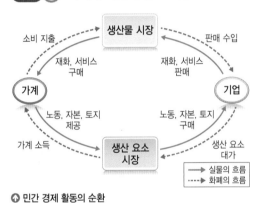

↑ 민간 경제 활동의 순환

가계는 생산 요소를 제공한 대가로 얻은 소득으로 필요한 재화와 서비스를 소비하고, 기업은 생산 요소를 이용하여 재화와 서비스를 생산한다. 생산물 시장에서 가계는 수요자, 기업은 공급자의 역할을 하는 반면, 생산 요소 시장에서는 가계가 공급자, 기업이 수요자의 역할을 한다. 이처럼 가계와 기업은 서로 의존하며 경제적 역할을 한다.

자료 ③ 기업의 경제적 역할

(가)에서 기업은 재화와 서비스의 공급자 역할을 한다. 기업은 재화와 서비스를 생산하고 시장에 공급하여 가계의 수요를 충족해 주며, 이를 통해 이윤을 얻는다. (나)에서 기업은 생산 요소의 수요자 역할을 한다. 기업의 활발한 투자와 생산 활동은 고용을 창출하고 기타 생산 요소의 수요 증가를 가져와 가계와 국가 경제에 긍정적인 영향을 끼칠 수 있다. (다)에서 기업은 생산 활동을 통해 얻은 이득 중 일부를 세금으로 납부하는 납세자의 역할을 한다. 기업이 납부한 세금은 나라 살림의 재원이 된다.

문제 로 확인할까?

가계의 경제적 역할로 옳지 않은 것은?
① 국가에 세금을 납부한다.
② 효용의 극대화를 추구한다.
③ 기업에 생산 요소를 공급한다.
④ 기업이 생산한 상품을 소비한다.
⑤ 재화와 서비스를 시장에 공급한다.

⑤ 답

정리 비법을 알려줄게!

생산 요소의 종류

노동	생산에 들어가는 인간의 육체적·정신적 활동
자본	생산에 이용되는 건물, 설비, 기계 등과 같은 자본재
토지	땅뿐만 아니라 삼림, 바다, 지하자원 등과 같이 자연에 존재하는 자원

자료 하나 더 알고 가자!

노동자의 권리를 규정한 헌법 조항

• 제32조 ① 모든 국민은 근로의 권리를 가진다. 국가는 사회적·경제적 방법으로 근로자의 고용의 증진과 적정 임금의 보장에 노력하여야 하며, 법률이 정하는 바에 의하여 최저 임금제를 시행하여야 한다.
• 제33조 ① 근로자는 근로 조건의 향상을 위하여 자주적인 단결권·단체 교섭권 및 단체 행동권을 가진다.

우리나라에서는 헌법과 법률에 임금 수준이나 근로 시간, 작업 환경 등에서 노동자의 권리를 보호하기 위한 규정을 두고, 이를 시행하기 위한 각종 제도를 마련하고 있다.

2. 기업의 사회적 책임과 기업가 정신

(1) 사회적 책임: 기업이 이윤 추구 이외에도 사회에 긍정적인 영향을 미치는 책임 있는 활동을 해야 한다는 것 → 건전한 이윤 추구, 공정한 경쟁, 소비자 및 노동자의 권익 보호 등

(2) 기업가 정신 자료④

① 기업가 정신: 위험과 불확실성을 무릅쓰고 모험적이고 창의적인 정신을 발휘함으로써 기업을 성장시키려는 도전 정신

② 기업가 정신의 의의: 기술★혁신, 새로운 상품 개발, 새로운 시장의 개척, 새로운 생산 방법 도입 등의 노력 → 기업의 생산성 향상, 국민 경제의 성장에 기여

---

③ 정부의 경제적 역할

1. 정부의 재정 활동

(1) 정부: 가계나 기업이 원활히 경제 활동을 할 수 있도록 시장 질서를 유지하며 재화와 서비스를 생산 및 소비하는 경제 주체 → 공공의 이익 추구 **VS** 정부의 생산 활동은 공익을 추구한다는 점에서 이윤의 극대화를 추구하는 기업의 생산 활동과는 차이가 있어.

(2) 재정 활동 자료⑤

① 재정: 정부가 정책을 시행하기 위해 수입과 지출을 관리하는 일체의 활동

② 재정 활동의 구성: 재정 수입(세입) + 재정 지출(세출)

세입	정부가 지출하기 위해 얻는 모든 수입 → 조세 수입과 조세 외 수입으로 구성됨
세출	정부가 지출하는 모든 경비 → 일반 공공 행정과 국방, 치안, 교육, 복지 분야 등의 지출로 구성됨

③ 예산: 일정 기간 국가가 어떤 정책을 펼치거나 목적을 달성하는 데 얼마나 지출하고 재원을 어떻게 조달할 것인지 사전에 계획하는 것

2. 정부의 경제적 역할 교과서 자료

(1) 시장 기능 보완

①★공공재 생산: 사회에서 필요한데도 시장에서 충분히 생산되지 않는 재화나 서비스, ★사회 간접 자본 등을 생산하여 공급함

②★외부 효과 개선: 외부 효과로 인한 자원 배분의 왜곡을 줄이기 위해 직접 규제나 조세, 보조금, 벌금 등의 경제적 유인을 사용함 → 생산량과 소비량 조절 유도

③ 공정한 경쟁 유도: 담합이나 불공정 거래를 엄격히 규제하여 기업 간 공정한 경쟁을 유도하고, 소비자의 권리가 부당하게 침해되는 것을 방지하기 위해 노력함

④ 자원 배분의 방향 조정: 특정 상품에 대한 과세 여부 및 세율 조정을 통해 특정 상품의 소비와 생산에 영향을 줌 ⎿ 예 사치품에 높은 세율을 부과함으로써 사치품의 소비를 줄이는 것

(2) 소득 재분배: 불평등하게 배분되는 소득을 재분배하기 위해 정부가 시장에 개입함 → 최저 임금 제도, 누진세 제도, 사회 보장 제도 등의 시행

(3) 경제 안정화

① 경기 과열 시: 재정 지출을 줄이거나 조세 수입을 늘림으로써 물가 안정을 유도함

② 경기 침체 시: 재정 지출을 늘리거나 조세 수입을 줄임으로써 민간의 소비와 투자 활성화를 유도함

완자 자료 탐구

내 옆의 선생님

자료 ④ 기업가 정신

오스트레일리아 멜버른에는 A라는 유명한 샌드위치 가게가 있다. 이 가게는 특이하게도 건물 7층에 입점해 있다. 이들은 건물을 오르내리기 부담스러운 고객들을 위해 주문과 결제는 홈페이지나 모바일로 미리 할 수 있게 하고, 샌드위치를 받을 시간을 정하면 비닐로 만든 낙하산에 샌드위치를 매달아 1층에서 고객이 받을 수 있도록 내려보냈다. 접근성이 떨어지는 7층이라는 불리한 가게 위치를 낙하산으로 샌드위치를 받는 명소로 만들어 버린 것이다. ― 이채훈, 「크리에이티브는 단련된다」

낙하산으로 샌드위치를 배달하는 서비스는 기존의 배달 방식과 달리 공간적 제약을 극복할 수 있는 기발한 아이디어를 도입한 것이다. 이는 새로운 생산 방법을 도입하여 새로운 상품을 개발한 것으로, 기업가 정신이 발휘된 사례라고 볼 수 있다. 기업가 정신이 발휘됨으로써 소비자는 품질이 개선된 상품이나 새로운 상품을 소비할 수 있으며, 이에 따라 기업은 더 많은 이윤을 얻을 수 있어 국민 경제가 성장하고 발전할 수 있다.

자료 ⑤ 우리나라 조세의 종류

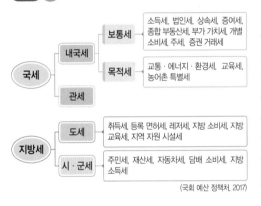

(국회 예산 정책처, 2017)

조세는 세금을 부과하는 주체에 따라 중앙 정부가 부과하는 국세와 지방 자치 단체가 부과하는 지방세로 나뉘며, 사용 목적에 따라 일반 경비로 쓰는 보통세와 특정한 목적으로 사용되는 목적세로 구분할 수 있다. 또한 조세는 세금을 납부하는 사람과 부담하는 사람의 일치 여부에 따라 <u>직접세와 간접세</u>로 구분할 수 있다.

직접세	납세자=담세자 예 소득세, 법인세
간접세	납세자≠담세자 예 부가 가치세

문제로 확인할까?

정부의 경제적 역할로 옳지 않은 것은?
① 이윤 극대화를 추구한다.
② 가계와 기업으로부터 세금을 걷는다.
③ 사회 간접 자본을 생산하여 공급한다.
④ 공정한 경쟁을 유도하기 위해 시장에 개입한다.
⑤ 재정 지출이나 조세 수입을 조절함으로써 경기 안정을 유도한다.

① 📖

자료 하나 더 알고 가자!

누진세율과 비례세율

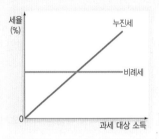

누진세율은 과세 표준이 커짐에 따라 점차 증가하도록 정한 세율이며, 비례세율은 과세 표준의 크기에 상관없이 동일하게 적용되는 세율이다. 우리나라에서 직접세에는 누진세율이, 간접세에는 비례세율이 적용된다.

수능이 보이는 교과서 자료 | 정부의 경제적 역할

국세에서 직접세가 차지하는 비중이 지속해서 상승하고 있다. 소득이나 재산의 규모에 따라 세금을 부과하는 직접세의 비중이 높아지면서 소득 재분배에 긍정적이라는 평가가 나온다. 하지만 법인에 부과하는 법인세보다 개인에게 부과하는 소득세가 직접세의 비중 상승을 이끌고 있어 기업에 비해 개인의 조세 부담이 상대적으로 높아지고 있다. 이와 함께 직접세로는 증세에 한계가 있고 복지 재원을 마련하기 위해서는 부가 가치세 등과 같이 주로 소비 지출에 부과하는 간접세를 올릴 수밖에 없다는 지적도 나온다. ― 「연합뉴스」, 2017. 5. 7.

정부가 소득이나 재산 규모가 커질수록 높은 세율을 적용하고, 세금을 통해 복지 재원을 마련하는 것은 소득 재분배를 통해 빈부 격차를 완화하려는 것이다. 그리고 간접세는 일반적으로 상품 가격에 포함되어 징수되는데, 간접세의 세율을 올리면 상품의 가격이 인상되어 그 상품에 대한 소비 지출이 줄어들게 된다. 이는 정부가 자원 배분의 방향을 조정함으로써 시장의 기능을 보완하려는 것이다.

— VS 간접세는 직접세에 비해 조세 저항이 약한 편이야.

완자샘의 탐구 강의

• 제시된 신문 기사에 나타난 정부의 경제적 역할을 써 보자.
소득 재분배, 시장 기능 보완

• 직접세, 간접세는 조세의 형평성과 어떤 관련이 있는지 서술해 보자.
직접세는 담세 능력에 따라 과세하기 때문에 조세 부담의 형평성이 높다. 반면 간접세는 소득과 상관없이 동일한 세율이 적용되므로 소득이 적은 사람이 상대적으로 높은 소세를 부담하게 되는 조세의 역진성이 나타난다.

함께 보기 38쪽, 내신 만점 공략하기 10

STEP 1 핵심 개념 확인하기

1 다음 빈칸에 들어갈 내용을 쓰시오.

(1) (   )는 소비 활동의 주체로서, 국가 경제를 구성하는 가장 기본적인 단위이다.

(2) 가계는 기업에 노동, 자본, 토지 등의 (   )를 제공하고 그 대가로 소득을 얻는다.

(3) 기업은 재화와 서비스를 생산하여 시장에 공급하는 경제 주체로, (   ) 획득을 목적으로 한다.

2 다음 괄호 안의 내용 중 알맞은 말에 ○표를 하시오.

(1) 가계는 생산 요소의 (수요자, 공급자)이다.

(2) 가계가 기업에 노동을 제공한 대가로 얻는 소득을 (임금, 이자)(이)라고 한다.

(3) (가계, 기업)은/는 정부에 법인세, 부가 가치세 등과 같은 세금을 납부하여 정부의 재원 마련에 기여한다.

3 ㉠, ㉡에 들어갈 내용을 각각 쓰시오.

> (㉠   )은 정부가 지출하기 위해 얻는 모든 수입을 의미하는데, 우리나라에서는 세금으로 거두어들이는 조세 수입이 가장 큰 비중을 차지한다. (㉡   )은 정부가 지출하는 모든 경비를 의미하며, 정부는 활동을 분야별로 나누어 집행 계획을 수립하여 경비를 지출한다.

4 다음 설명이 맞으면 ○표, 틀리면 ×표를 하시오.

(1) 간접세의 사례에는 소득세, 법인세 등이 있다. (   )

(2) 직접세는 간접세보다 소득 재분배 효과가 크다. (   )

(3) 조세는 사용 목적에 따라 보통세와 목적세로 구분된다.
(   )

5 정부의 경제적 역할과 그 사례를 옳게 연결하시오.

(1) 소득 재분배 ·   · ㉠ 공공재 생산

(2) 경제 안정화 ·   · ㉡ 누진세 제도 시행

(3) 시장 기능 보완 ·   · ㉢ 경기 변동 시 재정 지출 조절

STEP 2 내신 만점 공략하기

01 ㉠에 해당하는 경제 주체에 대한 설명으로 옳지 않은 것은?

> (㉠)은/는 소득을 바탕으로 소비 활동을 하는 가장 기본적인 경제 주체이다. (㉠)이/가 소비를 늘리면 사회 전체적으로 생산 활동이 촉진되어 경제가 활성화되며, 반대로 소비를 줄이면 사회 전체적으로 생산 활동이 위축되어 일자리와 소득이 감소하는 등 경제 전반에 악영향을 미칠 수 있다.

① 효용의 극대화를 추구한다.
② 민간 부문의 경제 주체이다.
③ 생산물을 시장에 공급한다.
④ 재화와 서비스의 수요자이다.
⑤ 소득 중 일부를 정부에 세금으로 납부한다.

02 그림은 민간 경제의 흐름 중 일부를 나타낸 것이다. 이에 대한 옳은 설명을 〈보기〉에서 고른 것은?

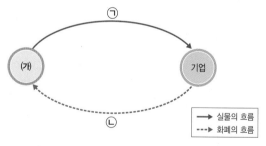

> **보기**
> ㄱ. (가)는 생산 요소의 공급자이다.
> ㄴ. 재화와 서비스는 ㉠에 해당한다.
> ㄷ. ㉠은 생산물 시장에서 거래된다.
> ㄹ. 임금, 이자, 지대는 ㉡에 해당한다.

① ㄱ, ㄴ   ② ㄱ, ㄹ   ③ ㄴ, ㄷ
④ ㄴ, ㄹ   ⑤ ㄷ, ㄹ

03 (가)~(다)에 대한 옳은 설명을 〈보기〉에서 고른 것은?

> (가) 생산에 들어가는 인간의 육체적·정신적 활동
> (나) 생산에 이용되는 건물, 설비, 기계 등과 같은 자본재
> (다) 땅뿐만 아니라 삼림, 바다, 지하자원 등과 같이 자연에 존재하는 자원

┌ 보기 ┐
ㄱ. (가)의 대가로 받는 소득은 임금이다.
ㄴ. (나)를 제공하고 지대나 임대료를 대가로 받는다.
ㄷ. (가)는 가계, (나), (다)는 기업에서 제공한다.
ㄹ. (가)~(다)를 공급하는 경제 주체는 주로 소비 활동을 담당한다.

① ㄱ, ㄴ 　　② ㄱ, ㄹ 　　③ ㄴ, ㄷ
④ ㄴ, ㄹ 　　⑤ ㄷ, ㄹ

04 다음 헌법 조항이 공통으로 추구하는 목적으로 가장 적절한 것은?

> • 제32조 ① 모든 국민은 근로의 권리를 가진다. 국가는 사회적·경제적 방법으로 근로자의 고용의 증진과 적정 임금의 보장에 노력하여야 하며, 법률이 정하는 바에 의하여 최저 임금제를 시행하여야 한다.
> • 제33조 ① 근로자는 근로 조건의 향상을 위하여 자주적인 단결권·단체 교섭권 및 단체 행동권을 가진다.

① 소득 불평등을 완화한다.
② 기업의 이윤을 극대화한다.
③ 소비자 주권을 실현시킨다.
④ 노동자의 권리를 보호한다.
⑤ 기업가 정신을 발휘할 수 있게 한다.

05 그림은 민간 부문의 경제 순환을 나타낸 것이다. 이에 대한 설명으로 옳지 <u>않은</u> 것은?

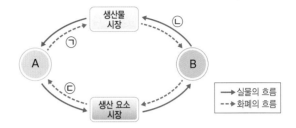

① A는 효용의 극대화를 추구한다.
② B는 이윤의 극대화를 추구한다.
③ ㉠은 임금, 이자, 지대이다.
④ ㉡은 재화와 서비스이다.
⑤ ㉢은 생산 요소 제공의 대가이다.

06 (가), (나)의 사례에 나타난 기업의 경제적 역할을 옳게 연결한 것은?

> (가) ○○ 기업은 생산비 절감을 위해 공장을 해외로 이전하기로 결정하고, 공장 부지로 사용하기에 적합한 토지를 매입하였다.
> (나) △△ 기업은 새로운 기능이 추가된 스마트폰을 개발하여 판매하였다. 스마트폰을 구매한 고객에게는 음원 사이트를 한 달간 무료로 이용할 수 있는 상품권을 제공하였다.

	(가)	(나)
①	납세자	재화와 서비스의 공급자
②	생산 요소의 수요자	납세자
③	생산 요소의 수요자	재화와 서비스의 공급자
④	재화와 서비스의 공급자	납세자
⑤	재화와 서비스의 공급자	생산 요소의 수요자

07 밑줄 친 ㉠~㉣에 대한 설명으로 옳지 <u>않은</u> 것은?

> 갑은 ㉠ 제과점을 운영하고 있다. 이 제과점에는 두 명의 ㉡ 직원이 있는데, 한 명은 빵을 만들고, 다른 한 명은 판매와 계산을 담당한다. 최근 갑이 새로 개발한 빵을 구매하려는 ㉢ 고객들이 많아지면서 제과점의 ㉣ 판매 수입도 크게 늘어나고 있다.

① ㉠은 생산 요소의 수요자이다.
② ㉠은 정부에 부가 가치세와 같은 세금을 납부한다.
③ ㉡은 기업에 노동을 제공하였다.
④ ㉢은 생산물 시장의 수요자이다.
⑤ ㉣은 생산 요소를 제공한 대가이다.

08 다음 주장에 부합하는 사례로 적절하지 <u>않은</u> 것은?

> 기업은 이윤 추구 이외에도 사회에 긍정적인 영향을 미치는 책임 있는 활동을 해야 한다. 단순히 법적·경제적 책임에서 더 나아가 도덕적인 책임까지 고려하여 생산 활동을 해야 한다는 것이다.

① 일정 비율 이상의 장애인을 고용한다.
② 노동자에게 쾌적한 근로 환경을 제공한다.
③ 소비자의 권익을 보호하려는 노력을 기울인다.
④ 공정한 경쟁을 통해 건전하게 이윤을 추구한다.
⑤ 생산비 절감을 위해 정년 단축을 통한 대규모 구조 조정을 실시한다.

09 그림은 경제 주체의 유형 A~C를 구분한 것이다. 이에 대한 옳은 설명을 〈보기〉에서 고른 것은? (단, A~C는 각각 가계, 기업, 정부 중 하나이다.)

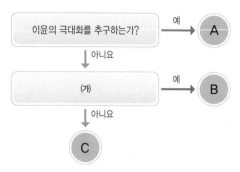

> **보기**
> ㄱ. A는 생산물 시장의 수요자이다.
> ㄴ. B가 정부라면, (가)는 '조세를 징수하는 주체인가?'가 적절하다.
> ㄷ. B가 민간 부문의 경제 주체라면, (가)는 '공공재를 공급하는가?'가 적절하다.
> ㄹ. (가)가 '재정 활동의 주체인가?'라면, C는 생산 요소 시장의 공급자이다.

① ㄱ, ㄴ   ② ㄱ, ㄷ   ③ ㄴ, ㄷ
④ ㄴ, ㄹ   ⑤ ㄷ, ㄹ

10 조세 제도 (가), (나)에 대한 설명으로 옳은 것은? ★중요

> (가) 세금을 납부하는 사람과 부담하는 사람이 일치하는 조세
> (나) 세금을 납부하는 사람과 부담하는 사람이 일치하지 않는 조세

① (가)는 조세 부담의 역진성이 나타난다.
② (나)는 일반적으로 누진세율이 적용된다.
③ (가)는 (나)에 비해 소득 재분배 효과가 크다.
④ (나)는 (가)에 비해 조세 저항이 강하다.
⑤ 부가 가치세는 (가)에 해당하며, 소득세는 (나)에 해당한다.

11 다음 두 사례에서 공통으로 도출할 수 있는 정부의 경제적 역할로 가장 적절한 것은?

- 정부는 빈곤층에게 생계비, 쌀이나 연탄 등의 현물, 의료비나 무상 의료 서비스 등을 지원함으로써 빈곤층의 생계를 보장하고 복지 수준을 향상시킨다.
- 정부는 최저 임금제를 마련하여 임금의 최저 수준을 정하고, 사용자에게 이 수준 이상의 임금을 지급하도록 법으로 강제하여 저임금 노동자를 보호한다.

① 물가 안정을 유도한다.
② 외부 효과를 개선한다.
③ 경제 성장을 촉진한다.
④ 불공정 거래를 규제한다.
⑤ 소득 분배의 불평등을 완화한다.

12 다음 대화에 대한 옳은 분석 및 추론을 〈보기〉에서 고른 것은?

- 사회자: 최근 경기가 급변하면서 국민들의 생활이 불안해지고 있습니다. 정부는 어떤 대책을 마련하는 것이 좋을까요?
- 갑: 정부는 조세 수입을 축소함으로써 민간의 소비와 투자를 촉진해야 합니다.
- 을: 정부는 재정 지출을 확대하여 일자리를 창출하고 경기를 활성화시켜야 합니다.

보기
ㄱ. 갑은 재정 지출 축소에 반대할 것이다.
ㄴ. 을은 세율 인하를 지지할 것이다.
ㄷ. 갑은 을과 달리 정부의 시장 개입에 대해 부정적이다.
ㄹ. 을은 갑과 달리 현재 상황을 경기 침체로 보고 있다.

① ㄱ, ㄴ   ② ㄱ, ㄷ   ③ ㄴ, ㄷ
④ ㄴ, ㄹ   ⑤ ㄷ, ㄹ

서술형 문제

● 정답친해 10쪽

01 그림은 민간 경제에서 나타나는 실물 흐름의 일부이다. 이를 보고 물음에 답하시오.

| 생산물 시장 | → | 경제 주체 A | ─㉠→ | 생산 요소 시장 |

(1) A와 ㉠에 해당하는 경제 개념을 각각 쓰시오.

(2) A의 경제적 역할을 두 가지 이상 서술하시오.

02 다음 글을 읽고 물음에 답하시오.

(㉠)은/는 이윤 획득을 목적으로 재화와 서비스를 생산하는 주체이다. (㉠)은/는 이윤 극대화를 위해 소비자들이 원하는 더 좋은 상품을 더 싼 가격에 시장에 공급하기 위하여 노력한다. 이 과정에서 기술 개발, 고용 증가, 경제 성장 등 사회 전체에 긍정적인 영향이 나타나기도 한다.

(1) ㉠에 들어갈 경제 주체를 쓰시오.

(2) (1)의 경제적 역할을 두 가지 이상 서술하시오.

03 다음 사례에 나타난 문제점을 해결하기 위한 정부의 경제 안정화 정책에 대해 서술하시오.

갑국에서는 소비와 투자가 줄어들면서 경기가 침체되고 있다. 이로 인해 실업이 급증함에 따라 갑국 국민의 생활이 불안해지고 있다.

1 그림은 민간 부문의 경제 순환을 나타낸 것이다. 이에 대한 설명으로 옳은 것은?

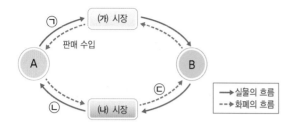

① (가) 시장에서 생산 요소가 거래된다.

② (나) 시장에서 A는 공급자이다.

③ ㉠을 통해 B는 부가 가치를 창출한다.

④ 은행원이 고객에게 금융 상품을 판매하는 것은 ㉡에 해당한다.

⑤ 물류 회사가 건물을 빌리고 임대료를 지불하는 것은 ㉢에 해당한다.

> **민간 부문의 경제 순환**
>
> **완자샘의 시험 꿀팁**
> 민간 부문의 경제 순환을 파악하고 있는지 묻는 문제가 자주 출제된다. 실물과 화폐가 어떤 방향으로 흘러가는지를 기준으로 경제 주체 및 시장의 유형을 각각 찾아낼 수 있어야 한다.

2 표는 A 기업의 X재 생산량에 따른 총수입과 총비용을 나타낸 것이다. 이에 대한 분석으로 옳은 것은? (단, A 기업이 생산한 X재는 모두 판매된다.)

(단위: 개, 만 원)

생산량	1	2	3	4	5	6
총수입	5	10	15	20	25	30
총비용	1	4	9	16	25	36

* 총수입 = 평균 수입 × 판매량   ** 총비용 = 평균 비용 × 판매량

① 생산량이 증가할수록 평균 수입이 증가한다.

② 생산량이 증가할수록 평균 비용이 감소한다.

③ 생산량이 증가할수록 추가적으로 지출하는 비용은 증가한다.

④ 생산량이 4개일 때 이윤은 음(−)의 값이다.

⑤ 생산량이 5개일 때 이윤이 극대화된다.

> **기업의 경제적 역할**
>
> **완자 사전**
> • 이윤
> 기업이 생산 활동을 통해 벌어들인 판매 수입에서 생산 비용을 제한 금액

3 그림은 갑국의 국내 경제 주체 A~C의 경제 활동 중 일부를 나타낸 것이다. 이에 대한 설명으로 옳은 것은?

▶ 경제 주체의 역할

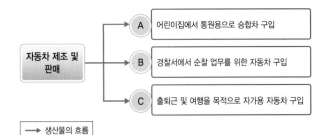

① A는 재정 활동의 주체이다.
② A는 생산물 시장의 수요자이다.
③ B는 효용의 극대화를 추구한다.
④ C는 이윤의 극대화를 추구한다.
⑤ C는 생산 요소 시장의 공급자이다.

수능 응용

4 다음 자료에 대한 옳은 분석을 〈보기〉에서 고른 것은?

▶ 조세 제도의 비교

완자샘의 시험 꿀팁

세율 적용 방식에 따른 조세 제도를 구분하고, 각 조세 제도의 특징을 묻는 문제가 자주 출제된다.

갑국은 최근 소득세제를 (가)에서 (나)로 변경하였다. 표는 (가), (나)의 과세 대상 소득 구간별 세율을 나타낸 것이다.

구분	과세 대상 소득 구간	세율
(가)	전 구간	10%
(나)	4천만 원 이하	5%
	4천만 원 초과	20%

* (나)의 적용 예시: 과세 대상 소득이 5천만 원인 경우, 4천만 원에 대해서는 5%의 세율을 적용하고 4천만 원을 초과하는 1천만 원에 대해서는 20%의 세율을 적용한다.

보기
ㄱ. (가)에서는 과세 대상 소득에 상관없이 세액이 일정하다.
ㄴ. (나)는 과세 대상 소득의 증가율보다 세액의 증가율이 큰 경우가 있다.
ㄷ. (나)에서 과세 대상 소득 대비 세액의 비중은 과세 대상 소득이 5천만 원일 때와 6천만 원일 때가 같다.
ㄹ. 과세 대상 소득이 2천만 원일 때 세액은 (가)가 (나)보다 크다.

① ㄱ, ㄴ
② ㄱ, ㄷ
③ ㄴ, ㄷ
④ ㄴ, ㄹ
⑤ ㄷ, ㄹ

대단원
되돌아보기

01 경제생활과 합리적 선택

1. 경제생활의 이해

(1) 경제 활동의 유형

(❶)	재화나 서비스를 새롭게 만들어 내거나, 그 가치를 증대시키는 행위
분배	생산 요소 제공에 대한 대가를 받는 행위
소비	재화와 서비스를 구매하여 사용하는 행위

(2) 경제 활동의 주체

(❷)	재화와 서비스를 소비하는 주체
기업	재화와 서비스를 생산하는 주체
정부	가계와 기업으로부터 세금을 거두어 사회가 필요로 하는 재화나 서비스를 생산하는 주체
외국	무역 활동의 주체

(3) 경제 활동의 객체

재화	인간의 욕구를 충족하는 유형의 상품 ◉ 옷, 음식, 집 등
서비스	인간의 욕구를 충족하는 무형의 상품으로, 인간의 행위로 나타남 ◉ 의사의 진료, 교사의 강의 등

2. 자원의 희소성과 경제 문제

(1) 자원의 (❸)

의미	인간의 욕구는 무한한 데 비해 이를 충족해 줄 수 있는 자원의 양이 상대적으로 부족한 상태
특징	• 희소성의 크기는 개인마다 다르게 느낄 수 있음 • 동일한 재화나 서비스라고 하더라도 희소성은 시대와 장소에 따라 다르게 나타남

(2) 기본적인 경제 문제

무엇을 얼마나 생산할 것인가?	• 생산물의 종류와 수량을 결정하는 문제 • 효율성 중시
어떻게 생산할 것인가?	• 생산 요소의 결합 방법과 생산물의 생산 방법을 결정하는 문제 • 효율성 중시
누구를 위하여 생산할 것인가?	• 생산물의 분배 방법을 결정하는 문제 • 효율성과 형평성 모두 고려

3. 합리적 선택

(1) 선택의 편익과 비용

편익	어떤 선택을 하였을 때 얻게 되는 만족이나 이득
(❹)	어떤 선택을 할 때, 지불한 명시적 비용과 그 선택을 함으로써 포기한 대안의 가치인 암묵적 비용 중 가장 큰 것을 합친 것
매몰 비용	이미 지불되어 회수할 수 없는 비용

(2) 합리적 선택

의미	여러 대안의 편익과 비용을 분석하여 순편익이 가장 큰 대안을 선택하는 것
원칙	• 선택에 따라 새롭게 발생하는 비용과 편익만 고려해야 함 → 매몰 비용을 고려해서는 안 됨 • 기회비용이 같다면 편익이 큰 것을, 편익이 같다면 기회비용이 작은 것을 선택해야 함

(3) 경제적 유인

의미	편익이나 비용에 변화를 주어 사람들의 행동이나 선택을 유도하거나 바꿀 수 있게 하는 요인
종류	• 긍정적 유인: 보상으로 편익을 증가시키거나 비용을 감소시켜 어떤 행위를 더 하게 하는 유인 • 부정적 유인: 벌금 등으로 비용이 증가하거나 편익이 감소하도록 하여 어떤 행위를 덜 하게 하는 유인

02 경제 문제의 해결 방식

1. 다양한 경제 체제

(1) 전통 경제 체제

의미	전통과 관습에 따라 경제 문제를 해결하는 경제 체제
장점	선택에 대한 고민이 적은 편, 각종 상황에 대한 예측 가능
단점	개인의 자유로운 선택 제한, 외부 변화에 융통성 있는 대처가 어려워 사회의 변화와 발전 지연

(2) 계획 경제 체제

의미	(❺)의 계획과 명령에 따라 경제 문제를 해결하는 경제 체제
장점	국가 정책 목표의 효과적 달성, 분배의 형평성 실현
단점	생산 동기 부족, 소비자의 욕구를 계획에 일일이 반영하기 곤란, 개인의 자유로운 선택 제한

(3) (❺   ) 경제 체제

의미	경제 문제가 시장 가격을 통해 자율적으로 해결되는 경제 체제
장점	자유롭고 창의적인 경제 활동 가능, 사회 전체적으로 효율성 증대
단점	빈부 격차 발생, 급격한 경기 변동 우려, 개인의 자유로운 선택에 따른 구성원 간 충돌 및 공동체의 이익 침해 우려

(4) 혼합 경제 체제

의미	시장 경제 체제와 계획 경제 체제의 요소가 혼합된 경제 체제
특징	오늘날 대부분의 국가에서 채택함, 국가마다 경제 혼합의 정도는 다름

2. 시장 경제의 기본 원리와 사회 제도

(1) **시장 경제의 기본 원리**: 시장 가격에 의한 자발적 선택과 교환, 자기 이익 추구, 자유로운 경쟁, 분업과 교환 → 효율적 자원 배분

(2) **시장 경제를 뒷받침하는 사회 제도**

(❼)의 보장	개인과 기업이 자신의 재산에 대해 자유롭게 처분하고 사용할 수 있는 권리 보장
경제 활동의 자유 보장	영업의 자유, 계약 자유의 원칙, 직업 선택의 자유 등의 보장
공정한 경쟁의 보장	독과점, 기업 간 담합, 허위 및 과대 광고 등의 불공정한 경쟁 행위 규제

⓪③ 경제 주체의 역할

1. 가계의 경제적 역할

(1) **가계의 경제적 역할**

재화와 서비스의 수요자	기업이 생산한 재화와 서비스를 소비함 → 효용의 극대화 추구
생산 요소의 (❽)	기업에 생산 요소를 제공하고, 그에 대한 대가로 소득을 얻음
납세자	정부에 소득세 등의 세금을 납부함

(2) **노동자의 권리와 의무**

노동자의 권리	노동은 인격과 분리하여 생각할 수 없으므로, 사회는 노동자의 권리를 보호하기 위한 법과 제도를 갖추어야 함
노동자의 의무	노동자는 근로 계약에 명시된 자신의 책임을 다해야 함

2. 기업의 경제적 역할

(1) **기업의 경제적 역할**

재화와 서비스의 공급자	재화와 서비스를 생산하여 시장에 공급함 → 이윤의 극대화 추구
생산 요소의 (❾)	가계가 제공하는 생산 요소를 구입하여 사용하고, 그에 대한 대가를 지불함
납세자	정부에 법인세, 부가 가치세 등의 세금을 납부함

(2) **기업의 사회적 책임과 기업가 정신**

사회적 책임	• 의미: 기업이 이윤 추구 이외에도 사회에 긍정적인 영향을 미치는 책임 있는 활동을 해야 한다는 것 • 내용: 건전한 이윤 추구, 공정한 경쟁, 소비자 및 노동자의 권리 보호 등
기업가 정신	• 의미: 위험과 불확실성을 무릅쓰고 모험적이고 창의적인 정신을 발휘함으로써 기업을 성장시키려는 도전 정신 • 의의: 새로운 상품 및 기술 개발, 새로운 시장 개척, 새로운 생산 방법 도입 → 기업의 생산성 향상, 국민 경제 성장에 기여

3. 정부의 경제적 역할

(1) **정부의 (❿   ) 활동**

의미	정부가 정책을 시행하기 위해 수입과 지출을 관리하는 일체의 활동
구성	• 재정 수입(세입): 정부가 지출하기 위해 얻는 모든 수입 → 조세 수입과 조세 외 수입으로 구성 • 재정 지출(세출): 정부가 지출하는 모든 경비 → 일반 공공 행정과 국방, 치안, 교육, 복지 분야 등의 지출로 구성

(2) **정부의 경제적 역할**

시장 기능 보완	• 공공재 생산: 시장에서 충분히 생산되지 않는 재화나 서비스, 사회 간접 자본 등을 생산하여 공급함 • 외부 효과 개선: 직접 규제나 조세, 보조금, 벌금 등의 경제적 유인을 통해 생산량과 소비량 조절을 유도함 • 공정한 경쟁 유도: 담합이나 불공정 거래 등을 엄격히 규제하고, 소비자의 권리를 보호함 • 자원 배분의 방향 조정: 특정 상품에 대한 과세 여부 및 세율 조정을 통해 특정 상품의 소비와 생산을 조절함
소득 재분배	계층 간 소득 격차를 완화하기 위해 최저 임금 제도, 누진세 제도, 사회 보장 제도 등을 시행함
경제 안정화	• 경기 과열 시: 재정 지출을 줄이거나 조세 수입을 늘려 물가 안정 유도 • 경기 침체 시: 재정 지출을 늘리거나 조세 수입을 줄여 민간의 소비와 투자 활성화 유도

대단원

실력 굳히기

01 그림은 경제 활동의 유형 A~C를 구분한 것이다. 이에 대한 옳은 설명을 〈보기〉에서 고른 것은? (단, A~C는 각각 생산, 분배, 소비 중 하나이다.)

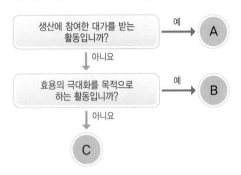

보기
ㄱ. 직원에게 월급을 지급하는 것은 A에 해당한다.
ㄴ. B를 주로 담당하는 경제 주체는 기업이다.
ㄷ. 의사가 환자를 진료하는 것은 C에 해당한다.
ㄹ. C를 주로 담당하는 경제 주체는 생산물 시장의 수요자이다.

① ㄱ, ㄴ   ② ㄱ, ㄷ   ③ ㄴ, ㄷ
④ ㄴ, ㄹ   ⑤ ㄷ, ㄹ

02 다음 대화에 대한 분석으로 옳은 것은?

• 갑: 돼지를 한 마리 도살할 때 보면 목살보다 삼겹살이 더 많이 나옵니다. 그런데 왜 우리나라에서는 삼겹살이 목살보다 더 비싸게 팔리나요?
• 을: 우리나라 사람들이 목살보다 삼겹살을 더 선호하기 때문에 삼겹살이 목살보다 비싸게 팔리는 것입니다.

① 삼겹살은 목살보다 희귀성이 크다.
② 삼겹살은 경제재, 목살은 무상재이다.
③ 삼겹살은 목살에 비해 희소성이 크다.
④ 삼겹살은 목살과 달리 경제적 가치가 있다.
⑤ 삼겹살은 목살보다 생산 비용이 더 많이 든다.

03 밑줄 친 ㉠~㉢에 나타난 경제 문제에 대한 옳은 설명을 〈보기〉에서 고른 것은?

대학교에서 디자인을 전공한 갑은 전공을 살려 ㉠ 어떤 사업을 할지 고민하다가 가구를 만드는 공장을 운영하기로 하였다. 공장을 구한 후 갑은 ㉡ 함께 일할 직원을 몇 명 뽑을지 결정하였고, 가구를 만드는 데 기계를 몇 대 구입할지에 대한 계획을 세웠다. 공장을 운영한지 1년이 지난 후 갑은 ㉢ 함께 일하는 직원들에게 성과급을 지급하기로 하였다.

보기
ㄱ. ㉠은 '어떻게 생산할 것인가?'에 관한 문제이다.
ㄴ. ㉡은 생산물의 종류와 수량을 결정하는 문제이다.
ㄷ. ㉢은 생산 요소의 제공에 대한 대가를 결정하는 문제이다.
ㄹ. ㉠~㉢ 모두 자원의 희소성 때문에 발생한 것이다.

① ㄱ, ㄴ   ② ㄱ, ㄷ   ③ ㄴ, ㄷ
④ ㄴ, ㄹ   ⑤ ㄷ, ㄹ

04 다음 사례에서 갑의 선택에 대한 분석으로 옳은 것은? (단, 비용은 명시적 비용과 암묵적 비용을 모두 고려한다.)

갑은 겨울방학에 집에서 쉴지 해외여행을 떠날지 고민하고 있다. 해외여행을 가기 위해 필요한 경비는 200만 원이다. 갑은 해외여행을 떠났을 때의 만족감과 집에서 쉬었을 때의 만족감을 판단하여 이를 금액으로 환산해 보았다. 갑이 해외여행을 떠날 경우의 만족감은 250만 원, 집에서 쉬었을 때의 만족감은 100만 원이라고 판단하였다.

① 집에서 쉴 경우의 기회비용은 0원이다.
② 해외여행을 떠날 경우의 순편익은 250만 원이다.
③ 해외여행을 떠날 경우의 기회비용은 200만 원이다.
④ 해외여행을 떠나는 것보다 집에서 쉬는 것이 합리적 선택이다.
⑤ 해외여행을 떠날 경우의 암묵적 비용은 집에서 쉴 경우의 암묵적 비용보다 작다.

05 다음 사례에 대한 옳은 분석을 〈보기〉에서 고른 것은?

> 회사원인 갑은 공무원 시험 준비를 위해 학원을 다녔고, 결국 시험에 합격하였다. 공무원의 경우 ㉠ 고용 안정성은 높지만 ㉡ 공무원이 되었을 때의 월급이 ㉢ 현재 회사에서 받는 월급보다 적고, ㉣ 공무원 시험 준비를 위해 지출한 학원비도 만만치 않아 어떤 결정을 내려야 할지 고민이다.

〈보기〉
ㄱ. ㉠은 회사에 계속 다니는 것을 선택했을 때의 암묵적 비용이다.
ㄴ. ㉡은 공무원이 되는 것을 선택했을 때의 편익이다.
ㄷ. ㉢은 공무원이 되는 것을 선택했을 때의 명시적 비용이다.
ㄹ. 갑이 공무원이 되는 것을 선택했다면 편익이 ㉢과 ㉣의 합보다 크다고 판단했을 것이다.

① ㄱ, ㄴ ② ㄱ, ㄷ ③ ㄴ, ㄷ
④ ㄴ, ㄹ ⑤ ㄷ, ㄹ

06 (가), (나)에 나타난 경제적 유인에 대한 설명으로 옳은 것은?

> (가) A 철도 회사에서는 노쇼(No-show)를 줄이기 위해 환불 수수료 이외에 10만 원의 위약금을 부과하는 제도를 시행하였다. 이후 노쇼 비율이 4분의 1 수준으로 줄어들었다.
> (나) B 회사는 탄소 포인트제에 가입하였다. 탄소 포인트제는 가정과 기업에서 전기, 상수도, 도시가스의 사용량을 절감하면 탄소 포인트를 부여하고 이에 상응한 혜택을 포인트 카드, 현금, 상품권 등 다양한 방식으로 제공하는 프로그램이다.

① (가)는 편익을 증가시켜 자원의 효율적 활용을 유도한다.
② (가)와 같은 성격을 가진 사례로는 '신호 위반 차량에 대한 과태료 부과'를 들 수 있다.
③ (나)는 비용을 증가시키는 경제적 유인이다.
④ (나)는 특정 행동을 억제하도록 하는 유인이다.
⑤ (가)는 긍정적 유인, (나)는 부정적 유인에 해당한다.

07 표는 경제 체제 A, B를 구분한 것이다. 이에 대한 설명으로 옳은 것은? (단, A, B는 각각 계획 경제 체제와 시장 경제 체제 중 하나이다.)

질문	A	B
경제 활동의 자유를 중시하는가?	예	아니요
생산 수단의 사적 소유를 허용하는가?	㉠	㉡
(가)	아니요	예

① A에서는 개인의 생산 동기가 부족해진다.
② B는 기본적인 경제 문제의 해결 기준으로 형평성보다 효율성을 중시한다.
③ A는 B보다 경제적 유인을 더 강조한다.
④ ㉠에는 '아니요', ㉡에는 '예'가 들어간다.
⑤ (가)에는 '자원 배분이 가격 기구에 의해 결정되는가?'가 적절하다.

08 다음 사례에서 갑국에서 나타날 변화에 대한 추론으로 적절한 것을 〈보기〉에서 고른 것은?

> 갑국은 계획 경제를 대표하는 나라였다. 공장 대부분을 국가가 소유하여 운영하고, 생산 품목이나 생산량을 정부가 계획하고 통제하였다. 하지만 시장 경제 체제의 요소를 받아들이면서 상황이 많이 달라졌다. 사유 재산의 허용 범위가 확대되었으며, 기업의 설립과 운영, 이윤을 추구하는 과정에서 일어나는 여러 가지 의사 결정은 개인의 자유로운 선택에 따라 이루어지고 있다.

〈보기〉
ㄱ. 기업 간 경쟁이 줄어들 것이다.
ㄴ. 자원 배분의 형평성이 증대될 것이다.
ㄷ. 민간 경제 주체의 사익 추구가 활발해질 것이다.
ㄹ. '보이지 않는 손'에 의한 자원 배분이 강화될 것이다.

① ㄱ, ㄴ ② ㄱ, ㄷ ③ ㄴ, ㄷ
④ ㄴ, ㄹ ⑤ ㄷ, ㄹ

09 표는 경제 체제 (가)~(다)를 운용 방식에 따라 구분한 것이다. 이에 대한 설명으로 옳지 **않은** 것은?

경제 체제	운용 방식
(가)	전통과 관습에 따른 운용
(나)	시장 가격 기구에 의한 운용
(다)	중앙 정부의 계획과 명령에 따른 운용

① (가)에서는 사회 발전이 지연되는 문제가 나타날 수 있다.

② (나)는 개인의 이익 추구를 위한 경쟁을 기반으로 작동한다.

③ (다)에서 정부는 국방, 치안 등과 같이 제한적인 역할만 수행한다.

④ 급격한 경기 변동은 (가)보다 (나)에서 나타날 가능성이 높다.

⑤ (다)에 비해 (나)는 경제적 효율성을 중시한다.

10 헌법 조항 (가)~(다)에 대한 옳은 분석을 〈보기〉에서 고른 것은?

(가) 모든 국민의 재산권은 보장된다. 그 내용과 한계는 법률로 정한다.

(나) 대한민국의 경제 질서는 개인과 기업의 경제상의 자유와 창의를 존중함을 기본으로 한다.

(다) 국가는 균형 있는 국민 경제의 성장 및 안정과 적정한 소득의 분배를 유지하고, 시장의 지배와 경제력의 남용을 방지하며, 경제 주체 간의 조화를 통한 경제의 민주화를 위하여 경제에 관한 규제와 조정을 할 수 있다.

〈보기〉

ㄱ. (가)는 경제 주체들의 근로 의욕을 고취시키는 요인으로 작용한다.

ㄴ. (나)는 계획 경제 체제의 요소에 해당한다.

ㄷ. 직업 선택의 자유를 보장하는 것은 (나)와 관련된다.

ㄹ. (다)는 시장 경제 체제의 요소에 해당한다.

① ㄱ, ㄴ ② ㄱ, ㄷ ③ ㄴ, ㄷ
④ ㄴ, ㄹ ⑤ ㄷ, ㄹ

11 밑줄 친 '이 경제 체제'의 유지를 위해 필요한 조건으로 적절한 것을 〈보기〉에서 고른 것은?

<u>이 경제 체제</u>에서는 개별적인 경제 주체들이 각자 자신들의 이익을 추구하기 위해 의사 결정을 함으로써 희소한 자원이 배분된다. 그 결과 기업은 질 높은 상품을 생산하게 되고, 소비자는 효용을 극대화하는 합리적인 소비를 할 수 있다.

〈보기〉

ㄱ. 경제 주체가 자유롭게 경제적 의사 결정을 할 수 있어야 한다.

ㄴ. 경제 문제를 해결하는 과정에서 가격 기구의 역할을 최소화해야 한다.

ㄷ. 개인과 기업이 재산을 자유롭게 사용하거나 처분할 수 있는 권리가 보장되어야 한다.

ㄹ. 경제 주체의 불공정한 경쟁을 예방하기 위하여 정부가 주도하여 자원을 배분해야 한다.

① ㄱ, ㄴ ② ㄱ, ㄷ ③ ㄴ, ㄷ
④ ㄴ, ㄹ ⑤ ㄷ, ㄹ

12 다음 사례에 대한 분석으로 옳은 것은?

갑은 젊은 시절 회사에 다니면서 받은 ⊙ 월급으로 소비를 하고 남은 금액을 저축하였다. 이후 회사를 퇴직한 갑은 자신이 저축한 돈을 가지고 지방의 ⓒ 땅을 매입하였다. 그리고 이를 택배 회사에 빌려주고 ⓒ 임대료를 받았다.

① ⊙은 갑의 재산을 제공하여 얻은 대가에 해당한다.

② ⓒ은 설비나 기계와 같은 유형의 생산 요소에 해당한다.

③ 갑은 생산물 시장을 통해 택배 회사에 ⓒ을 제공하였다.

④ ⊙과 ⓒ의 증가는 갑의 구매력을 증진시킨다.

⑤ 갑은 퇴직 전 생산 요소 시장의 공급자에서 퇴직 후에는 생산 요소 시장의 수요자가 되었다.

13 그림은 민간 부문의 경제 순환을 나타낸 것이다. 이에 대한 옳은 설명을 〈보기〉에서 고른 것은?

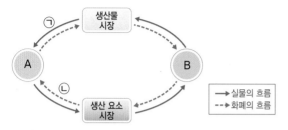

보기
ㄱ. A는 이윤의 극대화를 추구한다.
ㄴ. B는 생산 요소 시장의 수요자이다.
ㄷ. 여행사가 관광 가이드 서비스를 제공하는 것은 ㉠에 해당한다.
ㄹ. 자본은 ㉡에 포함된다.

① ㄱ, ㄴ   ② ㄱ, ㄷ   ③ ㄴ, ㄷ
④ ㄴ, ㄹ   ⑤ ㄷ, ㄹ

14 그림은 경제 주체 A~C를 특징에 따라 구분한 것이다. 이에 대한 설명으로 옳지 <u>않은</u> 것은?

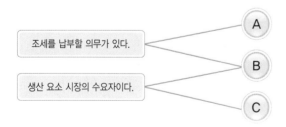

① A는 생산물 시장의 수요자이다.
② B는 효용의 극대화를 추구한다.
③ C는 공공재 생산을 담당한다.
④ B는 C에 부가 가치세를 납부한다.
⑤ C는 A, B의 경제 활동에 대해 규제와 조정을 할 수 있다.

15 다음 내용을 종합하여 도출할 수 있는 정부의 경제적 역할로 가장 적절한 것은?

• 국방, 치안 서비스를 제공한다.
• 독과점 기업의 불공정한 거래를 규제한다.
• 환경 오염 물질을 배출하는 기업에 과태료를 부과한다.

① 경기 변동을 조절한다.
② 소비자의 권리를 보호한다.
③ 소득 분배의 형평성을 높인다.
④ 시장의 자원 배분 기능을 보완한다.
⑤ 각종 규제를 완화하여 시장의 자율성을 보장한다.

16 (가), (나)는 서로 다른 조세 제도를 나타낸 것이다. 이에 대한 옳은 설명을 〈보기〉에서 고른 것은?

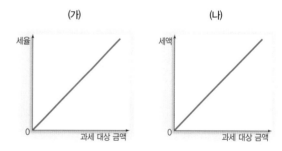

보기
ㄱ. (가)는 우리나라에서 납세자와 담세자가 일치하지 않는 세금에 적용된다.
ㄴ. (나)는 과세 대상 금액에 상관없이 동일한 세율을 적용한다.
ㄷ. (가)는 (나)에 비해 소득을 재분배하는 효과가 크게 나타난다.
ㄹ. (나)는 (가)에 비해 일반적으로 고소득층의 조세 저항이 크다.

① ㄱ, ㄴ   ② ㄱ, ㄷ   ③ ㄴ, ㄷ
④ ㄴ, ㄹ   ⑤ ㄷ, ㄹ

시장과 경제 활동

① 시장의 수요와 공급 050

② 시장 균형과 자원 배분의 효율성 062

③ 시장 실패와 정부의 시장 개입 074

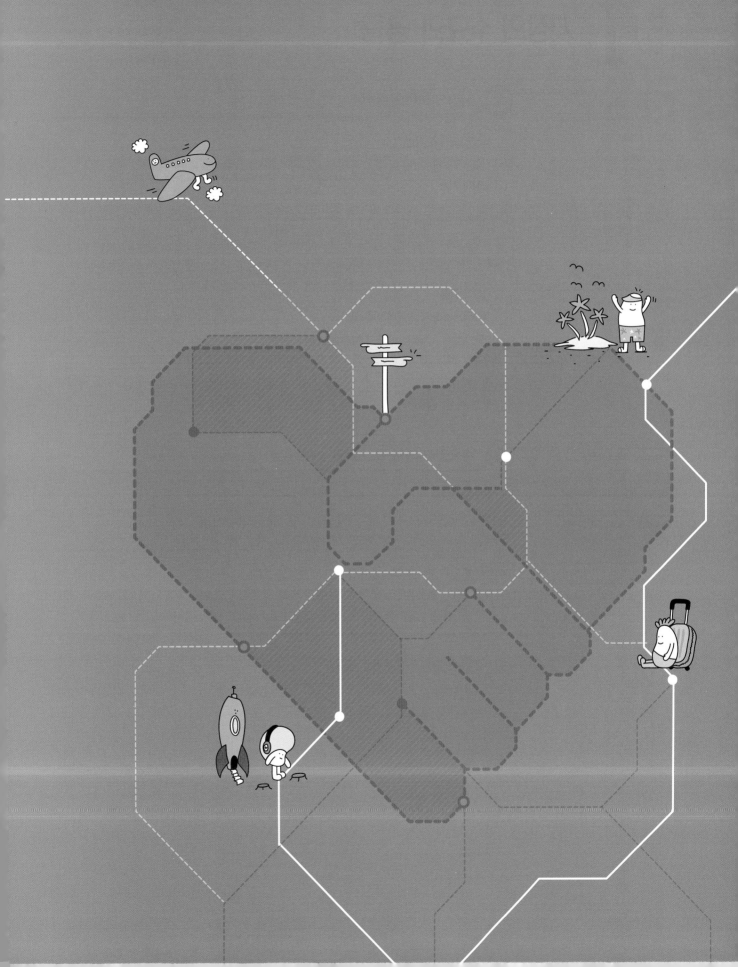

시장의 수요와 공급

학 습 목 표
• 시장의 의미와 기능을 이해하고, 시장의 종류를 구분할 수 있다.
• 수요와 공급의 의미 및 실쟁 요인를 설명할 수 있다.

이것이 핵심!

시장의 의미와 기능

의미	재화와 서비스, 생산 요소 등 경제적 가치를 지닌 것을 거래하는 곳
기능	• 거래 비용의 감소 • 자원의 효율적 배분 • 교환과 특화 촉진

★ 생산 요소
노동, 자본, 토지 등과 같이 생산을 하는 데 필요한 요소

★ 특화
자신이 가진 생산 요소를 특정 상품의 생산에 집중하여 전문성과 생산성을 높이는 것

---

① 시장의 의미와 종류

1. 시장의 의미와 기능

(1) **시장**: 재화와 서비스, *생산 요소 등 경제적 가치를 지닌 것을 거래하는 곳

넓은 의미에서 시장은 물리적 장소뿐만 아니라 구매자와 판매자 사이에 상품과 관련된 정보가 교환되고 협상이 이루어지는 곳을 뜻해.

(2) **시장의 기능**

거래 비용의 감소	거래할 상대방을 찾고 교환 조건을 탐색하는 데 드는 시간, 돈, 노력 등과 같은 거래 비용이 감소함
자원의 효율적 배분	시장의 가격은 생산과 소비 활동의 기준을 제공함으로써 한정된 자원을 효율적으로 배분함
교환과 특화 촉진	자유로운 교환을 통해 분업과 *특화를 촉진함 → 생산성이 향상되고 생산비가 절감됨

Qw? 특화는 생산자의 숙련도를 높이기 때문이야.

2. 시장의 종류

(1) **거래되는 상품의 종류에 따른 구분**

VS 생산물 시장에서는 가계가 수요자이고 기업이 공급자이지만, 생산 요소 시장에서는 가계가 공급자이고 기업이 수요자야.

생산물 시장	재화와 서비스가 거래되는 시장
생산 요소 시장	생산에 필요한 노동, 자본, 토지 등이 거래되는 시장 예 노동 시장, 금융 시장 등

(2) **경쟁의 정도에 따른 구분**: 완전 경쟁 시장, 불완전 경쟁 시장(독점 시장, 과점 시장, 독점적 경쟁 시장) 자료①

이것이 핵심!

수요량의 변동과 수요의 변동

수요량의 변동	• 변동 요인: 해당 상품의 가격 • 변동 결과: 수요 곡선상의 이동
수요의 변동	• 변동 요인: 소득, 소비자의 기호, 연관재의 가격, 소비자의 수, 미래 가격에 대한 예상 등 • 변동 결과: 수요 곡선 자체의 이동

★ 수요 곡선

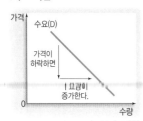

---

② 수요의 의미와 결정 요인

1. 수요와 수요량

꼭! 수요자는 구입하고자 하는 의사뿐만 아니라 구입할 수 있는 능력도 갖춘 사람이야.

수요	구매 의사와 능력을 갖춘 수요자가 어떤 상품을 구입하고자 하는 욕구
수요량	일정한 가격 수준에서 수요자가 구입하고자 하는 상품의 수량

2. 수요 법칙과 수요 곡선

(1) **수요 법칙**: 다른 조건이 일정하고 가격만 변할 때 가격과 수요량 사이에 음(−)의 관계가 나타남 → 일반적으로 가격이 상승하면 수요량이 감소하고, 가격이 하락하면 수요량이 증가함

(2) ***수요 곡선**: 가격과 수요량의 관계를 그래프로 나타낸 것 → 우하향하는 형태를 띰 교과서 자료

3. 수요량의 변동과 수요의 변동 자료②

(1) **수요량의 변동**: 해당 상품의 가격 변동에 따라 수요량이 변하는 것 → 수요 곡선상의 이동

(2) **수요의 변동**: 해당 상품 가격 이외의 요인이 변동하여 모든 가격 수준에서 수요량이 변하는 것 → 수요 곡선 자체의 이동

꼭! 수요량의 변동은 수요 곡선상의 이동으로 나타나고, 수요의 변동은 수요 곡선 자체의 이동으로 나타나.

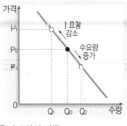

⬆ 수요량의 변동

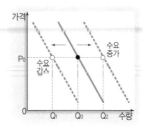

⬆ 수요의 변동

완자 자료 탐구

내 옆의 선생님

자료 1 경쟁 정도에 따른 시장의 구분

구분	완전 경쟁 시장	불완전 경쟁 시장		
		독점 시장	과점 시장	독점적 경쟁 시장
공급자의 수	다수	하나	소수	다수
상품의 질	동질적	단일 제품	동질적 또는 차별적	차별적
진입 장벽	없음	매우 높음	높음	낮음
특징	공급자와 수요자는 시장 가격에 영향을 미치지 못함	공급자는 이윤 극대화를 위해 생산량과 가격을 조절함	기업들이 담합을 할 유인을 가짐	각 공급자는 주로 제품 차별화 전략 등을 통해 경쟁함

시장은 경쟁의 정도에 따라 완전 경쟁 시장과 불완전 경쟁 시장으로 구분할 수 있으며, 불완전 경쟁 시장은 공급자가 하나만 존재하는 독점 시장과 공급자가 소수인 과점 시장, 완전 경쟁 시장과 독점 시장의 성격을 동시에 가지는 독점적 경쟁 시장으로 나눌 수 있다.

문제로 확인할까?

시장의 기능으로 옳지 않은 것은?
① 생산성을 향상시킨다.
② 생산비를 상승시킨다.
③ 거래 비용을 감소시킨다.
④ 교환과 특화를 촉진한다.
⑤ 한정된 자원을 효율적으로 배분한다.

② 답

수능이 보이는 교과서 자료 ▶ **개별 수요 곡선과 시장 수요 곡선**

↑ 갑의 빵에 대한 수요 곡선   ↑ 을의 빵에 대한 수요 곡선   ↑ 빵에 대한 시장 수요 곡선

상품이 거래되는 시장에서 각각의 소비자들이 가진 수요를 개별 수요라고 하고, 이들 소비자의 개별 수요를 모두 합한 것을 시장 수요라고 한다. 제시된 사례에서처럼 시장에 개별 소비자가 갑과 을만 있다면, 이 두 소비자의 개별 수요 곡선을 수평으로 합하면 시장의 수요 곡선이 된다. 따라서 시장에서 가격이 1,000원일 때 시장의 수요량은 35개, 가격이 2,000원일 때 시장의 수요량은 20개가 된다.

완자샘의 탐구 강의

• 빵의 가격과 수요량 간의 관계를 설명해 보자.

빵의 가격이 상승하면 빵의 수요량은 감소하고, 빵의 가격이 하락하면 빵의 수요량은 증가한다. 즉, 빵의 가격과 수요량은 음(−)의 관계에 있다.

함께 보기 55쪽. 내신 만점 공략하기 05

자료 2 수요량의 변동과 수요의 변동

지난해 편의점에서 판매된 수많은 상품 중 최고의 히트 상품은 '얼음 컵'이다. 빈 플라스틱 용기에 얼음을 담아 파는 이 단순한 상품이 매출과 판매량 모두 1위를 기록하였다. 얼음 컵의 인기는 얼음 컵 음료 매출에도 영향을 미쳤다. 얼음 컵에 따라 마실 수 있도록 개발된 얼음 컵 음료 시장은 얼음 컵 시장과 함께 동반 성장하고 있다. – 「한국경제」, 2016. 6. 10.

제시된 사례의 얼음 컵 시상에서 얼음 컵을 할인 판매할 경우 수요 곡선은 그대로이고 수요 곡선을 따라 수요량이 증가한다. 이를 수요량의 변동이라고 한다. 반면, 얼음 컵 음료 가격을 할인할 경우 모든 가격 수준에서 얼음 컵의 수요량이 증가하여 수요 곡선 자체가 이동하게 된다. 이를 수요의 변동이라고 한다. _{해당 상품 가격 이외의 요인이 변동한 것이야.}

자료 하나 더 알고 가자!

수요 법칙의 예외

사치품의 경우 재화의 가격이 상승할수록 수요량이 증가하여 수요 곡선이 우상향하는 형태를 띠는 경우가 있다.

01 시장의 수요와 공급

★ 대체재
용도가 비슷하여 서로 대신하여 사용할 수 있는 경쟁 관계의 재화 (예) 쇠고기와 돼지고기

★ 보완재
함께 소비할 때 만족도가 더 커지는 보완 관계의 재화 (예) 자동차와 휘발유

(3) 수요 변동의 요인 (자료3)

> **꿀!** 정상재의 경우 소득이 증가할 때 수요가 증가하나 열등재의 경우 소득이 증가할 때 수요가 감소해. 그런데 재화의 성격은 고정되어 있는 것이 아니므로, 열등재 성격을 가졌던 재화가 정상재 성격으로 변화하기도 해.

구분	수요 증가	수요 감소
양상	수요 곡선이 오른쪽으로 이동	수요 곡선이 왼쪽으로 이동
요인	• 소득 증가 • 상품에 대한 소비자의 기호 증가 • 대체재의 가격 상승 • 보완재의 가격 하락 • 소비자의 수 증가 • 미래 가격 상승 예상	• 소득 감소 • 상품에 대한 소비자의 기호 감소 • 대체재의 가격 하락 • 보완재의 가격 상승 • 소비자의 수 감소 • 미래 가격 하락 예상

> **왜?** 가격이 내릴 것으로 예상하면 가격 하락 후 상품을 구매하기 위해 소비를 미루기 때문이야.

이것이 핵심!

공급량의 변동과 공급의 변동

공급량의 변동	• 변동 요인: 해당 상품의 가격 • 변동 결과: 공급 곡선상의 이동
공급의 변동	• 변동 요인: 생산 요소의 가격, 생산 기술 및 생산 여건의 변화, 공급자의 수, 미래 가격에 대한 예상, 기업에 대한 규제 등 • 변동 결과: 공급 곡선 자체의 이동

★ 공급 곡선

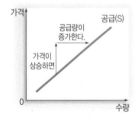

3 공급의 의미와 결정 요인

1. 공급과 공급량

공급	판매 의사와 능력을 갖춘 공급자가 어떤 상품을 판매하려는 욕구
공급량	일정한 가격 수준에서 판매자가 판매하고자 하는 상품의 수량

2. 공급 법칙과 공급 곡선

(1) **공급 법칙**: 다른 조건이 일정하고 가격만 변할 때 가격과 공급량 사이에 양(+)의 관계가 나타남 → 일반적으로 가격이 상승하면 공급량이 증가하고, 가격이 하락하면 공급량이 감소함 (자료4)

(2) **★공급 곡선**: 가격과 공급량의 관계를 그래프로 나타낸 것 → 우상향하는 형태를 띰

3. 공급량의 변동과 공급의 변동

(1) **공급량의 변동**: 해당 상품의 가격 변동에 따라 공급량이 변하는 것 → 공급 곡선상의 이동

(2) **공급의 변동**: 해당 상품 가격 이외의 요인이 변동하여 모든 가격 수준에서 공급량이 변하는 것 → 공급 곡선 자체의 이동

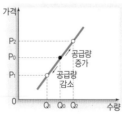

◐ 공급량의 변동

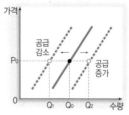

◐ 공급의 변동

> **꿀!** 공급량의 변동은 공급 곡선상의 이동으로 나타나고, 공급의 변동은 공급 곡선 자체의 이동으로 나타나.

(3) 공급 변동의 요인 (자료5)

구분	공급 증가	공급 감소
양상	공급 곡선이 오른쪽으로 이동	공급 곡선이 왼쪽으로 이동
요인	• 생산 요소의 가격 하락 • 생산 기술의 발전 (예) 원자재 가격, 임금, 이자 등 • 공급자의 수 증가 • 미래 가격 하락 예상 • 기업에 대한 규제 완화 ─ (예) 보조금 지급 등	• 생산 요소의 가격 상승 • 생산 여건의 악화 • 공급자의 수 감소 • 미래 가격 상승 예상 • 기업에 대한 규제 강화 ─ (예) 세금 인상 등

> **왜?** 상품 가격이 오른 후 판매하기 위해 현재의 공급을 줄이기 때문이야.

완자 자료 탐구

내 옆의 선생님

자료 ③ 대체재와 보완재 — 대체재와 보완재와 같이 서로의 수요에 영향을 주는 관계에 있는 재화를 연관재라고 하고, 서로의 수요에 아무런 영향도 미치지 않는 관계에 있는 재화를 독립재라고 해.

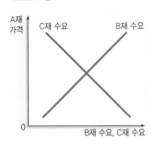

QH? 한 재화의 가격이 상승하면 그 재화의 수요량이 줄어들면서 그 상품과 비슷한 특성을 가진 다른 상품으로 소비를 대신하려고 하기 때문이야.

두 재화가 서로 대체 관계에 있을 때 한 재화의 가격이 오르면 다른 재화의 수요가 증가하고, 두 재화가 서로 보완 관계에 있을 때 한 재화의 가격이 오르면 다른 재화의 수요가 감소한다. 제시된 그래프에서 A재의 가격이 상승할 때 B재의 수요가 증가하므로, A재와 B재는 대체재 관계이다. 한편, A재의 가격이 상승할 때 C재의 수요는 감소하므로, A재와 C재는 보완재 관계이다.

QH? 한 재화의 가격이 상승하면 그 재화의 수요량이 줄어들면서 이와 함께 소비하는 다른 상품의 소비도 같이 줄어들기 때문이야.

자료 ④ 공급 법칙의 예외

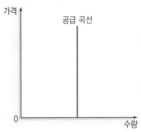

⬆ 수직선 형태를 띠는 공급 곡선

일반적으로 가격이 상승하면 공급량은 증가하고, 가격이 하락하면 공급량은 감소한다. 하지만 사람들의 계획과 선택을 반영하여 공급량이 결정되므로, 공급 법칙이 항상 성립하는 것은 아니다. 예를 들어 수량이 한정된 예술품이나 골동품은 가격이 아무리 변화한다고 하더라도 공급량을 늘릴 수 있는 방법이 없다. 따라서 이러한 재화의 공급 곡선은 수직선 형태로 나타난다.

자료 ⑤ 정부의 세금 부과와 보조금 지급에 따른 공급의 변동

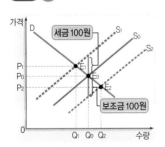

QH? 정부가 세금을 부과하면 공급자는 상품을 팔 때 최소한으로 받고자 하는 금액을 세금 부과액만큼 올리기 때문이야.

정부가 어떤 재화의 생산자에게 재화 1단위당 100원의 세금을 부과하면 공급 곡선이 S_0에서 S_1으로 100원만큼 위로 이동하고, 반대로 정부가 재화 1단위당 100원의 보조금을 지급하면 공급 곡선이 S_0에서 S_2로 100원만큼 아래로 이동한다. 즉, 정부가 세금을 인상하면 공급이 감소하고, 기업에 대한 규제를 완화하거나 보조금을 지급하면 공급이 증가한다.

문제 로 확인할까?

수요를 증가시키는 요인이 아닌 것은?
① 소비자의 수 증가
② 대체재의 가격 상승
③ 보완재의 가격 하락
④ 미래 가격 하락 예상
⑤ 상품에 대한 소비자의 기호 증가

④

자료 하나 더 알고 가자!

노동 공급 곡선

노동 시장에서 임금이 상승하면 일반적으로 노동의 공급이 증가한다. 하지만 임금이 일정 수준 이상으로 상승하여 생활 수준이 향상되면 근로자들이 여가를 즐기기 위해 오히려 노동 시간을 줄여 노동 공급 곡선이 좌상향하는 형태를 띨 수 있다.

정리 비법을 알려줄게!

수요와 공급의 변동 요인

수요의 변동 요인	소득, 소비자의 기호, 연관재의 가격, 소비자의 수, 미래 가격에 대한 예상 등
공급의 변동 요인	생산 요소의 가격, 생산 기술 및 생산 여건의 변화, 공급자의 수, 미래 가격에 대한 예상, 기업에 대한 규제 등

STEP 1 핵심 개념 확인하기

1 다음 설명이 맞으면 ○표, 틀리면 ✕표를 하시오.

(1) 생산 요소 시장에서는 노동, 자본, 토지 등이 거래된다.
( )

(2) 상품의 공급자가 하나만 있는 시장을 과점 시장이라고 한다.
( )

(3) 시장이 생기면서 교환 조건을 탐색하는 데 드는 거래 비용이 줄어들었다.
( )

2 ㉠, ㉡에 들어갈 내용을 각각 쓰시오.

시장에서 상품의 가격이 변하면 (㉠   )이 변동하고, 이는 수요 곡선상의 이동으로 나타난다. 반면, 상품 가격 이외의 요인이 변하면 (㉡   )가 변동하며, 이는 수요 곡선 자체의 이동으로 나타난다.

3 다음 빈칸에 들어갈 내용을 쓰시오.

(1) 일정한 가격 수준에서 판매자가 판매하고자 하는 상품의 수량을 (   )이라고 한다.

(2) 판매 의사와 능력을 갖춘 공급자가 어떤 상품을 판매하려는 욕구를 (   )이라고 한다.

(3) (   )에 따르면 다른 조건이 일정하고 가격만 변할 때 가격과 공급량 사이에 양(+)의 관계가 나타난다.

4 다음 괄호 안의 내용 중 알맞은 말에 ○표를 하시오.

(1) 소득이 늘어날 때 정상재의 수요는 (증가, 감소)하고, 열등재의 수요는 (증가, 감소)한다.

(2) 상품의 가격이 오를 것으로 예상되면 수요는 (증가, 감소)하고, 공급은 (증가, 감소)한다.

5 수요와 공급의 변동 요인을 옳게 연결하시오.

(1) 수요 증가 •   • ㉠ 대체재 가격 하락

(2) 수요 감소 •   • ㉡ 생산 기술의 발전

(3) 공급 증가 •   • ㉢ 소비자의 기호 증가

(4) 공급 감소 •   • ㉣ 생산 요소의 가격 상승

STEP 2 내신 만점 공략하기

01 ㉠의 기능으로 적절하지 <u>않은</u> 것은?

(㉠)은/는 재화와 서비스 등을 거래하는 물리적 장소뿐만 아니라 구매자와 판매자 사이에 상품과 관련된 정보가 교환되고 협상이 이루어지는 곳이라는 의미도 있다.

① 교환과 특화를 촉진한다.
② 상품에 대한 정보를 제공한다.
③ 거래하는 데 드는 비용을 증가시킨다.
④ 사회 전체의 생산성 향상에 기여한다.
⑤ 자원의 효율적 배분을 가능하게 한다.

02 ㉠, ㉡에 대한 옳은 설명을 〈보기〉에서 고른 것은?

시장은 크게 재화와 서비스가 거래되는 (㉠)와/과 생산에 필요한 노동, 자본, 토지 등이 거래되는 (㉡)(으)로 구분할 수 있다.

┌ 보기 ┐
ㄱ. ㉠에서 가계는 수요자이다.
ㄴ. ㉡에서 기업은 공급자이다.
ㄷ. ㉠과 ㉡은 거래되는 상품의 종류에 따라 구분된다.
ㄹ. 노동 시장은 ㉠, 대형 할인 매장은 ㉡의 대표적 사례이다.

① ㄱ, ㄴ   ② ㄱ, ㄷ   ③ ㄴ, ㄷ
④ ㄴ, ㄹ   ⑤ ㄷ, ㄹ

03 (가) ~ (다) 시장에 대한 설명으로 옳은 것은? (단, (가)~(다)는 각각 완전 경쟁 시장, 과점 시장, 독점적 경쟁 시장 중 하나이다.)

구분	(가)	(나)	(다)
공급자의 수	다수	다수	소수
상품의 질	차별적	동질적	동질적 또는 차별적
진입 장벽	낮음	없음	높음

① (가)는 완전 경쟁 시장이다.

② (가)에서 개별 공급자는 시장 가격에 어느 정도 영향력을 행사할 수 있다.

③ (나)에서는 개별 공급자들이 가격을 결정한다.

④ (나)에서 개별 공급자는 제품 차별화 전략을 통해 독점적 지위를 가질 수 있다.

⑤ (다)에서 기업들은 언제나 시장에 자유롭게 참여할 수 있다.

04 표는 음료수의 가격에 따른 갑과 을의 수요량을 나타낸 것이다. 이에 대한 설명으로 옳지 <u>않은</u> 것은? (단, 시장에 소비자는 갑과 을만 존재한다.)

가격(원)	갑의 수요량(병)	을의 수요량(병)
1,200	1	1
1,100	1	2
1,000	1	3
900	1	4

① 갑의 수요량은 가격과 상관없이 일정하다.

② 음료수의 시장 수요 곡선은 우하향하는 형태이다.

③ 음료수의 시장 수요는 수요 법칙이 성립하지 않는다.

④ 음료수 가격이 1,000원일 때 시장의 수요량은 4병이다.

⑤ 음료수 가격이 1,200원일 때 을은 1병을 소비하고자 한다.

05 그림은 수요 곡선을 나타낸 것이다. 이에 대한 설명으로 옳은 것은?

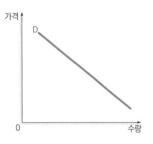

① 수요량이 증가하면 가격이 하락한다.

② 수요량이 감소하면 가격이 상승한다.

③ 가격이 하락하면 수요량이 감소한다.

④ 수요량은 가격 변동의 영향을 받지 않는다.

⑤ 가격과 수요량 사이에 음(-)의 관계가 나타난다.

06 ☆중요 그림은 X재의 수요 곡선을 나타낸 것이다. 이에 대한 옳은 분석을 〈보기〉에서 고른 것은? (단, E는 현재의 균형점이다.)

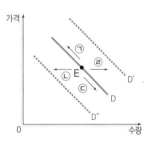

보기
ㄱ. X재의 가격이 상승할 경우 ㉠ 방향으로 이동할 것이다.

ㄴ. X재가 정상재라면 소득이 증가할 경우 ㉡ 방향으로 이동할 것이다.

ㄷ. X재의 가격 하락이 예상될 경우 ㉢ 방향으로 이동할 것이다.

ㄹ. X재에 대한 소비자의 선호가 커지면 ㉣ 방향으로 이동할 것이다.

① ㄱ, ㄴ   ② ㄱ, ㄹ   ③ ㄴ, ㄷ

④ ㄴ, ㄹ   ⑤ ㄷ, ㄹ

07 그림은 A 스마트폰 시장의 변화를 나타낸 것이다. 이러한 변화를 가져올 수 있는 요인을 〈보기〉에서 고른 것은?

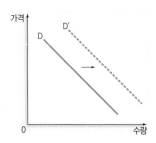

〈보기〉
ㄱ. A 스마트폰의 가격이 하락하였다.
ㄴ. A 스마트폰의 생산 기술이 발전하였다.
ㄷ. A 스마트폰 가격이 상승할 것이라는 예측이 나왔다.
ㄹ. A 스마트폰의 대체재인 B 스마트폰의 가격이 상승하였다.

① ㄱ, ㄴ   ② ㄱ, ㄹ   ③ ㄴ, ㄷ
④ ㄴ, ㄹ   ⑤ ㄷ, ㄹ

08 그림은 소득에 따른 A재와 B재의 수요를 나타낸 것이다. 이에 대한 설명으로 옳은 것은?

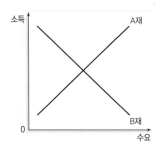

① A와 같은 재화를 열등재라고 한다.
② B와 같은 재화를 정상재라고 한다.
③ A재와 B재는 대체재 관계의 재화이다.
④ A재와 B재는 보완재 관계의 재화이다.
⑤ 동일한 재화가 A재 성격에서 B재 성격으로 변화할 수도 있다.

09 그림은 X재의 가격 변화에 따른 Y재와 Z재의 수요 변화를 나타낸 것이다. 이에 대한 옳은 설명을 〈보기〉에서 고른 것은?

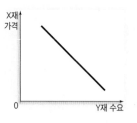

〈보기〉
ㄱ. 커피와 설탕은 Y재와 Z재의 관계와 같다.
ㄴ. X재의 가격이 하락하면 Y재의 수요가 증가한다.
ㄷ. X재의 가격이 상승하면 Z재의 수요 곡선은 오른쪽으로 이동한다.
ㄹ. X재와 Z재는 함께 소비할 때 만족도가 더 커지는 보완 관계의 재화이다.

① ㄱ, ㄴ   ② ㄱ, ㄷ   ③ ㄴ, ㄷ
④ ㄴ, ㄹ   ⑤ ㄷ, ㄹ

10 그림이 나타내는 경제 법칙과 그에 해당하는 사례를 옳게 연결한 것은?

① 수요 법칙 – 배추의 가격이 상승하자 사람들이 배추에 대한 소비를 줄였다.
② 수요 법칙 – 병충해에 강한 옥수수 모종이 개발되면서 옥수수의 공급이 증가하였다.
③ 공급 법칙 – 빵 가격이 내리자 빵 공급자들이 빵 생산량을 줄였다.
④ 공급 법칙 – 휘발유 가격이 상승으로 자가용을 이용하는 사람들이 줄어들고 있다.
⑤ 공급 법칙 – 우유 섭취가 뼈 건강에 도움이 된다는 연구 결과가 발표되자 우유의 소비량이 늘었다.

11 다음 내용에 따른 노동의 공급 곡선을 표현한 그림으로 옳은 것은?

> 임금이 상승하면 여가의 기회비용이 증가하기 때문에 일반적으로 근로자들은 여가 활동을 줄이고 일을 더 많이 하여 노동의 공급량이 증가한다. 그러나 임금이 일정 금액 이상이 되면 임금으로 생기는 편익보다 여가 활동으로 생기는 편익이 더 크다고 판단하여 노동의 공급량이 감소하기도 한다.

①

②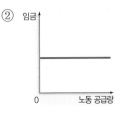

③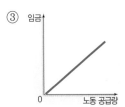

④

⑤

12 다음과 같은 상황에서 나타날 과자 시장의 변화를 옳게 예측한 것은? (단, 다른 요인은 일정하다고 가정한다.)

> 조류 인플루엔자의 확산으로 식용 닭뿐만 아니라 알을 낳는 닭의 30% 이상이 살처분되었다. 이에 따라 달걀의 가격이 폭등하였고 달걀을 주원료로 하는 과자 시장에도 큰 영향을 미치고 있다.

① 공급이 감소할 것이다.
② 공급이 증가할 것이다.
③ 수요가 증가할 것이다.
④ 생산비가 하락할 것이다.
⑤ 수요와 공급 모두 변동하지 않을 것이다.

13 그림은 수박 시장의 변화를 나타낸 것이다. (가), (나)와 같은 변화를 가져올 수 있는 요인을 〈보기〉에서 골라 옳게 연결한 것은? (단, E는 현재의 균형점이다.)

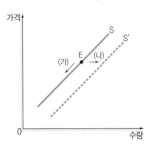

> **보기**
> ㄱ. 비료 가격의 상승
> ㄴ. 수박 가격의 하락
> ㄷ. 수박 재배 기술의 발달
> ㄹ. 자연재해로 인한 수박 농가의 피해

	(가)	(나)		(가)	(나)
①	ㄱ	ㄴ	②	ㄴ	ㄷ
③	ㄷ	ㄱ	④	ㄷ	ㄹ
⑤	ㄹ	ㄷ			

☆중요
14 그림은 X재 시장의 공급 곡선을 나타낸 것이다. 이에 대한 설명으로 옳은 것은?

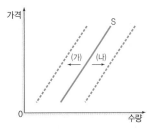

① X재의 공급자 수가 늘어나면 (가)와 같이 변동한다.
② X재 가격이 하락할 것으로 예상되면 (가)와 같이 변동한다.
③ X재 가격이 상승하면 (나)와 같이 변동한다.
④ X재 생산에 필요한 생산 요소 가격이 하락하면 (나)와 같이 변동한다.
⑤ (가)를 공급량 감소, (나)를 공급량 증가라고 한다.

15 밑줄 친 현상이 반도체 시장과 노트북 시장에 미치는 영향으로 옳은 것을 〈보기〉에서 고른 것은? (단, 반도체 시장과 노트북 시장은 수요와 공급 법칙을 따른다.)

> 반도체 가격의 상승은 반도체 시장뿐 아니라 반도체를 주요 부품으로 하는 노트북 시장에도 영향을 미친다.

보기
ㄱ. 반도체의 공급량이 증가할 것이다.
ㄴ. 노트북의 공급이 감소할 것이다.
ㄷ. 노트북의 공급량이 증가할 것이다.
ㄹ. 반도체과 노트북의 공급이 모두 증가할 것이다.

① ㄱ, ㄴ   ② ㄱ, ㄷ   ③ ㄴ, ㄷ
④ ㄴ, ㄹ   ⑤ ㄷ, ㄹ

16 다음 현상들이 동시에 발생할 때 전기 시장의 변화를 표현한 그림으로 옳은 것은?

> • 폭염으로 에어컨 판매가 급증하고 있다.
> • 100만 kW 급 원자력 발전 설비가 고장을 일으켰다.

①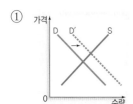

②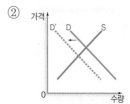

③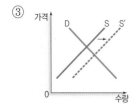

④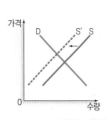

⑤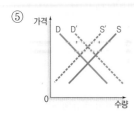

서술형 문제

01 다음 글을 읽고 물음에 답하시오. (단, 다른 요인은 일정하다고 가정한다.)

> 대중교통 요금 인상에 따라 대중교통을 이용하는 승객이 크게 줄었다. 반면, 자가용 이용자들이 늘어 교통 체증이 더욱 심해졌다.

(1) 밑줄 친 정책에 의해 나타난 대중교통에 대한 수요 또는 수요량의 변화에 대해 서술하시오.

(2) 대중교통과 자가용의 연관재 관계를 쓰고, 그 이유를 서술하시오.

02 다음 글을 읽고 물음에 답하시오. (단, 다른 요인은 일정하다고 가정한다.)

> (가) 토마토가 성인병 예방에 좋다는 뉴스 보도가 나가자 토마토를 사려는 사람들이 많아졌다.
> (나) 토마토 가격이 상승할 것으로 예상되자 산지에서는 더 비싼 요금에 토마토를 팔고자 시장 출하를 지연하고 있다.

(1) (가), (나)가 토마토 시장의 수요 또는 공급 중 어느 측면에 영향을 미치는 요인인지 각각 쓰시오.

(2) (가), (나)와 같은 현상이 동시에 발생할 때 토마토 시장에서 나타날 수요 곡선 또는 공급 곡선의 변화 방향을 서술하시오.

STEP 3 1등급 정복하기

1 그림은 민간 부문의 경제 순환을 나타낸 것이다. (가), (나) 시장에 대한 옳은 설명만을 〈보기〉에서 있는 대로 고른 것은?

> 시장의 구분

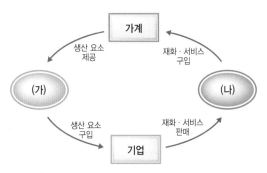

보기

ㄱ. 가계는 (가) 시장에 노동, 자본, 토지 등을 제공한다.

ㄴ. 기업이 생산한 재화와 서비스는 (나) 시장에서 거래된다.

ㄷ. (가)는 생산물 시장, (나)는 생산 요소 시장이다.

ㄹ. (가)에서는 가계가 수요자이고, (나)에서는 기업이 수요자이다.

① ㄱ, ㄴ   ② ㄱ, ㄹ   ③ ㄷ, ㄹ

④ ㄱ, ㄴ, ㄷ   ⑤ ㄴ, ㄷ, ㄹ

> **완자쌤의 시험 꿀팁**
>
> 생산물 시장과 생산 요소 시장을 구분하고, 각 시장에서 경제 주체의 역할을 묻는 문제가 자주 출제된다.

2 다음 상황에 대한 옳은 분석 및 추론만을 〈보기〉에서 있는 대로 고른 것은? (단, 다른 요인은 일정하다고 가정한다.)

> 수요의 변동

카페 내 일회용 컵 사용 단속이 시행되면서 다회용 컵 제조사가 때아닌 호황을 누리고 있다. 업소에서 제공하는 다회용 컵을 사용하기보다는 아예 개인용 텀블러를 장만하는 소비자들이 늘고 있기 때문이다. 다회용 컵을 판매하는 회사들은 정부가 환경 보호를 위해 시행한 「자원의 절약과 재활용 촉진에 관한 법률」로 인해 텀블러 판매량이 급증하는 등 수혜를 톡톡히 누리고 있는 것으로 나타났다.

보기

ㄱ. 일회용 컵에 대한 수요가 감소하였을 것이다.

ㄴ. 다회용 컵에 대한 공급 곡선이 왼쪽으로 이동하였을 것이다.

ㄷ. 다회용 컵에 대한 수요 곡선이 오른쪽으로 이동하였을 것이다.

ㄹ. 다회용 컵은 일회용 컵과 경쟁적인 위치에 있는 재화라고 할 수 있다.

① ㄱ, ㄴ   ② ㄴ, ㄷ   ③ ㄷ, ㄹ

④ ㄱ, ㄷ, ㄹ   ⑤ ㄴ, ㄷ, ㄹ

STEP 3 1등급 정복하기

수요와 수요량의 변동

완자쌤의 시험 꿀팁

수요량의 변동 요인과 수요의 변동 요인을 구분하는 문제가 자주 출제된다.

| 완자 사전 |

• 열등재
소득이 증가할 때 수요가 감소하는 재화

평가원 응용

3 다음 자료에 대한 옳은 설명만을 〈보기〉에서 있는 대로 고른 것은?

> 그림에서 e는 X재의 가격이 P_0일 때 수요량이 Q_0라는 것을 나타내고, a~c는 조건의 변화에 따라 나타날 수 있는 가격과 수요량의 조합을 나타낸다. (단, 수요 곡선의 이동은 좌우 평행으로만 가능하다.)

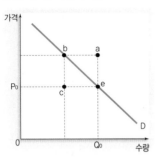

보기

ㄱ. X재 가격이 P_0보다 높아지면 e는 a로 이동할 수 있다.
ㄴ. X재가 열등재라면 소득이 증가할 때 e는 b로 이동할 수 있다.
ㄷ. X재 가격이 P_0보다 낮아질 것으로 예상되면 e는 c로 이동할 수 있다.
ㄹ. X재의 연관재인 Y재 가격이 상승할 때 e가 a로 이동한다면 두 재화는 대체재이다.

① ㄱ, ㄷ   ② ㄴ, ㄹ   ③ ㄷ, ㄹ
④ ㄱ, ㄷ, ㄹ   ⑤ ㄴ, ㄷ, ㄹ

평가원 응용

4 그림은 X재를 생산하는 갑~병의 공급 계획을 나타낸 것이다. 이에 대한 설명으로 옳은 것은?

공급 법칙

〈갑〉   〈을〉   〈병〉

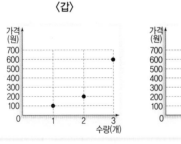 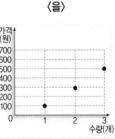 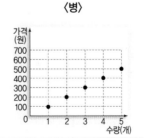

① 가격이 100원이면 갑의 공급량은 0개이다.
② 가격이 200원이면 을의 공급량은 2개이다.
③ 가격이 300원이면 갑과 을의 공급량 합계는 2개이다.
④ 가격이 400원이면 을과 병의 공급량 합계는 7개이다.
⑤ 가격이 500원이면 갑~병의 공급량 합계는 10개이다.

5 다음 자료에 대한 분석으로 옳지 <u>않은</u> 것은?

- 그림은 A재 가격 변화에 따른 B, C재의 수요 변화를 나타낸다. (단, B, C재는 A재의 연관재이며, A~C재는 수요 및 공급 법칙을 따른다.

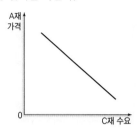

- 최근 정부가 A재 생산자에게 단위당 일정한 금액의 보조금을 지급하기로 결정하였다.

① A재의 가격은 하락한다.
② A재의 공급은 증가한다.
③ B재는 A재의 대체재이다.
④ C재는 A재의 보완재이다.
⑤ B재의 수요는 증가하고, C재의 수요는 감소한다.

> 연관재의 가격 변화와 수요의 변동

완자샘의 시험 꿀팁
한 재화의 가격 변화가 연관재의 수요에 미치는 영향을 분석하는 문제가 자주 출제된다.

6 그림의 (가), (나)는 어떤 요인에 의한 시장의 변화를 나타낸 것이다. (가), (나)의 사례를 〈보기〉에서 골라 옳게 연결한 것은?

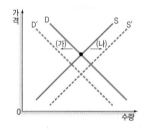

┌ 보기 ┐
ㄱ. 전복 시장 – 양식 재배 성공으로 전복 생산량이 증가하였다.
ㄴ. 노동 시장 – 지속된 경기 침체로 기업의 신규 채용이 감소하였다.
ㄷ. 외환 시장 – 외국인 투자 규제가 완화되면서 외화의 유입이 증가하였다.
ㄹ. 법률 서비스 시장 – 로스쿨 제도가 도입되면서 변호사 수가 증가하였다.

	(가)	(나)
①	ㄱ	ㄴ, ㄷ, ㄹ
②	ㅣ	ㄱ, ㄷ, ㄹ
③	ㄱ, ㄴ	ㄷ, ㄹ
④	ㄱ, ㄹ	ㄴ, ㄷ
⑤	ㄴ, ㄷ	ㄱ, ㄹ

> 수요와 공급의 변동

| 완자 사전 |
- **외환 시장**
여러 나라의 화폐가 거래되는 시장으로, 외화의 수요와 공급이 만나 외화의 가격인 환율이 결정된다.

02 시장 균형과 자원 배분의 효율성

학 습 목 표
• 시장 가격의 결정과 변동 원리를 이해하고, 수요·공급의 가격 탄력성을 설명할 수 있다.
• 잉여 개념을 바탕으로 자원 배분의 효율성을 설명할 수 있다

이것이 핵심!

시장 균형의 결정과 변동

시장 균형
수요량과 공급량이 일치하여 균형을 이루는 상태

↓

시장 균형의 변동	
수요 증가	균형 가격↑, 균형 거래량↑
수요 감소	균형 가격↓, 균형 거래량↓
공급 증가	균형 가격↓, 균형 거래량↑
공급 감소	균형 가격↑, 균형 거래량↓

★ **초과 공급**
시장 가격이 균형 가격보다 높아 공급량이 수요량보다 많은 상태

★ **초과 수요**
시장 가격이 균형 가격보다 낮아 수요량이 공급량보다 많은 상태

① 시장 균형의 결정과 변동

1. 시장 균형 【자료①】

(1) 시장 균형

① 시장 균형: 수요량과 공급량이 일치하여 균형을 이루는 상태

② 균형 가격: 수요량과 공급량이 일치하는 지점에서 결정되는 가격

③ 균형 거래량: 수요량과 공급량이 일치하는 지점에서 결정되는 거래량

(2) 시장 균형의 결정 원리 ┌ 꼭! 초과 공급이나 초과 수요 상태는 수요와 공급의 원리에 따라서 결국 시장 균형을 회복해.

① *초과 공급 상태: 공급자 간 판매 경쟁 → 가격 하락 → 수요량 증가, 공급량 감소 → 균형 상태 도달

② *초과 수요 상태: 수요자 간 구매 경쟁 → 가격 상승 → 수요량 감소, 공급량 증가 → 균형 상태 도달

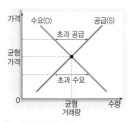

↑ 시장 균형의 결정

2. 시장 균형의 변동 【자료②】

수요 증가, 공급 불변	수요 감소, 공급 불변	공급 증가, 수요 불변	공급 감소, 수요 불변
• 균형 가격 상승 • 균형 거래량 증가	• 균형 가격 하락 • 균형 거래량 감소	• 균형 가격 하락 • 균형 거래량 증가	• 균형 가격 상승 • 균형 거래량 감소

이것이 핵심!

수요와 공급의 가격 탄력성

수요의 가격 탄력성	수요량이 가격 변화에 얼마나 민감하게 반응하는지를 나타내는 지표
공급의 가격 탄력성	공급량이 가격 변화에 얼마나 민감하게 반응하는지를 나타내는 지표

★ **수요의 가격 탄력성과 수요 곡선**

② 수요와 공급의 가격 탄력성

1. 수요의 가격 탄력성

(1) **수요의 가격 탄력성**: 수요량이 가격 변화에 얼마나 민감하게 반응하는지를 나타내는 지표

(2) **수요의 가격 탄력성 계산**: |수요량의 변화율(%) / 가격의 변화율(%)| ┌ 가격과 수요량은 서로 음(−)의 관계를 가지므로 절댓값으로 표시해.

(3) *수요의 가격 탄력성의 크기 【교과서 자료】

탄력적($e_d > 1$)	가격의 변화율보다 수요량의 변화율이 큼
단위 탄력적($e_d = 1$)	가격의 변화율과 수요량의 변화율이 동일함
비탄력적($e_d < 1$)	가격의 변화율보다 수요량의 변화율이 작음

(4) **수요의 가격 탄력성 결정 요인** ┌ 예! 소금 같은 필수품은 값이 싸든 비싸든 사람들이 거의 일정한 양을 소비하는 반면, 사치품은 그 재화가 없어도 살아가는 데 큰 지장이 없기 때문이야.

대체재의 존재 여부	대체재가 많은 상품일수록 수요의 가격 탄력성이 커짐
상품의 성격	필수품은 수요의 가격 탄력성이 작은 반면, 사치품은 수요의 가격 탄력성이 큼
가격 변동에 대응하는 시간	수요자가 가격 변동에 대응하는 시간이 길수록 수요의 가격 탄력성이 큼
상품이 소비 예산에서 차지하는 비중	상품이 소비 예산에서 차지하는 비중이 클수록 수요의 가격 탄력성이 큼

완자 자료 탐구 내 옆의 선생님

자료 1 노동 시장과 금융 시장의 균형

구분	노동 시장	금융 시장
의미	노동의 수요와 공급이 만나서 노동의 가격인 임금과 거래량인 고용량이 결정되는 시장	자금의 수요와 공급이 만나 자금의 가격인 이자율과 자금 거래량이 결정되는 시장
특징	• 노동 시장에서 기업은 노동을 구매하는 수요자이고, 가계는 노동을 제공하는 공급자임 • 임금이 올라가면(내려가면) 노동의 수요자는 노동 수요량을 줄이고(늘리고), 노동의 공급자는 노동 공급량을 늘림(줄임)	• 금융 시장에서 기업은 자금을 빌리는 수요자이고, 가계는 자금을 공급하는 공급자임 • 이자율이 올라가면(내려가면) 자금의 수요자는 자금 수요량을 줄이고(늘리고), 자금의 공급자는 자금 공급량을 늘림(줄임)

노동과 자본도 상품과 마찬가지로 우하향의 수요 곡선과 우상향의 공급 곡선을 갖는다. 결국 노동의 수요 곡선과 공급 곡선이 교차하는 점에서 임금과 고용량이 결정되고, 자금의 수요 곡선과 공급 곡선이 교차하는 점에서 이자율과 자금 거래량이 결정된다.

자료 2 수요와 공급이 동시에 변동하는 경우 시장 균형의 변동

변동 내용	변동 결과	
	균형 가격	균형 거래량
수요 증가, 공급 증가	불분명	증가
수요 증가, 공급 감소	상승	불분명
수요 감소, 공급 증가	하락	불분명
수요 감소, 공급 감소	불분명	감소

수요와 공급이 동시에 변하는 경우에는 수요와 공급의 상대적인 변화의 크기에 따라 시장 균형 가격과 균형 거래량이 결정된다.

수능이 보이는 교과서 자료 ｜ 수요의 가격 탄력성과 판매 수입

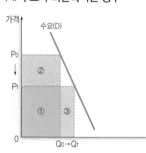

(가) 수요가 비탄력적인 경우

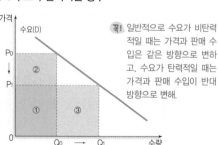

(나) 수요가 탄력적인 경우

꼭! 일반적으로 수요가 비탄력적일 때는 가격과 판매 수입은 같은 방향으로 변하고, 수요가 탄력적일 때는 가격과 판매 수입이 반대 방향으로 변해.

(가)처럼 수요가 비탄력적이면 가격이 하락할 경우 가격 하락으로 인한 총수입의 감소분(②)이 수요량 증가로 인한 총수입의 증가분(③)보다 크기 때문에 판매자의 수입은 감소한다. 반면, (나)처럼 수요가 탄력적이면 가격이 하락할 경우 가격 하락으로 인한 총수입의 감소분(②)보다 수요량 증가로 인한 총수입의 증가분(③)이 크기 때문에 판매자의 수입이 증가한다.

정리 ｜ 비법을 알려줄게!

시장 균형의 결정

초과 공급	수요량 < 공급량
↓ 가격 하락 압력	
시장 균형	수요량 = 공급량
↑ 가격 상승 압력	
초과 수요	수요량 > 공급량

문제 로 확인할까?

수요 증가와 공급 감소가 동시에 나타날 경우 예상되는 균형 가격과 균형 거래량의 변동 양상을 옳게 연결한 것은?

	균형 가격	균형 거래량
①	상승	증가
②	상승	감소
③	상승	불분명
④	하락	증가
⑤	하락	감소

ⓒ 🔒

완자샘의 탐구 강의

• (가), (나)의 가격 변화율과 수요량 변화율의 크기를 각각 비교해 보자.

(가)	가격 변화율 > 수요량 변화율
(나)	가격 변화율 < 수요량 변화율

• 수요의 가격 탄력성과 판매 수입 간의 관계를 표로 정리해 보자.

구분	가격 하락	가격 상승
비탄력적 ($e_d < 1$)	판매 수입 감소	판매 수입 증가
탄력적 ($e_d > 1$)	판매 수입 증가	판매 수입 감소

함께 보기 68쪽, 내신 만점 공략하기 09

02 시장 균형과 자원 배분의 효율성

★ 공급의 가격 탄력성과 공급 곡선

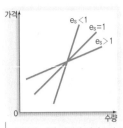

└ 공급의 가격 탄력성 값이 0인 경우 완전 비탄력적, ∞인 경우 완전 탄력적이라고 하며, 각각의 공급 곡선은 수직선과 수평선 형태를 띠어.

2. 공급의 가격 탄력성

(1) **공급의 가격 탄력성**: 공급량이 가격 변화에 얼마나 민감하게 반응하는지를 나타내는 지표

(2) **공급의 가격 탄력성 계산**: 공급량의 변화율(%) / 가격의 변화율(%)

(3) **공급의 가격 탄력성의 크기**

탄력적($e_s > 1$)	가격의 변화율보다 공급량의 변화율이 큼
단위 탄력적($e_s = 1$)	가격의 변화율과 공급량의 변화율이 동일함
비탄력적($e_s < 1$)	가격의 변화율보다 공급량의 변화율이 작음

(4) **공급의 가격 탄력성 결정 요인** [자료③]

공급 계획의 기간	공급 계획의 기간을 장기간으로 설정할수록 공급의 가격 탄력성이 커짐
상품의 성격	생산에 걸리는 시간이 짧고 저장이 용이한 상품일수록 공급의 가격 탄력성이 커짐 ⑩ 공산품은 농산물에 비해 대체로 생산 기간이 짧고 저장이 용이해 공급의 가격 탄력성이 큼
생산 조건	생산 설비 규모가 작을수록, 생산 요소의 대체 가능성이 클수록 공급의 가격 탄력성이 커짐 ⑩ 피자 가게는 거대한 자본 설비가 요구되는 조선소보다 생산 설비를 확장하기가 상대적으로 쉬워 공급의 가격 탄력성이 큼

이것이 핵심!

소비자 잉여와 생산자 잉여

소비자 잉여	생산자 잉여
소비자의 최대 지불 의사 금액 – 실제 지불한 금액	생산자가 실제로 받은 금액 – 최소한 받고자 하는 금액

↓

총잉여

★ 시장 가격과 소비자 잉여의 관계

★ 시장 가격과 생산자 잉여의 관계

3 잉여와 자원 배분의 효율성

1. 소비자 잉여와 생산자 잉여

(1) **소비자 잉여**

① **소비자 잉여**: 소비자가 상품을 구매하면서 얻었다고 느끼는 이득의 크기

② **소비자 잉여의 계산**: 소비자가 어떤 상품을 구입하기 위해 최대로 지불할 의사가 있는 금액에서 실제로 지불한 금액을 뺀 것

③ **시장 가격과 소비자 잉여의 관계**: 시장 가격이 하락할수록 소비자 잉여는 더 커짐

(2) **생산자 잉여**

① **생산자 잉여**: 생산자가 상품을 판매하면서 얻었다고 느끼는 이득의 크기

② **생산자 잉여의 계산**: 생산자가 어떤 상품을 공급하면서 실제로 받은 금액에서 그 상품을 판매하여 최소한 받고자 하는 금액을 뺀 것

③ **시장 가격과 생산자 잉여의 관계**: 시장 가격이 상승할수록 생산자 잉여는 더 커짐

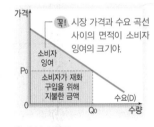

↑ 소비자 잉여

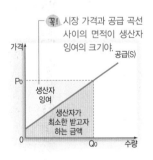

↑ 생산자 잉여

2. 총잉여 ─ 총잉여를 사회적 잉여라고도 해

(1) **총잉여**: 소비자와 생산자가 거래를 통해 얻었다고 느끼는 이득의 합 → 소비자 잉여와 생산자 잉여를 합한 것

(2) **시장 균형과 총잉여**: 시장 균형에서 자원이 효율적으로 배분되어 총잉여가 가장 커짐 [자료④]

완자 자료 탐구

내 옆의 선생님

자료 ③ 농산물의 가격 변동

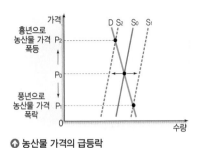

↑ 농산물 가격의 급등락

농산물은 대체로 필수품의 성격이 강하기 때문에 일반적으로 수요의 가격 탄력성이 작다. 또한 생산 기간이 길어 수요 변화에 즉각 반응하기가 쉽지 않고, 저장도 쉽지 않기 때문에 공급의 가격 탄력성도 작다. 이처럼 농산물은 수요와 공급의 가격 탄력성이 모두 작기 때문에 풍년이 들어 공급이 약간만 증가해도 가격이 폭락하고, 반대로 흉년이 들어 공급이 약간만 감소해도 가격이 폭등하는 경우가 많다.

정리 | 비법을 알려줄게!

가격 탄력성의 결정 요인

수요의 가격 탄력성 결정 요인	대체재의 존재 여부, 상품의 성격, 가격 변동에 대응하는 시간, 상품이 소비 예산에서 차지하는 비중 등
공급의 가격 탄력성 결정 요인	공급 계획의 기간, 상품의 성격, 생산 조건 등

자료 ④ 정부의 가격 통제와 잉여의 변화

구분	최고 가격제(가격 상한제)	최저 가격제(가격 하한제)
의미	시장 균형 가격보다 낮은 수준에서 최고 가격(가격 상한선)을 정하고, 그 이상으로 거래할 수 없도록 규제하는 정책	시장 균형 가격보다 높은 수준에서 최저 가격(가격 하한선)을 정하고, 그 이하로 거래할 수 없도록 규제하는 정책
목적	수요자 보호	공급자 보호
문제점	초과 수요 발생, 암시장 형성, 총잉여 손실	초과 공급 발생, 암시장 형성, 총잉여 손실
대표 사례	「이자 제한법」, 분양가 상한제	최저 임금제
그래프	(그래프)	(그래프)
잉여의 변화 — 정책 실시 전	• 소비자 잉여: ⓐ+ⓑ+ⓒ • 생산자 잉여: ⓓ+ⓔ+ⓕ • 총잉여: ⓐ+ⓑ+ⓒ+ⓓ+ⓔ+ⓕ	
잉여의 변화 — 정책 실시 후	• 소비자 잉여: ⓐ+ⓑ+ⓓ • 생산자 잉여: ⓕ • 총잉여: ⓐ+ⓑ+ⓓ+ⓕ	• 소비자 잉여: ⓐ • 생산자 잉여: ⓑ+ⓓ+ⓕ • 총잉여: ⓐ+ⓑ+ⓓ+ⓕ

정부는 수요자 보호를 목적으로 최고 가격제를 시행하기도 하고, 공급자 보호를 목적으로 최저 가격제를 시행하기도 한다. 그런데 최고 가격제나 최저 가격제와 같은 가격 통제는 제시된 자료와 같이 시장의 총잉여를 감소시킨다. 총잉여는 상품이 시장 균형 가격으로 거래될 때 최대가 되고, 이때 소비자와 생산자의 이득이 극대화된다. 이는 자유로운 교환으로 시장 균형이 이루어지면 총잉여가 최대가 되어 자원이 가장 효율적으로 배분된다는 것을 의미한다.

자료 | 하나 더 알고 가자!

최저 임금제

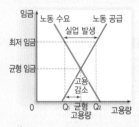

최저 임금제는 임금의 최저 수준을 정하고 사용자에게 그 수준 이상으로 임금을 지급하도록 하는 제도이다. 최저 임금제는 근로자의 생활 안정 및 소득 분배를 개선하는 등의 순기능을 갖지만 노동의 초과 공급 즉, 실업이 발생할 수 있다는 한계가 있다.

문제 | 로 확인할까?

총잉여에 대한 설명으로 옳은 것은?

① 소비자 잉여에서 생산자 잉여를 뺀 것이다.
② 생산자 잉여에서 소비자 잉여를 뺀 것이다.
③ 총잉여는 상품이 시장 균형 가격으로 거래될 때 최대가 된다.
④ 소비자가 상품을 구매하면서 얻었다고 느끼는 이득이 크기이다.
⑤ 생산자가 상품을 판매하면서 얻었다고 느끼는 이득의 크기이다.

ⓒ 🔲

02. 시장 균형과 자원 배분의 효율성　**065**

STEP 1 핵심 개념 확인하기

정답친해 17쪽

1 다음 빈칸에 들어갈 내용을 쓰시오.

(1) 수요량이 공급량보다 많은 (　　　　) 상태에서는 수요자 간 구매 경쟁으로 가격이 (　　　　)한다.

(2) 수요량과 공급량이 일치하는 지점에서 결정되는 가격을 (　　　　), 이때의 거래량을 (　　　　)이라고 한다.

2 ㉠~㉣에 들어갈 내용을 쓰시오.

구분		수요	
		증가	감소
공급	증가	• 균형 가격 불분명 • 균형 거래량(㉠　　)	• 균형 가격 (㉡　　) • 균형 거래량 불분명
	감소	• 균형 가격 상승 • 균형 거래량(㉢　　)	• 균형 가격 (㉣　　) • 균형 거래량 감소

3 다음 괄호 안의 내용 중 알맞은 말에 ○표를 하시오.

(1) 농산물은 공산품에 비해 공급의 가격 탄력성이 상대적으로 (크다, 작다).

(2) 상품이 소비 예산에서 차지하는 비중이 큰 상품일수록 수요의 가격 탄력성이 (크다, 작다).

(3) 수요의 가격 탄력성이 (탄력적, 비탄력적)인 경우 가격을 인하하면, 기업의 판매 수입이 감소한다.

4 다음 설명이 맞으면 ○표, 틀리면 ×표를 하시오.

(1) 시장 가격이 상승할수록 소비자 잉여는 더 커진다. (　　)

(2) 생산자 잉여는 생산자가 실제로 받은 금액에서 최소한 받고자 하는 금액을 뺀 것이다. (　　)

(3) 총잉여는 소비자와 생산자가 거래를 통해 얻었다고 느끼는 이득의 합으로, 소비자 잉여와 생산자 잉여를 합한 것이다. (　　)

5 ㉠, ㉡에 들어갈 내용을 각각 쓰시오.

시장 균형 가격보다 높은 수준으로 가격을 정하고 그 이하로는 거래될 수 없도록 규제하는 정책을 (㉠　　　　)라고 하고, 반대로 시장의 균형 가격보다 낮은 수준으로 가격을 정하고 그 이상으로 거래될 수 없도록 규제하는 정책을 (㉡　　　　)라고 한다.

STEP 2 내신 만점 공략하기

01 표는 X재의 가격에 따른 수요량과 공급량을 나타낸 것이다. 이에 대한 설명으로 옳지 않은 것은?

가격(원)	수요량(개)	공급량(개)
1,800	120	80
1,900	110	90
2,000	100	100
2,100	90	110
2,200	80	120

① X재의 균형 가격은 2,000원이다.

② X재의 균형 거래량은 200개이다.

③ X재의 가격이 1,800원일 때 소비자는 120개를 구입하고자 한다.

④ X재의 가격이 1,900원일 때 20개의 초과 수요가 발생한다.

⑤ X재의 가격이 2,100원일 때 가격 하락 압력이 발생한다.

02 그림은 어느 재화의 수요 곡선과 공급 곡선을 나타낸 것이다. 이에 대한 옳은 설명을 〈보기〉에서 고른 것은?

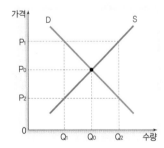

보기

ㄱ. 가격이 P_1일 때 공급량은 Q_1이다.

ㄴ. 균형 가격은 P_0이고, 균형 거래량은 Q_0이다.

ㄷ. 가격이 P_1일 때 Q_1Q_2만큼의 초과 공급이 발생한다.

ㄹ. 가격이 P_2일 때 수요자는 상품을 원하는 수량만큼 살 수 있다.

① ㄱ, ㄴ　　② ㄱ, ㄷ　　③ ㄴ, ㄷ

④ ㄴ, ㄹ　　⑤ ㄷ, ㄹ

03 X재 시장의 균형점이 (가)에서 (나)로 이동하게 되는 요인으로 적절한 것은? (단, (가), (나)는 같은 공급 곡선상에 위치한다.)

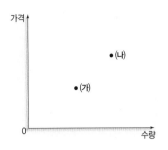

① X재 공급자 수가 증가하였다.
② X재의 대체재 가격이 상승하였다.
③ X재에 대한 소비자 선호가 감소하였다.
④ X재의 가격이 하락할 것으로 예상되고 있다.
⑤ X재 생산에 필요한 원자재 가격이 하락하였다.

04 X재 시장에서 다음과 같은 현상들이 발생할 때, 현재의 균형점 E가 이동할 영역으로 옳은 것은?

> • X재 생산에 필요한 원자재 가격이 상승하였다.
> • X재와 함께 사용하면 더 큰 편익을 얻을 수 있는 Y재의 가격이 상승하였다.

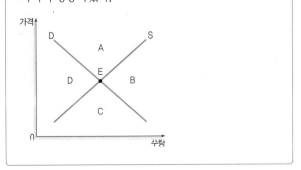

① A   ② B   ③ C
④ D   ⑤ 변화 없음

05 다음 대화를 통해 예측할 수 있는 커피 시장의 변화로 옳은 것은? (단, 커피 시장은 수요와 공급 법칙을 따른다.)

> 커피를 사 먹는 사람이 늘고 있어요.

> 그런데 이상 기온으로 원두의 주요 산지들이 원두 생산에 큰 타격을 입으면서 커피의 원료인 원두 가격이 크게 상승하고 있다고 해요.

① 균형 가격이 하락한다.
② 균형 거래량이 증가한다.
③ 수요의 변동폭과 공급의 변동폭이 같다.
④ 커피 시장에서 판매 수입의 증감은 알 수 없다.
⑤ 수요 곡선과 공급 곡선이 서로 같은 방향으로 움직인다.

06 다음 신문 기사와 같은 상황이 동시에 발생할 때 금융 시장의 변화로 옳은 것은? (단, 금융 시장은 수요와 공급 법칙을 따른다.)

○○ 신문	△△ 신문
가계 부채 급증으로 이자 부담이 늘어나면서 가계 저축이 최저 수준으로 떨어졌다.	경기 회복의 기대감으로 금융 시장에서 자금을 빌리려는 기업들이 늘어났다.

	균형 이자율	균형 거래량
①	하락	감소
②	상승	증가
③	상승	알 수 없음
④	알 수 없음	감소
⑤	알 수 없음	증가

07 수요 곡선 D_1, D_2에 대한 설명으로 옳지 <u>않은</u> 것은? (단, 다른 조건은 일정하다.)

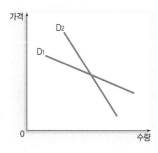

① 대체재가 적은 상품의 수요 곡선은 D_1보다 D_2에 가깝다.
② 사치품의 수요 곡선은 일반적으로 D_2보다 D_1에 가깝다.
③ 필수품의 수요 곡선은 일반적으로 D_1보다 D_2에 가깝다.
④ D_1은 D_2보다 가격 변화에 민감하게 반응하는 수요 곡선이다.
⑤ 수요자가 가격 변동에 대응하는 시간이 길어지면 수요 곡선이 D_1에서 D_2로 변화할 수 있다.

08 ㉠, ㉡에 들어갈 용어로 옳은 것은?

프린터 시장은 판매 경쟁이 치열하다. 프린터는 비슷한 용도의 대체재가 많기 때문에 프린터에 대한 수요는 가격에 대해 (㉠)이다. 그러나 프린터에 사용되는 토너는 기술적으로 오직 자사 제품만 사용할 수 있도록 만들어지기 때문에 이미 프린터를 구매한 소비자들에게 프린터 토너에 대한 수요는 가격에 대해 (㉡)이다. 따라서 프린터 제조 회사들은 판매 수입을 극대화하기 위해 프린터는 싸게, 프린터 토너는 상대적으로 비싸게 판매하는 전략을 취하는 경우가 많다

	㉠	㉡
①	탄력적	탄력적
②	탄력적	비탄력적
③	비탄력적	탄력적
④	비탄력적	비탄력적
⑤	완전 비탄력적	완전 탄력적

09 다음 자료에 대한 옳은 분석을 〈보기〉에서 고른 것은?

- X재의 가격이 5% 상승하자 X재의 수요량이 2% 감소하였다.
- Y재의 가격이 10% 하락하자 Y재의 수요량이 20% 증가하였다.

보기
ㄱ. X재의 수요의 가격 탄력성은 1보다 작다.
ㄴ. Y재의 수요의 가격 탄력성은 비탄력적이다.
ㄷ. X재를 판매하는 기업은 판매 수입이 증가하였다.
ㄹ. Y재를 판매하는 기업은 판매 수입이 감소하였다.

① ㄱ, ㄴ   ② ㄱ, ㄷ   ③ ㄴ, ㄷ
④ ㄴ, ㄹ   ⑤ ㄷ, ㄹ

10 그림은 X재의 공급 곡선이 S_1에서 S_2로 변화한 것을 나타낸다. 이와 같은 변화를 가져올 수 있는 요인을 〈보기〉에서 고른 것은?

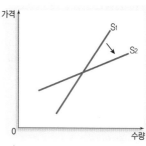

보기
ㄱ. X재의 대체재가 많이 개발되었다.
ㄴ. X재의 장기간 보관이 가능해졌다.
ㄷ. X재 생산에 걸리는 시간이 짧아졌다.
ㄹ. X재 생산에 필요한 원재료의 확보가 어려워졌다.

① ㄱ, ㄴ   ② ㄱ, ㄷ   ③ ㄴ, ㄷ
④ ㄴ, ㄹ   ⑤ ㄷ, ㄹ

11 다음 자료에 대한 분석으로 옳지 <u>않은</u> 것은?

> 표는 X재를 청소년과 성인에게 같은 가격에 판매하던 A 기업이 청소년과 성인에게 각각 다른 가격 정책을 실시한 결과이다.
>
> | 구분 | 청소년 | 성인 |
> |---|---|---|
> | 가격 변화율(%) | -5 | 5 |
> | 판매 수입 변화율(%) | 5 | 0 |

① 청소년의 X재 수요는 가격에 대해 탄력적이다.
② 성인의 X재 수요는 가격에 대해 단위 탄력적이다.
③ 가격 정책 실시 이후 성인에 대한 판매량은 감소하였다.
④ 가격 정책 실시 이후 A 기업의 전체 판매 수입은 감소하였다.
⑤ 청소년은 성인에 비해 X재의 가격 변화에 더 민감한 반응을 보였다.

12 그림은 어느 재화의 수요 곡선과 공급 곡선을 나타낸 것이다. 이에 대한 옳은 설명만을 〈보기〉에서 있는 대로 고른 것은? (단, E는 현재의 균형점이다.)

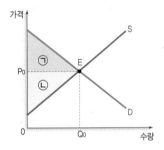

> **보기**
> ㄱ. ㉠은 소비자가 상품을 구매하면서 얻었다고 느끼는 이득의 크기이다.
> ㄴ. ㉡은 생산자가 상품을 판매하면서 실제로 받은 금액이다.
> ㄷ. ㉠에서 ㉡을 뺀 것을 총잉여라고 한다.
> ㄹ. 가격이 P_0일 때 총잉여가 가장 크다.

① ㄱ, ㄹ   ② ㄴ, ㄷ   ③ ㄷ, ㄹ
④ ㄱ, ㄴ, ㄹ   ⑤ ㄴ, ㄷ, ㄹ

13 다음 자료에 대한 옳은 분석을 〈보기〉에서 고른 것은?

> 표는 소비자 갑~무가 X재에 대해 최대로 지불할 의사가 있는 금액을 나타낸 것이다. X재 시장의 소비자는 갑~무뿐이며, 이들은 1개씩만 구입 의사가 있다.
>
> | 소비자 | 지불 용의가 있는 최대 금액(원) |
> |---|---|
> | 갑 | 500 |
> | 을 | 400 |
> | 병 | 300 |
> | 정 | 200 |
> | 무 | 100 |

> **보기**
> ㄱ. X재 가격이 200원일 때 거래량은 4개이다.
> ㄴ. X재 가격이 300원일 때 소비자 잉여는 300원이다.
> ㄷ. X재 가격이 500원일 때 소비자 잉여는 500원이다.
> ㄹ. X재 가격이 600원일 때 거래량은 5개이다.

① ㄱ, ㄴ   ② ㄱ, ㄷ   ③ ㄴ, ㄷ
④ ㄴ, ㄹ   ⑤ ㄷ, ㄹ

14 다음 자료에 대한 분석으로 옳지 <u>않은</u> 것은?

> 그림은 갑국 정부가 X재를 P_1 가격을 초과해서 거래하지 못하도록 하는 가격 규제 정책 실시 전후의 시장 상황을 나타낸다.

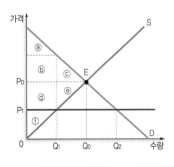

① 가격 규제 이전 소비자 잉여는 ⓐ + ⓑ + ⓒ이다.
② 가격 규제 이후 총잉여는 ⓒ + ⓔ만큼 감소한다.
③ 가격 규제 이후 생산자 잉여는 ⓓ + ⓔ만큼 감소한다.
④ 가격 규제로 Q_1Q_2만큼의 초과 공급이 발생한다.
⑤ 갑국 정부의 가격 규제 정책은 수요자 보호를 목적으로 실시된 것이다.

15 그림은 노동 시장에서 정부가 최저 임금을 W_1으로 규제한 상황을 나타낸 것이다. 이에 대한 분석으로 옳지 <u>않은</u> 것은?

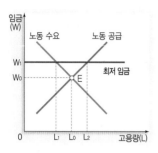

① L_1L_0만큼의 실업이 발생한다.
② 고용량은 L_0에서 L_1으로 감소한다.
③ 노동의 공급량은 L_0에서 L_2로 증가한다.
④ 노동의 수요량은 L_0에서 L_1으로 감소한다.
⑤ 사용자는 W_1 이상의 임금을 근로자에게 지급해야 한다.

16 다음 자료의 X재 시장에 대한 옳은 분석을 〈보기〉에서 고른 것은?

그림은 정부의 시장 개입 전 X재의 수요와 공급을 나타낸다. 최근 정부가 생산자에게 X재 1단위당 일정 금액의 세금을 부과하자 시장 거래량이 90개가 되었다.

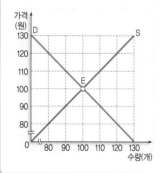

보기

ㄱ. 소비자 잉여는 증가한다.
ㄴ. 시장 가격은 20원 상승한다.
ㄷ. 소비 지출액은 100원 감소한다.
ㄹ. 정부는 X재 1단위당 30원의 세금을 부과하였다.

① ㄱ, ㄴ   ② ㄱ, ㄷ   ③ ㄴ, ㄷ
④ ㄴ, ㄹ   ⑤ ㄷ, ㄹ

01 다음 글을 읽고 물음에 답하시오.

• X재 소비자들은 가격과 무관하게 일정량의 X재를 소비한다.
• X재 공급자들은 특정 가격 수준에서 X재를 얼마든지 공급한다.

(1) X재의 수요와 공급의 가격 탄력성에 대해 서술하시오.

(2) X재의 수요만 증가할 경우 예상되는 X재의 균형 가격과 균형 거래량의 변동 양상을 서술하시오.

02 다음 그림을 보고 물음에 답하시오. (단, P_0는 현재의 균형 가격이고, Q_0는 현재의 균형 거래량이다.)

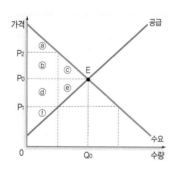

(1) 시장 가격이 P_0, P_1, P_2일 때의 총잉여를 각각 ⓐ~ⓕ 기호로 나타내시오.

(2) 총잉여가 최대가 될 때의 가격을 쓰고, 그 이유를 서술하시오.

STEP 3 1등급 정복하기

수능 응용

1 표는 X재에 대한 수요와 공급의 변화에 따른 지난 4개월 간의 영업 실적을 나타낸 것이다. 이에 대한 옳은 분석 및 추론을 〈보기〉에서 고른 것은?

구분	6월	7월	8월	9월
판매 가격(천 원)	4	5	6	7
판매량(천 개)	13	15	15	14

보기

ㄱ. 6월부터 7월까지의 변화는 수요가 증가하고 공급이 감소할 경우에 나타날 수 있다.

ㄴ. 7월부터 8월까지의 변화는 대체재의 가격 상승과 생산비 상승이 발생했을 경우에 나타날 수 있다.

ㄷ. 8월에 비해 9월의 판매 수입이 감소하였다.

ㄹ. 8월부터 9월까지의 변화는 제품에 대한 선호가 낮아지고 생산비가 절감된 경우에 나타날 수 있다.

① ㄱ, ㄴ   ② ㄱ, ㄷ   ③ ㄴ, ㄷ

④ ㄴ, ㄹ   ⑤ ㄷ, ㄹ

> **시장 균형의 변동**
>
> **｜한자 사전｜**
> • 판매 수입
> 판매 가격 × 판매량

2 다음 자료의 X재 시장에 대한 분석 및 추론으로 옳은 것은? (단, X재는 수요와 공급 법칙을 따르며, X재의 수요 곡선과 공급 곡선은 상호 대칭이다.)

> X재의 원자재 가격이 하락하고, X재를 선호하는 소비자의 수가 증가하였다. 이에 따라 X재의 가격은 하락하고 거래량은 증가하였다.

① 공급이 감소하였다.

② 수요가 감소하였다.

③ 판매 수입이 증가하였다.

④ 공급의 변동폭이 수요의 변동폭보다 크다.

⑤ X재와 대체재 관계에 있는 재화의 수요는 증가할 것이다.

> **시장 균형의 변동**
>
> **완자샘의 시험 꿀팁**
> 수요와 공급이 동시에 변동할 때 시장의 균형 가격과 균형 거래량이 어떻게 변화하는지 묻는 문제가 자주 출제된다.

교육청 응용

3 그림은 X재 시장의 균형점 E가 A 또는 B로 이동하는 것을 나타낸 것이다. 이에 대한 옳은 설명을 〈보기〉에서 고른 것은? (단, E와 A는 동일 공급 곡선상에, E와 B는 동일 수요 곡선상에 위치한다.)

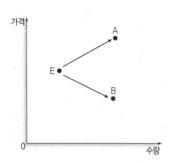

┌─ 보기 ─
│ ㄱ. 균형점이 A로 이동하면 생산자 잉여가 감소한다.
│ ㄴ. 균형점이 B로 이동하면 판매 수입이 감소한다.
│ ㄷ. X재의 대체재 가격 상승은 A로 이동하는 요인이 될 수 있다.
│ ㄹ. X재의 원자재 가격 하락은 B로 이동하는 요인이 될 수 있다.
└─

① ㄱ, ㄴ   ② ㄱ, ㄷ   ③ ㄴ, ㄷ
④ ㄴ, ㄹ   ⑤ ㄷ, ㄹ

▶ 시장 균형의 변동

완자쌤의 시험 꿀팁
그래프상에 균형점의 이동 방향을 표시하고, 해당 균형점으로의 이동 요인을 묻는 문제가 자주 출제된다.

4 그림은 X~Z재의 판매량과 총판매 수입의 관계를 나타낸 것이다. 이에 대한 분석으로 옳은 것은? (단, X~Z재는 수요 법칙을 따르며, 수요의 변동은 없다.)

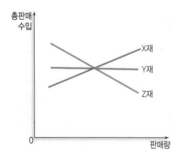

① X재 수요는 가격에 대해 비탄력적이다.
② Y재 수요는 가격에 대해 완진 비탄력적이다.
③ Y재 소비자는 가격에 상관없이 항상 일정한 금액을 지출한다.
④ Z재 수요는 가격에 대해 탄력적이다.
⑤ X재는 가격을 인상할 경우, Z재는 가격을 인하할 경우 기업의 총판매 수입이 증가한다.

▶ 수요의 가격 탄력성과 기업의 판매 수입

완자쌤의 시험 꿀팁
각 재화의 수요의 가격 탄력성을 파악한 후, 기업의 판매 수입 증대 전략을 묻는 문제가 자주 출제된다.

5 그림은 A~C재를 독점적으로 생산하는 기업이 각 재화의 가격을 3% 인상함에 따른 판매 수입 변화를 나타낸 것이다. 이에 대한 옳은 설명만을 〈보기〉에서 있는 대로 고른 것은?

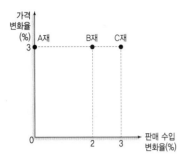

> 수요의 가격 탄력성과 기업의 판매 수입

보기

ㄱ. A재는 수요의 가격 탄력성이 단위 탄력적이다.
ㄴ. B재는 가격 상승률이 수요량 감소율보다 크다.
ㄷ. C재의 판매 수입을 늘리기 위해서는 가격 인하 정책이 필요하다.
ㄹ. A~C재의 판매 수입 총합은 가격 변동 전에 비해 감소하였다.

① ㄱ, ㄴ   ② ㄱ, ㄷ   ③ ㄷ, ㄹ
④ ㄱ, ㄴ, ㄹ   ⑤ ㄴ, ㄷ, ㄹ

평가원 응용

6 다음 자료에 대한 옳은 분석을 〈보기〉에서 고른 것은?

> 정부의 가격 규제 정책

> **완자쌤의 시험 꿀팁**
> 시장 상황의 변화에 따른 가격 규제 정책의 실효성을 분석하는 문제가 자주 출제된다.

그림은 X재의 시장 상황을 나타낸 것이다. 최근 정부는 X재가 ㉠ P_1보다 낮은 가격 수준에서 거래되지 못하도록 규제하였다. 그런데 X재에 대한 ㉡ 소비자들의 수요가 증가하면서 D가 D′로 이동하였다.

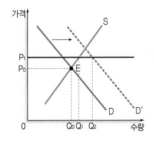

보기

ㄱ. ㉠은 공급자를 보호하기 위한 것이다.
ㄴ. ㉠의 결과 Q_0Q_1만큼의 공급이 증가한다.
ㄷ. ㉡의 결과 시장 가격은 P_1이 된다.
ㄹ. ㉡의 결과 Q_1Q_2만큼의 초과 수요가 발생한다.

① ㄱ, ㄴ   ② ㄱ, ㄹ   ③ ㄴ, ㄷ
④ ㄴ, ㄹ   ⑤ ㄷ, ㄹ

03 시장 실패와 정부의 시장 개입

이것이 핵심!

시장 실패의 의미와 요인

시장 실패
시장에서의 자원 배분이 효율적이지 못한 상태

↑

시장 실패의 원인
불완전 경쟁, 외부 효과의 발생, 공공재의 부족, 공유 자원의 남용, 정보의 비대칭성 등

★ **시장 지배력**
개별 생산자나 개별 소비자가 상품의 가격 결정에 영향을 미칠 수 있는 능력

★ **담합**
동일하거나 비슷한 상품을 생산하는 소수의 기업들이 각자의 이윤을 크게 하기 위해 가격이나 생산량을 사전에 협의하여 결정하는 것

★ **경합성**
한 사람이 일정량의 상품을 소비하게 되면 다른 사람이 소비하는 몫이 줄어들게 되는 특성

★ **배제성**
일정한 대가를 지불한 사람만 재화나 서비스를 배타적으로 사용할 수 있는 특성

★ **무임승차자**
대가를 지불하지 않고 어떤 재화나 서비스를 소비하려는 사람

1 시장 실패의 의미와 요인

1. 시장 실패의 의미

(1) **시장의 효율적 자원 배분의 전제 조건**: 완전 경쟁 시장이어야 하고, 시장의 성과가 거래 당사자에게만 적용되어야 함 현실에서 시장은 거래 당사자 이외의 사람에게도 영향을 미쳐.

(2) **시장 실패**: 시장에서의 자원 배분이 효율적이지 못한 상태 → 재화나 서비스가 사회적으로 최적인 수준보다 지나치게 많거나 적게 생산·소비됨

2. 시장 실패의 원인

(1) **불완전 경쟁**

꼭! 독과점 시장에서는 완전 경쟁 시장일 때보다 가격 수준이 높아져 소비자 잉여가 감소해.

의미	독점 또는 과점 기업이 *시장 지배력을 행사하여 경쟁이 제한되는 것
특징	• 독과점 기업은 이윤을 늘리기 위해 경쟁 시장보다 높은 가격 수준을 유지하려고 함 • *담합, 거래 상대방 차별, 경쟁 사업자 배제 등과 같은 불공정 거래 행위를 하기도 함
문제점	자원이 비효율적으로 배분됨

(2) **외부 효과의 발생**

① 외부 효과: 어떤 경제 주체의 경제 활동이 다른 사람에게 의도하지 않은 이익이나 피해를 주면서도 시장을 통해 그에 대한 보상이 이루어지지 않는 경우

② 외부 효과의 유형 자료①

구분	외부 경제(긍정적 외부 효과)	외부 불경제(부정적 외부 효과)
의미	다른 사람에게 이익을 주지만 그에 대한 보상을 받지 않는 경우 예 독감 예방 접종	다른 사람에게 피해를 주지만 그에 대한 보상을 하지 않는 경우 예 환경 오염
문제점	사회적 최적 수준보다 적은 수준에서 생산과 소비가 이루어짐	사회적 최적 수준보다 많은 수준에서 생산과 소비가 이루어짐

(3) **공공재의 부족**

① 공공재: *경합성과 *배제성이 모두 없는 재화나 서비스 예 국방, 치안, 공원 등

② 공공재의 특징

비경합성	한 사람이 소비한다고 해서 다른 사람이 소비할 기회가 줄어들지 않음
비배제성	대가를 치르지 않은 사람을 소비에서 배제할 수 없음

③ 공공재의 부족 문제: *무임승차자 문제 때문에 공공재의 생산을 시장에만 맡길 경우 사회의 최적 수준만큼 생산되지 않음

왜? 이윤 극대화를 추구하는 민간 기업이 시장에서 공공재를 생산할 유인이 없기 때문이야.

(4) **공유 자원의 남용** 자료②

① 공유 자원: 배제성은 없으나, 경합성은 있는 자원 예 공해상의 물고기

② 공유 자원의 남용 문제: 자원을 아껴 쓸 유인이 없어서 필요한 양보다 과다하게 소비됨

(5) **정보의 비대칭성**

① 정보의 비대칭성: 거래 당사자 간에 정보의 차이가 나타나는 것 예 중고차 시장

② 정보의 비대칭성에 따른 문제점 교과서 자료

역선택	거래 대상의 감추어진 특성으로 인해 정보를 가지지 못한 측이 불리한 선택을 하게 되는 경향
도덕적 해이	정보를 가진 측이 정보를 가지지 못한 측의 이익에 반하는 행동을 하는 경향

완자 자료 탐구 내 옆의 선생님

자료 ① 외부 효과와 시장 실패

(가)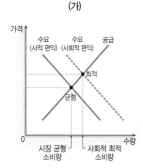

(나)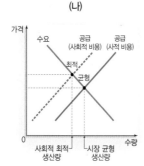

꿀! 사회적 편익은 상품 소비를 통해 소비자뿐 아니라 사회 전체가 얻는 편익을 말하고, 사회적 비용은 상품 생산을 위해 생산자뿐 아니라 사회 전체가 부담하는 비용을 말해.

(가)는 소비 측면에서 발생한 외부 경제이고, (나)는 생산 측면에서 발생한 외부 불경제이다. (가)에서는 사회적으로 적절한 수준보다 소비가 적게 이루어지며, (나)에서는 사회적으로 적절한 수준보다 생산이 많이 이루어진다. 이를 통해 외부 경제와 외부 불경제는 모두 자원의 비효율적 배분을 초래하여 시장 실패의 원인이 됨을 알 수 있다.

자료 ② 공유 자원의 비극

아프리카 대륙의 코끼리 수는 점차 감소하는 추세에 있다. 코끼리의 어금니인 상아가 비싼 값에 팔린다는 이유로 무분별한 밀렵과 포획이 이루어지고 있기 때문이다. 이에 케냐 정부는 동물 보호를 위해 코끼리 사냥을 전면 금지하고 가죽과 상아 거래를 불법화했다. 그러나 이러한 정부의 조치는 집행하기가 매우 어렵기 때문에 코끼리 수는 계속해서 감소하였다.

아프리카 대륙의 코끼리처럼 배제성은 없으나 경합성이 있는 공유 자원은 소유권이 불분명하여 자원을 아껴 쓸 유인이 없다. 따라서 자원이 지나치게 사용되어 고갈되는 현상이 나타나는데, 이를 '공유 자원의 비극'이라고 한다.

수능이 보이는 교과서 자료 시장에서 나타나는 정보의 비대칭성

(가) 중고차 시장에서 구매자는 자신이 결함이 많은 차를 사지는 않을까 우려하여 낮은 가격으로 중고차를 구매하려고 한다. 한편, 품질이 좋은 중고차를 가진 사람은 낮은 가격 때문에 중고차 시장에 이를 판매하려고 하지 않는다. 그 결과 중고차 시장에는 품질이 떨어지는 차들만 판매되고, 판매자와 구매자 간 충분한 거래가 일어나지 않을 수 있다.

(나) 보험 가입자는 보험 가입 전에는 의료비 지출을 줄이려고 노력하지만, 보험 가입 후에는 과도하게 의료비를 지출하는 경향이 있다. 이에 따라 보험금이 과다 지급되어 보험 상품의 가격이 상승하거나 보장 항목이 축소되는 등의 질 저하가 나타날 수 있다.

(가)는 역선택에 의한 시장 실패를, (나)는 도덕적 해이에 의한 시장 실패를 보여 주는 사례이다. 두 사례에서처럼 역선택이나 도덕적 해이가 발생하면 사회적으로 필요한 재화 및 서비스가 충분히 공급되지 않거나, 가격이 상승하는 등 자원의 비효율적 배분으로 시장 실패가 발생할 수 있다.

정리 비법을 알려줄게!

시장 실패의 원인

불완전 경쟁	경쟁이 제한되어 자원이 비효율적으로 배분됨
외부 효과의 발생	어떤 경제 주체의 경제 활동이 다른 사람에게 의도하지 않은 이익이나 피해를 주고도 그에 대한 보상이 이루어지지 않아 자원이 비효율적으로 배분됨
공공재의 부족	무임승차자 문제 때문에 공공재의 생산을 시장에만 맡길 경우 사회의 최적 수준만큼 생산되지 않음
공유 자원의 남용	자원을 아껴 쓸 유인이 없기 때문에 필요한 양보다 과다하게 소비됨
정보의 비대칭성	거래 당사자 간에 정보의 차이가 나타나 자원이 비효율적으로 배분됨

자료 하나 더 알고 가자!

경합성과 배제성에 따른 재화의 구분

구분		경합성	비경합성
	배제성	사적 재화 예 막히는 유료 도로, 물건 구매 등	자연 독점 예 한산한 유료 도로, 유료 케이블 방송 등
	비배제성	공유 자원 예 막히는 무료 도로, 공해상의 물고기 등	공공재 예 한산한 무료 도로, 국방, 치안, 공원 등

완자샘의 탐구 강의

• (가), (나)에서 정보를 가진 측을 찾아 각각 써 보자.
(가) – 중고차 판매자
(나) – 보험 가입자

• (가), (나)와 같은 현상이 발생하는 공통적인 이유를 써 보자.
거래 당사자들이 가진 정보의 양이 달라 정보 격차가 발생하기 때문이다.

함께 보기 80쪽, 내신 만점 공략하기 07

03 시장 실패와 정부의 시장 개입

이것이 핵심!

시장 실패 개선을 위한 정부 개입

시장 경쟁의 촉진	가격 규제, 불공정 거래 행위 규제 등
외부 효과의 개선	• 외부 경제: 보조금 지급, 세제 혜택 제공 등 • 외부 불경제: 직접 규제, 세금이나 과징금 부과 등
공공재의 생산	공공재의 생산과 공급 담당
공유 자원의 보호	공유 자원의 고갈 방지를 위한 정책 운영
정보의 비대칭성 해소	상품의 정보 제공 유도, 각종 경제 정보 제공, 소비자 구제 제도의 운영 등

★ 공기업
정부가 직접 경영하거나 정부가 출자하여 기업 경영에 영향력을 행사하는 기업으로, 주로 공공재 생산을 담당한다.

---

② 시장 실패 개선을 위한 정부의 시장 개입

1. 시장 경쟁의 촉진 자료③

가격 규제	독과점 기업이 마음대로 가격을 매기지 못하도록 규제함
불공정 거래 행위 규제	「독점 규제 및 공정 거래에 관한 법률」 제정, 공정 거래 위원회 설치 및 운영

2. 외부 효과의 개선 자료④

구분	외부 경제(긍정적 외부 효과)	외부 불경제(부정적 외부 효과)
방법	보조금 지급, 세제 혜택 제공 등 → 해당 경제 주체의 사적 편익을 높이거나 사적 비용을 낮춰서 그 양이 증대되도록 함	직접 규제, 세금이나 과징금 부과 등 → 해당 경제 주체의 사적 편익을 낮추거나 사적 비용을 높여서 그 양이 줄어들도록 함 ┌ 직접 규제에 해당함.
사례	연구 개발 행위에 보조금 지급 등	정화 시설 설치 의무화, 환경 개선 부담금 부과 등

3. 공공재의 생산: 정부나 *공기업이 공공재의 생산과 공급을 담당함 ┌ 상수도, 전력 서비스 등은 공공재가 아니지만, 효율적인 공급을 위해 정부가 직접 생산에 참여하고 있어.

4. 공유 자원의 보호: 정부는 공유 자원의 사용을 제한하는 정책 등을 통해 공유 자원의 고갈을 방지하고자 노력함 ┌ 예 수산 자원 보호를 위해 조업 기간 지정, 보호 어종 지정, 불법 포획 단속 등을 실시하고 있어.

5. 정보의 비대칭성 해소

상품의 정보 제공 유도	정부는 품질 인증제, 원산지 표시제 등을 통해 상품을 판매하는 경제 주체가 정보를 시장에 제공하도록 유도함
경제 정보 제공	각종 경제 정보를 정기적으로 제공하여 거래자들의 합리적 선택을 도와줌
소비자 구제 제도의 운영	소비자가 부족한 정보 때문에 잘못된 선택을 하였을 때 이를 구제하는 「제조물 책임법」, 결함 보상제(리콜 제도) 등을 운영함

┌ 문제가 있는 상품을 생산자가 무상으로 수리하거나 환불해주는 제도야.

┌ 제조물의 결함으로 발생한 손해에 대해 제조업자 등이 책임지도록 하고, 이로 인한 피해자를 보호하기 위해 제정된 법률이야.

이것이 핵심!

정부 실패와 보완 방안

정부 실패
시장 실패를 해결하기 위한 정부의 개입이 오히려 시장의 효율성을 떨어뜨리는 현상

↓

정부 실패 보완을 위한 노력
불필요한 규제 완화, 적절한 유인과 경쟁 도입, 민간 부문의 노력 등

★ 공기업의 민영화
정부나 지방 자치 단체의 자본으로 운영하던 공기업을 민간 자본에 넘겨 보다 효율적으로 운영하기 위한 조치

---

③ 정부 실패와 보완 방안

1. 정부 실패의 의미와 원인 자료⑤

왜? 유권자들이 정부 사업에 대해 잘 알지 못하는 경우 사회적 편익이 큰 사업에 반대하고, 사회적 비용이 큰 정부 사업을 지지할 수 있어.

의미	시장 실패를 해결하기 위한 정부의 시장 개입이 오히려 시장의 효율성을 떨어뜨리는 현상
원인	정보나 지식의 부족, 미래에 대한 부정확한 예측, 이익 집단의 압력과 정치적 타협에 의한 정책 결정, 유권자의 정보 제한, 의도하지 않은 부작용의 발생, 관료 조직의 문제점 등

왜? 이익 집단의 압력이나 정치적 고려 때문에 경제 논리를 벗어나는 정책 결정이 이루어질 수 있어.

2. 정부 실패 보완을 위한 노력

(1) 정부의 노력 ┌ 꼭! 환경 보호, 산업 재해 방지 등과 같이 사회적 이익과 직접 관련된 규제는 적절한 수준을 유지해야 해.

불필요한 규제 완화	각종 규제의 완화 및 폐지, 행정 절차의 간소화 등 → 지나친 규제가 가져온 비효율성 극복
적절한 유인과 경쟁 도입	• 성과급 제도, 직종 평가 제도 등의 도입 → 진의의 경쟁 유도 • 공기업의 민영화 → 경영의 효율성 제고 및 서비스의 질 개선

(2) 민간 부문의 노력 ┌ 민간 부문의 노력으로 시장 실패를 줄이거나 예방할 수 있으며, 결과적으로 정부의 시장 개입도 줄일 수 있어.

기업	환경 오염을 유발하는 생산 금지, 시장 경제 질서 준수, 소비자의 안전과 권리 존중 등
시민 단체	정부의 시장 개입이 적절한지 감시 및 비판, 기업의 불공정한 행위나 불법 행위 감시, 소비자 권리 신장을 위한 노력 등

완자 자료 탐구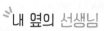

 내 옆의 선생님

자료 3 불공정 거래 행위 규제를 위한 정부의 노력

> 공정 거래 위원회는 불공정 행위를 한 6개 백화점에 대해 시정 명령과 함께 과징금을 부과하기로 결정하였다. 공정 거래 위원회에 따르면 A 백화점은 납품업자에게 계약 서면 교부를 지연하였으며, 매장 인테리어 비용을 부담하게 하였다. B 백화점 역시 납품업자에게 조명 시설 설치 비용 등을 부담하게 하였다. 공정 거래 위원회는 앞으로 대규모 유통업자 감시를 강화하고 위법 행위를 발견할 시 엄중 제재할 것이라고 밝혔다.
> – 「조선일보」, 2017. 5. 4.

우리나라에서는 「독점 규제 및 공정 거래에 관한 법률」을 제정하고, 이를 근거로 공정 거래 위원회를 설치 및 운영함으로써 제시된 사례와 같은 불공정 거래 행위를 규제하고, 독과점 시장의 형성을 방지하는 등 자유롭고 공정한 경쟁 구조를 확립하기 위해 노력하고 있다.

자료 4 외부 효과 개선을 위한 정부의 노력

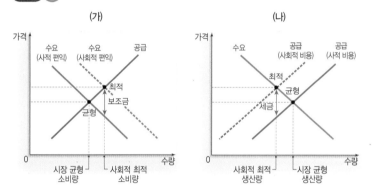

정부는 (가)처럼 외부 경제로 인한 과소 소비의 문제를 해결하기 위해 해당 재화를 구입하는 소비자에게 보조금을 지급하여 사적 편익을 증가시켜 소비를 늘리도록 유도할 수 있다. 또 (나)처럼 외부 불경제로 인한 과다 생산의 문제를 해결하기 위해 해당 재화를 생산하는 생산자에게 세금을 부과하여 사적 비용을 증가시켜 생산을 줄이도록 유도할 수 있다.

자료 5 예상치 못한 부작용의 발생에 따른 정부 실패

> 프랑스 혁명 당시 정권을 잡은 로베스피에르는 우윳값이 비싸 자녀들에게 우유를 먹일 수 없다는 어머니들의 원성에 우유 가격 인하를 명령했다. 강제적인 우유 가격 인하 직후에 우유를 싼 가격에 마실 수 있게 된 국민들은 환호했다. 그러나 생산 비용도 보전하기 어렵게 된 목축업자들이 연쇄적으로 도산하였고, 우유의 생산량이 감소하여 우유 가격은 오히려 더 폭등하게 된다. 그 다음으로 로베스피에르가 내놓은 방안은 사료비 통제였다. 사료업자들 역시 도산하고 말았고, 결국 우유는 품귀 현상이 발생하여 가격 통제 이전보다 훨씬 비싼 값을 치러야만 구할 수 있게 되었다.

제시된 사례에서처럼 시장 실패를 해결하기 위한 정부의 시장 개입은 목적과 다르게 시장 질서를 왜곡하여 예상치 못한 부작용을 발생시키기도 한다. 즉, 시장 실패를 해결하기 위한 정부의 개입이 정부 실패라는 또 다른 문제를 일으키기도 한다.

문제 로 확인할까?

시장 실패 보완을 위한 정부의 노력에 해당하지 않는 것은?
① 공공재 생산
② 외부 효과 개선
③ 공유 자원 보호
④ 공기업의 민영화
⑤ 정보의 비대칭성 해소

④ 目

자료 하나 더 알고 가자!

온실가스 배출권 거래제

> 온실가스 배출권 거래제는 정부가 온실가스를 배출하는 사업장을 대상으로 연 단위 배출권을 할당하여 할당 범위에서만 온실가스를 배출할 수 있도록 하고, 할당된 사업장의 실질적 온실가스 배출량을 평가하여 여분 또는 부족분의 배출권을 사업장 간 거래할 수 있도록 한 제도이다.

온실가스 배출권 거래제는 온실가스를 배출할 수 있는 권리를 다른 상품들처럼 시장에서 거래할 수 있게 함으로써 환경 오염 문제를 경제적 유인을 활용하여 해결하고자 한다.

정리 비법을 알려줄게!

시장 실패와 정부 실패

시장 실패	정부 실패
시장에서의 자원 배분이 효율적이지 못한 상태	정부의 개입이 오히려 시장의 효율성을 떨어뜨리는 현상

STEP 1 핵심 개념 확인하기

정답친해 21쪽

1 다음 빈칸에 들어갈 내용을 쓰시오.

(1) 독과점 기업이 시장 지배력을 행사하여 (   )이 제한 되면 시장을 통한 자원 배분의 효율성이 떨어진다.

(2) 어떤 경제 주체의 경제 활동이 다른 사람에게 의도하지 않은 이익이나 피해를 주면서도 시장을 통해 그에 대한 보상이 이루어지지 않는 경우를 (   )라고 한다.

2 외부 경제와 외부 불경제의 특징을 〈보기〉에서 골라 기호를 쓰시오.

┌─ 보기 ─────────────────────────────┐
ㄱ. 사적 비용 < 사회적 비용   ㄴ. 사적 비용 > 사회적 비용
ㄷ. 사적 편익 < 사회적 편익   ㄹ. 사적 편익 > 사회적 편익
└────────────────────────────────┘

(1) 외부 경제   (   )

(2) 외부 불경제   (   )

3 다음 설명이 맞으면 ○표, 틀리면 ×표를 하시오.

(1) 공유 자원은 자원을 아껴 쓸 유인이 없기 때문에 필요한 양보다 과다하게 소비된다.   (   )

(2) 정보를 가진 측이 정보를 가지지 못한 측의 이익에 반하는 행동을 하는 경향을 역선택이라고 한다.   (   )

(3) 공공재는 무임승차자 문제 때문에 시장에 생산을 맡길 경우 사회적으로 필요한 양보다 과다하게 생산된다. (   )

4 다음 괄호 안의 내용 중 알맞은 말에 ○표를 하시오.

(1) 정부는 가격 규제, 불공정 거래 행위 규제 등을 통해 시장에서 (자유로운, 불완전) 경쟁이 이루어질 수 있도록 한다.

(2) 정부는 외부 불경제로 인한 시장 실패를 개선하기 위해 직접 규제, 세금 부과 등을 통해 생산량 (감축, 증대)을/를 유도한다.

5 다음 빈칸에 들어갈 내용을 쓰시오.

┌────────────────────────────────┐
정부는 시장 실패를 개선하기 위해 시장에 개입하지만, 정부의 개입이나 규제가 언제나 좋은 결과를 가져다주는 것은 아니다. 정부의 개입이 시장 실패에 따른 문제를 충분히 해결하지 못하거나 오히려 시장의 효율성을 떨어뜨리기도 하는데, 이러한 현상을 (   )라고 한다.
└────────────────────────────────┘

STEP 2 내신 만점 공략하기

01 ㉠의 요인으로 적절하지 **않은** 것은?

┌────────────────────────────────┐
시장에서 자원이 효율적으로 배분되지 못하는 상태를 (㉠)(이)라고 한다. (㉠)이/가 발생하면 재화나 서비스가 사회의 최적 수준에 달하지 못하는 비효율적인 자원 배분이 나타난다.
└────────────────────────────────┘

① 경제 활동 과정에서 외부 효과가 발생한다.

② 독과점 기업이 새로운 기업의 시장 진입을 방해한다.

③ 정부가 정책 결정에 필요한 정보를 충분히 가지지 못한다.

④ 거래 당사자 간 정보의 비대칭으로 인해 합리적인 선택이 제한된다.

⑤ 비배제성과 비경합성을 가진 재화가 시장에서 충분히 공급되지 않는다.

02 다음 두 시장 상황에 대한 설명으로 옳은 것은?

┌────────────────────────────────┐
• X재 시장에는 갑 기업만 존재하는데, 갑 기업은 이윤을 극대화하기 위해 생산량을 줄였다.

• Y재 시장에는 을, 병, 정 세 기업만 존재하는데, 이들 기업은 이윤을 극대화하기 위해 서로 협의하여 가격과 생산량을 조정하였다.
└────────────────────────────────┘

① X재 시장에서 갑 기업은 가격 수용자이다.

② X재 시장에서는 사회적 최적 생산량보다 과다 생산되는 문제가 발생한다.

③ Y재 시장에서는 기업들이 경쟁 시장보다 낮은 가격을 유지하려고 한다.

④ Y재 시장은 X재 시장과 달리 불완전 경쟁이 나타난다.

⑤ X재 시장과 Y재 시장에서는 시장을 통한 자원 배분의 효율성이 낮아져 시장 실패가 발생한다.

03

그림은 외부 효과의 유형 A, B와 그에 대한 특징 (가)~(다)를 연결한 것이다. 이에 대한 옳은 설명만을 〈보기〉에서 있는 대로 고른 것은?

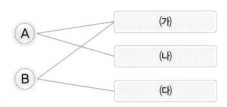

보기

ㄱ. (가)에는 '자원의 비효율적 배분을 가져온다.'가 적절하다.
ㄴ. (나)가 '사회적 편익이 사적 편익보다 크다.'라면, A는 외부 불경제이다.
ㄷ. A가 외부 경제라면, (나)에는 '생산에 따른 사적 비용이 사회적 비용보다 크다.'가 적절하다.
ㄹ. B가 외부 불경제라면, (다)에는 '사회 전체가 요구하는 양보다 소비나 생산이 많이 이루어진다.'가 적절하다.

① ㄱ, ㄷ   ② ㄴ, ㄹ   ③ ㄷ, ㄹ
④ ㄱ, ㄷ, ㄹ   ⑤ ㄴ, ㄷ, ㄹ

04

그림은 X재의 시장 상황을 나타낸 것이다. 이에 대한 옳은 분석을 〈보기〉에서 고른 것은? (단, S는 사적 비용만 고려한 공급 곡선이고, S'는 사회적 비용까지 고려한 공급 곡선이다.)

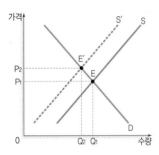

보기

ㄱ. 시장 균형 가격은 P_2이다.
ㄴ. 가격 P_1에서 Q_2Q_1만큼의 초과 수요가 발생한다.
ㄷ. 생산 측면에서 부정적 외부 효과가 발생한 경우이다.
ㄹ. 시장의 균형 생산량은 Q_1이고, 사회의 최적 생산량은 Q_2이다.

① ㄱ, ㄴ   ② ㄱ, ㄷ   ③ ㄴ, ㄷ
④ ㄴ, ㄹ   ⑤ ㄷ, ㄹ

05

(가)에 들어갈 내용으로 가장 적절한 것은?

> 정부는 교육, 국방, 치안, 소방 서비스 등과 같은 재화나 서비스를 직접 생산하거나 공급을 유도한다. 또 전기, 수도, 철도 등의 공익사업에 관한 기업을 직접 소유·운영하기도 한다. 정부가 이러한 재화와 서비스의 공급을 주도하는 이유는 _____ (가) _____

① 높은 수익을 얻을 수 있기 때문이다.
② 시장에서 충분히 생산이 이루어지기 어렵기 때문이다.
③ 한 사람의 소비가 다른 사람의 소비를 제한하기 때문이다.
④ 개인의 소유권이 불분명하여 자원이 지나치게 사용되기 때문이다.
⑤ 시장에 공급을 맡길 경우 사회가 필요로 하는 양보다 과다하게 생산되기 때문이다.

06

그림은 경합성과 배제성의 유무에 따라 재화의 종류 (가)~(라)를 구분한 것이다. 이에 대한 설명으로 옳지 않은 것은?

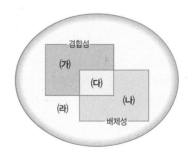

① (가)에 해당하는 재화는 자원을 아껴 쓸 유인이 없다.
② 공해상의 물고기는 (나)에 해당한다.
③ 막히는 유료 도로는 (다)에 해당한다.
④ 한산한 무료 도로는 (라)에 해당한다.
⑤ (라)에 해당하는 재화는 무임승차자의 문제가 나타난다.

07 다음 사례에 대한 옳은 설명만을 〈보기〉에서 있는 대로 고른 것은?

중고차 시장에서 ㉠ 구매자는 자신이 결함이 많은 차를 사지는 않을까 우려하여 낮은 가격으로 중고차를 구매하려고 한다. 한편, 품질이 좋은 중고차를 가진 ㉡ 판매자는 낮은 가격 때문에 중고차 시장에 이를 판매하려고 하지 않는다. 그 결과 중고차 시장에는 품질이 떨어지는 차들만 판매되고, ㉢ 판매자와 구매자 간 충분한 거래가 일어나지 않는 문제가 발생할 수 있다. 중고차 시장에서는 이와 같은 문제를 보완하기 위해 구매한 중고차에 문제가 있으면 기간 내에 환불해 주는 ㉣ 품질 보증제를 도입하여 시행하고 있다.

보기
ㄱ. 역선택의 사례에 해당한다.
ㄴ. ㉠은 ㉡에 비해 중고차에 대한 정보를 상대적으로 적게 가지고 있다.
ㄷ. ㉢은 정부 실패를 나타낸다.
ㄹ. ㉣은 경제 주체 간 정보의 비대칭성을 줄이기 위한 노력이다.

① ㄱ, ㄴ
② ㄱ, ㄷ
③ ㄴ, ㄹ
④ ㄱ, ㄴ, ㄹ
⑤ ㄴ, ㄷ, ㄹ

08 ㉠에 해당하는 사례로 적절한 것을 〈보기〉에서 고른 것은?

정보를 가진 측이 정보를 가지지 못한 측의 이익에 반하는 행동을 하는 경향을 (㉠)(이)라고 한다.

보기
ㄱ. 고용 계약 후 피고용인이 게으름을 피우는 경우
ㄴ. 보험 회사가 사고 위험이 높은 사람을 보험 상품에 가입시키는 경우
ㄷ. 화재 보험 가입 후 보험 가입자가 화재 예방 노력을 게을리하는 경우
ㄹ. 개인의 독감 백신 접종으로 주변 사람들이 독감에 걸릴 가능성이 줄어드는 경우

① ㄱ, ㄴ
② ㄱ, ㄷ
③ ㄴ, ㄷ
④ ㄴ, ㄹ
⑤ ㄷ, ㄹ

09 밑줄 친 '공정 거래 위원회'의 활동이 갖는 목적으로 가장 적절한 것은?

공정 거래법 위반 사실의 공표
저희 주식회사 ○○은 특약점으로 하여금 특정 구역 내에서만 상품을 판매하도록 하고, 이를 어길 경우 불이익을 주는 등 거래 상대방의 사업 활동을 구속하는 거래 행위를 하여 공정 거래 위원회로부터 시정 명령을 받았습니다.

① 불필요한 정부 규제의 완화
② 공공재의 생산과 공급 담당
③ 불공평한 소득 분배의 개선
④ 공정하고 자유로운 경쟁의 촉진
⑤ 경제적 유인을 통한 시장의 자율성 확보

10 그림은 X재의 시장 상황을 나타낸 것이다. 이에 대한 분석으로 옳은 것은? (단, D는 사적 편익만 고려한 수요 곡선이고, D′는 사회적 편익까지 고려한 수요 곡선이다.)

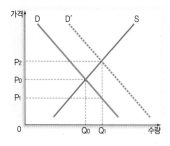

① 외부 불경제가 나타나고 있다.
② 과대 소비의 문제가 나타나고 있다.
③ 사회적 편익보다 사적 편익이 더 크다.
④ 소비자에게 P_1P_2만큼의 보조금을 지급하면 사회적 최적 거래량을 달성할 수 있다.
⑤ X재의 사례로 아파트 베란다에서 흡연하는 행위가 이웃 주민에게 불쾌감을 주는 것을 들 수 있다.

11 표는 외부 효과를 생산과 소비 측면에서 구분한 것이다. (가), (나)에 대한 설명으로 옳은 것은?

구분	생산	소비
외부 경제	(가)	
외부 불경제		(나)

① (가)는 사적 비용이 사회적 비용보다 작다.
② (가)를 해결하기 위해서는 사적 비용을 줄여야 한다.
③ (나)는 시장 균형 거래량이 사회적 최적 수준보다 적다.
④ (나)를 해결하기 위해서는 사적 편익을 늘려야 한다.
⑤ (가), (나)는 모두 사회적 최적 수준의 가격이 시장 균형 가격보다 높다.

12 다음 사례에 대한 옳은 설명을 〈보기〉에서 고른 것은? ★중요

- 갑국 정부는 환경 오염을 줄이기 위해 경유차의 소유주에게 ㉠ 환경 개선 부담금을 징수하기로 결정하였다.
- 을국 정부는 환경 개선을 위해 친환경 자동차인 수소차를 연구·개발하는 기업에게 ㉡ 보조금을 지급하기로 결정하였다.

보기
ㄱ. ㉠은 갑국 내 경유차 소유주의 사적 편익을 감소시킨다.
ㄴ. ㉡은 을국 내 수소차를 연구·개발하는 기업의 사적 비용을 증가시킨다.
ㄷ. ㉠과 ㉡은 모두 시장 실패를 개선하기 위한 방안이다.
ㄹ. 갑국 정부는 생산 활동으로 인해 발생한 외부 불경제, 을국 정부는 소비 활동으로 인해 발생한 외부 경제에 대처하고자 한다.

① ㄱ, ㄴ   ② ㄱ, ㄷ   ③ ㄴ, ㄷ
④ ㄴ, ㄹ   ⑤ ㄷ, ㄹ

13 밑줄 친 ㉠, ㉡에 대한 설명으로 옳은 것은?

> **○○ 일보**
> △△도는 ㉠ 꽃게 산란기 철을 맞아 6월 16일부터 8월 15일까지 꽃게 ㉡ 금어기 집중 단속에 나선다고 밝혔다.
> * 금어기: 수산 동식물의 포획·채집이 금지되는 기간

① ㉠은 공공재이다.
② ㉠은 수익성을 띠지 않기 때문에 사회가 요구하는 만큼 공급되기 어렵다.
③ ㉡은 정부 실패를 보완하기 위한 조치이다.
④ ㉡은 ㉠의 고갈을 방지하고자 하는 노력에 해당한다.
⑤ ㉡은 사적 비용을 사회적 비용과 같게 하기 위한 규제에 해당한다.

14 다음 두 제도를 마련한 공통적인 목적으로 가장 적절한 것은?

- 국가 인증 제도: 제품이 일정한 기준에 부합하는지를 평가하고, 그 기준을 통과한 제품에 한하여 정부가 인증하는 제도
- 리콜(Recall) 제도: 제품의 결함으로 인하여 소비자가 생명, 신체상의 위해를 입거나 입을 우려가 있을 경우, 그 위해성을 소비자에게 알리고 결함 제품을 무상으로 수리하거나 환불해 주는 제도

① 정부 실패를 개선하기 위해서이다.
② 정부의 역할을 최소화하기 위해서이다.
③ 정보의 비대칭성을 보완하기 위해서이다.
④ 정부의 불필요한 규제를 완화하기 위해서이다.
⑤ 기업 간 공정한 경쟁이 이루어지도록 하기 위해서이다.

15 밑줄 친 현상이 발생하는 원인만을 〈보기〉에서 있는 대로 고른 것은?

> 정부는 시장 실패를 해결하기 위해 시장에 개입한다. 하지만 이러한 <u>정부의 시장 개입이 오히려 시장의 효율성을 떨어뜨리기도 한다.</u>

┌─ 보기 ─
ㄱ. 정치적 타협에 의한 정책 결정
ㄴ. 독과점 기업에 의한 가격 결정
ㄷ. 정책에 필요한 정보와 지식의 부족
ㄹ. 잘못된 예측을 기반으로 한 정책 결정
└─

① ㄱ, ㄴ   ② ㄱ, ㄷ   ③ ㄱ, ㄴ, ㄷ
④ ㄱ, ㄷ, ㄹ   ⑤ ㄴ, ㄷ, ㄹ

16 교사의 질문에 옳은 답변을 한 학생을 고른 것은?

① 갑, 을   ② 갑, 정   ③ 을, 병
④ 을, 정   ⑤ 병, 정

서술형 문제

01 표는 시장 실패의 원인과 이에 대한 정부의 대책을 나타낸 것이다. 물음에 답하시오.

시장 실패 원인		정부의 대책
불완전 경쟁		불공정 거래 행위 규제
외부 효과	(가)	보조금 지급
	(나)	과징금 부과
공공재 부족		㉠
정보의 비대칭성		상품의 정보 제공 유도

(1) (가), (나)에 들어갈 내용을 각각 쓰시오.

(2) ㉠에 들어갈 대책을 쓰고, 그 이유를 서술하시오.

02 다음 글을 읽고 물음에 답하시오.

> 최근 10년간 건설된 고속도로 13개 구간 중 12개 구간의 실제 교통량이 정부가 예측한 통행량의 61%에 불과했다. 문제는 정부의 수요 예측 실패가 단순히 계산을 잘못한 정도에서 끝나지 않는다는 점이다. 교통량 예측 오류는 비효율적인 재정 투자와 국민의 혈세를 낭비하는 결과를 가져 있다.

(1) 위 자료에 나타난 정부 실패의 원인을 쓰시오.

(2) (1) 이외의 정부 실패의 원인을 <u>세 가지</u> 이상 서술하시오.

STEP 3 1등급 정복하기

1 표는 재화의 유형 (가)~(다)를 질문에 따라 구분한 것이다. 이에 대한 설명으로 옳지 <u>않은</u> 것은?

질문	(가)	(나)	(다)
비용을 지불하지 않고도 소비할 수 있는가?	예	예	아니요
한 사람의 소비가 다른 사람의 소비를 제약하는가?	예	아니요	예

① (가)는 '공유지의 비극' 현상이 나타날 수 있다.
② (가)의 사례로 공공 도서관의 책이 있다.
③ (나)는 무임승차자의 문제가 발생한다.
④ (나)는 시장에 공급을 맡기면 사회가 필요로 하는 양보다 많이 생산된다.
⑤ 시장에서 거래되는 대부분의 재화는 (다)의 속성을 지닌다.

> **재화의 유형**
>
> **완자샘의 시험 꿀팁**
>
> 경합성과 배제성의 유무에 따라 재화를 네 가지 유형으로 구분하고, 각 유형의 재화가 지니는 특성을 묻는 문제가 자주 출제된다.

2 밑줄 친 ㉠, ㉡과 관련 있는 경제학적 개념에 대한 설명으로 옳은 것은?

> 계약 관계에서 권한을 위임하는 사람을 주인이라고 하며, 권한을 위임받는 사람을 대리인이라고 한다. 그런데 주인은 완벽한 대리인을 찾기가 쉽지 않다. 왜냐하면 ㉠ 대리인이 주인을 위해 열심히 일을 할 사람인지 아닌지 정확하게 알지 못하여 잘못된 선택을 할 수 있기 때문이다. 그리고 열심히 일하겠다는 대리인을 찾는다 해도 ㉡ 계약 이후 이들이 최선의 노력을 다하지 않을 수 있기 때문이다.

① 은행이 대출 심사 때 신용 조회를 하는 것은 ㉠을 방지하기 위한 방법이다.
② 화재 보험에 가입한 사람이 가입 전보다 화재 예방 노력을 소홀히 하는 것은 ㉠에 해당한다.
③ 사고 위험이 낮은 사람보다 높은 사람이 보험에 가입하여 보험 회사가 어려움에 처하는 것은 ㉡에 해당한다.
④ ㉠은 외부 불경제, ㉡은 외부 경제로 인해 발생한다.
⑤ ㉠은 ㉡과 달리 거래 당사자 간 정보의 양이 서로 다르기 때문에 발생한다.

> **정보의 비대칭성에 따른 시장 실패**
>
> **완자샘의 시험 꿀팁**
>
> 정보의 비대칭성으로 인해 발생하는 역선택과 도덕적 해이를 구분하는 문제가 자주 출제된다.
>
> **완자 사전**
>
> • 신용 조회
> 개인, 가계, 기업의 현재 경제 상황과 앞으로 대출을 받을 경우에 원금, 이자를 상환할 수 있는 능력이 있는지를 조사하는 것

STEP 3 1등급 정복하기

평가원 응용

3 다음 자료에 대한 옳은 분석을 〈보기〉에서 고른 것은?

그림은 갑국 사람들의 전염병 예방 접종에 대한 수요 곡선과 예방 접종 비용, 정부의 예방 접종에 대한 1인당 보조금을 나타낸 것이다. 한 명의 추가 접종이 창출하는 외부 효과의 크기는 동일하며, 정부는 이로 인해 발생하는 긍정적 외부 효과만큼 예방 접종에 대한 보조금을 지원한다. (단, 갑국 인구는 5백만 명이고, 예방 접종은 1인당 1회만 받는다.)

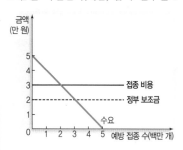

보기

ㄱ. 정부의 지원으로 갑국 사람 모두가 접종을 받았다.
ㄴ. 정부의 지원에 따른 추가 접종자 수는 2백만 명이다.
ㄷ. 정부의 지원이 없을 때의 접종자 수는 2백만 명이다.
ㄹ. 정부의 지원에도 불구하고 외부 효과로 인한 시장 실패는 해소되지 않는다.

① ㄱ, ㄴ   ② ㄱ, ㄷ   ③ ㄴ, ㄷ
④ ㄴ, ㄹ   ⑤ ㄷ, ㄹ

> 외부 효과 개선을 위한 정부의 시장 개입
>
> **완자샘의 시험 꿀팁**
> 외부 효과를 개선하려는 정부의 정책 및 제도를 제시하고, 그 효과를 분석하는 문제가 자주 출제된다.

평가원 응용

4 다음 자료에 대한 옳은 분석만을 〈보기〉에서 있는 대로 고른 것은?

A, B 두 개의 공장이 있는 갑국에서는 두 공장이 각각 연간 100톤씩 총 200톤의 오염 물질을 배출하고 있다. 정부는 오염 물질의 총량을 연간 60톤으로 감축하기 위해 1장당 1톤의 오염 물질을 배출할 수 있는 오염 물질 배출권을 각 공장에 30장씩 지급한 후 서로 거래할 수 있게 하였다. 배출권 한도를 초과하는 오염 물질은 반드시 정화해야 한다. (단, 오염 물질 1톤당 정화 비용은 A 공장이 100만 원, B 공장이 150만 원이며, 정책 도입 이후 두 공장의 생산량은 변함이 없다.)

보기

ㄱ. A 공장은 오염 물질 100톤을 자체 정화할 것이다.
ㄴ. B 공장은 오염 물질 70톤을 자체 정화할 것이다.
ㄷ. 오염 물질 배출량은 B 공장이 A 공장보다 많을 것이다.
ㄹ. 오염 물질 배출권은 1장당 100만 원에서 150만 원 사이에서 거래될 것이다.

① ㄱ, ㄴ   ② ㄴ, ㄷ   ③ ㄷ, ㄹ
④ ㄱ, ㄴ, ㄷ   ⑤ ㄱ, ㄷ, ㄹ

> 외부 효과 개선을 위한 정부의 시장 개입
>
> **완자 사전**
> • 오염 물질 배출권
> 사업자가 할당된 배출 허용 총량 이내로 오염 물질을 배출할 수 있는 권리

5 그림은 정부의 시장 개입에 대한 토론 장면이다. 이에 대한 설명으로 적절하지 <u>않은</u> 것은?

① ⊙의 원인으로 독과점 시장의 형성을 들 수 있다.
② ⓒ의 원인으로 유권자의 정보 제한을 들 수 있다.
③ ⊙과 ⓒ은 모두 자원의 비효율적 배분을 초래한다.
④ 갑은 민간 부문의 노력을 통한 경제 문제 해결을 지지할 것이다.
⑤ 을은 공기업을 민영화하는 정책을 지지할 것이다.

6 다음 글을 통해 내린 결론으로 가장 적절한 것은?

> 갑국 정부는 담합 행위를 한 기업의 자진 신고를 유도하기 위해서 1순위 자진 신고자의 과징금을 전액 면제해 주고, 2순위 자진 신고자에게는 과징금의 50%를 면제해 주는 자진 신고자 감면 제도를 시행하고 있다. 그런데 이 제도는 담합을 주도하고 가장 큰 이익을 취한 대기업들이 최초의 신고자가 되어 아무런 처벌도 받지 않고 부당 이익을 고스란히 가져가고 있다는 한계가 드러났다.

① 시장 실패는 정부 실패의 원인이다.
② 정부는 시장 실패를 보완하기 위해 시장에 개입해야 한다.
③ 정부는 정책에 필요한 정보나 지식을 충분히 가지고 있다.
④ 정부의 시장 개입이 항상 효율적인 자원 배분으로 이어지는 것은 아니다.
⑤ 시장 실패의 보완을 위해서는 직접 규제보다 간접 규제가 더 효과적이다.

> **시장 실패와 정부 실패**
>
> **완자쌤의 시험 꿀팁**
>
> 시장 실패 현상을 개선하기 위한 정부의 시장 개입과 이로 인해 발생할 수 있는 정부 실패를 복합적으로 묻는 문제가 자주 출제된다.

> **정부 실패**
>
> **완자 사전**
>
> • 자진 신고
> 행정 관청에 스스로 나서서 일정한 사실을 진술·보고하는 것

01 시장의 수요와 공급

1. 시장의 의미와 종류

(1) **시장의 의미**: 재화와 서비스, 생산 요소 등 경제적 가치를 지닌 것을 거래하는 곳

(2) **시장의 기능**: 거래 비용의 감소, 자원의 효율적 배분, 교환과 특화 촉진 등

(3) **시장의 종류**

① 거래되는 상품의 종류에 따른 구분

생산물 시장	재화와 서비스가 거래되는 시장
(❶)	생산에 필요한 노동, 자본, 토지 등이 거래되는 시장

② **경쟁의 정도에 따른 구분**: 완전 경쟁 시장, 불완전 경쟁 시장 등

2. 수요의 의미와 결정 요인

(1) **수요의 이해**

수요	구매 의사와 능력을 갖춘 수요자가 어떤 상품을 구입하고자 하는 욕구
(❷)	일정한 가격 수준에서 수요자가 구입하고자 하는 상품의 수량
수요 법칙	다른 조건이 일정하고 가격만 변할 때 가격과 수요량 사이에 음(−)의 관계가 나타남
수요 곡선	가격과 수요량의 관계를 그래프로 나타낸 것

(2) **수요량의 변동과 수요의 변동**

수요량의 변동	해당 상품의 (❸) 변동에 따라 수요량이 변하는 것 → 수요 곡선상의 이동
수요의 변동	해당 상품 가격 이외의 요인이 변동하여 모든 가격 수준에서 수요량이 변하는 것 → 수요 곡선 자체의 이동

(3) **수요 변동의 요인**

수요 증가 요인	수요 감소 요인
• 소득 증가	• 소득 감소
• 상품에 대한 소비자의 기호 증가	• 상품에 대한 소비자의 기호 감소
• 대체재의 가격 (❹)	• 대체재의 가격 하락
• 보완재의 가격 하락	• 보완재의 가격 상승
• 소비자의 수 증가	• 소비자의 수 감소
• 미래 가격 상승 예상	• 미래 가격 하락 예상

3. 공급의 의미와 결정 요인

(1) **공급의 이해**

공급	판매 의사와 능력을 갖춘 공급자가 어떤 상품을 판매하려는 욕구
공급량	일정한 가격 수준에서 판매자가 판매하고자 하는 상품의 수량
공급 법칙	다른 조건이 일정하고 가격만 변할 때 가격과 공급량 사이에 양(+)의 관계가 나타남
공급 곡선	가격과 공급량의 관계를 그래프로 나타낸 것

(2) **공급량의 변동과 공급의 변동**

공급량의 변동	해당 상품의 가격 변동에 따라 공급량이 변하는 것 → 공급 곡선상의 이동
공급의 변동	해당 상품 가격 이외의 요인이 변동하여 모든 가격 수준에서 공급량이 변하는 것 → 공급 곡선 자체의 이동

(3) **공급 변동의 요인**

공급 증가 요인	공급 감소 요인
• 생산 요소의 가격 하락	• 생산 요소의 가격 상승
• 생산 기술의 발전	• 생산 여건의 악화
• 공급자의 수 증가	• 공급자의 수 감소
• 미래 가격 (❺) 예상	• 미래 가격 상승 예상
• 기업에 대한 규제 완화	• 기업에 대한 규제 강화

02 시장 균형과 자원 배분의 효율성

1. 시장 균형의 결정과 변동

(1) **시장 균형**

시장 균형	수요량과 공급량이 일치하여 균형을 이루는 상태
균형 가격	수요량과 공급량이 일치하는 지점에서 결정되는 가격
균형 거래량	수요량과 공급량이 일치하는 지점에서 결정되는 거래량

(2) **시장 균형의 결정 원리**

초과 공급 상태	공급자 간 판매 경쟁 → 가격 (❻) → 수요량 증가, 공급량 감소 → 균형 상태 도달
초과 수요 상태	수요자 간 구매 경쟁 → 가격 상승 → 수요량 감소, 공급량 증가 → 균형 상태 도달

(3) 시장 균형의 변동

변동 내용	변동 결과	
	균형 가격	균형 거래량
수요 증가, 공급 불변	상승	증가
수요 감소, 공급 불변	하락	감소
공급 증가, 수요 불변	하락	증가
공급 감소, 수요 불변	상승	감소

2. 수요와 공급의 가격 탄력성

(1) 수요의 가격 탄력성

의미	수요량이 (❼) 변화에 얼마나 민감하게 반응하는지를 나타내는 지표
결정 요인	대체재 존재 여부, 상품의 성격, 가격 변동에 대응하는 시간, 상품이 소비 예산에서 차지하는 비중 등

(2) 공급의 가격 탄력성

의미	공급량이 가격 변화에 얼마나 민감하게 반응하는지를 나타내는 지표
결정 요인	공급 계획의 기간, 상품의 성격, 생산 조건 등

3. 잉여와 자원 배분의 효율성

(1) 소비자 잉여

의미	소비자가 상품을 구매하면서 얻었다고 느끼는 이득의 크기
계산	소비자가 어떤 상품을 구입하기 위해 최대로 지불할 의사가 있는 금액에서 실제로 지불한 금액을 뺀 것
특징	시장 가격이 하락할수록 소비자 잉여는 더 커짐

(2) 생산자 잉여

의미	생산자가 상품을 판매하면서 얻었다고 느끼는 이득의 크기
계산	생산자가 어떤 상품을 공급하면서 실제로 받은 금액에서 그 상품을 판매하여 최소한 받고자 하는 금액을 뺀 것
특징	시장 가격이 상승할수록 생산자 잉여는 더 커짐

(3) 총잉여

의미	소비자와 생산자가 거래를 통해 얻었다고 느끼는 이득의 합 → 소비자 잉여와 생산자 잉여를 합한 것
특징	(❽)에서 자원이 효율적으로 배분되어 총잉여가 가장 커짐

03 시장 실패와 정부의 시장 개입

1. 시장 실패의 의미와 원인

(1) (❾   ): 시장에서의 자원 배분이 효율적이지 못한 상태

(2) **시장 실패의 원인**

불완전 경쟁	독과점 기업이 시장 지배력을 행사하면 경쟁이 제한되어 자원이 비효율적으로 배분됨
외부 효과의 발생	• 외부 경제: 다른 사람에게 이익을 주지만 그에 대한 보상을 받지 않는 경우 → 사회적 최적 수준보다 적은 수준에서 생산과 소비가 이루어짐 • (❿): 다른 사람에게 피해를 주지만 그에 대한 보상을 하지 않는 경우 → 사회적 최적 수준보다 많은 수준에서 생산과 소비가 이루어짐
공공재의 부족	무임승차자 문제 때문에 공공재의 생산을 시장에만 맡길 경우 사회의 최적 수준만큼 생산되지 않음
공유 자원의 남용	자원을 아껴 쓸 유인이 없기 때문에 필요한 양보다 과다하게 소비됨
정보의 비대칭성	거래 당사자 간에 정보의 차이가 나타나 자원이 비효율적으로 배분됨

2. 시장 실패 개선을 위한 정부의 시장 개입

(1) **시장 경쟁의 촉진**: 가격 규제, 불공정 거래 행위 규제 등

(2) **외부 효과의 개선**

외부 경제	보조금 지급, 세제 혜택 제공 등
외부 불경제	직접 규제, 세금이나 과징금 부과 등

(3) **공공재의 생산**: 공공재의 생산과 공급 담당

(4) **공유 자원의 보호**: 공유 자원의 고갈 방지를 위한 정책 운영

(5) **정보의 비대칭성 해소**: 상품의 정보 제공 유도, 각종 경제 정보 제공, 소비자 구제 제도의 운영 등

3. 정부 실패와 보완 방안

(1) **정부 실패**

의미	시장 실패를 해결하기 위한 정부의 시장 개입이 오히려 시장의 효율성을 떨어뜨리는 현상
원인	정보나 지식의 부족, 미래에 대한 부정확한 예측, 이익 집단의 압력과 정치적 타협에 의한 정책 결정, 의도하지 않은 부작용의 발생, 관료 조직의 문제점 등

(2) **정부 실패의 보완 방안**: 불필요한 규제 완화, 적절한 유인과 경쟁 도입, 민간 부문의 노력 등

01 X재의 수요 곡선이 그림과 같이 이동하였을 때, 이러한 변동을 가져올 수 있는 요인을 〈보기〉에서 고른 것은?

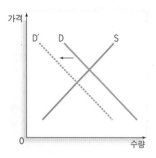

보기

ㄱ. X재 가격이 하락하였다.
ㄴ. X재의 소비자 수가 증가하였다.
ㄷ. X재의 보완재 가격이 상승하였다.
ㄹ. X재의 대체재 가격이 하락하였다.

① ㄱ, ㄴ   ② ㄱ, ㄹ   ③ ㄴ, ㄷ
④ ㄴ, ㄹ   ⑤ ㄷ, ㄹ

02 다음 자료에 대한 분석으로 옳은 것은? (단, B재와 C재는 A재의 연관재이며, A~C재는 수요 및 공급 법칙을 따른다.)

• A재의 가격이 상승하자 B재의 판매 수입이 증가하였다.
• A재의 가격이 상승하자 C재의 판매 수입이 감소하였다.

① B재와 C재는 대체재 관계이다.
② A재의 공급이 증가하면 B재의 수요는 증가한다.
③ A재의 공급이 감소하면 C재의 가격은 상승한다.
④ B재의 가격이 상승하면 A재의 수요는 증가한다.
⑤ C재의 생산 비용이 상승하면 A재의 거래량은 증가한다.

03 그림은 X재와 Y재의 공급 곡선을 나타낸 것이다. X재와 Y재 수요가 증가할 경우 나타나는 변화로 옳은 것은? (단, X재와 Y재는 수요 법칙을 따른다.)

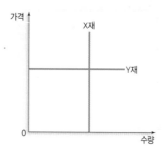

① X재의 거래량은 증가한다.
② X재의 가격은 변동하지 않는다.
③ Y재의 가격은 상승한다.
④ Y재의 거래량은 변동하지 않는다.
⑤ X재와 Y재 공급자의 판매 수입은 모두 증가한다.

04 그림은 X재 시장의 변화를 나타낸 것이다. 이에 대한 옳은 분석을 〈보기〉에서 고른 것은?

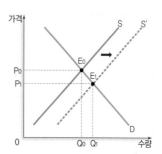

보기

ㄱ. 공급이 감소하였다.
ㄴ. 균형 가격은 하락하고, 균형 거래량은 증가하였다.
ㄷ. X재 가격의 하락 예상은 S에서 S′로의 변동 요인이 될 수 있다.
ㄹ. X재 생산에 필요한 원자재 가격의 상승은 S에서 S′로의 변동 요인이 될 수 있다.

① ㄱ, ㄴ   ② ㄱ, ㄹ   ③ ㄴ, ㄷ
④ ㄴ, ㄹ   ⑤ ㄷ, ㄹ

05 표는 시기별 X재의 수요량과 공급량을 나타낸 것이다. t년 대비 t+1년 X재 시장에서 나타날 균형 가격과 균형 거래량의 변동 양상을 옳게 연결한 것은?

가격(원)	t년		t+1년	
	수요량(개)	공급량(개)	수요량(개)	공급량(개)
120	80	120	120	140
100	100	100	140	120
80	120	80	160	100

	균형 가격	균형 거래량
①	상승	증가
②	상승	감소
③	상승	알 수 없음
④	하락	증가
⑤	하락	감소

06 그림은 X재 시장의 연도별 균형점을 나타낸 것이다. 이에 대한 분석 및 추론으로 적절하지 **않은** 것은? (단, X재는 정상재이고, X재 시장은 수요와 공급의 법칙을 따른다.)

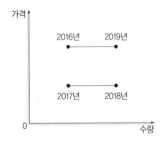

① 2017년 상황은 2016년에 비해 수요는 감소하고, 공급이 증가할 경우 나타날 수 있다.
② 2017년 상황은 2016년에 비해 소득이 감소하고, 원자재 가격이 하락할 경우 나타날 수 있다.
③ 2018년 상황은 2017년에 비해 X재의 가격 상승이 예상될 경우 나타날 수 있다.
④ 2018년 상황은 2017년에 비해 수요자와 공급자의 수가 증가할 경우 나타날 수 있다.
⑤ 2019년 상황은 2018년에 비해 소비자의 선호가 높아지고, 원자재 가격이 상승할 경우 나타날 수 있다.

07 그림은 X재와 Y재의 수요 곡선을 나타낸 것이다. 이에 대한 옳은 설명을 〈보기〉에서 고른 것은?

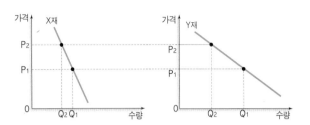

〈보기〉

ㄱ. 대체재가 많은 상품은 Y재보다 X재의 수요 곡선에 가깝다.
ㄴ. 생활필수재의 수요 곡선은 X재보다 Y재의 수요 곡선에 가깝다.
ㄷ. 가격이 P_1에서 P_2로 상승하면, X재를 판매하는 기업은 총판매 수입이 증가한다.
ㄹ. 가격이 P_2에서 P_1으로 하락하면, Y재를 판매하는 기업은 총판매 수입이 증가한다.

① ㄱ, ㄴ   ② ㄱ, ㄹ   ③ ㄴ, ㄷ
④ ㄴ, ㄹ   ⑤ ㄷ, ㄹ

08 표는 X재를 판매하는 기업이 현재 수준에서 가격을 5% 인상할 경우 소비자별 수요량 변화율을 나타낸 것이다. 이에 대한 옳은 분석을 〈보기〉에서 고른 것은? (단, 소비자의 수요의 가격 탄력성은 일정하다.)

구분	어린이	청소년	성인
수요량 변화율(%)	−10	−5	−2

〈보기〉

ㄱ. 어린이의 X재 수요는 가격에 대해 탄력적이다.
ㄴ. 청소년의 X재 수요는 가격에 대해 비탄력적이다.
ㄷ. 청소년과 달리 성인의 X재 수요량은 가격 상승 전보다 증가하였다.
ㄹ. 어린이에게는 가격을 인하하는 것이, 성인에게는 가격을 인상하는 것이 판매 수입 증대에 유리하다.

① ㄱ, ㄴ   ② ㄱ, ㄹ   ③ ㄴ, ㄷ
④ ㄴ, ㄹ   ⑤ ㄷ, ㄹ

09 그림은 X재 시장의 수요 곡선과 (가) 또는 (나)로 추정되는 공급 곡선을 나타낸 것이다. 이에 대한 분석으로 옳은 것은? (단, X재는 정상재이다.)

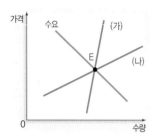

① 소득이 증가하면 판매 수입은 (가)와 달리 (나)에서 증가할 것이다.

② X재의 수요가 증가하면 균형 가격은 (가)보다 (나)에서 더 많이 상승할 것이다.

③ X재 시장에 최저 가격제가 시행되면 초과 공급은 (가)보다 (나)에서 더 많을 것이다.

④ X재 시장에 최고 가격제가 시행되면 공급량은 (나)보다 (가)에서 더 많이 감소할 것이다.

⑤ X재의 대체재 가격이 상승하면 균형 거래량은 (나)보다 (가)에서 더 많이 증가할 것이다.

10 밑줄 친 ㉠, ㉡에 대한 옳은 설명을 〈보기〉에서 고른 것은?

갑국은 1970년대 ㉠ 분양가 상한제를 처음 도입하였으나, 1990년대 후반 부동산 경기 침체로 분양가 상한제의 실효성이 없어지자 이를 ㉡ 폐지하였다. 하지만 최근 부동산 가격의 폭등으로 가격 통제의 필요성이 커짐에 따라 다시 분양가 상한제 도입을 적극 검토 중이다.

┌ 보기 ┐
ㄱ. ㉠은 최저 가격제의 사례에 해당한다.
ㄴ. ㉠을 시행하면 초과 수요가 발생한다.
ㄷ. ㉡은 소비자 보호를 위한 것으로, 공익여를 증가시킨다.
ㄹ. 시장에서 형성된 부동산 가격이 가격 상한선보다 낮아진 것을 ㉡의 사유로 들 수 있다.

① ㄱ, ㄴ ② ㄱ, ㄷ ③ ㄴ, ㄷ
④ ㄴ, ㄹ ⑤ ㄷ, ㄹ

[11~12] 다음 자료를 보고 물음에 답하시오.

그림은 X재 시장의 수요·공급 곡선을 나타낸 것이다. 정부는 X재의 시장 거래량을 줄이기 위해 최저 가격을 P_1으로 설정하였다.

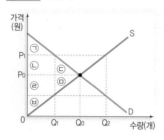

11 밑줄 친 정책의 효과로 적절하지 않은 것은?

① 시장 가격은 P_1이 된다.

② 시장 거래량은 Q_1이 된다.

③ Q_1Q_2만큼 공급량이 감소한다.

④ Q_1Q_2만큼의 초과 공급이 발생한다.

⑤ P_1보다 낮은 가격 수준에서 암시장이 형성될 수 있다.

12 밑줄 친 정책의 시행 이후 소비자 잉여와 생산자 잉여의 크기를 옳게 연결한 것은?

	소비자 잉여	생산자 잉여
①	㉠	㉡ + ㉣ + ㉠
②	㉠ + ㉡ + ㉢	㉣ + ㉤ + ㉥
③	㉠ + ㉡ + ㉣	㉥
④	㉠ + ㉡ + ㉣ + ㉥	㉢ + ㉤
⑤	㉠ + ㉡ + ㉢ + ㉣ + ㉤	㉥

13 자원의 비효율적 배분과 관련한 경제 개념 (가)~(다)에 대한 설명으로 옳은 것은?

경제 개념	문제점	원인
(가)		재화의 비경합성, 비배제성
(나)	과소 생산	사적 비용 > 사회적 비용
(다)	과다 생산	사적 비용 < 사회적 비용

① 환경 오염은 (가)의 대표적인 사례이다.
② 생산자에게 세금을 부과하여 (나)의 문제를 개선할 수 있다.
③ (가)와 (나)를 외부 효과라고 한다.
④ (가)와 달리 (나), (다)는 시장 실패의 원인이다.
⑤ (나)와 달리 (다)에서는 생산량이 사회적 적정 수준보다 많다.

14 (가)~(라)에 해당하는 사례로 적절한 것만을 〈보기〉에서 있는 대로 고른 것은?

보기
ㄱ. (가) - 과수원을 운영하는 A 덕분에 인근 양봉업자가 큰 이득을 얻었다.
ㄴ. (나) - B 기업은 컴퓨터 보안 기술을 개발하여 누구나 무료로 사용할 수 있도록 공개하였다.
ㄷ. (다) - C는 길거리에서 담배를 피워 주변 사람에게 불쾌감을 주었다.
ㄹ. (라) - D 공장은 생산 과정에서 발생한 폐수를 하천에 무단 방류하여 주민들에게 피해를 주었다.

① ㄱ, ㄴ　　② ㄱ, ㄷ　　③ ㄴ, ㄷ
④ ㄱ, ㄴ, ㄷ　　⑤ ㄴ, ㄷ, ㄹ

15 그림은 X재 시장의 기업별 시장 점유율 변화 추이를 나타낸 것이다. X재 시장에 대한 옳은 분석 및 추론을 〈보기〉에서 고른 것은?

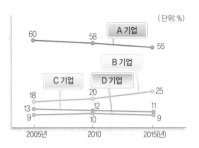

보기
ㄱ. X재 시장은 독점 시장이다.
ㄴ. X재 시장은 기업들이 담합을 하려는 경향이 강할 것이다.
ㄷ. X재의 가격 결정에 공급자보다 수요자의 영향이 클 것이다.
ㄹ. X재는 사회가 요구하는 최적 수준만큼 공급되지 않을 가능성이 있다.

① ㄱ, ㄴ　　② ㄱ, ㄷ　　③ ㄴ, ㄷ
④ ㄴ, ㄹ　　⑤ ㄷ, ㄹ

16 밑줄 친 ㉠, ㉡에 해당하는 사례로 적절하지 않은 것은?

시장이 항상 바람직한 기능을 제대로 수행하는 것은 아니다. 때로는 ㉠ 시장의 외부적 환경 요인이나 재화의 특성 등으로 인해 시장이 자원을 효율적으로 배분하지 못하는 경우가 발생한다. 한편, 이를 해결하기 위한 ㉡ 정부의 시장 개입이 문제를 충분히 해결하지 못하거나 오히려 악화시키는 경우가 발생하기도 한다.

① ㉠ - 기업들이 가로등과 같은 재화의 생산을 기피하였다.
② ㉠ - 독점 기업이 이윤을 극대화하기 위해 상품의 가격을 인상하였다.
③ ㉡ - 정부가 산업 재해를 방지하기 위해 안전에 대한 규제를 강화하였다.
④ ㉡ - 정부가 저소득층을 위해 주택 임대료를 규제하였는데, 오히려 주택 임대료 가격이 상승하였다.
⑤ ㉡ - 정부가 기업에 환경 개선 부담금을 부과하였는데, 생산량이 사회적으로 최적인 수준보다 지나치게 감소하였다.

국가와 경제 활동

① 경제 성장과 한국 경제 ----------------- 094

② 실업과 인플레이션 ------------------ 106

③ 경기 변동과 경제 안정화 방안 --------------- 118

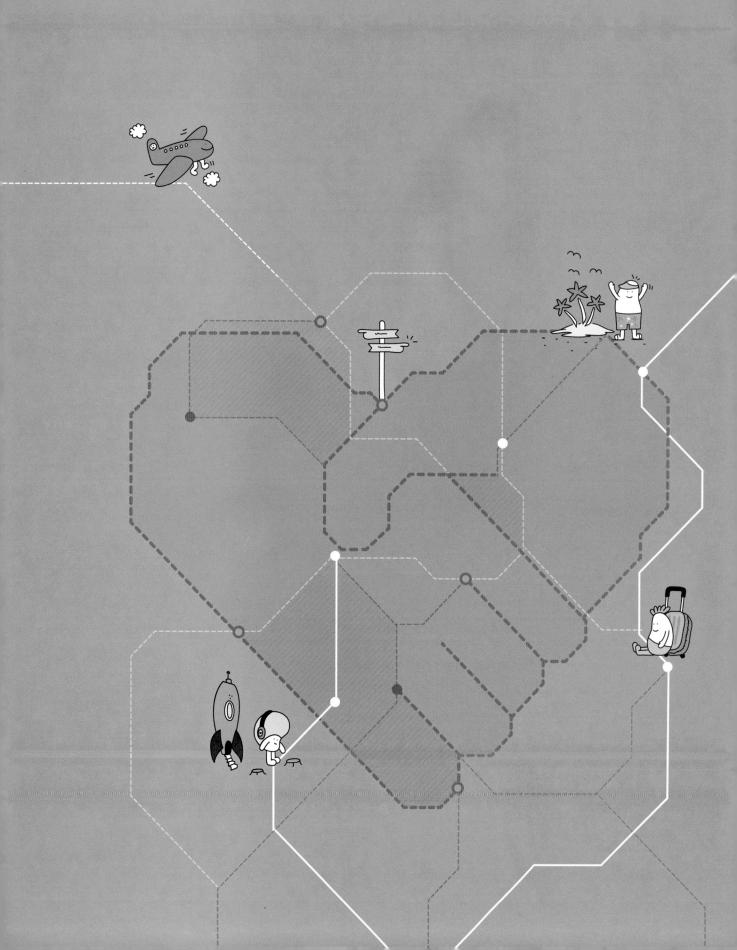

01 경제 성장과 한국 경제

학 습 목 표
· 한국 경제의 변화와 그 성과를 설명할 수 있다.
· 다양한 국민 경제 지표를 통해 국민 경제 활동을 측정할 수 있다.

① 한국 경제의 변화와 성과

이것이 핵심!

한국 경제의 변화

1960년대	노동 집약적 경공업 발달, 수출 주도형 성장 추구
1970년대	중화학 공업의 집중 육성
1980년대	기술 경쟁력 강화 노력, 삼저 호황에 힘입어 경제 발전
1990년대	첨단 산업 발달, 외환 위기 발생
2000년대	세계적 금융 위기 극복

★ 석유 파동
석유의 공급 부족과 가격 폭등으로 세계 경제가 큰 혼란을 겪은 사건

★ 외환 위기
1997년 우리나라가 보유했던 외화의 급격한 유출로 환율이 급상승하면서 한국 경제의 위기가 초래된 현상

★ 금융 위기
2007년 미국발 금융 위기가 전 세계로 확산되어 세계 경제가 침체를 경험하게 된 현상

★ 개발 원조 위원회(DAC)
개발 도상국을 돕기 위해 조직된 경제 협력 개발 기구(OECD) 산하의 기관

1. 한국 경제의 변화

> **왜?** 이 시기에는 자본이 부족하고 기술력이 낮았기 때문이야.

1960년대	· 신발, 섬유 등의 노동 집약적인 경공업이 성장을 주도함 · 경제 개발 계획 추진 → 수출 주도의 성장 우선 정책을 통해 수출 규모가 크게 증가함
1970년대	· 철강, 조선 등 자본 집약적인 중화학 공업을 육성하면서 빠른 경제 성장을 이루었음 · 두 차례의 ★석유 파동으로 물가가 폭등하여 경제적 어려움을 겪음 · 중화학 공업과 대기업 위주의 성장 정책을 추진하면서 경제적 불균형 문제가 나타남
1980년대	· 연구 개발을 통한 기술 경쟁력 확보에 나서면서 반도체, 전자 제품, 자동차 등의 산업이 발달함 · 1980년대 중반 삼저 호황(저금리, 저달러, 저유가)에 힘입어 대규모의 무역 흑자를 기록함
1990년대	· 반도체, 통신 기기 등 첨단 산업이 경제 성장의 새로운 동력이 됨 · 1997년 ★외환 위기로 대량 실직, 마이너스 경제 성장 등의 경제적 시련을 겪음
2000년대	· 2000년대 초 수출 호조에 힘입어 경기가 회복됨 · 2007~2008년에는 세계적 ★금융 위기를 겪었지만, 정부와 국민의 노력으로 극복함

2. 한국 경제의 성과와 과제 (자료 ①)

(1) 한국 경제의 성과

> 2016년 기준 경제 규모 11위로 성장하였어.

① 경제적 위상 상승: 고도의 경제 성장으로 경제 규모 확대 및 1인당 국민 소득 증가

② 국제 사회에서의 위상 변화: 경제 협력 개발 기구(OECD) 산하의 ★개발 원조 위원회(DAC)에 가입 → 원조를 받던 국가에서 원조하는 국가로 전환

(2) 한국 경제의 과제

> **꼭!** 농업 부문의 더딘 성장, 중소기업 위축, 노사 갈등 등의 문제가 발생하면서 자원 배분이 왜곡되고 계층 간 격차가 심화되었어.

① 급격한 경제 성장 과정에서 나타난 산업 간·지역 간·계층 간 격차 및 환경 오염, 경제의 대외 의존성 심화 등의 문제 개선을 위한 방안을 모색해야 함

> **왜?** 수출 중심의 경제 개발을 추진했기 때문이야.

② 지속적인 성장을 위한 기반을 마련하기 위해 기업은 연구 개발 투자를 확대하고, 정부는 이를 지원해야 함

② 국민 경제의 순환과 국민 경제 활동의 측정

이것이 핵심!

국내 총생산(GDP)

의미	한 나라의 국경 안에서 일정 기간 새롭게 생산된 최종 생산물의 시장 가치의 합
유용성	여러 나라의 경제 규모 및 소득 수준을 비교하는 데 활용됨
한계	시장을 통하지 않은 거래는 제외됨, 삶의 질 수준이나 소득 분배 상황을 정확히 파악하기 어려움 등

★ 국민 경제
한 나라를 단위로 하는 경제 활동

1. 국민 경제의 순환: ★국민 경제의 주체들이 재화와 서비스를 생산, 분배, 소비하는 경제 활동을 지속적으로 되풀이하면서 순환하는 과정 (자료 ②)

2. 국내 총생산의 의미와 유용성 (자료 ③)

(1) 국내 총생산(GDP): 한 나라의 국경 안에서 일정 기간(보통 1년) 새롭게 생산된 최종 재화와 서비스의 시장 가치를 합한 것

한 나라의 국경 안에서	생산자의 국적과 관계없이 한 나라의 국경 안에서 생산된 것을 포함함
일정 기간 새롭게 생산된	중고품과 같이 과거에 생산된 재화와 서비스는 제외됨
최종 재화와 서비스의 시장 가치	다른 재화와 서비스를 생산하는 데 사용된 중간 생산물의 가치는 최종 생산물의 가치에 포함되므로 계산에서 제외됨

(2) 국내 총생산의 유용성: 여러 나라의 경제 규모 및 소득 수준을 비교하는 데 활용됨

> **vs** 국내 총생산을 그 나라의 인구로 나눈 1인당 국내 총생산을 통해 그 나라 국민의 평균적인 소득 수준을 알 수 있어.

완자 자료 탐구

자료 ① 한국 경제의 성과와 과제

인구 천 명당 의사 수(명)
0.43 (1960년), 2.2 (2015년)
(보건 복지부, 2016)

무역액(억 달러)
4 (1960년), 10,522 (2017년)
(한국 무역 협회, 2018)

도시 가구의 상대적 빈곤율(%)
7.8 (1990년), 15.4 (2016년)
(통계청, 2018)

온실가스 총 배출량(백만 탄소 톤)
293.1 (1990년), 690.2 (2015년)
(온실가스 종합 정보 센터, 2017)

우리나라는 경제 성장으로 생산과 소득 규모가 커지면서 생활 수준이 전반적으로 향상되었고 교육, 문화, 교통, 의료 등 다양한 서비스의 질도 개선되었다. 하지만 산업화와 경제 발전에 집중하다 보니 빈부 격차와 환경 오염 등의 문제가 발생하였다. 이 때문에 우리나라 국민의 삶의 질은 외형적 성장에 비교하면 상대적으로 낮은 수준에 머물러 있다.

자료 ② 국민 경제의 순환

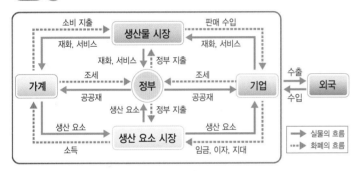

한 나라의 경제 흐름을 파악하려면 가계, 기업, 정부의 생산 및 소비 활동과 외국과의 교역 활동을 살펴보면 된다. 이 흐름 속에서 생산물과 생산 요소가 순환하고, 그에 따라 화폐가 순환하기 때문이다. 국민 경제에서는 재화나 서비스와 같은 실물의 흐름과 이를 구매하기 위한 대가를 나타내는 화폐의 흐름이 서로 반대로 표시된다.

자료 ③ 국민 총소득(GNI)

(단위: 달러)
20,795 (2006), 20,419 (2008), 22,105 (2010), 24,600 (2012), 27,892 (2014), 27,681 (2016년)

↥ 우리나라의 1인당 국민 총소득(GNI) 변화

― 예 우리나라 국민이 미국에 자본을 투자하여 벌어들인 소득은 우리나라의 GDP에는 포함되지 않지만, 우리나라의 GNI에는 포함되지.

국민 총소득(GNI)은 일정 기간 한 나라 국민이 소유하고 있는 생산 요소를 국내외에 제공하고 벌어들인 소득을 의미한다. 국민 총소득은 국민이 나라 안팎에서 벌어들인 임금, 이자, 배당 등의 소득 규모를 보여주기 때문에 실질 구매력을 파악하는 지표로 활용된다. 그리고 국민 총소득을 인구수로 나눈 1인당 국민 총소득을 활용하면 국민의 평균적인 생활 수준을 파악할 수 있다.

문제 로 확인할까?

한국 경제의 변화에 대한 설명으로 적절하지 않은 것은?

① 1960년대에는 노동 집약적 경공업이 성장을 주도하였다.
② 1970년대에는 중화학 공업 위주의 경제 개발을 추진하였다.
③ 1980년대에는 기술 집약적 첨단 산업이 발달하기 시작하였다.
④ 1990년대에는 삼저 호황에 힘입어 경제가 성장하였다.
⑤ 2000년대 초 수출 호조에 힘입어 경기가 회복되었다.

④ 답

자료 하나 더 알고 가자!

중간 생산물과 최종 생산물

(가) 농부가 생산한 쌀을 소비자가 사서 밥을 지어 먹었다.
(나) 농부가 생산한 쌀을 과자 생산 업체에서 사서 쌀 과자를 생산하였다.

(가)에서는 쌀이 최종 생산물이 된다. 그리고 (나)에서는 쌀 과자가 최종 생산물이 되며, 이때 사용된 쌀은 중간 생산물이다.

정리 비법을 알려줄게!

국내 총생산(GDP)의 계산 방법

국내 총생산(GDP)
= 최종 생산물의 시장 가치의 합
= 모든 생산물의 시장 가치의 합 - 중간 생산물의 시장 가치의 합
= 각 생산 단계별 부가 가치의 합

01 경제 성장과 한국 경제

★ 지출 국민 소득

소비 지출	가계가 기업의 생산물을 구입 하는 데 따른 지출
투자 지출	기업의 생산에 필요한 자본 재를 구매하는 데 든 지출
정부 지출	공공사업이나 공무원의 급여 등으로 쓰인 지출
순수출	수출액에서 수입액을 뺀 것

★ 지하 경제
정부의 공식 통계에는 나타나지 않는
여러 가지 경제 활동 예) 밀수

3. 국민 소득 삼면 등가의 법칙: 국민 소득은 생산, 분배, 지출의 어느 측면에서 측정하더라도 그 크기가 동일함 자료 ④

생산 국민 소득		분배 국민 소득		*지출 국민 소득
생산 활동을 통해 만들어 낸 부가 가치의 합계	=	생산 요소를 제공한 대가로 받은 소득의 합계	=	재화와 서비스를 구입한 대가로 지출한 금액의 합계
└ 국내 총생산(GDP)		└ 임금 + 지대 + 이자 + 이윤		└ 소비 지출 + 투자 지출 + 정부 지출 + 순수출

4. 국내 총생산의 한계와 보완

(1) 국내 총생산의 한계

① 시장에서 거래되는 재화와 서비스의 가치만 포함함 → 시장을 통하지 않은 가사 노동과 자원봉사, *지하 경제에서의 거래 등은 국내 총생산에 반영되지 않음

② 생산 활동으로 창출된 재화와 서비스의 가치만을 포함함 → 삶의 질이나 국민 복지 수준을 정확하게 측정하지 못함
예) 교통사고는 사고 처리를 위한 서비스의 생산을 유발하여
국내 총생산을 증가시키지만 삶의 질은 떨어뜨리지.

③ 재화와 서비스의 품질 변화를 정확하게 나타내지 못함

④ 총량 개념이므로 소득 분배 상황 및 불평등 정도를 파악하기 어려움

(2) 국내 총생산 한계의 보완: 교육 수준이나 기대 수명, 행복 지수, 생태계 가치나 사회 분배적 상태 등을 반영한 새로운 지표들이 등장하고 있음 자료 ⑤

이것이 핵심!

경제 성장의 의미와 요인

경제 성장
국내 총생산(GDP)의 양적 증가

↑

경제 성장의 요인
• 생산 요소의 양적 증가와 질적 향상 • 기술의 진보 • 기업가 정신의 발휘 • 정부 정책의 뒷받침

③ 경제 성장

1. 경제 성장과 경제 성장률

(1) 경제 성장: 경제 규모가 확대되어 한 나라의 생산 능력이 커지는 것 → 국내 총생산(GDP)의 양적 증가
└ 특정 시기(기준 연도)의 가격을 기준으로
정하고, 국내 총생산을 계산해야 해.

(2) 경제 성장률: 물가의 변동분을 제거한 실질 국내 총생산을 사용하여 측정함 교과서 자료

$$경제 성장률(\%) = \frac{금년도 \ 실질 \ GDP - 전년도 \ 실질 \ GDP}{전년도 \ 실질 \ GDP} \times 100$$

(3) 경제 성장의 필요성: 경제가 성장하여 생산이 증가하면 일자리가 늘어나고 소득이 증가함 → 국민의 생활 수준이 향상됨

2. 경제 성장의 요인
꼭! 일반적으로 경제 성장 초기에는 노동과 자본의 기여도가 높으나,
산업 구조가 고도화되면 기술 진보의 중요성이 커지지.

생산 요소의 증가	• 생산 요소의 양적 증가: 생산 요소의 양적 투입이 늘어나면 생산량이 증가함 • 생산 요소의 질적 향상: 노동자의 전문성 향상 등과 같은 질적 변화는 생산성 향상으로 이어짐
기술의 진보	기술이 진보하면 생산량이 증대되고 생산물의 질도 개선됨
기업가 정신의 발휘	미래가 불확실한 속에서 판매를 위하게 예측하고 변화를 추구하는 기업가의 자세는 새로운 부가 가치를 창출하는 원동력이 됨
정부 정책의 뒷받침	• 기업의 연구 및 개발 투자에 대한 세금 혜택 및 연구비 지원 → 기술 발전 촉진 • 기업의 투자와 가계의 저축 장려 → 자본 축적과 생산성 향상 유도 • 교육에 대한 투자 확대 → 인적 자본 구축 • 재산권 보장, 정치적 안정 등의 경제적 유인 제공 → 투자 촉진 • 다른 나라와의 무역 확대 → 시장 확대, 소비의 기회 확대

완자 자료 탐구
내 옆의 선생님

자료 ④ 국민 소득 삼면 등가의 법칙

다음은 1년 동안 갑국에서 벌어진 경제 활동이다. 농부가 500만 원어치의 밀을 생산하여 방앗간 주인에게 모두 팔았고, 방앗간 주인은 밀을 이용해 800만 원어치의 밀가루를 생산하였다. 생산된 밀가루 중 700만 원어치는 빵집 주인이 구매하였고, 나머지 100만 원어치는 소비자가 구매하였다. 빵집 주인은 구매한 밀가루로 1,000만 원어치의 케이크를 생산하였고, 이는 모두 판매되었다.

갑국의 생산 국민 소득은 최종 생산물인 케이크의 가치 1,000만 원과 소비자가 구매한 밀가루의 가치 100만 원의 합인 1,100만 원이며, 지출 국민 소득은 최종 생산물에 대한 지출이므로 1,100만 원이다. 그리고 갑국의 분배 국민 소득은 농부의 소득 500만 원, 방앗간 주인의 소득 300만 원, 빵집 주인의 소득 300만 원의 합인 1,100만 원이다. 이처럼 국민 소득은 생산, 분배, 지출의 어느 측면에서 측정하더라도 그 크기가 일치한다.

문제 로 확인할까?

분배 국민 소득에 포함되는 항목으로 옳지 않은 것은?

① 임금   ② 이자
③ 지대   ④ 이윤
⑤ 순수출

⑤ 답

자료 ⑤ 국내 총생산(GDP)의 한계를 보완하기 위한 지표

더 나은 삶 지수(BLI)	• 경제 협력 개발 기구(OECD)의 회원국을 대상으로 주거, 소득, 고용, 교육, 환경, 건강, 삶의 만족도, 안전, 일과 삶의 균형 등 11개 부문을 평가함 • 나라별 삶의 질을 가늠하는 지표로 활용함
국민 총행복(GNH)	• 평등하고 지속적인 발전, 환경 보호, 전통 가치 보존, 좋은 통치 등 4개 목표와 삶의 수준, 건강, 교육, 문화 다양성 등 9개 세부 지표로 구성됨 • 국민이 얼마나 행복감을 느끼는지를 측정하기 위한 지표로 활용함
인간 개발 지수(HDI)	• 국제 연합 개발 계획(UNDP)이 매년 각국의 교육 수준과 국민 소득, 문맹률, 평균 수명 등을 조사하여 인간 개발 성취 정도를 평가함 • 객관적 삶의 질을 측정하는 지표로 활용함

국내 총생산은 한 나라의 경제 활동 수준을 측정하는 방법으로 매우 유용하다. 그러나 국내 총생산이 삶의 질 수준이나 소득 불평등의 정도 등을 파악하기 어렵다는 한계가 지적되면서 교육, 환경, 행복, 건강 등 다양한 삶의 질을 반영한 새로운 지표들이 제시되고 있다.

자료 하나 더 알고 가자!

명목 GDP와 실질 GDP

명목 GDP	• 당해 연도의 가격으로 계산한 GDP로서 재화와 서비스의 증감뿐만 아니라 물가의 변동도 반영함 • 당해 연도의 상품 생산량×당해 연도의 가격
실질 GDP	• 기준 연도의 가격으로 계산한 GDP로서 물가의 변동분을 제거하여 생산량의 변동만을 나타냄 • 당해 연도의 상품 생산량×기준 연도의 가격

수능이 보이는 교과서 자료 · 경제 성장률의 계산

갑국은 2017년에 신발 10개, 모자 20개를 생산했으며, 가격은 각각 20달러, 30달러이다. 2018년에는 신발 10개, 모자 40개를 생산했으며, 가격은 각각 30달러, 20달러이다. 갑국에서는 신발과 모자만을 생산하며, 기준 연도는 2017년이다.

갑국의 연도별 명목 GDP와 실질 GDP를 계산하여 표로 정리하면 다음과 같다.

연도	명목 GDP	실질 GDP
2017년	(10개×20달러)+(20개×30달러)=800달러	(10개×20달러)+(20개×30달러)=800달러
2018년	(10개×30달러)+(40개×20달러)=1,100달러	(10개×20달러)+(40개×30달러)=1,400달러

갑국의 실질 GDP는 2017년 800달러에서 2018년 1,400달러로 변하였으므로, 2018년 갑국의 경제 성장률은 (1,400달러 − 800달러) / 800달러 = 75%가 된다.

완자쌤의 탐구 강의

• 경제 성장률을 계산할 때 실질 GDP를 사용하는 이유를 서술해 보자.

명목 GDP는 생산량의 변화 없이 물가만 올라도 증가하므로 실질적인 생산 규모의 변화를 파악하기 어렵다. 한편 실질 GDP는 물가 변동에 영향을 받지 않고 재화와 서비스의 증감만을 비교할 수 있기 때문에 생산 규모의 변화를 정확하게 측정할 수 있다.

함께 보기 101쪽, 내신 만점 공략하기 13

STEP 1 핵심 개념 확인하기

1 각 시기에 따른 한국 경제의 모습을 옳게 연결하시오.

(1) 1960년대 •
(2) 1970년대 •
(3) 1980년대 •
(4) 1990년대 •
(5) 2000년대 •

• ㉠ 외환 위기
• ㉡ 경공업 육성
• ㉢ 세계적 금융 위기
• ㉣ 삼저 호황에 따른 경제 성장
• ㉤ 중화학 공업 중심으로 경제 개발 추진

2 다음 빈칸에 들어갈 내용을 쓰시오.

(1) 한 나라의 국경 안에서 일정 기간 새롭게 생산된 최종 생산물의 시장 가치의 합을 ( )이라고 한다.

(2) 분배 국민 소득은 생산에 참여한 경제 주체에게 분배되는 임금, 지대, ( ), 이윤을 모두 합해 측정한다.

(3) 국민 소득은 생산, 분배, 지출 등 어느 측면에서 측정하더라도 그 크기가 일치하는데, 이를 ( )이라고 한다.

3 다음 괄호 안에 들어갈 알맞은 말에 ○표를 하시오.

(1) 교통사고의 발생은 국내 총생산의 (증가, 감소) 요인이다.

(2) 가사 노동이나 자원봉사 등과 같은 생산물의 가치는 국내 총생산에 (포함, 제외)된다.

(3) 외국 기업이 우리나라에 공장을 세워 자동차를 생산했다면 그 자동차의 시장 가치는 국내 총생산에 (포함, 제외)된다.

4 ㉠, ㉡에 들어갈 내용을 각각 쓰시오.

> 당해 연도의 가격으로 측정하는 (㉠) GDP는 재화와 서비스의 수량 증감뿐만 아니라 물가의 변동도 반영한다. 기준 연도의 가격으로 측정하는 (㉡) GDP는 물가의 변동분을 제거하여 실질적인 재화와 서비스의 증감만을 파악할 수 있다.

5 다음 설명이 맞으면 ○표, 틀리면 ×표를 하시오.

(1) 경제 성장률은 명목 GDP의 변화율로 측정한다. ( )

(2) 실질 GDP는 생산량이 변화 없이 물가만 올라도 증가한다. ( )

(3) 생산 요소의 투입 증가는 생산량의 증대로 이어져 경제 성장에 기여한다. ( )

STEP 2 내신 만점 공략하기

01 다음은 한국 경제의 변화를 나타낸 것이다. (가)~(라)를 시기별 순서대로 옳게 나열한 것은?

> (가) '삼저 호황'에 힘입어 대규모 무역 흑자를 기록하였다.
> (나) 반도체와 통신 기기와 같은 첨단 산업이 경제 성장의 주축이 되었다.
> (다) 경공업을 중심으로 한 수출 주도의 성장 우선 정책을 통해 경제가 성장하였다.
> (라) 정부가 철강, 조선 등 자본 집약적인 중화학 공업을 육성하면서 빠른 경제 성장을 이루었다.

① (가) – (나) – (다) – (라)
② (나) – (다) – (라) – (가)
③ (다) – (가) – (나) – (라)
④ (다) – (라) – (가) – (나)
⑤ (라) – (나) – (가) – (다)

02 중요 다음과 같은 경제 성장 전략으로 초래된 현상으로 가장 적절한 것은?

> 우리나라는 1960년대 이후 정부 주도의 성장 우선 정책에 따라 경제 개발이 이루어졌다. 1970년대에는 공업을 먼저 육성하는 경제 성장 전략을 채택하고, 수출 증대와 중화학 공업 육성을 최우선 과제로 삼았다. 이로 인해 우리나라 경제는 세계적으로 유례없는 고도성장을 이룰 수 있었다.

① 자원 배분의 왜곡이 해소되었다.
② 민간 경제의 자율성이 강화되었다.
③ 산업 부문 간의 불균형이 심화되었다.
④ 국민 경제의 대외 의존성이 낮아졌다.
⑤ 계층 간의 경제적 형평성 문제를 극복하였다.

03 그림은 민간 부문의 경제 순환을 나타낸 것이다. 이에 대한 옳은 설명을 〈보기〉에서 고른 것은?

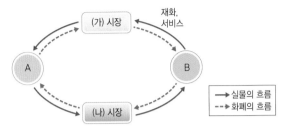

보기

ㄱ. (가) 시장에서는 생산물이 거래된다.
ㄴ. (나) 시장에서 임금, 지대, 이자 등이 결정된다.
ㄷ. (가) 시장에서 A는 공급자, B는 수요자이다.
ㄹ. 생산 요소는 B에서 A로 이동한다.

① ㄱ, ㄴ   ② ㄱ, ㄷ   ③ ㄴ, ㄷ
④ ㄴ, ㄹ   ⑤ ㄷ, ㄹ

04 그림은 국민 경제 순환의 일부를 나타낸 것이다. 이에 대한 설명으로 옳지 <u>않은</u> 것은?

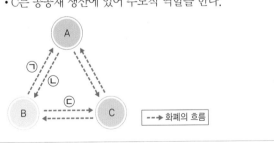

- A는 생산 요소 시장에서 공급자이다.
- C는 공공재 생산에 있어 주도적 역할을 한다.

① 임금, 지대, 이자는 ㉠에 포함된다.
② ㉡은 생산물 시장에서 발생한다.
③ ㉢의 사례에는 법인세 납부가 포함된다.
④ 생산물 시장에서 B는 수요자, C는 공급자이다.
⑤ C는 조세를 징수하고, A와 B의 경제 활동을 지원한다.

05 교사의 질문에 옳은 답변을 한 학생을 고른 것은?

① 갑, 을   ② 갑, 병   ③ 을, 병
④ 을, 정   ⑤ 병, 정

06 우리나라의 국민 소득을 나타내는 지표인 (가), (나)에 대한 옳은 설명을 〈보기〉에서 고른 것은?

(가)	(나)
한 나라 안에서 일정 기간 새롭게 생산된 모든 최종 재화와 서비스의 시장 가치를 합한 것	한 나라의 국민들이 일정 기간 동안 생산 활동에 참여한 대가로 벌어들인 소득을 합한 것

보기

ㄱ. 외국 기업이 우리나라에서 생산한 냉장고는 (가)에 포함된다.
ㄴ. 우리나라에서 생산하여 외국에 수출한 반도체는 (가)에 포함되지 않는다.
ㄷ. 우리나라 프로야구 리그에서 뛰는 외국인 선수의 연봉은 (나)에 포함된다.
ㄹ. 우리나라 기업이 국내에서 생산한 자동차는 (가)와 (나)에 모두 포함된다.

① ㄱ, ㄴ   ② ㄱ, ㄹ   ③ ㄴ, ㄷ
④ ㄴ, ㄹ   ⑤ ㄷ, ㄹ

STEP 2 내신 만점 공략하기

07 다음은 갑국에서 1년 동안 발생한 경제 활동이다. 이에 대한 설명으로 옳은 것은? (단, 갑국 내에서는 다음의 경제 활동만 이루어졌다고 가정한다.)

> 300만 원어치 밀을 생산한 농부가 방앗간 주인에게 생산한 밀을 모두 팔았다. 이후 방앗간 주인은 밀을 이용해 1,000만 원어치의 밀가루를 만들었다. 생산된 밀가루 중 800만 원어치는 빵집 주인이 구매하였고, 나머지 200만 원어치는 다른 소비자가 직접 구매하였다. 빵집 주인은 구매한 밀가루를 모두 이용하여 1,500만 원어치의 빵을 만들었고, 이는 곧 단골손님에게 모두 소비되었다.

① 갑국의 GDP는 1,500만 원이다.
② 방앗간 주인의 이윤은 1,000만 원이다.
③ 밀과 밀가루는 모두 중간 생산물로 사용되었다.
④ 중간 생산물의 가치를 모두 합한 값과 GDP는 같다.
⑤ 방앗간 주인이 창출한 부가 가치와 빵집 주인이 창출한 부가 가치의 크기는 같다.

08 표는 A~D국의 GDP와 1인당 GDP를 나타낸 것이다. 이에 대한 옳은 설명을 〈보기〉에서 고른 것은?

구분	A국	B국	C국	D국
GDP(억 달러)	3,000	2,000	2,000	1,500
1인당 GDP(만 달러)	3	4	1	3

〈보기〉
ㄱ. A국의 경제 규모가 가장 크다.
ㄴ. B국의 인구가 가장 많다.
ㄷ. C국 인구는 D국 인구의 4배이다.
ㄹ. 국민들의 소득 분배 상태는 A국이 D국보다 양호하다.

① ㄱ, ㄴ   ② ㄱ, ㄷ   ③ ㄴ, ㄷ
④ ㄴ, ㄹ   ⑤ ㄷ, ㄹ

09 표는 측정 기준에 따라 국민 소득을 구분한 것이다. (가), (나)에 대한 옳은 설명을 〈보기〉에서 고른 것은?

생산 국민 소득	생산 활동을 통해 만들어 낸 부가 가치의 합계
(가)	생산 요소를 제공한 대가로 받은 소득의 합계
(나)	재화와 서비스를 구입한 대가로 지출한 금액의 합계

〈보기〉
ㄱ. 국내 기업이 해외 공장에서 생산한 자동차의 시장 가치는 (가)를 측정할 때 포함된다.
ㄴ. 부모님이 국내 은행에 보유하고 있는 예금을 통해 취득한 이자는 (가)를 측정할 때 포함된다.
ㄷ. 외국 상품의 수입이 증가하면 (나)의 크기는 커진다.
ㄹ. 정부가 고속도로를 건설하는 데 든 비용은 (나)를 측정할 때 포함된다.

① ㄱ, ㄴ   ② ㄱ, ㄹ   ③ ㄴ, ㄷ
④ ㄴ, ㄹ   ⑤ ㄷ, ㄹ

10 다음 두 사례를 통해 공통으로 파악할 수 있는 국내 총생산(GDP)의 한계로 가장 적절한 것은?

> • 교통사고에 따른 자동차 수리 비용의 증가는 국내 총생산의 증가를 가져온다.
> • 환경 오염이 심각해져 정부가 기업에 환경 오염 방지를 위한 설비를 설치하게 한다면, 그 비용이 국내 총생산에 포함되어 국내 총생산이 증가하게 된다.

① 국민의 삶의 질을 측정하기 어렵다.
② 국가 간 경제 규모를 비교하기 어렵다.
③ 소득 분배 상황 및 불평등 정도를 파악하기 어렵다.
④ 시장에서 거래되는 재화와 서비스의 품질 변화를 완벽히 측정하지 못한다.
⑤ 시장에서 거래된 생산물의 가치만 포함하기 때문에 국민들의 생활 수준을 과소평가하게 된다.

11 표는 갑국의 연도별 실질 GDP 및 구성 항목을 나타낸 것이다. 이에 대한 옳은 분석을 〈보기〉에서 고른 것은?

(단위: 억 달러)

구분	2015년	2016년	2017년
실질 GDP	100	150	200
소비 지출	60	80	100
투자 지출	㉠	35	50
정부 지출	10	15	㉡
순수출	10	20	30

보기

ㄱ. 2015년의 수출액이 가장 적다.
ㄴ. 2016년에는 2015년에 비해 실질 GDP에서 소비 지출이 차지하는 비중이 높아졌다.
ㄷ. 2016년의 경제 성장률은 2017년보다 높다.
ㄹ. ㉠과 ㉡의 값은 같다.

① ㄱ, ㄴ ② ㄱ, ㄷ ③ ㄴ, ㄷ
④ ㄴ, ㄹ ⑤ ㄷ, ㄹ

12 ㉠, ㉡에 들어갈 내용을 옳게 연결한 것은?

경제 성장률은 생산물의 가격을 기준 연도에 고정해 놓고 계산하는 (㉠)을 사용하여 계산한다. 이를 통해 작년과 올해의 생산 규모를 파악하면 (㉡)에 영향을 받지 않고 재화와 서비스의 증감만을 비교할 수 있기 때문에 생산 규모의 변화를 정확하게 측정할 수 있다.

	㉠	㉡
①	명목 GDP	물가 변동
②	명목 GDP	고용 변동
③	실질 GDP	물가 변동
④	실질 GDP	고용 변동
⑤	실질 GDP	수출입 변동

13 표는 X재와 Y재만을 생산하는 갑국의 연도별 생산량과 가격의 변화를 나타낸 것이다. 이에 대한 설명으로 옳지 않은 것은? (단, 기준 연도는 2015년이다.)

연도	X재 생산량(개)	X재 가격(원)	Y재 생산량(개)	Y재 가격(원)
2015년	10	100	100	10
2016년	10	150	150	10
2017년	10	300	300	10

① 2015년의 명목 GDP와 실질 GDP는 같다.
② 2016년의 실질 GDP는 2,500원이다.
③ 2016년에는 명목 GDP가 실질 GDP보다 크다.
④ 2017년의 경제 성장률은 100%이다.
⑤ 2017년에는 2016년에 비해 경제 규모가 커졌다.

14 다음 자료에 대한 옳은 분석을 〈보기〉에서 고른 것은?

표는 전년 대비 갑국의 경제 성장률 증감을 나타낸 것이며, 2012년의 경제 성장률은 5%이다.

(단위: %p)

2013년	2014년	2015년	2016년	2017년
1	1	0	−1	−2

* %p는 %의 차를 측정하는 단위이다. 예를 들어, 경제 성장률이 2%에서 5%로 바뀌면 경제 성장률이 3%p 높아진 것이다.

보기

ㄱ. 2013년 이후 경제 규모는 지속적으로 커졌다.
ㄴ. 2017년의 실질 GDP가 가장 작다.
ㄷ. 2014년과 2015년의 경제 성장률은 같다.
ㄹ. 2016년의 경제 성장률은 2013년보다 높다.

① ㄱ, ㄴ ② ㄱ, ㄷ ③ ㄴ, ㄷ
④ ㄴ, ㄹ ⑤ ㄷ, ㄹ

15 표는 갑국과 을국의 경제 성장 요인별 기여도를 나타낸 것이다. 이에 대한 옳은 분석 및 추론을 〈보기〉에서 고른 것은?

(단위: %)

구분	갑국	을국
노동 투입	40	15
자본 투입	30	15
기술 진보	15	40
교육 수준 향상	15	30

┌ 보기 ┐
ㄱ. 갑국은 을국에 비해 생산 요소의 양적 증가가 경제 성장에 큰 영향을 미쳤을 것이다.
ㄴ. 을국은 갑국보다 경제 규모가 크다.
ㄷ. 을국은 갑국에 비해 산업 구조가 고도화되었을 것이다.
ㄹ. 갑국과 을국 모두 경제 성장에서 기술 진보의 기여율이 자본 투입의 기여율보다 높다.

① ㄱ, ㄴ   ② ㄱ, ㄷ   ③ ㄴ, ㄷ
④ ㄴ, ㄹ   ⑤ ㄷ, ㄹ

16 (가)에 들어갈 내용으로 적절하지 <u>않은</u> 것은?

┌─────────────────────────────┐
│ 경제 성장이 국내 총생산(GDP)의 증가로 측정된다는 점 │
│ 에 착안하면 생산 요소의 양적인 증가 및 질적인 향상이 │
│ 중요하다는 점을 유추할 수 있다. 즉, 경제 성장을 위해 │
│ 서는 노동, 자본 등을 확충하고 기술을 발전시켜야 한다. │
│ 이를 위해 정부에서는 _____(가)_____ │
└─────────────────────────────┘

① 기업의 연구 개발 투자에 세금 혜택을 부여해야 한다.
② 저축을 장려하여 자본 축적을 통한 생산성 향상을 모색해야 한다.
③ 교육에 대한 투자를 확대함으로써 인적 자본 구축을 지원해야 한다.
④ 기술의 보편적 활용을 위해 기술 개발에 대한 독점권을 폐지해야 한다.
⑤ 투자 촉진을 위해 재산권 보장, 정치적 안정 등 경제적 유인을 제공해야 한다.

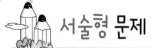

서술형 문제

● 정답친해 30쪽

01 다음은 A국에서 올해 발생한 경제 활동이다. 이를 보고 물음에 답하시오. (단, A국 내에서는 다음의 경제 활동만 이루어졌다고 가정한다.)

• 학교 앞에서 분식집을 운영하는 갑은 밀가루 ㉠ 100만 원어치를 구입하여 ㉡ 300만 원어치의 떡볶이를 만들어 판매하였다.
• 지나가던 사람과 부딪혀 스마트폰을 떨어뜨린 을은 파손된 스마트폰을 서비스 센터에 가져갔고, ㉢ 10만 원의 수리비를 주고 수리받았다.
• 학생 병은 지난해에 ㉣ 30만 원을 지불하고 구매한 자전거를 친구에게 ㉤ 20만 원에 팔았다.

(1) A국의 올해 국내 총생산(GDP)을 계산하여 쓰시오.

(2) 밑줄 친 ㉠~㉤ 중 올해 A국의 국내 총생산에 포함되지 않는 것을 쓰고, 그 이유를 서술하시오.

02 표는 갑국에서 생산되는 쌀의 가격과 생산량의 변화를 나타낸 것이다. 이를 보고 물음에 답하시오. (단, 갑국에서는 쌀만 생산하고, 기준 연도는 2016년이다.)

연도	가격(원)	생산량(개)
2016년	800	100
2017년	1,000	150

(1) 갑국의 2016년과 2017년 명목 GDP와 실질 GDP를 계산하여 각각 쓰시오.

(2) 2017년 갑국의 경제 성장률을 계산하여 쓰시오.

STEP 3 1등급 정복하기

1 다음 자료에 대한 설명으로 옳은 것은?

> 그림은 국민 경제의 순환을 화폐의 흐름 측면에서 나타낸 것이다. 출퇴근용으로 자가용 자동차를 구입하는 데 발생한 지출은 ㉠의 사례, 직장인이 소득세를 납부하는 것은 ㉡의 사례에 해당한다.
>
>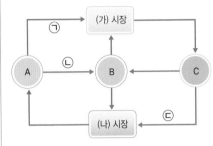
>
> * 단, A~C는 각각 가계, 기업, 정부 중 하나이다.

① 노동과 자본은 (가) 시장에서 거래된다.
② A는 (나) 시장의 수요자이다.
③ B는 이윤의 극대화를 추구한다.
④ C는 생산 요소 시장의 공급자이다.
⑤ ㉢은 분배 국민 소득을 측정할 때 포함된다.

> **국민 경제의 순환**
>
> **완자샘의 시험 꿀팁**
> 국민 경제의 순환을 파악하는 문제가 자주 출제된다. 화폐 또는 실물이 어느 방향으로 흘러 들어가는지를 기준으로 경제 주체 및 시장의 유형을 각각 찾아낼 수 있어야 한다.

수능 응용

2 교사의 질문에 대한 학생의 답변으로 옳지 않은 것은?

> **국민 경제 지표의 이해**

(㉠)은/는 한 나라의 경제 규모를 측정하는 대표적인 지표로서, 일정 기간 동안 그 나라 안에서 창출된 부가 가치의 합입니다. (㉠)에 대해 알아볼까요?

〈학습 주제〉
국민 경제 지표 (㉠)의 이해

① 갑: 중간 생산물과 최종 생산물의 시장 가치의 합입니다.
② 을: 지출 측면이나 분배 측면에서 측정하더라도 동일합니다.
③ 병: 한 나라의 소득 분배 상황이나 빈부 격차 정도를 반영하지 못합니다.
④ 정: 국내에서 생산하여 해외로 수출한 자동차는 ㉠의 계산에 포함됩니다.
⑤ 무: 금융 자산이나 부동산을 구입하는 것은 ㉠의 계산에 포함되지 않습니다.

STEP 3 1등급 정복하기

3 표는 갑국의 연도별 GDP 증가율과 지출 구성 항목이 GDP에서 차지하는 비율을 나타낸 것이다. 이에 대한 분석으로 옳은 것은?

▶ 지출 국민 소득

(단위: %)

구분		2015년	2016년	2017년
GDP 증가율		10	0	−10
GDP 대비 비율	소비 지출	60	70	60
	투자 지출	10	10	10
	정부 지출	20	10	20
	순수출	10	10	10

① 2015년의 수출은 수입보다 적다.
② 2016년의 투자 지출은 전년에 비해 증가하였다.
③ 2016년의 소비 지출 대비 정부 지출의 비율은 전년에 비해 상승하였다.
④ 2017년의 순수출은 전년에 비해 10% 감소하였다.
⑤ 2015년과 2017년의 소비 지출은 동일하다.

4 표는 갑국의 명목 GDP와 실질 GDP의 증가율 변화를 나타낸 것이다. 이에 대한 옳은 분석을 〈보기〉에서 고른 것은? (단, 기준 연도는 2014년이다.)

▶ 명목 GDP와 실질 GDP

▌한자 사전

• 물가
여러 상품의 개별 가격을 종합하여 평균한 것

(단위: %)

구분	2015년	2016년	2017년
명목 GDP 증가율	6	6	3
실질 GDP 증가율	3	2	5

┌─ **보기** ─┐
ㄱ. 2015년에는 명목 GDP가 실질 GDP보다 크다.
ㄴ. 2016년의 경제 성장률은 음(−)의 값으로 나타난다.
ㄷ. 2017년에는 전년 대비 물가가 하락하였다.
ㄹ. 2015년과 2016년의 명목 GDP 증가액은 같다.
└──────┘

① ㄱ, ㄴ　　　　② ㄱ, ㄷ　　　　③ ㄴ, ㄷ
④ ㄴ, ㄹ　　　　⑤ ㄷ, ㄹ

5 그림은 갑국의 명목 GDP와 경제 성장률의 변화를 나타낸 것이다. 이에 대한 옳은 분석을 〈보기〉에서 고른 것은? (단, 기준 연도는 2015년이다.)

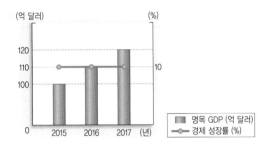

〈보기〉
ㄱ. 실질 GDP는 지속적으로 감소하고 있다.
ㄴ. 2016년의 명목 GDP와 실질 GDP는 같다.
ㄷ. 2017년의 명목 GDP 증가율은 실질 GDP 증가율보다 높다.
ㄹ. 2017년의 실질 GDP 증가액은 2016년보다 많다.

① ㄱ, ㄴ   ② ㄱ, ㄹ   ③ ㄴ, ㄷ
④ ㄴ, ㄹ   ⑤ ㄷ, ㄹ

명목 GDP와 경제 성장률

완자샘의 시험 꿀팁
명목 GDP, 실질 GDP, 경제 성장률 중 일부 지표만 제시하고 경제 상황을 추론하는 문제가 자주 출제된다.

6 표는 2017년 갑국의 전년 동분기 대비 경제 성장률을 나타낸 것이다. 2017년 갑국의 경제 상황에 대한 설명으로 옳은 것은? (단, 2016년 갑국의 분기당 실질 GDP는 매분기 100억 달러로 동일하다.)

(단위: %)

1분기	2분기	3분기	4분기
-10	-1	10	10

① 1분기 실질 GDP는 전년 동분기의 실질 GDP보다 크다.
② 2분기의 경제 규모가 가장 작다.
③ 전분기 대비 경제 성장률은 3분기가 2분기보다 높다.
④ 2분기와 3분기의 전분기 대비 실질 GDP 증가액은 동일하다.
⑤ 4분기의 실질 GDP가 3분기보다 크다.

경제 성장률

완자샘의 시험 꿀팁
실질 GDP와 경제 성장률의 변화를 통해 경제 상황을 분석하는 문제가 자주 출제된다.

실업과 인플레이션

이것이 핵심!

실업의 의미와 유형

실업
일할 능력과 의사가 있음에도 일자리를 구하지 못한 상태

↓

구분	원인	대책
경기적 실업	경기 침체	공공 지출 확대
구조적 실업	산업 구조 변화, 기술 혁신	직업 훈련, 기술 교육 확대
계절적 실업	계절 변화	농공단지 조성
마찰적 실업	새로운 일자리 탐색	고용 관련 정보 제공

★ **인적 자원**
국민 경제가 필요로 하는 상품의 생산에 투입될 수 있는 인간의 노동력

★ **구직 단념자**
오랫동안 구직 활동을 했으나 취업에 성공하지 못해 구직 활동조차 포기한 사람

① 실업

1. 실업의 의미와 영향

(1) **실업**: 일할 능력과 일할 의사가 있음에도 일자리를 구하지 못한 상태

(2) **실업의 영향** `자료①`

Why? 일할 능력이 있는 사람이 생산 활동에 참여하지 못하게 되어 인적 자원이 낭비되지.

개인적 차원	소득 감소로 생계유지 곤란, 자아실현의 기회 박탈, 사회적 소속감 상실 등
사회적 차원	*인적 자원의 낭비로 생산력 저하, 소득 분배 상황의 악화 및 빈곤의 확산에 따른 사회 혼란 우려, 사회 보장비 지출 증가로 정부의 재정 부담 증가 등

└ 예) 실업 급여, 취업 훈련비 등

2. 고용 관련 지표

(1) **고용 지표 관련 인구 구성**

① 노동 가능 인구: 전체 인구 중 15세 이상의 경제 활동이 가능한 사람

② 경제 활동 인구: 15세 이상 인구 중 일할 능력과 일할 의사가 있는 사람 → 취업 여부에 따라 취업자와 실업자로 구분함

③ 비경제 활동 인구: 15세 이상 인구 중 일할 능력과 일할 의사가 없는 사람 예) 전업주부, *구직 단념자, 학생 등

(2) **다양한 고용 지표**

구분	의미	계산
경제 활동 참가율(%)	15세 이상 인구에서 경제 활동 인구가 차지하는 비율	$\dfrac{\text{경제 활동 인구}}{\text{15세 이상 인구}} \times 100$
실업률(%) `자료②`	경제 활동 인구에서 실업자가 차지하는 비율	$\dfrac{\text{실업자 수}}{\text{경제 활동 인구}} \times 100$
고용률(%)	15세 이상 인구에서 취업자가 차지하는 비율	$\dfrac{\text{취업자 수}}{\text{15세 이상 인구}} \times 100$

3. 실업의 유형

(1) **자발성 유무에 따른 실업의 유형**

구분	의미	사례
자발적 실업	스스로 일을 하지 않음으로써 발생하는 실업	마찰적 실업
비자발적 실업	일할 의사가 있음에도 불구하고 일자리를 구하지 못해 발생하는 실업	경기적 실업, 구조적 실업, 계절적 실업

(2) **발생 원인에 따른 실업의 유형과 대책** `자료③`

구분	원인	대책
경기적 실업	경기 침체로 생산이 줄어 고용이 감소하면서 발생	경기 부양책 마련, 일자리 창출을 위한 공공 지출 확대 등
구조적 실업	산업 구조의 변화와 기술 혁신으로 기존의 기술이 필요 없게 되어 발생	인력 개발, 직업 훈련, 기술 교육 확대 등
계절적 실업	계절 변화에 따라 특정 식업의 고용 기회가 줄어들어 발생	농공 단지 조성 등
마찰적 실업	더 나은 일자리를 찾거나 직장을 옮기는 직업 탐색 과정에서 일시적으로 발생	고용 관련 정보 제공 등

예) 농한기에 농부의 노동력이 필요하지 않은 경우, 스키장과 같은 계절 스포츠업에 종사하는 사람들이 비수기에 일자리를 찾지 못하는 것 등

└ 꿀! 경기가 좋더라도 항상 존재하는 것으로, 실업에 처하는 기간이 비교적 짧은 편이야.

완자 자료 탐구   내 옆의 선생님

자료 1 청년 실업 증가의 영향

통계청이 발표한 '2017년 연간 고용 동향'에 따르면, 2017년 실업률은 3.7%로 전년과 동일하였다. 그러나 청년층(15세 이상 29세 이하)의 실업률은 9.9%로 전년 대비 0.1%p 상승하였으며, 청년 고용률은 42.1%로 OECD 평균에 비해 10%p 이상 낮게 나타났다. 우리나라의 청년 실업률은 2008년 7.1%에서 2018년 9.5%로 빠르게 상승하는 추세이다.

제시된 내용을 통해 우리나라에서 청년 실업 문제가 심화하고 있음을 알 수 있다. 실업이 늘어나면 장기적으로 소득 불균형이 유발되고 이것이 정착되면 사회 불안이 발생할 수 있다. 또한 초기 실업 상태는 개인의 장기적인 고용 전망에 부정적인 영향을 끼칠 수 있으며, 노동력 수급의 구조적인 불균형이 나타나 국가 경쟁력을 약화시킬 수 있다.

자료 2 실업률 조사 방법

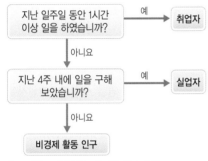

↑ 통계청 조사 문항(15세 이상 인구 대상)

제시된 조사 문항에 따르면 지난 일주일 동안 일을 하지 않았고, 일이 주어지면 일을 할 수 있고, 지난 4주간 구직 활동을 수행한 사람을 실업자로 본다. 따라서 일주일 동안 1시간만 일해도 실업자가 아닌 취업자로 집계되며, 학교에 다니거나 구직 활동을 한 달만 쉬어도 실업자에서 제외되므로 실제 체감하는 실업과 통계에서 나타나는 실업에 괴리가 나타난다.

자료 3 실업의 유형

(가) 1929년에 발생한 대공황은 일부 국가에서 발생한 경제 공황이 미국의 주가 대폭락으로 이어지면서 전 세계로 확대된 사상 최대의 경제 공황이다. 이로 인해 1933년 미국의 실업자는 1,500만 명에 달하였고, 국민 소득은 1929년에 비해 30% 이상 감소하였다.

(나) 4차 산업 혁명으로 기계와 인공 지능이 인간이 하는 대부분의 일을 대체할 것이라는 전망이 제기되고 있다. 우리나라에서는 컴퓨터가 신속하고 정확하게 스포츠 기사를 작성하는 데 성공하였으며, 미국 농구 연맹에서는 인공 지능이 빅 데이터를 기반으로 경기 상황을 분석하고 판단해 선수들에게 작전 명령을 내리기도 하였다.

(가)는 경기적 실업의 사례에 해당한다. 경기적 실업은 산업 전반에 걸쳐 발생하며 이 과정에서 대규모로 실업자가 생겨나서 경제에 악영향을 미치므로, 정부는 재정 지출을 늘려 경기를 활성화하고 새로운 일자리를 창출해야 한다. (나)에 나타난 산업 환경의 변화는 구조적 실업을 가져올 수 있다. 구조적 실업은 산업 기술의 발전 속도에 맞는 기술력 확보가 이루어지지 않을 경우 장기화될 가능성이 높아진다. 따라서 정부는 직업 훈련, 기술 교육 등을 통해 사람들이 새로운 산업에 필요한 기술과 능력을 갖출 수 있도록 지원해야 한다.

문제 로 확인할까?

실업과 실업률에 대한 설명으로 옳지 않은 것은?
① 실업은 개인의 생계유지를 어렵게 한다.
② 실업은 경기가 좋을 경우에는 발생하지 않는다.
③ 취업을 포기한 사람은 실업률 측정 시 제외된다.
④ 실업은 사회 전체적으로 인적 자원의 낭비를 유발한다.
⑤ 실업률은 경제 활동 인구 중에서 실업자가 차지하는 비율로 측정한다.

② 目

정리 비법을 알려줄게!

실업률 통계를 위한 인구 분류도

자료 하나 더 알고 가자!

우리나라의 고용 보험 제도

• 고용 보험: 사업주와 근로자가 일정 비율로 보험료를 납부하면 실업자에게는 실업 급여를 지급하고, 기업에는 직업 훈련 장려금을 지원하는 제도
• 실업 급여: 고용 보험에 가입한 사람이 실업에 처했을 때 가입 기간에 따라 일정 기간 지급되는 급여

우리나라는 실업자가 실업 상태에서도 일정 기간 최소한의 소득을 유지할 수 있도록 고용 보험 제도를 시행하고 있다.

02 실업과 인플레이션

인플레이션의 의미와 영향

의미	물가가 지속적으로 상승하는 현상
영향	• 부와 소득의 의도하지 않은 재분배 • 국민 경제의 건전한 성장 저해 • 경상 수지 악화

★ 가격
개별 상품의 가치를 화폐 단위로 나타낸 것

★ 경상 수지
상품과 서비스의 수출입 동향을 나타내는 지표

★ 실질 소득
물가 상승률을 감안하여 나타낸 소득으로, 벌어들인 소득의 실질적인 구매력을 나타낸다.

② 인플레이션

1. 물가와 물가 지수

(1) **물가**: 시장에서 거래되는 여러 상품의 개별*가격을 종합하여 평균한 것

(2) **물가 지수**: 물가의 움직임을 알기 쉽게 지수화한 지표 → 기준 연도의 물가를 100으로 하고 비교하려는 시점의 물가 수준을 측정함

> ⓔ 물가 지수가 110이라는 것은 기준 연도에 비해 물가가 10% 상승하였음을 의미해.

(3) **물가 지수의 종류** (교과서 자료)

소비자 물가 지수	가계의 소비와 밀접한 관련이 있는 주요 소비재의 가격을 반영하여 작성한 물가 지수
생산자 물가 지수	생산자가 국내 시장에 공급하는 재화와 서비스의 가격을 반영하여 작성한 물가 지수
GDP 디플레이터	• 국내에서 생산된 모든 상품의 가격 변동을 반영한 포괄적인 물가 지수 • 명목 GDP를 실질 GDP로 나누어 100을 곱한 값으로 측정함

(4) **물가 지수의 활용**

① 화폐의 구매력 측정: 물가가 상승하면 화폐의 구매력은 하락하고, 물가가 하락하면 화폐의 구매력이 상승함

② 경기 진단: 정책 당국이 경제 상태를 진단할 수 있는 경제 지표의 역할을 함

2. 인플레이션

(1) **인플레이션**: 물가가 지속적으로 상승하는 현상

(2) **인플레이션의 영향** (자료 ④)   〉Q&A? 인플레이션이 발생하면 화폐 가치가 떨어지기 때문이야.

① 부와 소득의 의도하지 않은 재분배: 화폐 자산 소유자, 봉급 및 연금 생활자, 채권자는 불리해지고 실물 자산 소유자, 채무자는 상대적으로 유리해짐

② 국민 경제의 건전한 성장 저해: 경제의 불안정성을 심화시켜 가계의 저축이 감소하고 기업의 투자 및 생산이 위축될 수 있음 → 단기 수익을 노리는 투기 성행 우려

③ *경상 수지 악화: 외국 상품에 비해 자국 상품의 가격이 상대적으로 비싸져 수출은 감소하고, 수입이 증가함

(3) **발생 원인에 따른 인플레이션의 유형** (자료 ⑤)

수요 견인 인플레이션	• 국민 경제 전체의 수요가 증가하거나 시중에 유통되는 통화량이 증가하여 발생함 • 주로 경기 호황과 함께 나타남
비용 인상 인플레이션	• 임금, 원자재 등의 가격 상승으로 국민 경제 전체의 공급이 감소하여 발생함 • 경기 침체를 초래하여 국민의*실질 소득 수준을 악화시킴

(4) **인플레이션의 유형에 따른 대책**

> 꼭! 물가 상승과 경기 침체가 동시에 발생하는 경우를 스태그플레이션이라고 해.

수요 견인 인플레이션	• 가계는 과소비를 자제하고, 기업은 불필요한 투자를 줄여야 함 • 정부는 긴축 정책(이자율 인상, 재정 지출 축소 등)을 통해 물가를 안정시켜야 함
비용 인상 인플레이션	• 긴축 정책을 실시하면 경기가 더 침체될 수 있으므로 정부는 장기적인 관점에서 국민 경제 전체의 공급을 증가시키기 위한 방안을 마련해야 함 • 기업은 기술 개발 및 경영 혁신을 통해 생산비를 절감해야 함

3. 디플레이션

(1) **디플레이션**: 물가 수준이 지속적으로 하락하는 현상 ⓔ 1920년대 말 세계 대공황

(2) **디플레이션의 영향**: 지속적인 물가 하락 → 소비 감소 → 기업의 생산 축소 → 고용 감소 및 투자 위축 → 가계 소득 감소 → 소비 감소 → 물가 하락

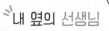

완자 자료 탐구

내 옆의 선생님

수능이 보이는 교과서 자료 · **소비자 물가 지수의 조사 품목 개편**

연도	추가 품목	탈락 품목
1970년	전세, 흑백텔레비전, 전축, 냉장고	엿, 명주, 돈가스, 펜촉
1980년	마요네즈, 분말 커피, 컬러텔레비전, 케첩	흑백필름, 건빵, 바나나
1990년	수입 쇠고기, 치즈 햄버거, 아파트 관리비	들기름, 성냥, 양초, 라디오
2000년	건강 보조 식품, 스테이크, 골프장 이용료	핫도그, 무선 호출기
2010년	스마트폰 이용료, 애완동물 미용료, 등산복	공중전화 통화료, 캠코더, 유선 전화기
2015년	휴대 전화 수리비, 현미, 파스타 면, 도시락	꽁치, 케첩, 잡지, 사전

(통계청, 2015)

통계청에서는 사회·경제 변화를 반영하여 소비자 물가 지수의 주요 품목을 개편한다. 만약 사람들의 지출 빈도가 높은 품목들이 소비자 물가 지수 품목에 포함되지 않는다면 소비자 물가 지수가 현실을 제대로 반영하지 못하는 결과를 가져올 수 있다.

완자쌤의 탐구 강의

• 소비자 물가 지수의 조사 품목을 주기적으로 개편하는 이유를 서술해 보자.

시대의 변화에 따라 사람들이 자주 소비하는 품목이 달라지기 때문이다.

• 소비자 물가 지수와 체감 물가에 차이가 나타나는 이유를 서술해 보자.

소비자 물가 지수는 종합적인 물가 수준인 반면, 사람들이 체감하는 물가는 각자 처한 경제적 상황이나 소비 구조 등에 따라 다르기 때문이다.

함께 보기 112쪽, 내신 만점 공략하기 10

자료 4 초인플레이션

> 급격하게 발생한 인플레이션으로, 물가 상승 현상이 통제를 벗어난 상태를 말해.

베네수엘라에서는 최근 1년 사이 커피 한 잔 값이 몇 백 배로 오르는 등 극심한 초인플레이션을 겪고 있다. 연간 700%가 넘는 인플레이션으로 화폐 가치가 계속 폭락하고 지폐 한 장이 휴지 조각만한 가치도 없게 되었다. 이 때문에 물건을 거래할 때는 지폐를 세는 대신 지폐를 무게로 재서 거래하는 상인도 늘어나고 있다.
　　　　　　　　　　　　　　　　　　　　　　　　 – 「중앙일보」, 2017. 4. 15.

베네수엘라의 상황처럼 극심한 인플레이션은 국민 경제에 여러 가지 부정적인 영향을 끼친다. 고정된 임금이나 연금을 받는 사람은 실질 소득이 감소하게 되어 상품을 구매하기 어렵게 될 것이다. 또한 화폐의 가치가 하락하여 저축하려는 사람이 줄어들 수 있으며, 경제 상황을 예측하기 어려워 기업 투자도 위축될 것이다.

자료 5 인플레이션의 유형

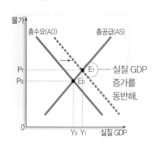

> 실질 GDP 감소를 동반해.

① 수요 견인 인플레이션 　　　 **① 비용 인상 인플레이션**

수요 견인 인플레이션은 가계의 소비, 기업의 투자, 정부의 지출 증가 등으로 국민 경제 전체의 수요가 증가하여 물가가 상승하는 현상으로, 주로 경기 호황과 함께 나타난다. 비용 인상 인플레이션은 임금 및 원자재 가격 상승 등 기업의 생산비 상승으로 인해 국민 경제 전체의 공급이 감소하여 물가가 상승하는 현상으로, 주로 경기 침체와 함께 나타난다.

> **왜?** 기업의 생산비 상승은 상품의 가격 인상으로 이어지고, 그 결과 기업의 판매량이 감소하여 경기가 침체되는 거야.

정리 비법을 알려줄게!

인플레이션으로 불리해지는 사람과 유리해지는 사람

불리해지는 사람
화폐 자산 소유자, 봉급 및 연금 생활자, 채권자, 수출업자 등

↕

유리해지는 사람
실물 자산 소유자, 채무자, 수입업자 등

문제 로 확인할까?

인플레이션이 나타나는 원인으로 적절하지 않은 것은?
① 정부 지출이 증가하였다.
② 원자재 가격이 상승하였다.
③ 민간의 소비가 위축되었다.
④ 기업의 투자가 증가하였다.
⑤ 시중에 유통되는 통화량이 증가하였다.

ⓒ 🅱

STEP 1 핵심 개념 확인하기

1 다음 괄호 안의 내용 중 알맞은 말에 ○표를 하시오.

(1) 구직 단념자는 (비경제 활동 인구, 실업자)에 해당한다.

(2) 실업률은 (15세 이상 인구, 경제 활동 인구) 중에서 실업자가 차지하는 비율을 말한다.

(3) 고용률은 (15세 이상 인구, 경제 활동 인구) 중에서 취업자가 차지하는 비율을 말한다.

2 실업의 유형과 그 원인을 옳게 연결하시오.

(1) 경기적 실업 •   • ㉠ 계절의 변화에 따라
                              발생

(2) 구조적 실업 •   • ㉡ 직업 탐색 과정에서
                              일시적으로 발생

(3) 계절적 실업 •   • ㉢ 산업 구조의 변화나
                              기술 혁신으로 발생

(4) 마찰적 실업 •   • ㉣ 경기 침체에 따른 일
                              자리 부족으로 발생

3 다음 빈칸에 들어갈 내용을 쓰시오.

(1) 가계의 소비와 밀접한 관련이 있는 주요 소비재의 가격을 반영하여 작성한 물가 지수를 (   )라고 한다.

(2) (   )는 명목 GDP를 실질 GDP로 나누어 100을 곱한 값으로, 국내에서 생산된 모든 상품의 가격 변동을 반영한다.

4 인플레이션이 발생했을 때 상대적으로 유리해지는 사람을 〈보기〉에서 골라 기호를 쓰시오.

┌─ 보기 ┐
ㄱ. 채무자   ㄴ. 채권자
ㄷ. 화폐 자산 소유자   ㄹ. 실물 자산 소유자
└──────┘

5 다음 설명이 맞으면 ○표, 틀리면 ×표를 하시오.

(1) 인플레이션이 발생하면 화폐의 가치가 하락한다. (   )

(2) 수요 견인 인플레이션은 주로 경기 침체와 함께 나타난다. (   )

(3) 비용 인상 인플레이션은 원자재 가격, 임금 상승 등으로 국민 경제 전체의 공급이 감소하여 발생한다. (   )

STEP 2 내신 만점 공략하기

01 다음과 같은 상황이 지속될 경우 나타날 수 있는 현상으로 적절하지 않은 것은?

> 통계청이 발표한 '2017년 2월 고용 동향'에 따르면, 2월 실업자는 1,350천 명으로 지난해 같은 달 대비 33천 명 (2.5%) 증가하였다. 실업률은 지난해 같은 달 대비 0.1%p 상승한 5%였으며, 특히 청년층(15~29세)의 실업률은 12.3%로 나타났다.

① 소득 분배 상황이 악화될 것이다.
② 정부의 사회 보장비 지출이 줄어들 것이다.
③ 개인적으로 생계를 유지하기 어려워질 것이다.
④ 사회적으로 유용한 인적 자원이 낭비될 것이다.
⑤ 가계의 소비 및 저축 감소로 이어져 국민 경제가 위축될 것이다.

02 그림은 우리나라의 고용 지표와 관련된 인구의 구성을 나타낸 것이다. 이에 대한 옳은 설명을 〈보기〉에서 고른 것은?

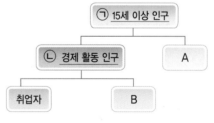

┌─ 보기 ┐
ㄱ. ㉠이 일정한 상태에서 A가 증가하면 경제 활동 참가율은 상승한다.
ㄴ. ㉡이 일정한 상태에서 B가 증가하면 실업률은 상승한다.
ㄷ. 직장에 다니면서 야간 대학원에 다니는 경우 A에 해당한다.
ㄹ. 구직 활동을 하던 사람이 구직을 단념한 경우 B에서 A로 변하게 된다.
└──────┘

① ㄱ, ㄴ   ② ㄱ, ㄷ   ③ ㄴ, ㄷ
④ ㄴ, ㄹ   ⑤ ㄷ, ㄹ

03 다음은 갑국의 15세 이상 인구를 대상으로 실시한 설문 조사 항목과 그 결과이다. 이에 대한 옳은 분석을 〈보기〉에서 고른 것은?

- 설문 조사 항목

  1. 지난 일주일 동안 1시간 이상 일을 하였습니까?
     ① 예   ② 아니요
  2. 지난 4주 내에 일을 구해 보았습니까? (단, 1번 문항에서 ②에 표시한 사람만 응답하십시오.)
     ① 예   ② 아니요

- 설문 결과

문항	예	아니요
1	3,000명	2,000명
2	1,000명	1,000명

┌ 보기 ┐
ㄱ. 실업률은 20%이다.
ㄴ. 고용률은 60%이다.
ㄷ. 경제 활동 참가율은 80%이다.
ㄹ. 비경제 활동 인구는 2,000명이다.

① ㄱ, ㄴ   ② ㄱ, ㄷ   ③ ㄴ, ㄷ
④ ㄴ, ㄹ   ⑤ ㄷ, ㄹ

04 표는 갑국의 고용 지표 관련 인구 변화를 나타낸 것이다. 이에 대한 분석으로 옳은 것은?

구분	15세 이상 인구	경제 활동 인구	실업자 수
변화	감소	증가	감소

① 실업률은 상승한다.
② 고용률은 상승한다.
③ 취업자 수는 감소한다.
④ 비경제 활동 인구는 증가한다.
⑤ 경제 활동 참가율은 하락한다.

05 다음 사례로 나타날 수 있는 고용 지표의 변화 방향으로 옳은 것은? (단, 현재의 고용 상황은 E점이고, 15세 이상 인구는 일정하다.)

전업주부인 갑은 최근 경기가 악화되면서 가계 소득이 줄어들고 자녀의 양육 및 교육 비용이 늘어나자 생활비를 감당하기 어려워졌다. 결국 갑은 구직 생활 끝에 A 사에 취업하게 되었다.

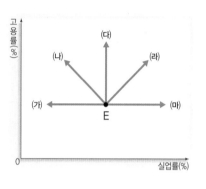

① (가)   ② (나)   ③ (다)   ④ (라)   ⑤ (마)

★중요
06 표는 갑국의 연도별 경제 활동 인구와 취업자 수를 나타낸 것이다. 이에 대한 분석으로 옳지 <u>않은</u> 것은? (단, 15세 이상 인구는 일정하다.)

(단위: 만 명)

구분	2015년	2016년	2017년
경제 활동 인구	1,000	1,100	1,200
취업자 수	900	900	900

① 2015년의 실업률은 10%이다.
② 2016년의 비경제 활동 인구는 전년에 비해 감소하였다.
③ 2017년의 경제 활동 참가율은 전년에 비해 하락하였다.
④ 2017년에는 전년에 비해 경제 활동 인구와 실업자 수가 같은 크기만큼 증가하였다.
⑤ 2016년과 2017년 모두 전년에 비해 실업률이 상승하였다.

07 그림은 갑국의 고용률과 실업률의 변화를 나타낸 것이다. 이에 대한 분석으로 옳지 <u>않은</u> 것은? (단, 경제 활동 인구는 일정하다.)

① 실업자 수는 증가한다.
② 취업자 수는 감소한다.
③ 15세 이상 인구는 감소한다.
④ 경제 활동 참가율은 변하지 않는다.
⑤ 취업자 수 대비 실업자 수는 증가한다.

08 다음 사례와 관련 있는 실업의 유형에 대한 설명으로 옳은 것은?

○○ 햄버거 매장에서는 고객이 햄버거를 주문하면 인공 지능 로봇이 햄버거를 만든다. 이 인공 지능 로봇은 기존 주방 설비의 변경 없이 주방에서 음식 재료를 찾고 햄버거 패티를 제자리에 놓고 뒤집으며 조리할 수 있다. 이 로봇은 기존 인력을 대체하여 향후 2년간 모든 ○○ 햄버거 매장에 확대되어 배치될 예정이다.

① 스스로의 선택에 의해 발생한다.
② 불경기에 산업 전반에 걸쳐서 대규모로 발생한다.
③ 계절 변화에 따라 고용 기회가 줄어들어 발생한다.
④ 노동 시장에서의 정부 제공이 원활하게 이루어지지 않아 발생한다.
⑤ 기술 혁신 등으로 기존 기술 인력의 필요성이 낮아지면서 발생한다.

09 그림은 발생 원인에 따라 실업의 유형을 구분한 것이다. A~C에 대한 옳은 설명을 〈보기〉에서 고른 것은? (단, A~C는 마찰적 실업, 경기적 실업, 구조적 실업 중 하나이다.)

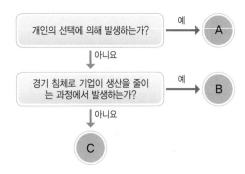

보기

ㄱ. A의 사례로 회사원이 개인 사업을 시작하기 위해 직장을 그만둔 경우를 들 수 있다.
ㄴ. B를 해결하기 위해 정부는 공공사업 확대 등 경기 부양책을 마련해야 한다.
ㄷ. C는 일시적으로 나타나는 경향이 있다.
ㄹ. B, C와 달리 A의 증가는 실업률을 상승시키지 않는다.

① ㄱ, ㄴ   ② ㄱ, ㄷ   ③ ㄴ, ㄷ
④ ㄴ, ㄹ   ⑤ ㄷ, ㄹ

10 표는 기준 연도를 포함한 갑국의 소비자 물가 지수 변화를 나타낸 것이다. 이에 대한 분석으로 옳은 것은?

구분	2014년	2015년	2016년	2017년
소비자 물가 지수	98	100	105	102

① 물가 지수 측정의 기준 연도는 2014년이다.
② 2015년에는 선년에 비해 화폐의 구매력이 상승하였다.
③ 2016년에는 기준 연도에 비해 물가가 5% 상승하였다.
④ 2017년에는 전년에 비해 물가가 3% 하락하였다.
⑤ 전년 대비 물가 수준은 지속적으로 상승하고 있다.

11 표는 갑국의 연도별 명목 GDP와 실질 GDP를 나타낸 것이다. 이에 대한 옳은 분석을 〈보기〉에서 고른 것은? (단, 물가 지수는 GDP 디플레이터로 측정한다.)

(단위: 억 달러)

구분	2014년	2015년	2016년	2017년
명목 GDP	100	120	110	140
실질 GDP	100	110	120	130

┌ 보기 ┐
ㄱ. 2014년의 물가 지수는 100이다.
ㄴ. 2017년의 물가 수준이 가장 높다.
ㄷ. 2015년의 물가 수준은 2016년보다 높다.
ㄹ. 2016년과 2017년의 물가 상승률은 동일하다.
└───────┘

① ㄱ, ㄴ   ② ㄱ, ㄷ   ③ ㄴ, ㄷ
④ ㄴ, ㄹ   ⑤ ㄷ, ㄹ

12 다음과 같은 상황이 지속될 때 나타날 수 있는 경제 현상으로 적절하지 <u>않은</u> 것은?

┌─────────────────────────┐
│ **○○ 신문** |
│ ─────────────────────── │
│ **소비자 물가 상승률, 3년 만에 최고치 기록!** │
│ 세계적으로 물가가 급등하면서 우리나라의 소비자 물가 역시 │
│ 치솟고 있다. 물가가 안정적일 것이라는 정부의 예측과 달리 │
│ 물가가 급등하면서 국민 경제는 큰 혼란에 빠졌다. │
└─────────────────────────┘

① 채권자가 채무자보다 유리해진다.
② 저축과 투자가 위축되어 경제의 불안정성이 심화된다.
③ 실물 자산 소유자가 화폐 자산 소유자보다 유리해진다.
④ 수출이 감소하고 수입이 증가하여 경상 수지가 악화된다.
⑤ 고정된 임금이나 연금을 받는 사람의 실질 소득이 줄어든다.

[13~14] 그림 (가), (나)는 인플레이션의 발생 유형을 나타낸 것이다. 이를 보고 물음에 답하시오.

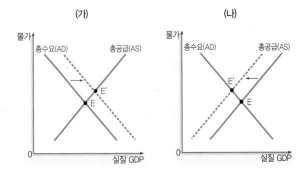

13 (가), (나)에 대한 설명으로 옳은 것은?

① (가)는 경기 침체를 동반하는 경우가 많다.
② (가)가 나타나면 물가 상승률과 실업률이 같은 방향으로 움직인다.
③ 국내 기업의 투자 증가는 (나)의 요인이다.
④ (나)는 스태그플레이션이 나타날 가능성이 높다.
⑤ (가)로 인해 화폐의 구매력은 하락하고, (나)로 인해 화폐의 구매력은 상승하게 된다.

14 (가), (나)를 해결하기 위한 대책으로 적절한 것을 〈보기〉에서 고른 것은?

┌ 보기 ┐
ㄱ. (가) – 정부는 재정 지출을 확대해야 한다.
ㄴ. (가) – 가계는 과소비를 자제하고, 기업은 불필요한 투자를 줄여야 한다.
ㄷ. (나) – 정부는 긴축 정책을 실시해야 한다.
ㄹ. (나) – 기업은 신기술 개발을 통해 생산 비용을 절감해야 한다.
└───────┘

① ㄱ, ㄴ   ② ㄱ, ㄷ   ③ ㄴ, ㄷ
④ ㄴ, ㄹ   ⑤ ㄷ, ㄹ

15 다음 자료에 대한 옳은 분석 및 추론을 〈보기〉에서 고른 것은?

> • 갑국에서는 지속적인 민간 소비 증가로 인한 인플레이션이 발생하였다.
> • 을국에서는 수입 원자재 가격의 폭등으로 인한 인플레이션이 발생하였다.

【보기】
ㄱ. 갑국에서는 수요 견인 인플레이션이 나타났다.
ㄴ. 을국에서는 실질 GDP가 감소했을 것이다.
ㄷ. 국민 경제 전체의 수요 조절을 통한 정부의 물가 안정 정책은 갑국보다 을국에 더 적합할 것이다.
ㄹ. 을국과 달리 갑국에서는 금융 자산보다 실물 자산을 보유하는 것이 유리해질 것이다.

① ㄱ, ㄴ   ② ㄱ, ㄷ   ③ ㄴ, ㄷ
④ ㄴ, ㄹ   ⑤ ㄷ, ㄹ

16 다음 탐구 자료를 통해 알 수 있는 갑국의 경제 상황에 대한 설명으로 가장 적절한 것은?

> **탐구 자료**
> • 주제: 1930년대 초 갑국의 경제 상황
> – 실질 GDP: 25% 감소   – 물가: 30% 하락
> – 실업률: 22% 상승   – 주가: 90% 하락
> – 기타: 순수출 감소, 기업들의 투자 지출 감소 등

① 경기가 지나치게 과열되었다.
② 화폐의 구매력이 하락하고 있다.
③ 불황 속의 인플레이션이 나타나고 있다.
④ 가계 소비의 급격한 증가를 주요 요인으로 한다.
⑤ 물가 하락과 경기 침체가 동시에 나타나고 있다.

서술형 문제

● 정답친해 34쪽

01 다음 자료는 갑국의 15세 이상 인구를 분류한 것이다. 이를 보고 물음에 답하시오.

> • 15세 이상 인구 = ⬚A⬚ + ⬚B⬚
> • ⬚B⬚ = ⬚C⬚ + ⬚D⬚
> * 실업률 = (⬚D⬚ / ⬚B⬚) × 100
> ** 단, 15세 이상 인구는 일정하다.

(1) A~D에 해당하는 고용 지표 관련 인구를 각각 쓰시오.

(2) A에 해당하는 사람이 C로 변할 경우 경제 활동 참가율과 실업률이 어떻게 변화하는지 각각 서술하시오.

02 다음 글을 읽고 물음에 답하시오.

> 석유 파동이란 석유 수출국 기구(OPEC)가 원유 가격을 인상하고 원유 생산을 제한하여 물가가 폭등함으로써 세계 각국에서 야기된 경제적 혼란이다. 우리나라 경제는 특히 제2차 석유 파동 때 극심한 피해를 입어 1980년에는 마이너스 경제 성장률을 기록하였으며, 무역 수지 적자 폭은 2배 이상 늘었다.

(1) 윗글에 나타난 인플레이션의 유형을 쓰시오.

(2) (1)의 대책을 <u>두 가지</u> 이상 서술하시오.

STEP 3 1등급 정복하기

평가원 응용

1 다음 자료에 대한 분석 및 추론으로 옳은 것은?

> 표는 갑국의 15세 이상 인구 구성의 변화를 나타낸 것이다. A~C는 각각 취업자 수, 실업자 수, 비경제 활동 인구 중 하나이며, 전년 대비 2017년 갑국의 고용률과 경제 활동 참가율은 하락하였다.
>
> (단위: 만 명)
>
> | 연도 | A | B | C |
> |------|-----|-----|-----|
> | 2015년 | 20 | 10 | 70 |
> | 2016년 | 25 | 10 | 65 |
> | 2017년 | 25 | 20 | 55 |

① 2015년의 고용률은 90%이다.

② 2016년에 신규 취업자는 없다.

③ 전년 대비 2017년 경제 활동 인구의 변화율이 같은 기간 취업자 수의 변화율보다 크다.

④ 2015년과 2016년의 경제 활동 참가율은 같다.

⑤ 2016년과 2017년의 실업률은 같다.

> **고용 지표 관련 인구 구성**
>
> **완자샘의 시험 꿀팁**
>
> 고용 지표와 관련된 인구의 구성과 고용 지표의 변동 추이를 분석하는 문제가 자주 출제된다. 고용 지표 공식에 고용 지표 관련 인구의 변화를 대입해 가며 주어진 상황을 분석할 수 있어야 한다.

2 그림은 갑국의 고용률과 실업률의 변화를 나타낸 것이다. 이에 대한 옳은 분석을 〈보기〉에서 고른 것은? (단, 갑국의 15세 이상 인구는 일정하다.)

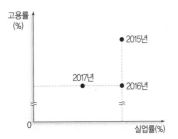

> **보기**
>
> ㄱ. 2016년의 취업자 수는 전년 대비 감소하였다.
>
> ㄴ. 2017년의 비경제 활동 인구는 전년 대비 증가하였다.
>
> ㄷ. 2017년의 실업자 수는 2015년에 비해 증가하였다.
>
> ㄹ. 2017년의 경제 활동 참가율은 2015년에 비해 상승하였다.

① ㄱ, ㄴ   ② ㄱ, ㄷ   ③ ㄴ, ㄷ

④ ㄴ, ㄹ   ⑤ ㄷ, ㄹ

> **고용 지표 분석**

3 다음은 갑~병이 취업을 위해 면접을 보는 상황이다. 이에 대한 옳은 설명을 〈보기〉에서 고른 것은?

> 실업의 유형

> - 면접관: 이전에 다니던 회사를 그만둔 이유를 말해 보세요.
> - 갑: 이전 직장의 급여와 복지 수준이 맘에 들지 않아 사직하게 되었습니다.
> - 을: 공장 설비 자동화로 소속 부서가 사라지면서 일자리를 잃게 되었습니다.
> - 병: 세계적 금융 위기의 여파로 회사의 경영 사정이 나빠져 일자리를 잃게 되었습니다.

보기
ㄱ. 갑의 대답에 나타난 실업은 경기가 호황일 때도 발생할 수 있다.
ㄴ. 을의 대답에 나타난 실업은 시간이 지나면 자연히 해소된다.
ㄷ. 병의 대답에 나타난 실업은 본인 의사에 반하여 발생한 것이다.
ㄹ. 을, 병의 대답에 나타난 실업과 달리 갑의 대답에 나타난 실업은 실업률 통계에 포함되지 않는다.

① ㄱ, ㄴ   ② ㄱ, ㄷ   ③ ㄴ, ㄷ
④ ㄴ, ㄹ   ⑤ ㄷ, ㄹ

4 표는 갑국의 경제 지표 변화를 나타낸 것이다. 이에 대한 분석으로 옳은 것은? (단, 물가 수준은 GDP 디플레이터로 측정한다.)

> GDP 디플레이터

> **완자샘의 시험 꿀팁**
> 명목 GDP, 실질 GDP, GDP 디플레이터 중 일부 지표만 제시하고, 이를 토대로 경제 상황을 파악하는 문제가 자주 출제된다. GDP 디플레이터를 구하는 공식을 정확하게 알아두어야 한다.

구분	2015년	2016년	2017년
명목 GDP(억 달러)	100	110	120
GDP 디플레이터	100	100	120

① 2015년 이후 실질 GDP는 매년 증가하였다.
② 2016년의 물가는 전년 대비 10% 상승하였다.
③ 2016년의 전년 대비 실질 GDP 증가율과 명목 GDP 증가율은 같다.
④ 2017년의 경제 규모가 가장 크다.
⑤ 2017년은 실질 GDP가 명목 GDP보다 크다.

5 그림은 갑국의 명목 GDP와 실질 GDP의 전년 대비 변화율을 나타낸 것이다. 이에 대한 옳은 분석을 〈보기〉에서 고른 것은? (단, 물가 지수는 GDP 디플레이터로 측정한다.)

> 물가 상승률

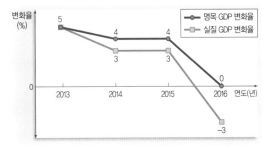

┌ 보기 ├─────────────────────────────────
ㄱ. 2013년의 물가 상승률이 가장 낮다.
ㄴ. 2016년의 물가 수준이 가장 낮다.
ㄷ. 2014년과 2015년의 실질 GDP 증가액은 같다.
ㄹ. 2014년의 실질 GDP는 2016년보다 크다.
└───

① ㄱ, ㄴ   ② ㄱ, ㄹ   ③ ㄴ, ㄷ
④ ㄴ, ㄹ   ⑤ ㄷ, ㄹ

6 교사의 질문에 대한 학생의 답변으로 가장 적절한 것은?

> 인플레이션

표는 A국의 실업률과 물가 상승률의 변화를 나타낸 것입니다. A국의 경제 상황 또는 대책에 대해 말해 볼까요?

(단위: %)

구분	2015년	2016년	2017년
실업률	3.5	4.2	5.7
물가 상승률	3.8	4.1	5.2

① 갑: 실질 GDP의 증가를 수반합니다.
② 을: 가계 소득세율 인상으로 발생할 수 있는 현상입니다.
③ 병: 경기 침체로 인해 디플레이션 현상이 발생하였습니다.
④ 정: 물가 상승으로 투자가 증가하고 재고가 감소할 것입니다.
⑤ 무: 산업 전반에 걸친 생산성 증진을 위한 노력은 현재의 물가 추세를 반전시킬 수 있습니다.

완자샘의 시험 꿀팁

실업률과 물가 상승률의 변화 방향을 기준으로 어떤 유형의 인플레이션이 발생했는지 파악하고, 그 원인과 대책을 묻는 문제가 자주 출제된다.

03 경기 변동과 경제 안정화 방안

이것이 핵심!

총수요와 총공급

총수요와 총공급	
소비 지출·투자 지출·정부 지출·순수출의 변동	생산성, 생산 요소의 양, 생산 비용의 변동
↓	↓
총수요 변동	총공급 변동

↓

• 실질 GDP와 물가를 결정함
• 경기 변동의 요인이 됨

★ **총수요 곡선**

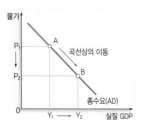

물가가 하락하면 총생산물에 대한 수요량이 증가한다.

★ **총공급 곡선**

물가가 상승하면 총생산물에 대한 공급량이 증가한다.

★ **국민 경제의 균형**

총수요 곡선과 총공급 곡선이 만나는 지점에서 국민 경제의 균형이 형성된다.

---

① 총수요와 총공급

1. 총수요와 총공급

(1) 총수요와 총공급

꿀! 국민 경제의 생산성, 생산 요소의 양, 생산 비용 등과 관련되지.

구분	총수요	총공급
의미	일정 기간 모든 경제 주체들이 구매하고자 하는 한 나라 안에서 생산된 재화와 서비스의 시장 가치의 합	한 나라 안에서 일정 기간 생산자들이 판매하고자 하는 재화와 서비스의 시장 가치의 합
구성	소비 지출 + 투자 지출 + 정부 지출 + 순수출	국내 총생산(GDP)

(2) 총수요 곡선과 총공급 곡선

① *총수요 곡선: 국내 총생산물의 수요량과 물가 수준의 관계를 나타낸 것 → 우하향함
② *총공급 곡선: 국내 총생산물의 공급량과 물가 수준의 관계를 나타낸 것 → 우상향함

(3) 총수요와 총공급의 균형

① *국민 경제의 균형: 총수요와 총공급이 일치하는 지점에서 국민 경제의 균형이 형성됨
② 국민 경제 균형의 변동 〔자료①〕 〔자료②〕

구분	총수요 증가	총수요 감소	총공급 증가	총공급 감소
원인	소비 지출·투자 지출·정부 지출·순수출 증가	소비 지출·투자 지출·정부 지출·순수출 감소	임금 하락, 생산성 향상, 원자재 가격 하락	임금 상승, 원자재 가격 상승
양상	(그래프)	(그래프)	(그래프)	(그래프)
결과	실질 GDP 증가, 물가 상승	실질 GDP 감소, 물가 하락	실질 GDP 증가, 물가 하락	실질 GDP 감소, 물가 상승

2. 경기 변동

(1) **경기 변동**: 경기가 일정한 주기를 가지며 확장 국면과 수축 국면을 반복하는 현상

(2) **경기 변동의 원인**: 총수요와 총공급의 변화

총수요의 변화 — 경기 과열의 우려가 있어.	총공급의 변화
• 총수요 증가 → 물가 상승, 생산과 고용 증가	• 총공급 증가 → 물가 하락, 생산과 고용 증가
• 총수요 감소 → 물가 하락, 생산과 고용 감소	• 총공급 감소 → 물가 상승, 생산과 고용 감소

└ 실업과 인플레이션의 이중고를 겪을 수 있어.

(3) **경기 변동의 양상** 〔자료③〕

(경기 변동 곡선 그래프)

↑ 경기 변동 곡선

확장기	소득·소비·생산·투자·고용 등이 가장 높은 수준
후퇴기	소득·소비·생산·투자 감소, 재고·실업 증가
수축기	소득·소비·생산·투자·고용 등이 가장 낮은 수준
회복기	소득·소비·생산·투자 증가, 재고·실업 감소

↑ 경기 변동 4국면의 일반적 특징

완자 자료 탐구

자료 ① 총수요의 변동

1920년대 후반 미국에서는 생산이 비약적으로 증가한 데 비해 소비가 생산을 따라가지 못하여 경제 상황이 크게 악화되었고, 1929년 대공황이 발생하였다. 미국의 루스벨트 대통령은 정부 지출을 적극적으로 확대함으로써 대공황을 극복하고자 하였고, 1933년 뉴딜 정책을 실시하여 계곡에 댐과 발전소를 건설하는 등 대규모 공공 건설 사업을 실시하였다.

일반적으로 총수요는 소비 지출, 투자 지출, 정부 지출, 순수출 등의 요인에 따라 변화한다. 제시된 사례에서는 정부의 대규모 지출로 새로운 일자리가 창출되어 총수요가 증가하였음을 보여 준다. 이는 총수요 곡선이 오른쪽으로 이동하는 요인으로 작용한다. 반대로 총수요의 구성 요인들이 감소하면 총수요가 감소하여 총수요 곡선은 왼쪽으로 이동한다.

자료 ② 총공급의 변동

이르면 내년에 석유 파동으로 국제 유가가 치솟을 것이란 전망이 나왔다. 한 에너지 전문가는 원유 산업에 대한 투자 급감을 석유 파동의 원인으로 꼽았다. 원유 산업에 대한 투자는 2014년 이후로 감소 추세이며, 지난해에는 투자가 감소하면서 원유 탐사 성과도 저조하게 나타났다. 새로운 유전을 찾지 못하면서 원유 공급이 수요를 충족시키지 못하는 상황에 놓이게 되고 결국 유가가 폭등할 것이란 예측이다.
　　　　　　　　　　　　　　　　　　　　　　　－「연합인포맥스」, 2017. 7. 4.

일반적으로 총공급은 기술 수준, 생산 비용, 생산 요소의 양 등이 변하면 변화한다. 제시된 사례에서의 예상과 같이 원유 가격이 인상되면 생산 비용이 증가함으로써 총공급이 감소하게 된다. 이는 총공급 곡선이 왼쪽으로 이동하는 요인으로 작용한다. 반대로 기술 발전, 노동 인구의 증가, 자본의 축적, 자연 자원의 발견 등으로 생산 요소가 늘어나거나 생산 요소의 가격이 하락하여 총공급이 증가하면 총공급 곡선이 오른쪽으로 이동한다.

자료 ③ 우리나라 경기 순환의 국면

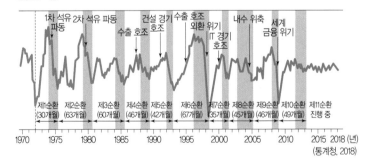

(통계청, 2018)

경기는 '저점 → 정점 → 저점'을 한 주기로 끊임없이 순환한다. 통계청 발표에 의하면 우리나라는 1972년부터 2013년까지 10차례의 경기 순환을 거쳤다. 국제 유가가 대폭 상승한 1, 2차 석유 파동 시기에 스태그플레이션으로 경기 침체를 겪었고, 이후 수출과 건설 경기가 활발해지면서 확장 국면을 맞이하였다. 1990년대 말과 2008년에는 외환 위기와 세계 금융 위기를 겪으며 경기가 크게 침체되는 등 경기가 확장과 후퇴를 반복하고 있다.

03 경기 변동과 경제 안정화 방안

② 경제 안정화 정책

경제 안정화 정책

경기 과열 시	• 긴축 재정 정책: 세율 인상, 정부 지출 축소 • 긴축 통화 정책: 국공채 매각, 대출 축소, 지급 준비율 인상
경기 침체 시	• 확대 재정 정책: 세율 인하, 정부 지출 확대 • 확대 통화 정책: 국공채 매입, 대출 확대, 지급 준비율 인하

1. 경제 안정화 정책: 물가 안정이나 고용 안정을 위해 정부와 중앙은행이 실시하는 정책 `자료④`

2. 재정 정책 `자료⑤`

(1) **재정 정책**: 정부가 조세나 정부 지출의 변동을 통해 경기를 조절하는 정책

(2) **재정 정책의 수단**

✱ 처분 가능 소득
개인이 자유롭게 소비, 저축할 수 있는 소득으로 개인 소득에서 세금 등을 제외한 나머지를 말한다.

수단		효과
조세 수입 조절	세율 인상	• 가계의 ✱처분 가능 소득 감소 → 소비 지출 감소 → 총수요 감소 → 경기 진정 • 기업의 투자 수입 감소 → 투자 감소 → 총수요 감소 → 경기 진정
	세율 인하	• 가계의 처분 가능 소득 증가 → 소비 지출 증가 → 총수요 증가 → 경기 활성화 • 기업의 투자 수입 증가 → 투자 증가 → 총수요 증가 → 경기 활성화
정부 지출 조절	정부 지출 축소	소비와 투자 위축 → 총수요 감소 → 경기 진정
	정부 지출 확대	소비와 투자 촉진 → 총수요 증가 → 경기 활성화

(3) **재정 정책의 방향**

✱ 국공채
정부나 공공 기관이 민간으로부터 돈을 빌리면서 발행한 채권

구분	긴축 재정 정책	확대 재정 정책
국면	경기 과열 시	경기 침체 시
수단	세율 인상, 정부 지출 축소	세율 인하, 정부 지출 확대
예산 집행	흑자 재정(정부 지출 < 조세)	적자 재정(정부 지출 > 조세)
목표	경기 진정	경기 활성화

✱ 여·수신
• 여신: 금융 기관이 고객에게 돈을 빌려 주는 일
• 수신: 금융 기관이 고객으로부터 자금을 조달받는 일

3. 통화 정책 `교과서 자료`

> 꿀! 통화량이 증가하면 화폐 가치의 하락으로 이자율이 낮아지고, 통화량이 감소하면 화폐 가치의 상승으로 이자율이 높아져.

(1) **통화 정책**: 중앙은행이 통화량이나 이자율을 조정함으로써 경기를 조절하는 정책

(2) **통화 정책의 수단**

① **공개 시장 운영**: 중앙은행이 ✱국공채의 매매를 통해 통화량을 조절하는 정책 수단

✱ 지급 준비율
은행이 예금자가 요구할 때 지급할 수 있도록 고객 예금의 일정 비율을 중앙은행에 예치해 두는 것

국공채 매각	시중의 자금 흡수 → 통화량 감소, 이자율 상승
국공채 매입	시중에 자금 방출 → 통화량 증가, 이자율 하락

② **✱여·수신 제도**: 중앙은행이 개별 금융 기관을 상대로 자금을 대출해 주거나 예금을 받아 통화량을 조절하는 정책 수단

대출 축소	은행 대출액 감소 → 통화량 감소, 이자율 상승
대출 확대	은행 대출액 증가 → 통화량 증가, 이자율 하락

③ **✱지급 준비율 조정**: 중앙은행이 시중 은행의 지급 준비율을 조정하여 통화량이나 이자율을 조절하는 정책 수단

중앙은행이 지급 준비율을 높이면 시중 은행은 더 많은 자금을 지급 준비금으로 예치해야 하며, 지급 준비금이 늘어날 만큼 시중 은행의 대출 가능 금액이 줄어들게 되는 거야.

지급 준비율 인상	은행 대출 자금 감소 → 통화량 감소, 이자율 상승
지급 준비율 인하	은행 대출 자금 증가 → 통화량 증가, 이자율 하락

(3) **통화 정책의 방향**

구분	긴축 통화 정책	확대 통화 정책
국면	경기 과열 시	경기 침체 시
수단	통화량 축소, 이자율 인상	통화량 확대, 이자율 인하
구체적 방법	국공채 매각, 대출 축소, 지급 준비율 인상	국공채 매입, 대출 확대, 지급 준비율 인하
목표	경기 진정	경기 활성화

완자 자료 탐구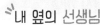

내 옆의 선생님

자료 ④ 경제 안정화 정책에 대한 논쟁

- 케인스: 경기 불황으로 나타나는 문제를 해결하기 위해 정부는 재정 지출을 확대하여 일자리를 확충함으로써 국민의 소득을 늘려야 한다.
- 프리드먼: 현재의 경기 상황을 판단하여 수립한 정책이 경제에 영향을 미치는 데 시차가 발생한다. 따라서 순간순간의 정보를 가지고 정부 정책을 실시하면 부작용이나 정책 효과의 지연이 일어나게 된다. 따라서 경제 문제는 시장에 맡겨 해결해야 한다.

케인스는 정부가 시장에 개입해야 한다고 주장하였다. 그는 정부 지출을 늘려 국가의 총수요가 증가하면 민간 소비와 투자에 지속적인 파급 효과를 주므로 전체 국민의 소득이 증가할 것이라고 보았다. 반면 프리드먼은 시장 경제에서 정부의 역할이 축소되어야 한다고 주장하였다. 그는 정부가 경기를 조절하기 위해 시장에 과도하게 개입하면 예상하지 못한 부작용이나 정책의 효과 지연 등으로 오히려 경기 불안을 가중할 수 있다고 보았다.

자료 ⑤ 재정 정책

정부가 올해 하반기 우리 경제 상황을 부정적으로 평가하였다. 소비가 더디게 회복되고 고용 증가세도 약화되고 있기 때문이다. 이에 정부는 공공 투자를 늘리고 예산을 확대해 일자리를 창출하고, 기업의 투자 여력을 실제 투자로 유도하기 위한 특별 프로그램을 운영할 방침이다. 또한 세금 혜택을 제공하는 등 국내 소비를 늘리기 위한 다양한 방법을 고안 중이다. – 「조세일보」, 2017. 7. 25.

경기가 침체되어 실업이 문제가 되면 정부는 경기를 활성화하기 위해 정부 지출을 늘리고 세율을 인하하는 확대 재정 정책을 시행한다. 예를 들어 정부가 상품 구입을 늘리고 소득세율과 법인세율을 낮추면 총수요가 증가한다. 총수요가 증가하면 국민 소득이 증가하고 고용 증대와 실업 감소로 이어져 경기가 활성화된다.

수능이 보이는 교과서 자료 **통화 정책의 효과**

한국은행의 금융 통화 위원회가 ㉠ 기준 금리를 연 1.25%에서 1.5%로 인상하였다. 앞서 한국은행은 ㉡ 기준 금리를 2016년 6월 1.25%로 인하 후 1년 6개월 동안 유지해왔다. 기준 금리 인상은 2011년 6월(3% → 3.25%) 이후 6년 5개월 만이다. 미국이 올해 안에 금리를 올릴 예정인데, 이에 영향을 받아 외국인 투자 자금이 미국 등으로 빠져 나가는 것을 막기 위해서도 국내 금리 인상이 필요했다는 분석이다. – SBS 뉴스, 2017. 11. 30.

우리나라의 기준 금리는 한국은행 금융 통화 위원회에서 물가 동향, 국내외 경제 상황, 금융 시장 여건 등을 종합적으로 고려하여 결정한다. 기준 금리는 우선 은행 간 거래 금리에 영향을 미치고 예금 및 대출 금리 등의 변동으로 이어지면서 국민의 경제 활동에 영향을 미치게 된다. 제시된 신문 기사에서처럼 기준 금리가 인상되면 시중의 돈을 흡수하기 때문에 통화량이 줄어들고 과열된 경기를 진정하는 효과가 있다. 반대로 기준 금리가 인하되면 시중에 돈이 풀려 통화량이 늘어나 경기가 회복될 수 있다.

문제로 확인할까?

경기 침체를 극복하기 위한 경제 안정화 정책의 수단으로 옳은 것은?
① 세율 인상
② 대출 축소
③ 국공채 매입
④ 정부 지출 축소
⑤ 지급 준비율 인상

자료 하나 더 알고 가자!

중앙은행의 기능

- **화폐의 발행**: 화폐의 독점적 발행권을 가짐
- **은행의 은행**: 시중 금융 기관을 상대로 예금과 대출 기능을 수행함
- **정부의 은행**: 정부의 세입·세출금의 출납 업무를 수행함
- **통화 정책의 수립 및 집행**: 경제 안정화를 위해 통화량과 이자율을 조정함

완자샘의 탐구 강의

- 밑줄 친 ㉠이 기대하는 효과를 서술해 보자.
금리가 오르면 가계는 더 많은 이자를 받을 수 있기 때문에 소비를 줄이고 저축을 늘리게 된다. 반면 기업은 투자 비용 부담이 늘어나 투자를 줄이려 할 것이다. 이를 통해 경기가 진정될 수 있다.

- 밑줄 친 ㉡이 추구하는 목적과 같은 재정 정책의 수단을 써 보자.
세율 인하, 정부 지출 확대

함께 보기 125쪽, 내신 만점 공략하기 13

STEP 1 핵심 개념 확인하기

1 다음 괄호 안에 들어갈 알맞은 말에 ○표를 하시오.

(1) 물가 수준과 총생산물에 대한 수요량을 나타낸 총수요 곡선은 (우상향, 우하향)한다.

(2) 다른 조건이 일정할 때 총공급이 감소하면 물가는 상승하고 실질 GDP는 (증가, 감소)한다.

2 다음 내용이 총수요의 증감 요인이면 '수', 총공급의 증감 요인이면 '공'이라고 쓰시오.

(1) 정부 지출이 증가하였다. ( )

(2) 원자재 가격이 하락하였다. ( )

(3) 연구 개발 투자로 기업의 기술이 발전하였다. ( )

(4) 사람들의 소득이 증가하면서 소비가 크게 증가하였다. ( )

3 경기가 일정한 주기를 가지며 확장 국면과 수축 국면을 반복하는 현상을 ( )이라고 한다.

4 다음 설명이 맞으면 ○표, 틀리면 ×표를 하시오.

(1) 경기 회복기에는 생산과 투자가 증가한다. ( )

(2) 경기가 침체되면 정부는 세율을 인하하는 정책을 펼친다. ( )

(3) 정부의 확대 재정 정책은 조세보다 재정 지출이 적은 흑자 재정 정책을 말한다. ( )

5 다음 빈칸에 들어갈 내용을 쓰시오.

(1) ( )은 중앙은행이 국공채의 매매를 통해 통화량을 조절하는 정책이다.

(2) 중앙은행이 지급 준비율을 ( )하면 시중의 통화량이 증가하는 효과가 있다.

(3) 정부가 세율을 인상하고 정부 지출을 줄이면 ( )가 감소하여 경기가 진정된다.

STEP 2 내신 만점 공략하기

01 표는 경제 지표 A, B를 정리한 것이다. 이에 대한 옳은 설명을 〈보기〉에서 고른 것은?

구분	A	B
의미	일정 기간 모든 경제 주체들이 구매하고자 하는 한 나라 안에서 생산된 재화와 서비스의 시장 가치의 합	한 나라 안에서 일정 기간 생산자들이 판매하고자 하는 재화와 서비스의 시장 가치의 합
구성	소비 지출+(㉠)+정부 지출+순수출	국내 총생산(GDP)

보기
ㄱ. 생산에 필요한 설비 확충은 ㉠에 포함된다.
ㄴ. A는 물가 수준과 정(+)의 관계에 있다.
ㄷ. 기술 수준이나 노동 생산성은 B의 변동 요인이다.
ㄹ. A가 B보다 크면 물가는 상승하고 실질 GDP는 감소한다.

① ㄱ, ㄴ ② ㄱ, ㄷ ③ ㄴ, ㄷ
④ ㄴ, ㄹ ⑤ ㄷ, ㄹ

02 그림은 교사의 수업 장면이다. (가), (나)에 해당하는 내용으로 옳은 것은?

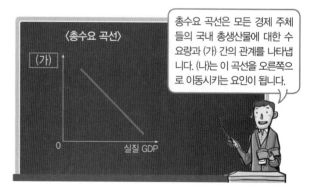

총수요 곡선은 모든 경제 주체들의 국내 총생산물에 대한 수요량과 (가) 간의 관계를 나타냅니다. (나)는 이 곡선을 오른쪽으로 이동시키는 요인이 됩니다.

	(가)	(나)
①	가격	기업 투자 감소
②	가격	원자재 가격 하락
③	물가	생산 기술 향상
④	물가	정부 지출 감소
⑤	물가	민간 소비 증가

03 그림은 갑국 국민 경제 균형점의 변화(E → E´)를 나타낸 것이다. 이러한 변화를 가져올 수 있는 요인으로 옳은 것은?

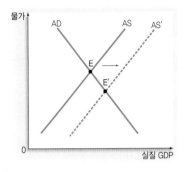

① 가계의 소비가 위축되었다.
② 원자재 가격이 상승하였다.
③ 노동자의 임금이 상승하였다.
④ 기업의 생산성이 향상되었다.
⑤ 정부가 재정 지출을 확대하였다.

04 그림은 갑국의 국민 경제 균형점 E의 변화를 나타낸 것이다. 균형점 E를 (가), (나) 방향으로 이동시키는 요인으로 옳은 것은?

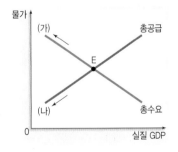

	(가)	(나)
①	민간 소비 감소	순수출 감소
②	생산 기술 향상	기업 투자 증가
③	국제 유가 상승	정부 지출 감소
④	국제 유가 하락	민간 소비 증가
⑤	노동자 임금 상승	기업 투자 증가

05 (가), (나) 시기 우리나라의 경제 상황에 대한 추론으로 가장 적절한 것은? (단, 다른 요인은 고려하지 않는다.)

• (가) 시기에 우리나라는 중화학 공업 육성을 최우선 과제로 삼고, 당시 중동 건설 시장에서 벌어들인 외화를 중화학 공업 육성에 집중 투자하였다.
• (나) 시기에는 전 세계적으로 밀가루 가격이 약 90% 폭등하는 등 국제 곡물 가격이 큰 폭으로 상승하였고, 이는 우리나라의 물가에도 악영향을 끼쳤다.

① (가) 시기에는 총수요가 감소했을 것이다.
② (나) 시기에는 총공급이 증가했을 것이다.
③ (나) 시기에는 물가 상승률과 실업률이 반대 방향으로 움직였을 것이다.
④ (가) 시기와 달리 (나) 시기에는 고용 상황이 나빠졌을 것이다.
⑤ (나) 시기와 달리 (가) 시기에는 물가 수준이 낮아졌을 것이다.

06 갑국에서 다음과 같은 변화가 동시에 나타날 때 현재의 균형점 E가 이동할 영역으로 옳은 것은?

• 갑국이 외국에서 수입하는 원자재 가격이 하락하였다.
• 미래 경기에 대한 부정적인 전망이 제기되자, 갑국 국민들의 소비 심리가 얼어붙고 있다.

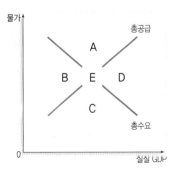

① A   ② B   ③ C
④ D   ⑤ 변화 없음

07 (가)는 갑국과 을국의 경제 상황을 나타낸 것이다. 이러한 상황을 발생시킬 수 있는 요인을 (나)의 표에서 고른 것은?

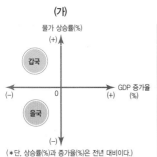

(가)

(*단, 상승률(%)과 증가율(%)은 전년 대비이다.)

(나)

구분		총공급 곡선		
		좌측 이동	변동 없음	우측 이동
총수요 곡선	좌측 이동		A	
	변동 없음	B		C
	우측 이동		D	E

	갑국	을국
①	A	C
②	B	A
③	B	D
④	C	E
⑤	E	B

09 표는 일반적인 경기 변동의 국면별 특징을 정리한 것이다. 밑줄 친 ㉠~㉤ 중 옳지 않은 것은?

국면	특징
확장기	• 경제 활동이 가장 활발한 시기 • 소득·소비·생산·투자 등이 크게 증가
후퇴기	• 경제 활동 수준이 위축되고 둔화되는 시기 • ㉠ 실업 증가, ㉡ 생산·투자 감소
수축기	• 경제 활동이 최저 수준인 경기 침체 시기 • 소득·소비·생산·고용 및 ㉢ 재고 수준이 가장 낮음
회복기	• 경제 활동 수준이 회복되고 증가하는 시기 • 소득·소비 증가, ㉣ 고용 증가, ㉤ 물가 상승

① ㉠ ② ㉡ ③ ㉢ ④ ㉣ ⑤ ㉤

10 다음은 갑국의 경제 뉴스이다. 정부 정책의 기대 효과를 나타낸 그림으로 가장 적절한 것은?

> 갑국 정부는 ○○강 유역에서 댐과 발전소를 건설하는 대규모 공사를 시작하였다. 정부에서는 직업이 없는 청년을 모아 나무를 심고 하천 수질 개선 활동을 시킨 뒤 월급을 지급하였다.

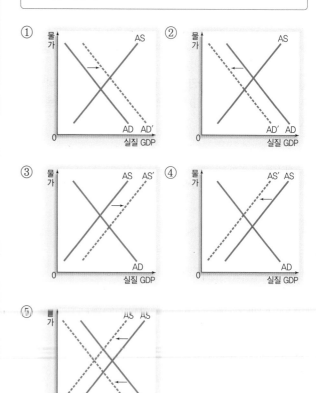

08 그림은 일반적인 경기 변동 양상을 나타낸 것이다. A 시점에 나타나는 경제 지표의 변화로 가장 적절한 것은?

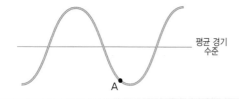

① 물가가 상승한다.
② 소비가 증가한다.
③ 실업률이 높아진다.
④ 기업 재고율이 낮아진다.
⑤ 공장 가동률이 높아진다.

11 다음 대화에 대한 분석 및 추론으로 옳은 것은?

> • 사회자: 현재의 경제 상황에 대한 대책은 무엇입니까?
> • 갑: 정부는 가계의 소득이나 기업의 이윤에 대해 더 많은 세금을 거두어들일 필요가 있습니다.
> • 을: 그럴 경우 우리 경제에 심각한 부작용이 나타날 수 있습니다. 오히려 지금은 정부에서 가계의 소득에 대한 세금 감면 혜택을 확대할 필요가 있어요.

① 갑의 대책은 물가 상승의 요인이 될 수 있다.
② 갑은 현재 경기가 침체되어 있다고 보고 있다.
③ 정부 지출 확대는 갑이 제시할 수 있는 대책이다.
④ 을의 대책은 소비 감소의 요인이 될 수 있다.
⑤ 을은 총수요 증가를 위한 정책을 제시하고 있다.

12 밑줄 친 '정책'으로 옳지 <u>않은</u> 것은?

> 그림은 갑국의 경기 변동을 나타낸 것이다. 경기 변동의 방향이 A로 예상되고 있는 현재 시점에서, 정부와 중앙은행은 경기 변동의 방향을 B로 변화시키기 위한 정책을 실시하고자 한다.

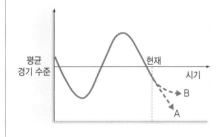

① 정부 지출을 확대한다.
② 정부는 소득세율을 인하한다.
③ 중앙은행은 지급 준비율을 인상한다.
④ 중앙은행은 공개 시장에서 국공채를 매입한다.
⑤ 중앙은행은 시중 은행에 대한 대출을 확대한다.

13 밑줄 친 ㉠, ㉡에 대한 옳은 분석 및 추론을 〈보기〉에서 고른 것은?

> 한국은행의 금융 통화 위원회가 ㉠ 기준 금리를 연 1.25%에서 1.5%로 인상하였다. 앞서 한국은행은 ㉡ 기준 금리를 2016년 6월 1.25%로 인하 후 1년 6개월 동안 유지해왔다. 미국이 올해 안에 금리를 올릴 예정인데, 이에 영향을 받아 외국인 투자 자금이 미국 등으로 빠져 나가는 것을 막기 위해서도 국내 금리 인상이 필요했다는 분석이다.
> – SBS 뉴스, 2017. 11. 30.

> **보기**
> ㄱ. ㉠은 총수요를 억제하는 요인이 되었을 것이다.
> ㄴ. ㉠은 소비 지출을 촉진하는 요인이 되었을 것이다.
> ㄷ. ㉡은 물가 상승을 억제하는 요인이 되었을 것이다.
> ㄹ. ㉡은 기업의 투자를 촉진하는 요인이 되었을 것이다.

① ㄱ, ㄴ   ② ㄱ, ㄹ   ③ ㄴ, ㄷ
④ ㄴ, ㄹ   ⑤ ㄷ, ㄹ

14 표는 갑국의 경제 동향을 나타낸 것이다. 갑국 정부와 중앙은행이 2016년에 시행했을 것이라고 예상하는 정책을 〈보기〉에서 고른 것은?

(단위: %)

구분	2015년	2016년	2017년
실업률	6	2	4
물가 상승률	3	8	5

> **보기**
> ㄱ. 정부가 법인세율을 인상하였다.
> ㄴ. 중앙은행이 보유 국채를 매각하였다.
> ㄷ. 중앙은행이 지급 준비율을 인하하였다.
> ㄹ. 정부가 공공 부문에 대한 투자를 확대하였다.

① ㄱ, ㄴ   ② ㄱ, ㄷ   ③ ㄴ, ㄷ
④ ㄴ, ㄹ   ⑤ ㄷ, ㄹ

15 밑줄 친 ㉠, ㉡에 대한 옳은 설명을 〈보기〉에서 고른 것은?

갑국 정부는 ㉠ 침체된 경기를 활성화하기 위한 재정 정책을 검토하고 있다. 갑국 정부의 경제 정책 책임자는 기자 회견을 통해 중앙은행이 ㉡ 정부의 재정 정책 의도에 맞는 통화 정책을 펼쳐 주기를 기대한다고 밝혔다.

보기
ㄱ. ㉠의 수단에는 세율 인하가 포함된다.
ㄴ. 정부는 ㉠을 통해 총수요 곡선을 왼쪽으로 이동시키고자 한다.
ㄷ. ㉡의 수단에는 국공채 매입이 포함된다.
ㄹ. ㉡의 수단에는 기준 금리 인상이 포함된다.

① ㄱ, ㄴ ② ㄱ, ㄷ ③ ㄴ, ㄷ
④ ㄴ, ㄹ ⑤ ㄷ, ㄹ

16 다음은 갑~병국의 경제 안정화 정책을 나타낸 것이다. 이에 대한 설명으로 옳은 것은?

• 갑국 중앙은행은 지급 준비율을 인하하였다.
• 을국 정부는 소득세율과 법인세율을 인상하였다.
• 병국 중앙은행은 공개 시장에서 국공채의 매각을 늘렸다.

① 갑국에서는 긴축 통화 정책을 실시하였다.
② 을국에서는 경기 침체에 대처하기 위한 정책을 실시하였다.
③ 병국에서는 통화량을 감소시키는 정책을 실시하였다.
④ 갑국과 달리 병국에서는 이자율 하락을 유발할 수 있는 정책을 실시하였다.
⑤ 병국과 달리 을국에서는 물가 상승을 유발할 수 있는 정책을 실시하였다.

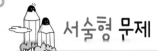

서술형 문제

정답친해 38쪽

01 그림은 갑국 국민 경제의 균형점 변화(E → E′)를 나타낸 것이다. 이러한 변화를 가져올 수 있는 요인을 두 가지 이상 서술하시오.

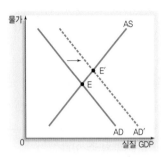

02 다음은 갑국의 경제 뉴스이다. 갑국의 경제 상황을 해결하기 위한 재정 정책의 방향을 서술하시오.

갑국의 경기 호황이 지속되면서 정부의 경제 안정화 대책의 필요성이 커지고 있다. 경제 전문가들은 "경제 성장률이 예상치보다 상당히 높은 수준이며 물가 상승률이 전년의 두 배를 초과하였다. 비록 성장 속도가 둔화되고 있긴 하지만 여전히 과열 국면에 속한다."라고 하였다.

03 갑국의 현재 경제 상황인 A에서 목표인 B로 변화시키기 위해 중앙은행이 실시해야 할 통화 정책의 방향을 서술하시오.

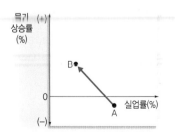

STEP 3 1등급 정복하기

1 그림은 갑국 국민 경제 균형점의 변화(E → E′)를 나타낸 것이다. 이러한 변화를 가져올 수 있는 요인으로 옳은 것은?

> **총수요와 총공급의 변동 요인**

> **완자샘의 시험 꿀팁**
>
> 총수요와 총공급의 변동 요인을 묻는 문제가 자주 출제된다. 국민 경제의 균형 그래프에서 총수요와 총공급의 변동 방향을 파악하고, 그 원인을 찾아낼 수 있어야 한다.

	총수요 측면	총공급 측면
①	국공채 매각	정부 지출 증가
②	법인세율 인상	국제 유가 하락
③	기준 금리 인하	노동 생산성 향상
④	기준 금리 인상	노동자 임금 상승
⑤	지급 준비율 인하	노동 인구 감소

평가원 응용

2 (가), (나)를 그림의 A~D 영역에 표시한 것으로 옳은 것은?

> **국민 경제의 균형 변동**

기상 이변으로 인해 갑국이 수입하는 원자재 가격이 상승하여 갑국의 물가 및 실질 GDP가 (가)점에서 E점으로 변화하였다. 갑국 정부에서는 이러한 실질 GDP의 변화가 바람직하지 않다고 판단하여 원래의 실질 GDP 수준을 달성하는 방향으로 재정 정책을 실시하였다. 그 결과 물가 및 실질 GDP는 E점에서 (나)점으로 이동하였다.

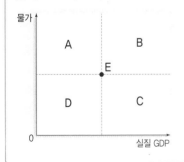

	(가)	(나)		(가)	(나)
①	A	B	②	B	D
③	C	A	④	C	B
⑤	D	C			

1등급 정복하기

3 ㉠에 들어갈 내용으로 가장 적절한 것은?

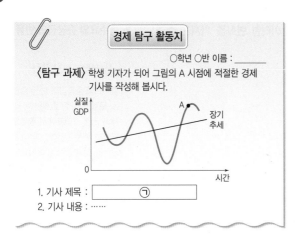

경제 탐구 활동지

○학년 ○반 이름 : _____

〈탐구 과제〉 학생 기자가 되어 그림의 A 시점에 적절한 경제 기사를 작성해 봅시다.

1. 기사 제목 : ㉠
2. 기사 내용 : ……

① 고용 시장 얼어붙어
② 적자 재정 지속해야
③ 소득세율 인상 필요성 커져
④ 기업 재고율 사상 최고 기록
⑤ 통화 당국, 금리 추가 인하 논의해야

4 (가)는 갑국의 경기 변동 상황을, (나)는 총수요와 총공급의 변동 방향을 나타낸 것이다. A, B 시기의 경기를 안정화시키기 위한 재정 정책의 방향을 (나)에서 고른 것은?

완자샘의 시험 꿀팁

각 경기 상황에 맞는 경제 안정화 정책을 찾는 문제가 자주 출제된다.

(가)

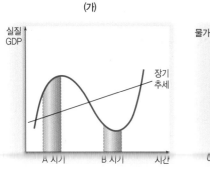

(나)

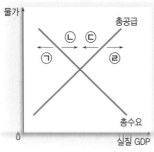

	A 시기	B 시기		A 시기	B 시기
①	㉠	㉡	②	㉠	㉢
③	㉡	㉣	④	㉢	㉡
⑤	㉣	㉠			

5 다음은 갑국의 경제 뉴스이다. 갑국 정부와 중앙은행이 정책을 결정하게 된 배경으로 가장 적절한 것은?

> 정부는 최근 경기 상황에 대한 대처 방안으로 재정 지출 확대를 위한 대규모 추가 경정 예산안을 확정하였다. 이러한 정부의 정책 방향에 맞추어 중앙은행에서는 기준 금리를 0.25%p 인하하기로 결정하였다.

① 수출 감소에 따른 경상 수지 악화
② 잦은 경기 부양책에 따른 국가 부채 증가
③ 물가 급등에 따른 가계의 실질 소득 감소
④ 정부 지출 증가에 따른 재정 불균형 심화
⑤ 소비와 투자 위축에 따른 경기 침체 가속화

경제 안정화 정책의 배경

| 한자 사전 |
• **추가 경정 예산**
예산 부족이나 특정 사유로 인해 이미 정한 예산에 변경을 가하여 이루어지는 예산

수능 응용

6 다음 자료의 카드 A에 들어갈 수 있는 옳은 내용을 〈보기〉에서 고른 것은?

경제 안정화 정책

경제 안정화 정책 카드 게임

• 게임 규칙: 두 장의 카드를 뒤집어 카드에 적힌 경제 안정화 정책이 실질 GDP를 동일한 방향으로 변동시키는 요인이면 뒤집은 두 장의 카드를 가져간다.
• 갑은 다음과 같이 카드를 뒤집어 게임 규칙에 따라 두 장을 가져갔다.

지급 준비율 인상

A

보기
ㄱ. 국공채 매각   ㄴ. 개별 소비세율 인하
ㄷ. 시중 은행에 대한 대출 규모 축소   ㄹ. 사회 간접 자본에 대한 투자 확대

① ㄱ, ㄴ   ② ㄱ, ㄷ   ③ ㄴ, ㄷ
④ ㄴ, ㄹ   ⑤ ㄷ, ㄹ

01 경제 성장과 한국 경제

1. 한국 경제의 변화와 성과

(1) **한국 경제의 변화**

1960년대	노동 집약적 경공업 발달, 수출 주도형 성장 추구
1970년대	(❶　　　　) 공업의 집중 육성, 경제적 불균형 발생
1980년대	기술 경쟁력 강화 노력, 삼저 호황에 힘입어 경제 발전
1990년대	첨단 산업 발달, 외환 위기 발생
2000년대	세계적 금융 위기 극복

(2) **한국 경제의 성과와 과제:** 고도의 경제 성장을 이루었지만, 그 과정에서 나타난 빈부 격차, 환경 오염, 경제의 대외 의존성 심화 등의 문제를 개선해야 함

2. 국민 경제의 순환과 국민 경제 활동의 측정

(1) **국민 경제의 순환:** 국민 경제의 주체들이 생산, 분배, 소비하는 경제 활동을 지속적으로 되풀이하면서 순환하는 과정

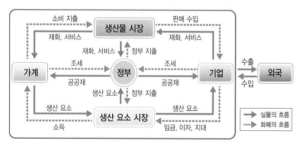

(2) **국내 총생산(GDP)**

의미	한 나라의 국경 안에서 일정 기간 새롭게 생산된 최종 생산물의 (❷　　　)의 합
한계	• 시장을 통하지 않은 거래는 계산에서 제외됨 • 삶의 질이나 국민의 복지 수준을 정확하게 측정하지 못함 • 재화와 서비스의 품질 변화를 정확하게 나타내지 못함 • 소득 분배 상황 및 불평등 정도를 파악하기 어려움

(3) **국민 소득 삼면 등가의 법칙:** 국민 소득은 생산, 분배, 지출 의 어느 측면에서 측정하더라도 그 크기가 동일함

생산 국민 소득	(❸　　　)	지출 국민 소득
국내 총생산(GDP) =	임금+지대+이자 +이윤 =	소비 지출 + 투자 지출 +정부 지출+순수출

3. 경제 성장

(1) **경제 성장과 경제 성장률**

경제 성장	경제 규모가 확대되어 한 나라의 생산 능력이 커지는 것 → (❹　　　)의 양적 증대
경제 성장률(%)	$\dfrac{\text{금년도 실질 GDP} - \text{전년도 실질 GDP}}{\text{전년도 실질 GDP}} \times 100$

(2) **경제 성장의 요인:** 생산 요소의 양적 증가 및 질적 향상, 기술의 진보, 기업가 정신의 발휘, 정부 정책의 뒷받침 등

02 실업과 인플레이션

1. 실업

(1) **실업**

의미	일할 능력과 일할 의사가 있음에도 일자리를 구하지 못한 상태
영향	• 개인적 차원: 소득 감소로 생계유지 곤란, 자아실현의 기회 박탈, 사회적 소속감 상실 등 • 사회적 차원: 인적 자원 낭비, 소득 분배 상황 악화, 정부의 재정 부담 증가 등

(2) **고용 지표 관련 인구 구성**

• 경제 활동 참가율(%) = (B/A)×100
• 실업률(%) = (D/B)×100
• 고용률(%) = (C/A)×100

(3) **발생 원인에 따른 실업의 유형과 대책**

구분	원인	대책
경기적 실업	경기 침체에 따른 고용 감소로 발생	경기 부양책 마련, 공공 지출 확대
구조적 실업	산업 구조의 변화와 기술 혁신으로 발생	직업 훈련, 기술 교육 확대
계절적 실업	계절 변화에 따라 고용 기회가 줄어들어 발생	농공 단지 조성
(❺　　　)	직업 탐색 과정에서 일시적으로 발생	고용 관련 정보 제공

2. 인플레이션

(1) **물가와 물가 지수**

물가	여러 상품의 개별 가격을 종합하여 평균한 것
물가 지수	기준 연도의 물가를 100으로 하고 비교 연도의 물가를 측정한 것

(2) 인플레이션

의미	물가가 지속적으로 상승하는 현상
영향	• 부와 소득의 의도하지 않은 재분배: 화폐 자산 소유자, 봉급 및 연금 생활자, 채권자는 불리해지고 (❻) 자산 소유자, 채무자는 상대적으로 유리해짐 • 국민 경제의 건전한 성장 저해: 저축 및 투자 위축, 단기 수익을 노리는 투기 성행 우려 • 경상 수지 악화: 외국 상품에 비해 자국 상품의 가격이 상대적으로 비싸져 수출은 감소하고, 수입이 증가함

(3) 인플레이션의 유형과 대책

구분	수요 견인 인플레이션	(❼) 인플레이션
원인	국민 경제 전체의 수요 증가	국민 경제 전체의 공급 감소
양상	경기 호황, 실질 GDP 증가	경기 침체, 실질 GDP 감소
대책	• 과소비 및 불필요한 투자 자제 • 긴축 정책(이자율 인상, 재정 지출 축소)을 통한 물가 안정	• 국민 경제 전체의 공급 증대 • 기술 개발 및 경영 혁신을 통한 생산비 절감

03 경기 변동과 경제 안정화 방안

1. 총수요와 총공급

(1) 총수요와 총공급

구분	총수요	총공급
의미	일정 기간 모든 경제 주체들이 구매하고자 하는 한 나라 안에서 생산된 재화와 서비스의 시장 가치를 모두 합한 것	한 나라 안에서 일정 기간 생산자들이 판매하고자 하는 재화와 서비스의 시장 가치를 모두 합한 것
구성	소비 지출 + (❽) + 정부 지출 + 순수출	국내 총생산(GDP)

(2) 국민 경제 균형의 변동

총수요	증가	• 원인: 소비 지출·투자 지출·정부 지출·순수출 증가 • 결과: 실질 GDP 증가, 물가 상승
	감소	• 원인: 소비 지출·투자 지출·정부 지출·순수출 감소 • 결과: 실질 GDP 감소, 물가 하락
총공급	증가	• 원인: 임금 하락, 생산성 향상, 원자재 가격 하락 • 결과: 실질 GDP 증가, 물가 하락
	감소	• 원인: 임금 상승, 원자재 가격 상승 • 결과: 실질 GDP 감소, 물가 상승

2. 경기 변동

(1) **경기 변동**: 경기가 일정한 주기를 가지며 확장 국면과 수축 국면을 반복하는 현상
(2) **경기 변동의 요인**: 총수요와 총공급의 변화
(3) **경기 변동 곡선**

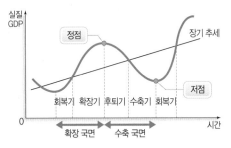

(4) **경기 변동 4국면의 일반적 특징**

국면	일반적 특징
확장기	소득·소비·생산·투자·고용 등이 가장 높은 수준
후퇴기	소득·소비·생산·투자 감소, 재고·실업 증가
수축기	소득·소비·생산·투자·고용 등이 가장 낮은 수준
회복기	소득·소비·생산·투자 증가, 재고·실업 감소

3. 경제 안정화 정책

(1) **경제 안정화 정책**: 물가 안정이나 고용 안정을 위해 정부와 중앙은행이 실시하는 정책
(2) **재정 정책**: 정부가 조세나 정부 지출의 변동을 통해 경기를 조절하는 정책

구분	(❾) 재정 정책	확대 재정 정책
국면	경기 과열 시	경기 침체 시
수단	세율 인상, 정부 지출 축소	세율 인하, 정부 지출 확대
예산 집행	흑자 재정(정부 지출 < 조세)	적자 재정(정부 지출 > 조세)
목표	경기 진정	경기 활성화

(3) **통화 정책**: 중앙은행이 통화량이나 이자율을 조정함으로써 경기를 조절하는 정책

구분	긴축 통화 정책	확대 통화 정책
국면	경기 과열 시	경기 침체 시
수단	국공채 매각, 대출 축소, 지급 준비율 인상 → 통화량 감소, 이자율 상승	국공채 (❿), 대출 확대, 지급 준비율 인하 → 통화량 증가, 이자율 하락
목표	경기 진정	경기 활성화

01 그림은 경제 주체 간 화폐의 흐름을 나타낸 것이다. 이에 대한 옳은 설명을 〈보기〉에서 고른 것은?

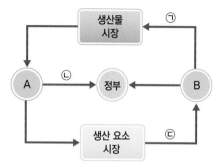

┌─ 보기 ┐
ㄱ. 생산 요소 시장에서 A는 공급자, B는 수요자이다.
ㄴ. ㉠은 분배 국민 소득을 측정할 때 포함된다.
ㄷ. ㉡의 사례에는 법인세 납부가 포함된다.
ㄹ. 임금, 지대, 이자는 ㉢에 포함된다.
└─────────────────────────────────┘

① ㄱ, ㄴ   ② ㄱ, ㄷ   ③ ㄴ, ㄷ
④ ㄴ, ㄹ   ⑤ ㄷ, ㄹ

02 다음은 2017년 갑국의 모든 경제 활동을 정리한 것이다. 2017년 갑국의 국내 총생산(GDP)으로 옳은 것은?

- 갑국의 구두 회사는 을국에 공장을 세워 5,000만 원어치의 구두를 생산한 후 갑국에서 모두 판매하였다.
- 갑국의 의류 회사는 작년에 생산된 의류 1,000만 원어치를 70% 할인된 가격으로 판매하여 300만 원어치의 수익을 올렸다.
- 갑국의 컴퓨터 회사는 갑국에 공장을 세워 2,000만 원어치의 컴퓨터를 생산한 후, 갑국에서는 1,500만 원어치를 팔고 병국에 500만 원어치를 수출하였다.

① 1,300만 원   ② 2,000만 원   ③ 3,500만 원
④ 5,000만 원   ⑤ 6,500만 원

03 (가), (나)는 갑국의 GDP를 서로 다른 측면에서 나타낸 것이다. 이에 대한 설명으로 옳지 <u>않은</u> 것은?

(가)	
구분	GDP 대비 비중(%)
소비 지출	40
㉠	30
정부 지출	20
순수출	10

(나)	
구분	금액(억 달러)
㉡	70
이자	40
지대	60
이윤	30

① 소비 지출액은 40억 달러이다.
② 정부 지출액과 이자액의 크기는 같다.
③ ㉠에는 기업의 연구 개발비가 포함된다.
④ ㉡에는 회사원이 받는 월급이 포함된다.
⑤ (가)는 지출 측면, (나)는 분배 측면에서 측정한 국민 소득이다.

04 다음 사례를 통해 추론할 수 있는 국내 총생산(GDP)의 한계로 가장 적절한 것은?

교통 인프라 관리가 제대로 이루어지지 않아 사고가 증가하고, 이로 인해 복구 및 의료 비용이 발생한다면 국내 총생산(GDP)은 증가한다. 현재의 경제 측정 방식은 직장과 집 사이의 거리가 멀어 교통비가 증가하고 사회적 권리나 기회 등의 불평등을 해소하기 위한 비용이 증가해도 성장에 기여했다고 평가한다. 긴장, 초조, 스트레스가 점점 증가하여 사회 활동이 힘들어지고 그 때문에 엄청난 비용이 발생하여도 국내 총생산은 증가한다.

① 지하 경제의 규모를 파악하기 어렵다.
② 삶의 질이나 복지 수준을 파악하기 어렵다.
③ 한 국가의 국제 거래 규모를 파악하기 어렵다.
④ 재화가 아닌 서비스의 가치를 반영하지 못한다.
⑤ 국민들 간 생활 수준의 차이를 파악하기 어렵다.

05 그림은 A~C국의 경제 성장률 변화를 나타낸 것이다. 이에 대한 옳은 분석을 〈보기〉에서 고른 것은?

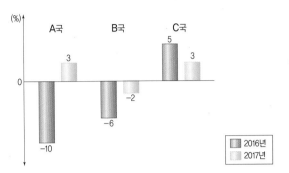

┌─ 보기 ┐
ㄱ. 2017년 A국의 실질 GDP는 전년 대비 증가하였다.
ㄴ. B국의 경제 규모는 지속적으로 작아지고 있다.
ㄷ. 2017년 A국과 C국의 경제 규모는 같다.
ㄹ. 2017년 C국의 실질 GDP 증가액은 2016년보다 많다.
└─────────────────────────┘

① ㄱ, ㄴ   ② ㄱ, ㄷ   ③ ㄴ, ㄷ
④ ㄴ, ㄹ   ⑤ ㄷ, ㄹ

06 그림은 고용 지표를 작성하기 위해 15세 이상 인구를 A~C로 분류한 것이다. 이에 대한 설명으로 옳은 것은? (단, 무급 가족 종사자와 휴직자는 없다.)

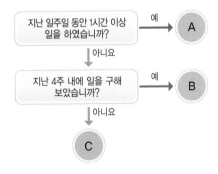

① 경제 활동 인구가 일정할 때 A가 증가하면 실업률은 상승한다.
② 15세 이상 인구가 일정할 때 C가 감소하면 경제 활동 참가율은 상승한다.
③ A에 속하는 사람이 B에 속하는 사람보다 4배 많을 경우 실업률은 10%이다.
④ 회사에서 해고된 시우가 구직 활동을 하는 경우 B에서 C로 바뀐다.
⑤ 전업주부가 무료 자원 봉사 활동에 참여할 경우 C에서 B로 바뀐다.

07 그림은 갑국의 경제 활동 참가율과 고용률 변화를 나타낸 것이다. 이에 대한 분석으로 옳은 것은? (단, 15세 이상 인구는 일정하다.)

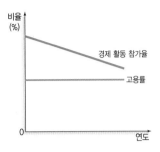

① 실업률은 상승하였다.
② 취업자 수는 증가하였다.
③ 비경제 활동 인구는 감소하였다.
④ 취업자 수 대비 실업자 수는 증가하였다.
⑤ 경제 활동 인구와 실업자 수는 같은 크기로 감소하였다.

08 (가)~(다)에 나타난 실업의 유형에 대한 옳은 설명을 〈보기〉에서 고른 것은?

┌───────────────────────────┐
(가) 갑은 최근 경기 침체로 회사 경영이 악화되어 일자리를 잃게 되었다.
(나) 을은 다니던 회사의 급여와 복지 수준이 마음에 들지 않아 그만두고 새로운 일자리를 찾고 있다.
(다) 사진사인 병은 최근 디지털 카메라와 스마트폰 사용이 늘면서 사진사에 대한 수요가 줄어들어 일자리를 잃게 되었다.
└───────────────────────────┘

┌─ 보기 ┐
ㄱ. (가)는 확대 재정 정책을 통해 줄일 수 있다.
ㄴ. (나)는 계절 변화에 따라 일시적으로 나타난다.
ㄷ. (다)의 대책으로 인력 개발과 기술 교육을 들 수 있다.
ㄹ. (나), (다) 모두 비자발적 실업에 해당한다.
└─────────────────────────┘

① ㄱ, ㄴ   ② ㄱ, ㄷ   ③ ㄴ, ㄷ
④ ㄴ, ㄹ   ⑤ ㄷ, ㄹ

09 표는 갑국의 연도별 명목 GDP와 실질 GDP를 나타낸 것이다. 이에 대한 분석으로 옳은 것은? (단, 물가 지수는 GDP 디플레이터로 측정한다.)

(단위: 억 달러)

구분	2015년	2016년	2017년
명목 GDP	100	120	140
실질 GDP	110	120	130

① 2015년 이후 갑국의 화폐 가치는 높아지고 있다.
② 2017년의 실질 GDP 증가율은 명목 GDP 증가율보다 높다.
③ 2016년의 물가 수준은 2015년보다 낮다.
④ 2017년의 경제 성장률은 2016년보다 높다.
⑤ 2017년의 GDP 디플레이터는 2016년보다 높다.

10 다음 A국의 경제 상황에 대해 옳게 이해하고 있는 사람을 〈보기〉에서 고른 것은?

○○ 신문

A국, 화폐 가치 폭락!

A국에서는 최근 1년 사이에 커피 한 잔 가격이 몇백 배로 오르는 등 경제적 혼란이 나타나고 있다. 심지어 상인들이 물건을 거래할 때에는 지폐를 세는 대신 아예 무게로 재서 거래한다.

보기

갑: 가계의 실질 소득이 증가하겠군.
을: 현금 수익을 목적으로 한 투기가 늘어나겠어.
병: 은행에 예금하기보다 실물 자산을 늘리는 게 낫겠어.
정: 채권자가 채무자보다 유리해지는 상황이 전개되고 있어.

① 갑, 을   ② 갑, 병   ③ 을, 병
④ 을, 정   ⑤ 병, 정

11 표는 인플레이션의 유형 (가), (나)를 정리한 것이다. 이에 대한 설명으로 옳지 않은 것은?

구분	(가)	(나)
원인	(㉠)에 따른 국민 경제 전체의 수요 변동	(㉡)에 따른 국민 경제 전체의 공급 변동
대책	㉢	㉣

① (가)는 실질 GDP 증가를 수반한다.
② (나)는 경기 침체와 물가 상승이 동시에 나타난다.
③ ㉠에 '소득세율 인하'가 들어갈 수 있다.
④ ㉡에 '원자재 가격 상승'이 들어갈 수 있다.
⑤ '정부 지출 축소'는 ㉢보다 ㉣에 더 적절하다.

12 다음 자료에 대한 옳은 분석 및 추론을 〈보기〉에서 고른 것은?

2018년 갑국의 경제 전망 보고서

• 국내 여건: 대외 불확실성 증대에 따른 ㉠ 제조업 전반의 설비 투자 감소
• 국외 여건: 원유 수급 여건의 악화로 주요 수입 품목인 ㉡ 원유 가격의 급등

보기

ㄱ. ㉠은 갑국의 총수요 증가 요인이다.
ㄴ. ㉡은 갑국의 총공급 감소 요인이다.
ㄷ. 갑국 내에서 법인세율 인상의 필요성이 제기될 것이다.
ㄹ. 보고서의 전망이 모두 현실화되면 갑국의 실질 GDP는 감소할 것이다.

① ㄱ, ㄴ   ② ㄱ, ㄹ   ③ ㄴ, ㄷ
④ ㄴ, ㄹ   ⑤ ㄷ, ㄹ

13 그림은 갑국 국민 경제 균형점의 변화(E → E')를 나타낸 것이다. 이러한 변화를 가져올 수 있는 요인으로 옳은 것은?

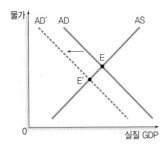

① 순수출이 증가하였다.
② 기업의 생산성이 향상되었다.
③ 정부가 개별 소비세율을 인상하였다.
④ 중앙은행이 기준 금리를 인하하였다.
⑤ 외국인 노동자의 유입으로 노동 인구가 급격하게 증가하였다.

14 그림에 나타난 국민 경제의 균형점 이동에 대한 설명으로 옳지 <u>않은</u> 것은? (단, 현재의 균형점은 E이다.)

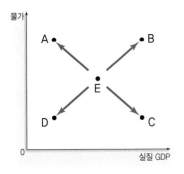

① 원자재 가격의 상승은 A로의 이동 요인이다.
② B로의 이동은 주로 경기가 확장 국면에 있을 때 나타난다.
③ C로 이동할 때 일반적으로 고용 수준이 향상된다.
④ 기업 투자의 감소는 D로의 이동 요인이다.
⑤ 정부가 재정 정책을 실시하면 A 또는 C로 이동한다.

15 그림은 갑국의 경기 변동 상황을 나타낸 것이다. A, B 시기에 경기를 안정화시킬 수 있는 정책으로 옳은 것은?

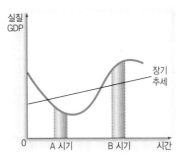

	A 시기	B 시기
①	세율 인상	국공채 매각
②	국공채 매입	세율 인하
③	기준 금리 인상	국공채 매입
④	정부 지출 확대	지급 준비율 인상
⑤	지급 준비율 인상	정부 지출 축소

16 다음 대화에 대한 옳은 분석 및 추론을 〈보기〉에서 고른 것은?

> • 사회자: 현재의 경제 상황을 해결하기 위한 대책을 말씀해 주십시오.
> • 갑: 정부는 지출을 확대하여 생산과 고용 증진에 최선을 다해야 합니다.
> • 을: 시중의 통화량 증가 때문에 물가 안정 목표치 달성이 어렵습니다. 따라서 중앙은행에서는 통화량을 줄이는 정책을 실시해야 합니다.

〈보기〉
ㄱ. 갑의 대책은 물가 상승의 요인이 될 수 있다.
ㄴ. 갑은 정부의 균형 재정 필요성을 강조하고 있다.
ㄷ. 국공채 매각은 을이 제안할 수 있는 방안이다.
ㄹ. 갑과 을 모두 현재 경기가 침체되어 있다고 보고 있다.

① ㄱ, ㄴ   ② ㄱ, ㄷ   ③ ㄴ, ㄷ
④ ㄴ, ㄹ   ⑤ ㄷ, ㄹ

세계 시장과 교역

❶ 무역 원리와 무역 정책 ············ 138

❷ 환율 ············ 150

❸ 국제 수지 ············ 162

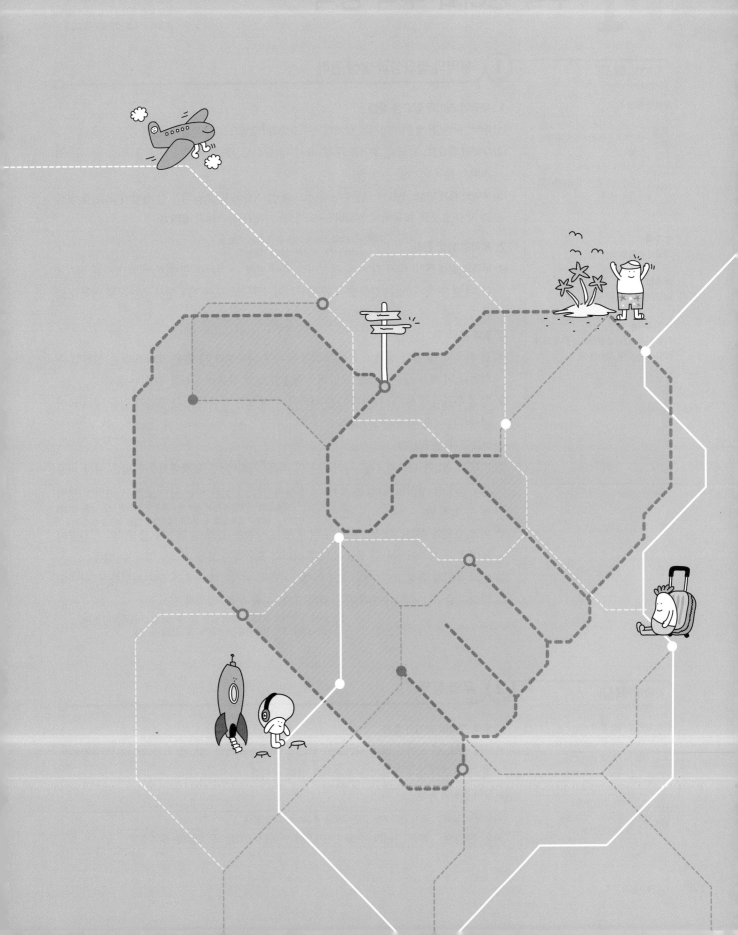

01 무역 원리와 무역 정책

학습목표
• 무역의 필요성을 이해하고, 무역이 발생하는 원리를 설명할 수 있다.
• 자유 무역 정책과 보호 무역 정책의 효과와 한계를 설명할 수 있다.

이것이 핵심!

무역의 발생 원리

절대 우위	한 나라가 다른 나라보다 낮은 생산비로 상품을 생산할 수 있는 능력
비교 우위	한 나라가 다른 나라보다 더 적은 기회비용으로 상품을 생산할 수 있는 능력

＊수출
외국에 상품을 파는 것

＊수입
외국으로부터 상품을 사는 것

＊기회비용
특정 재화 1단위를 생산하기 위해 포기해야 하는 다른 재화의 양

1 무역의 필요성과 발생 원리

1. 무역의 의미와 필요성 자료①

(1) **무역**: 국가 간에 이루어지는 상거래 → ＊수출과 ＊수입으로 구분할 수 있음

(2) **무역의 필요성**: 각국은 무역을 통해 자국 내에서 생산되지 않거나 부족한 자원 및 재화와 서비스 등을 거래할 수 있음

(3) **무역의 증가 양상**: 오늘날 교통수단과 정보 통신 기술의 발달로 국가 간 사람의 교류 및 상품과 생산 요소의 이동이 수월해짐 → 국가 간 거래가 활발해짐 자료②

2. 무역의 발생 원리

<small>왜? 국가마다 지리적 여건, 인구, 자본, 기술 등 상품의 생산 조건이 다르기 때문이야.</small>

(1) **무역의 발생 원인**: 국가 간 상품 생산비의 차이 발생 → 무역을 통해 한 국가가 다른 국가보다 더 잘 만들 수 있는 상품을 특화 생산하여 교환함으로써 거래 당사국은 모두 이익을 얻을 수 있음

(2) **절대 우위**

① 절대 우위: 동일한 생산 요소를 투입해서 다른 나라보다 더 많은 양의 상품을 생산할 수 있거나 더 적은 생산 요소를 투입해서 동일한 양의 상품을 생산할 수 있는 능력

② 절대 우위의 한계: 한 나라가 다른 나라에 비해 모든 상품에 절대 우위가 있을 때 무역이 발생하는 것을 설명하기 어려움

(3) **비교 우위** 교과서 자료

① 비교 우위: 한 나라가 다른 나라보다 더 적은 ＊기회비용, 즉 상대적으로 낮은 생산 비용으로 상품을 생산할 수 있는 능력 → 경제적 여건이 서로 다른 나라 간에 무역이 이루어질 수 있게 함

<small>VS 절대 우위론과 달리 비교 우위론은 한 나라가 모든 상품 생산에 절대 우위가 있을 때 무역이 발생하는 것을 설명할 수 있어.</small>

② 비교 우위와 특화: 각국이 비교 우위가 있는 상품을 특화·분업하여 생산하면 생산량이 늘어남 → 자국이 생산한 상품을 다른 나라와 교환하면 모두 이익을 얻을 수 있음

③ 비교 우위의 결정 요인: 생산 요소의 양, 지리적 여건이나 기후와 같은 자연환경, 국민의 의식 수준이나 문화 수준과 같은 질적 요소, 기술 수준, 창의적 지식 등

<small>꼭! 풍부한 노동력을 보유한 나라는 노동 집약적 상품을, 자본을 많이 보유한 나라는 자본 집약적 상품을 더 효율적으로 생산할 수 있어.</small>

이것이 핵심!

무역 정책에 따른 효과

자유 무역 정책	• 다양한 상품 소비 가능 • 기업의 생산성 향상 • 규모의 경제 실현 • 기술 이전 효과
보호 무역 정책	• 유치산업 보호 • 자국민의 실업 방지 • 국가 안전 보장

2 무역 정책

1. 무역 정책의 의미와 종류

(1) **무역 정책**: 한 국가가 다른 국가와의 무역에 대하여 어떠한 태도를 취할 것인지를 규정하는 것 → 자국의 경제적 목적을 추구하기 위해 실시함

(2) **무역 정책의 종류**

자유 무역 정책	국가 간의 자유로운 무역을 추구하는 무역 정책
보호 무역 정책	정부가 자국의 이익을 지키기 위해 무역에 직간접적으로 개입하는 무역 정책

완자 자료 탐구

내 옆의 선생님

자료 1 **우리나라의 무역 규모와 무역 의존도 변화**

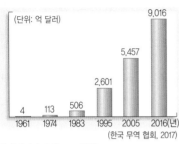

⬆ 우리나라의 무역 규모 변화

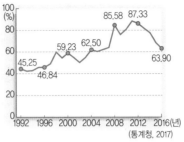

⬆ 우리나라의 무역 의존도 추이

우리나라는 1960년대 이후 산업화가 추진되면서 수출 주도형 무역을 통해 경제 성장을 이루었다. 이에 우리나라의 무역 규모는 급격히 증가하여 1961년 4억 달러에 불과하던 무역액이 2016년에는 9,016억 달러를 넘어섰다. 한편, 우리나라는 국내 시장의 규모가 작고 자원이 부족하기 때문에 다른 나라에 비해 <u>무역 의존도</u>가 높게 나타나는 편이다.

└ 국내 총생산(GDP)에서 수출액과 수입액의 합이 차지하는 비율로 계산해.

자료 2 **무역의 증가**

⬆ 전 세계 무역 규모 추이

전 세계 무역 규모는 매우 빠른 속도로 증가하여 1960년 2,200억 달러에서 2015년에는 33조 2,730억 달러로, 약 151배 증가하였다. 이는 오늘날 세계화 및 개방화 추세로 세계 여러 나라의 경제·정치·문화적 상호 관련성이 높아지고, 전 세계 사람들이 언제 어디서나 교류를 할 수 있게 됨으로써 국가 간 재화와 서비스의 교역이 크게 증가하였기 때문이다.

자료 하나 더 알고 가자!

생산 가능 곡선

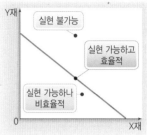

⬆ X재, Y재 두 재화만을 생산하는 국가의 생산 가능 곡선

생산 가능 곡선은 어느 국가가 보유한 생산 자원과 생산 기술을 사용해 최대로 생산 가능한 상품의 조합을 나타낸 것이다. 생산 가능 곡선 위의 점들은 생산이 효율적으로 이루어지는 상태를 의미한다.

정리 비법을 알려줄게!

무역의 발생

┌──────────────────────────┐
│ 국가마다 상품의 생산 조건이 다름 │
└──────────────────────────┘
            ↓
┌──────────────────────────┐
│ 국가 간 상품 생산비의 차이가 발생함 │
└──────────────────────────┘
            ↓
┌──────────────────────────┐
│ 각국이 생산에 유리한 상품을   │
│ 특화 생산하여 교환함   │
└──────────────────────────┘
            ↓
┌──────────────────────────┐
│ 무역의 이익이 발생함   │
└──────────────────────────┘

수능이 보이는 교과서 자료 **비교 우위의 결정**

구분	갑국	을국
휴대 전화	10달러	20달러
옷	12달러	15달러

⬆ 1단위당 생산 비용

구분	갑국	을국
휴대 전화	옷 5/6벌	옷 4/3벌
옷	휴대 전화 6/5대	휴대 전화 3/4대

⬆ 1단위 생산의 기회 비용

제시된 자료에 따르면 휴대 전화 1단위 생산에 따른 기회비용은 갑국이 을국보다 적고, 옷 1단위 생산에 따른 기회비용은 을국이 갑국보다 적다. 따라서 갑국은 휴대 전화 생산에, 을국은 옷 생산에 비교 우위를 갖는다. 두 나라가 각자 비교 우위가 있는 상품을 특화하여 1:1로 교환할 경우 갑국은 20달러, 을국은 30달러로 각각 휴대 전화 1대와 옷 1벌을 얻을 수 있으므로 갑국은 2달러, 을국은 5달러의 무역의 이익을 얻을 수 있다. 이처럼 각국이 비교 우위에 있는 상품을 특화하여 교환하면 거래 당사국은 모두 무역의 이익을 얻을 수 있다.

└ 특화된 상품의 교역이 이루어지기 위해서는 두 상품의 교환 비율이 무역 전 두 상품의 기회비용 범위 내에서 결정되어야 해.

완자쌤의 **탐구 강의**

• 갑국과 을국은 어떤 상품에 절대 우위를 가지는지 써 보자.

갑국이 휴대 전화와 옷 생산 모두에 절대 우위를 갖는다.

• 갑국과 을국 간에 무역이 발생할 경우 각각 어떤 상품을 수출하는지 쓰고, 그 이유를 서술해 보자.

갑국은 휴대 전화, 을국은 옷을 각각 수출한다. 각국이 비교 우위를 갖는 상품을 생산하여 교환하면 두 나라 모두에 이익이 되기 때문이다.

함께 보기 148쪽, 1등급 정복하기 3

무역 원리와 무역 정책

2. 자유 무역 정책

(1) 자유 무역 정책의 경제적 효과

Q.? 자국에서 생산되지 않는 상품 또는 자국에서 생산하는 것보다 더 낮은 가격으로 생산되는 외국의 상품을 쉽게 접할 수 있기 때문이야.

다양한 상품 소비 가능	다양한 상품을 낮은 가격에 소비할 기회가 확대됨 → 소비 생활의 만족감 확대
기업의 생산성 향상	국내 기업은 외국 기업과 경쟁하는 과정에서 경쟁력을 높이기 위해 새로운 기술을 개발하거나 품질 관리에 힘쓰게 됨 → 국내 기업의 효율성과 생산성 향상
★규모의 경제 실현	상품을 판매하는 시장이 전 세계로 확대되므로 대량 생산에 따른 규모의 경제를 실현할 수 있음 → 생산비 절감
기술 이전 효과	재화나 서비스가 들어올 때 새로운 기술이 함께 들어오는 기술 이전의 효과가 나타나기도 함

(2) 자유 무역 정책의 한계

① 경쟁력이 낮은 개인, 기업, 산업, 국가에 불이익을 초래할 수 있음

② 선진국과 개발 도상국 간, 공업국과 농업국 간에 무역의 이익이 불균등하게 배분될 수 있음 ┌ 자유 무역을 통해 무역 당사국들의 이익이 늘어나더라도 이익이 무역 당사국 모두에게 골고루 돌아가는 것은 아니야.

③ 수출과 수입의 증가로 국내 시장의 해외 의존도를 높임 → 국내 경제가 해외 원자재 가격 변화와 같은 국제 경제의 상황 변화에 영향을 많이 받음

(3) 자유 무역을 촉진하기 위한 노력

① *세계 무역 기구(WTO)의 출범: 공산품 관세 인하, 농산물 시장 개방 확대, 금융 산업 개방, 지식 재산권 정비 등 무역에 관한 규제를 완화하고 자유 무역을 활성화함

② *자유 무역 협정(FTA) 체결의 확대: 국가 간 상품의 자유로운 이동을 위해 *무역 장벽을 완화하거나 제거함으로써 무역 자유화를 지향함 **자료 3**

3. 보호 무역 정책

(1) 보호 무역 정책의 실시 근거 **자료 4**

★유치산업 보호	외국 기업에 비해 생산 비용과 기술적인 면에서 경쟁력이 부족한 자국의 유치산업을 어느 정도 경쟁력을 갖출 때까지 보호하기 위함
자국민의 실업 방지	외국에서 상품을 수입하면 국내 상품의 생산이 감소함 → 국내 시장이 위축되어 발생할 수 있는 실업 문제에 대처하고자 함
외국의 불공정 거래 행위에 대한 대응	다른 나라가 특정 상품의 가격을 매우 낮추어 수출하는 등 불공정 거래 행위를 할 때 이를 생산하는 자국 생산자에게 큰 피해가 발생하는 것을 막기 위함
국가 안전 보장	국가 안전 보장을 위해 필요한 산업을 정책적으로 보호하고 육성하기 위함

┌ 꼭! 농산물이나 국방에 필요한 무기 등을 외국의 수입에만 의존하게 되면 국가 안전 보장에 위협을 받을 수 있어.

(2) 보호 무역 정책의 수단

① 관세: 수입하는 상품에 부과하는 세금 → 수입품에 관세 부과 시 수입품의 국내 가격이 상승하여 수입이 감소하며 관련 국내 기업 상품의 가격 경쟁력은 높아짐 **자료 5**

② 비관세 장벽 ┌ 관세 이외의 수단으로 무역을 제한하는 장치를 말해.

수입 할당제	수입하는 상품의 수량을 제한하여 해당 상품의 수입을 억제하는 것
수출 지원 금융	자국의 수출 산업을 키우기 위해 수출 기업에 필요한 자금을 지급하는 것
기타	수입품에 대한 기술 규제, 안전 규제, 위생 규제, 원산지 표시 규제 및 통관 기준의 강화 등

(3) 보호 무역 정책의 한계

① 모든 국가가 자국 산업을 보호한다는 명분으로 무역 장벽을 사용하면 국가 간 무역 마찰을 초래할 수 있음 → 국가 간의 심각한 분쟁으로 이어질 수 있음

② 소비자는 자유 무역을 할 때보다 다양한 상품을 싸게 구매할 수 있는 기회를 제한받기도 함

완자 자료 탐구 내 옆의 선생님

자료 3 자유 무역 협정(FTA)

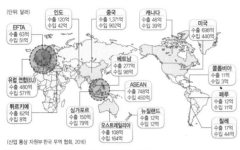

(단위: 달러)

인도
수출 120억
수입 42억

EFTA
수출 63억
수입 51억

중국
수출 1,371억
수입 902억

캐나다
수출 46억
수입 39억

미국
수출 698억
수입 440억

유럽 연합(EU)
수출 480억
수입 571억

베트남
수출 277억
수입 98억

콜롬비아
수출 11억
수입 3억

튀르키예
수출 62억
수입 8억

ASEAN
수출 748억
수입 450억

페루
수출 12억
수입 11억

싱가포르
수출 150억
수입 79억

뉴질랜드
수출 12억
수입 12억

오스트레일리아
수출 108억
수입 164억

칠레
수출 17억
수입 44억

(산업 통상 자원부·한국 무역 협회, 2016)

⬆ 우리나라의 자유 무역 협정 발효 현황

─ 정부가 경제 정책을 자율적으로 운영하는
데 제약이 될 수 있어.

자유 무역 협정(FTA)은 회원국 간 무역 장벽을 완화함으로써 상호 간 교역 증진을 도모하는 특혜 무역 협정으로, 관세를 철폐하는 데 초점이 맞춰져 있다. 우리나라는 2004년 칠레와 처음으로 자유 무역 협정을 발효한 이후에 미국, 중국 등 많은 국가와 자유 무역 협정을 맺고 있다.

자료 4 보호 무역 정책의 필요성

자유 무역을 통해 얻을 수 있는 이득이 크다면 왜 선진국에서조차 보호 무역을 시행할까? 자유 무역 협정은 경쟁력이 떨어지는 자국의 산업을 위태롭게 한다. 경쟁력 있는 외국 기업이나 산업에 자국 기업이나 산업이 종속될 수 있기 때문이다. 또한 수입이 증가하여 국내 생산이 감소함으로써 나타나는 실업 문제를 해결하기 위해 보호 무역이 필요하다. – 한국은행

제시된 글은 자유 무역으로 나타나는 피해를 근거로 들어 보호 무역 정책의 필요성을 강조하고 있다. 보호 무역을 실시하면 성장의 기회가 주어져야 하는 자국의 유치산업을 어느 정도 경쟁력을 갖출 때까지 보호할 수 있다. 또한 외국 상품의 수입으로 인해 국내 상품에 대한 수요가 감소하고 자국의 산업이 위축되는 것을 방지하여 실업이 발생하는 것을 막을 수 있다.

자료 5 관세 부과의 경제적 효과

그림은 갑국의 X재 시장 상황을 나타낸다. 갑국은 X재에 대해 자유 무역을 하고 있었다. 그러나 최근 갑국 정부는 자국의 X재 산업을 보호하기 위해 수입하는 X재에 관세를 부과하기로 하였다. 단, X재의 국제 가격은 P_1으로 일정하며, 갑국은 이 가격에서 X재를 무제한 수입할 수 있다.

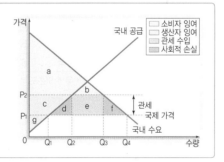

제시된 자료에 따르면 갑국에서 X재에 관세를 부과하자, X재의 가격이 P_1에서 P_2로 높아졌다. 이에 X재에 대한 국내 소비량은 Q_3Q_4만큼 감소하며, 국내 기업의 생산량은 Q_1Q_2만큼 증가한다. 즉, 관세 부과로 국내 생산량은 증가하지만 전체적으로 가격이 상승하기 때문에 총 소비량은 감소하며, 정부는 'e'만큼의 관세 수입을 얻게 된다. 결과적으로 소비자 잉여의 감소분(c+d+e+f)이 생산자 잉여의 증가분(c)과 관세 수입의 증가분(e)의 합보다 크므로, 국가 전체적으로는 'd+f'만큼의 손실이 발생한다.
왜? 갑국 내 X재 생산 기업의 가격 경쟁력이 높아지기 때문이야.

자료 하나 더 알고 가자!

자유 무역 확대에 따른 피해

자유 무역 협정의 체결로 값싼 수입 농산물이 들어오면서 농민들의 걱정이 커지고 있다. 국내 포도의 54%를 생산하는 경상북도에서는 값싼 수입 포도와의 경쟁에서 밀려 폐업한 포도 농가의 경작지가 전체 포도 경작지의 10%에 이른다. – KBS 뉴스, 2016. 3. 11.

제시된 신문 기사는 외국의 값싼 농산물의 수입으로 우리나라의 농업 기반이 흔들리고 있음을 보여 준다. 이처럼 경쟁력이 낮은 산업의 경우 자유 무역이 시행될 때 경쟁에서 불리할 수 있으므로, 각국은 자국의 경쟁력이 약한 개인, 기업, 산업 등을 보호하기 위한 여러 가지 장치를 마련해야 한다.

문제 로 확인할까?

보호 무역 정책의 실시 근거로 적절하지 않은 것은?
① 유치산업 보호
② 국가 안전 보장
③ 기업 간 경쟁 촉진
④ 자국민의 실업 방지
⑤ 외국의 불공정 거래 행위에 대응

③ 📖

정리 비법을 알려줄게!

관세와 비관세 장벽

관세	수입하는 상품에 부과하는 세금 → 보호 무역 정책의 대표적인 수단
비관세 장벽	관세 이외의 수단으로 무역을 제한하는 장치 예 수입 할당제, 수출 지원 금융 등

STEP 1 핵심 개념 확인하기

정답친해 42쪽

1 다음 설명이 맞으면 ○표, 틀리면 ✕표를 하시오.

(1) 무역은 국가 간에 이루어지는 상거래로, 수출과 수입으로 구분할 수 있다. ( )

(2) 무역을 통해 자국 내에서 생산되지 않는 상품을 외국으로 부터 얻을 수 있다. ( )

(3) 오늘날 국제적인 분업이 증가하면서 국가 간 상품의 이동이 줄어들고 있다. ( )

2 무역의 발생 원리와 그 의미를 옳게 연결하시오.

(1) 절대 우위 •

(2) 비교 우위 •

• ㉠ 한 나라가 다른 나라보다 더 적은 기회비용으로 상품을 생산할 수 있는 능력

• ㉡ 한 나라가 다른 나라보다 더 적은 생산 요소를 투입해서 동일한 양의 상품을 생산할 수 있는 능력

3 ㉠, ㉡에 들어갈 내용을 각각 쓰시오.

무역 정책은 한 국가가 다른 국가와의 무역에 대하여 어떠한 태도를 취할 것인지를 규정하는 것으로, 국가 간의 자유로운 무역을 추구하는 (㉠)과 정부가 무역에 직간접적으로 개입하는 (㉡)이 있다.

4 다음 괄호 안의 내용 중 알맞은 말에 ○표를 하시오.

(1) 자유 무역이 활발해지면 소비자들이 상품을 (낮은, 높은) 가격에 구매할 수 있는 기회가 확대된다.

(2) 자유 무역이 확대되면 생산 규모가 커지면서 평균 생산 비용이 (감소, 증가)하는 규모의 경제를 실현할 수 있다.

5 다음 빈칸에 들어갈 내용을 쓰시오.

(1) ( )는 외국에서 수입하는 상품에 부과하는 세금으로, 대표적인 보호 무역 정책의 수단이다.

(2) ( )는 수입하는 상품의 수량을 제한하여 해당 상품의 국내 유입을 억제하는 것을 말한다.

STEP 2 내신 만점 공략하기

01 ㉠에 들어갈 경제학적 개념에 대한 설명으로 옳지 않은 것은?

식료품, 전자 제품, 의류 등 우리가 일상생활에서 자주 사용하는 제품 중에는 다른 나라에서 생산한 것 또는 다른 나라에서 원재료를 들여와 가공한 것이 많다. 우리나라뿐만 아니라 세계 많은 나라는 (㉠)을/를 통해 각국에 필요한 재화와 서비스, 자본 등을 주고받는데, 이처럼 나라와 나라 간에 이루어지는 모든 상거래를 (㉠)(이)라고 한다.

① 수입과 수출로 구분할 수 있다.

② 국가마다 상품의 생산 조건이 다르기 때문에 발생한다.

③ 정보 통신 기술의 발달로 거래되는 품목이 점차 다양해지고 있다.

④ 자국에서 생산 가능한 상품도 더 저렴한 가격에 선택할 수 있는 기회를 준다.

⑤ 모든 국가에서 같은 종류의 상품을 동일한 생산 비용으로 생산할 수 있게 해 준다.

02 표는 갑국과 을국의 무역 의존도를 나타낸 것이다. 이에 대한 옳은 분석 및 추론을 〈보기〉에서 고른 것은? (단, 갑국과 을국의 국내 총생산은 매년 증가하였다.)

(단위: %)

구분	2011년	2012년	2013년	2014년	2015년
갑국	82.0	89.8	85.4	77.8	69.7
을국	63.7	57.6	52.0	52.0	49.7

* 무역 의존도 = (무역액/국내 총생산)×100

보기

ㄱ. 2012년 이후 갑국의 무역 의존도는 지속적으로 감소하고 있다.

ㄴ. 2013년과 2014년에 을국의 무역액은 같다.

ㄷ. 2015년 무역액은 갑국이 을국보다 많다.

ㄹ. 갑국은 을국에 비해 국외의 경제 상황에 영향을 많이 받을 것이다.

① ㄱ, ㄴ ② ㄱ, ㄹ ③ ㄴ, ㄷ

④ ㄴ, ㄹ ⑤ ㄷ, ㄹ

03 표는 우리나라의 주요 수출 품목 변화를 나타낸 것이다. 이에 대한 분석 및 추론으로 옳은 것은?

1961년	철광석, 무연탄, 오징어 등
1970년	섬유류, 합판, 가발 등
1980년	의류, 철강판, 신발 등
1990년	의류, 반도체, 영상 기기 등
2016년	반도체, 자동차, 무선 통신 기기 등

(한국 무역 협회, 2017)

① 우리나라의 무역 의존도가 낮아졌을 것이다.
② 우리나라의 수출 규모가 점차 축소되고 있다.
③ 우리나라가 보유한 생산 여건은 변함없을 것이다.
④ 시대에 따라 우리나라가 비교 우위를 가지는 품목이 달라졌을 것이다.
⑤ 우리나라의 주요 수출 품목이 기술 집약적 상품에서 노동 집약적 상품으로 변화했을 것이다.

04 갑, 을의 입장에 대한 분석으로 옳은 것은?

- 갑: A국은 B국보다 모든 상품의 생산성이 높으니까 굳이 무역할 필요가 없어. A국이 모든 상품을 생산하는 것이 효율적이야.
- 을: B국은 A국보다 상대적으로 생산성이 더 높은 상품 생산에 집중하여 A국으로 수출하고, A국에서 다른 상품을 수입하면, 양국 모두 교환의 이득을 누릴 수 있어.

① 갑의 주장은 비교 우위론에 기초한다.
② 갑의 주장에 따르면 A국은 B국보다 모든 상품 생산에서 기회비용이 더 적다.
③ 을의 주장에 따르면 A국과 B국이 교역하면 A국은 이득을 보고 B국은 손해를 본다.
④ 을은 A국과 B국이 각자 비교 우위가 있는 상품에 특화하여 교역하면 이익을 얻을 수 있다고 본다.
⑤ 갑과 을 모두 상대국보다 생산비가 낮은 상품만을 특화하여 생산해야 한다고 본다.

05 다음 글에 나타난 비교 우위의 결정 요인을 가장 적절하게 파악한 사람은?

> 인도와 같이 풍부한 노동력을 가지고 있는 나라는 노동 집약적 상품을 더 효율적으로 생산할 수 있다. 반면 미국과 같이 풍부한 자본을 가지고 있는 나라는 자본 집약적 상품을 더 효율적으로 생산할 수 있다.

① 갑: 나라마다 다른 기후는 대표적인 비교 우위의 결정 요인이야.
② 을: 각 나라의 기술 수준의 차이가 비교 우위에 영향을 미치고 있어.
③ 병: 비교 우위는 각 나라가 보유한 생산 요소의 양에 의해 결정되기도 해.
④ 정: 각 나라 국민의 문화 수준의 차이는 비교 우위를 결정하는 요인이 돼.
⑤ 무: 오늘날에는 첨단 기술의 발달이 비교 우위의 중요한 결정 요인이 되고 있어.

06 다음 사례에 대한 옳은 분석을 〈보기〉에서 고른 것은?

> 세계적으로 유명한 축구 선수인 갑은 자신의 집 마당의 잔디를 관리해 줄 정원사 을을 고용하였다. 갑은 잔디를 깎는 일에도 정원사 을에 비해 능숙한 실력을 가지고 있지만 이는 금액을 지불하여 을에게 맡기고, 자신은 축구 연습에만 집중하는 것이 더 효율적이라고 판단하였기 때문이다.

보기

ㄱ. 갑은 정원사에 절대 우위가 있다.
ㄴ. 갑은 축구 선수에 비교 우위가 있다.
ㄷ. 을은 축구 선수에 절대 우위가 있다.
ㄹ. 을은 축구 선수와 정원사에 모두 비교 우위가 있다.

① ㄱ, ㄴ   ② ㄱ, ㄷ   ③ ㄴ, ㄷ
④ ㄴ, ㄹ   ⑤ ㄷ, ㄹ

07 표는 갑국과 을국이 공책과 볼펜을 1단위 생산하는 데 드는 비용을 나타낸 것이다. 이에 대한 분석으로 옳지 <u>않은</u> 것은?

(단위: 달러)

구분	공책	볼펜
갑국	2	4
을국	7	5

① 갑국은 공책 생산에 비교 우위를 갖는다.

② 갑국은 공책과 볼펜 생산에 모두 절대 우위를 갖는다.

③ 갑국에서 공책 1단위 생산의 기회비용은 볼펜 2단위이다.

④ 을국에서 볼펜 1단위 생산의 기회비용은 공책 5/7단위이다.

⑤ 갑국과 을국이 무역을 할 경우 을국은 볼펜 생산에 특화하는 것이 합리적이다.

08 다음 자료에 대한 분석 및 추론으로 옳은 것은?

그림은 갑국과 을국이 보유하고 있는 생산 요소를 모두 투입하여 X재와 Y재만을 생산할 때의 생산 가능 곡선이다. 양국은 이익을 얻을 수 있을 경우에만 교역에 응한다고 가정한다.

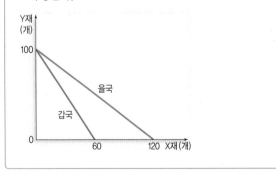

① 갑국은 X재 생산에 절대 우위가 있다.

② 을국이 Y재 1개 생산의 기회비용은 X재 5/6개이다.

③ X재 1개 생산의 기회비용은 갑국이 을국보다 적다.

④ X재와 Y재의 교환 비율이 1:1로 정해지면 갑국과 을국 모두 무역에 응할 것이다.

⑤ 갑국은 X재 생산에, 을국은 Y재 생산에 비교 우위가 있다.

09 다음 자료에 대한 분석으로 옳은 것은?

표는 갑국과 을국의 교역 전후 X재와 Y재의 생산량과 소비량을 나타낸 것이다. 양국은 X재와 Y재만 생산하고, 생산에 투입되는 요소는 노동뿐이다. 양국이 보유한 생산 요소의 양은 동일하고, 생산 가능 곡선은 직선이다. 교역은 양국 간에만 이루어지며, 교역에 따른 거래 비용은 발생하지 않는다.

구분		교역 전	교역 후	
		생산량 = 소비량	생산량	소비량
갑국	X재	5개	10개	6개
	Y재	10개	0개	12개
을국	X재	2개	0개	4개
	Y재	8개	24개	12개

① 교역 후 갑국에서 X재 1개 생산의 기회비용은 Y재 1/2개이다.

② 교역 후 을국에서 Y재 1개 생산의 기회비용은 X재 8개이다.

③ 갑국과 을국은 X개 1개당 Y재 3개를 교환한다.

④ X재 1개당 Y재 9개를 교환할 경우 갑국과 을국 모두 교역에서 이익을 얻는다.

⑤ 갑국은 Y재, 을국은 X재 생산에 비교 우위가 있다.

10 ㉠에 들어갈 무역 정책의 경제적 효과로 적절한 것을 〈보기〉에서 고른 것은?

(㉠)은/는 정부가 인위적으로 수출이나 수입에 제한을 가하지 않는 무역 정책으로, 국가 간의 자유로운 교역 및 경쟁을 통한 효율성을 강조한다.

보기

ㄱ. 소비자가 선택할 수 있는 상품의 폭이 넓어질 수 있다.

ㄴ. 기업 간 경쟁을 촉진시켜 국내 기업의 생산성을 높일 수 있다.

ㄷ. 국내 산업이 위축되어 실업이 증가하는 것을 방지할 수 있다.

ㄹ. 자국의 유치산업이 외국 기업과 경쟁할 수 있는 능력을 갖출 때까지 보호할 수 있다.

① ㄱ, ㄴ ② ㄱ, ㄷ ③ ㄴ, ㄷ

④ ㄴ, ㄹ ⑤ ㄷ, ㄹ

11 다음 사례를 통해 알 수 있는 자유 무역 정책의 한계로 가장 적절한 것은?

> 칠레와의 자유 무역 협정(FTA)의 체결로 값싼 포도가 국내로 들어오면서 포도를 생산하는 농민들의 걱정이 커지고 있다. 대표적으로 국내 포도의 54%를 생산하는 경상북도에서는 값싼 수입 포도와의 경쟁에서 밀려 폐업한 포도 농가의 경작지가 전체 포도 경작지의 10%에 이른다.
> – KBS 뉴스, 2016. 3. 11.

① 국가 간 기술 이전 효과가 줄어들 수 있다.
② 경쟁력을 갖추지 못한 국내 산업에 어려움을 줄 수 있다.
③ 규모의 경제가 발생하여 상품의 생산 비용이 높아질 수 있다.
④ 각국 내에서 소비 가능한 재화와 서비스의 양이 줄어들 수 있다.
⑤ 무역 장벽의 사용으로 국가 간에 무역 분쟁이 발생할 수 있다.

12 밑줄 친 ㉠, ㉡에 대한 설명으로 옳은 것은?

> 1995년 ㉠ 세계 무역 기구(WTO)가 출범하면서 공산품 관세 인하, 농산물 시장 개방 확대 등 국제적으로 거래되는 모든 분야에서 전면적인 시장 개방이 이루어지고 있다. 이와 함께 경제적 이해관계를 같이하는 특정 국가 간에 ㉡ 자유 무역 협정(FTA)의 체결도 활발해지고 있다.

① ㉠은 각종 수입 제한 조치를 강화한다.
② ㉠은 국가 간 무역 장벽을 완화할 목적으로 설립되었다.
③ ㉡은 회원국과 비회원국 간 자유 무역을 촉진하고자 한다.
④ ㉡의 체결이 활발해질수록 협정 당사국 간 상품의 이동이 감소할 것이다.
⑤ ㉡의 체결이 확산되면 정부에서 시행하는 경제 정책의 자율성이 높아질 것이다.

13 밑줄 친 ㉠, ㉡에 대한 옳은 설명만을 〈보기〉에서 있는 대로 고른 것은?

> 보호 무역 정책은 정부 규제를 통해 국가가 무역에 직간접적으로 개입하는 정책을 말한다. 보호 무역 정책을 시행하는 국가에서는 ㉠ 수입하는 상품에 세금을 부과하는 방식 또는 ㉡ 비관세 장벽을 활용하여 수입을 억제하는 방식 등을 보호 무역 정책의 수단으로 활용한다.

보기

ㄱ. 수입품에 대한 기술 규제나 위생 규제는 ㉠에 포함된다.
ㄴ. ㉠은 수입품의 국내 소비를 감소시키고 국내 산업의 가격 경쟁력을 높이는 효과가 있다.
ㄷ. 수입 할당제는 ㉡의 실시 수단에 해당한다.
ㄹ. ㉠, ㉡은 모두 국내 유치산업을 보호하기 위한 수단으로 활용되기도 한다.

① ㄱ, ㄷ　　　② ㄴ, ㄹ　　　③ ㄷ, ㄹ
④ ㄱ, ㄴ, ㄷ　　　⑤ ㄴ, ㄷ, ㄹ

14 ☆중요 다음 자료에 대한 분석으로 옳지 **않은** 것은?

> 그림은 관세 부과에 따른 갑국의 쌀 시장 상황을 나타낸 것이다. 관세 부과 이전에는 갑국이 자유 무역을 허용하여 쌀이 국제 가격인 P_1 가격에 무제한 공급되었다. 그러나 최근 갑국 정부가 자국의 쌀 산업을 보호하기 위해 관세를 부과하자 국내 쌀 가격이 P_2로 변화하였다.

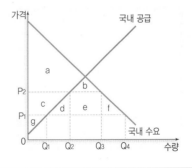

① 정부의 관세 수입은 e이다.
② 쌀의 갑국 내 소비량은 Q_3Q_4만큼 감소할 것이다.
③ 쌀의 갑국 내 생산량은 Q_1Q_2만큼 증가할 것이다.
④ 관세를 폐지하면 수입량은 Q_2Q_3만큼 증가할 것이다.
⑤ 갑국의 소비자 잉여는 'c+d+e+f'만큼 감소할 것이다.

15 다음은 서술형 평가에 대한 학생의 답안이다. 밑줄 친 ㉠∼㉤ 중 옳지 않은 것은?

서술형 평가

• 문제: 보호 무역 정책의 실시 근거와 한계를 서술하시오.
• 답안: 보호 무역 정책은 외국 기업에 비해 경쟁력이 부족한 ㉠ 자국의 유치산업을 어느 정도 경쟁력을 갖출 때까지 보호하기 위해 실시하며, ㉡ 국가 안전 보장을 위해 필요한 산업을 정책적으로 보호하기 위해 실시한다. 그러나 보호 무역 정책을 실시하는 과정에서 ㉢ 수입으로 국내 산업이 위축되어 자국민의 실업이 증가할 수 있으며, ㉣ 국가 간에 심각한 무역 마찰을 초래할 수 있다. 또한 ㉤ 소비자들은 자유 무역을 할 때보다 높은 가격에 상품을 소비해야 하는 불이익을 받게 될 수도 있다.

---

① ㉠   ② ㉡   ③ ㉢   ④ ㉣   ⑤ ㉤

16 다음 대화에 대한 옳은 분석 및 추론을 〈보기〉에서 고른 것은?

• 갑: 정부는 민간의 국제 거래를 규제해서는 안 돼. 시장을 개방하면 기업이 전 세계를 상대로 대량 생산을 할 수 있게 되므로 생산 비용을 절감할 수 있어.
• 을: 그렇지 않아. 정부가 직접 또는 간접적으로 무역 활동에 개입할 때 농산물이나 무기 등과 같이 국가 안전 보장을 위해 필요한 산업을 보호할 수 있어.

보기

ㄱ. 갑은 시장 개방을 통해 규모의 경제를 실현할 수 있다고 볼 것이다.
ㄴ. 외국이 특정 상품의 가격을 매우 낮추어 수출하는 행위가 늘어날수록 을의 주장이 설득력을 얻게 될 것이다.
ㄷ. 갑은 을과 달리 수입품에 대해 관세를 부과하는 것에 동의할 것이다.
ㄹ. 갑은 보호 무역 정책을, 을은 자유 무역 정책을 지지할 것이다.

---

① ㄱ, ㄴ   ② ㄱ, ㄷ   ③ ㄴ, ㄷ
④ ㄴ, ㄹ   ⑤ ㄷ, ㄹ

01 다음 글을 읽고 물음에 답하시오.

갑국은 을국보다 동일한 양의 감자와 고구마를 생산할 때 더 적은 생산 요소를 투입해 생산할 수 있다. 즉, 갑국이 을국에 비해 감자와 고구마 생산에 모두 (㉠)이/가 있는 것이다. 그러나 갑국은 을국에 비해 상대적으로 생산비가 낮은 감자 생산에 집중한다. 이는 갑국이 감자 생산에 (㉡)이/가 있기 때문이다.

---

(1) ㉠, ㉡에 들어갈 내용을 각각 쓰시오.

(2) ㉡을 결정하는 요인을 두 가지 이상 서술하시오.

02 다음 글을 읽고 물음에 답하시오.

자유 무역이 전 세계적으로 확대되고 있지만, 현실적으로 모든 국가가 자유 무역 정책을 시행하고 있지는 않다. 국가마다 무역 정책에 따른 이해관계와 경제적 상황이 다르기 때문이다. 이로 인해 많은 국가는 직접 또는 간접적으로 무역에 개입하기도 하는데, 이러한 무역 정책을 (㉠)(이)라고 한다.

---

(1) ㉠에 들어갈 무역 정책을 쓰시오.

(2) (1)의 실시 근거를 세 가지 이상 서술하시오.

STEP 3 1등급 정복하기

정답친해 44쪽

1 표는 갑국의 GDP, 수출액, 수입액의 변화를 나타낸 것이다. 이에 대한 옳은 분석을 〈보기〉에서 고른 것은?

▶ 무역 관련 지표의 변화

(단위: 억 달러)

연도	GDP	수출액	수입액
2013년	3,000	1,770	660
2014년	4,000	2,180	940
2015년	4,500	2,220	1,470
2016년	6,000	3,510	1,530

보기

ㄱ. 2013년 갑국의 무역 의존도는 81%이다.

ㄴ. 2014년 이후 갑국의 무역 의존도는 점차 증가하고 있다.

ㄷ. 2013년보다 2015년에 갑국의 무역액이 더 작다.

ㄹ. 2016년보다 2014년에 갑국의 GDP 대비 수입액의 비중이 더 크다.

① ㄱ, ㄴ 　② ㄱ, ㄷ 　③ ㄴ, ㄷ
④ ㄴ, ㄹ 　⑤ ㄷ, ㄹ

2 그림은 갑국과 을국의 쌀과 물고기 생산 가능 곡선이다. 이에 대한 분석으로 옳은 것은? (단, 노동 이외의 다른 생산 요소의 투입은 없고, 갑국과 을국의 투입 가능한 노동의 양은 동일하다.)

▶ 무역의 발생 원리

완자샘의 시험 꿀팁

각국에서 생산하는 상품의 상대적 생산비를 비교하여 비교 우위 상품을 찾는 문제가 자주 출제된다.

완자 사전

• 생산 가능 곡선
주어진 생산 요소를 모두 투입하여 생산할 수 있는 최대 생산량의 조합을 보여주는 것으로, 생산이 효율적으로 이루어지는 상태를 의미한다.

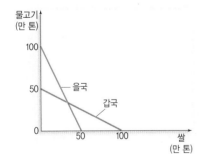

① 갑국은 물고기 생산에 절대 우위가 있다.

② 갑국의 쌀 1톤 생산의 기회비용은 물고기 2톤이다.

③ 을국의 물고기 1톤 생산의 기회비용은 쌀 1/2톤이나.

④ 갑국은 쌀 100만 톤과 물고기 50만 톤을 동시에 생산할 수 있다.

⑤ 갑국과 을국이 무역을 할 경우 갑국은 물고기를, 을국은 쌀을 수출하는 것이 합리적이다.

수능 응용

3 다음 자료에 대한 옳은 분석만을 〈보기〉에서 있는 대로 고른 것은?

갑국과 을국은 X재와 Y재만을 각자 생산하여 소비하고 있었으나 양국 모두 이득이 발생하는 조건 하에서만 비교 우위가 있는 재화에 특화하여 무역하기로 합의하였다. 오른쪽 표는 각 재화 1개를 생산하는 데 필요한 노동자 수를 나타낸 것이다. 단, 갑국과 을국은 노동만을 생산 요소로 사용하며, 국가 간 노동 이동은 발생하지 않는다. 또한 무역에 따른 거래 비용은 없다.

구분	X재	Y재
갑국	6명	4명
을국	5명	10명

보기
ㄱ. 갑국은 X재 생산에 절대 우위를 가진다.
ㄴ. 을국은 절대 우위를 가지는 재화의 생산에 비교 우위도 가진다.
ㄷ. X재와 Y재를 4:3의 비율로 교환하는 조건이라면 갑국은 무역에 참여할 것이다.
ㄹ. X재와 Y재를 3:1의 비율로 교환하는 조건이라면 을국은 무역에 참여하지 않을 것이다.

① ㄱ, ㄷ　　　　　② ㄴ, ㄹ　　　　　③ ㄷ, ㄹ
④ ㄱ, ㄴ, ㄷ　　　⑤ ㄴ, ㄷ, ㄹ

> **무역의 발생 원리**
>
> ┃완자 사전┃
> • 거래 비용
> 거래 전에 필요한 협상, 정보의 수집과 처리에 드는 비용 등 각종 거래에 수반되는 비용

4 다음은 한 학생이 정리한 노트 필기의 일부이다. ㉠~㉤에 들어갈 내용으로 옳지 <u>않은</u> 것은?

• 주제: 무역 정책
1. 의미: 한 국가가 다른 국가와의 무역에 대하여 어떠한 태도를 취할 것인지를 규정하는 것
2. 목적: 자국의 경제적 목적 추구
3. 종류

구분	㉠	㉡
의미	국가 간의 자유로운 무역을 추구하는 정책	정부가 자국의 이익을 지키기 위해 무역에 직간접적으로 개입하는 정책
경제적 효과	㉢	㉣
한계	무역 이익의 불균등한 분배, 국내 시장의 해외 의존도 심화 등	㉤

① ㉠ – 자유 무역 정책　　　　② ㉡ – 보호 무역 정책
③ ㉢ – 규모의 경제 실현　　　　④ ㉣ – 자국의 유치산업 보호
⑤ ㉤ – 경쟁력이 없는 자국 산업에 불이익 초래

> **무역 정책**
>
> ┃완자쌤의 시험 꿀팁┃
> 자유 무역 정책과 보호 무역 정책의 경제적 효과와 한계를 묻는 문제가 자주 출제된다.
>
> ┃완자 사전┃
> • 해외 의존도
> 한 나라의 경제가 해외의 경제 정세나 무역량에 의존하는 정도

5 무역 정책에 대한 갑, 을의 입장에 대한 분석 및 추론으로 옳은 것은?

▶ 무역 정책

> • 갑: 성장 잠재력이 높지만 개발 초기에 생산 비용이 많이 들어 외국 기업에 비해 생산 비용과 기술적인 면에서 경쟁력이 부족한 국내 산업은 외국 기업과 경쟁할 수 있는 경쟁력을 갖출 때까지 국가적 차원에서 보호해야 합니다.
>
> • 을: 무역이 확대되면 국내 기업은 많은 외국 기업과 경쟁해야 합니다. 이 과정에서 국내 기업은 외국 기업과의 경쟁에서 이기기 위해 기술 개발에 대한 투자를 확대해 더 저렴하고 질 좋은 상품을 만들기 위해 노력할 것이므로, 국가 간 자유로운 무역을 추구해야 합니다.

① 갑은 시장 개방을 통해 규모의 경제를 실현할 수 있다고 볼 것이다.

② 을은 수출 기업에 보조금을 지급하는 정부의 무역 정책에 찬성할 것이다.

③ 갑의 주장에 반대하는 사람들은 유치산업을 보호하기 위해 정부가 무역 활동에 개입해야 한다고 주장할 것이다.

④ 을의 주장에 찬성하는 사람들은 무역 장벽이 심각한 무역 마찰을 불러올 수 있음을 강조할 것이다.

⑤ 갑은 자유 무역 정책을, 을은 보호 무역 정책을 지지할 것이다.

---

6 다음 자료에 대한 옳은 분석만을 〈보기〉에서 있는 대로 고른 것은? (단, 갑국 기업이 생산한 X재는 전량 국내 시장에서 판매되며, 갑국은 국제 가격으로 X재를 무제한 수입할 수 있다.)

▶ 관세 부과의 효과

완자샘의 시험 꿀팁

관세 부과에 따른 경제적 효과를 소비자 잉여, 생산자 잉여를 활용하여 비교하는 문제가 자주 출제된다.

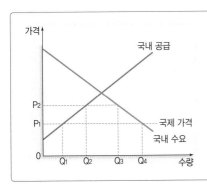

그림은 갑국의 X재 시장 상황을 나타낸 것이다. 갑국의 무역 정책은 t~t+2 시기별로 달라지는데, t 시기에는 X재의 국제 가격에 1개당 P_1P_2만큼의 관세를 부과하였다. 이후 t+1 시기에는 수입국과 X재에 대한 자유 무역 협정을 체결하여 관세를 철폐하였고, t+2 시기에는 갑국의 X재 생산자에게 부과되던 판매세를 1개당 P_1P_2만큼 인하하였다.

보기

ㄱ. t 시기에 갑국에서 X재를 생산하는 기업의 공급량은 Q_1이다.

ㄴ. t+1 시기에 갑국의 수입량은 Q_2Q_3이다.

ㄷ. 갑국에서 X재를 생산하는 기업의 생산자 잉여는 t+1 시기가 t 시기보다 작다.

ㄹ. t+1 시기와 t+2 시기에 X재의 국내 가격은 P_1으로 동일하다.

① ㄱ, ㄴ   ② ㄷ, ㄹ   ③ ㄱ, ㄴ, ㄷ

④ ㄱ, ㄷ, ㄹ   ⑤ ㄴ, ㄷ, ㄹ

이것이 핵심!

환율의 의미

환율
서로 다른 두 나라 화폐의 교환 비율 → 자국 화폐의 대외 가치를 나타냄

• 환율 상승 → 원화의 가치 하락
• 환율 하락 → 원화의 가치 상승

★ **어음**
일정한 금액을 일정한 날짜와 장소에서 치를 것을 약속하거나 제3자에게 그 지급을 위탁하는 유가 증권

★ **투기성 자금**
시세 변동으로 생기는 차익을 얻기 위해 투자되는 자금

1 외환 시장과 환율

1. 외환과 외환 시장

(1) **외환**: 외국 화폐뿐만 아니라 외국 화폐의 가치를 지니는 수표, *어음, 예금 등의 일체

(2) **외환 시장의 의미와 기능** ┌ 꼭! 외환이 거래되는 모든 장소를 뜻하는 추상적인 시장으로, 특정 국가의 특정 장소에 존재하는 것이 아니라 본질상 국경이 없는 국제적인 성격을 띠지.

① **외환 시장**: 외환이 서로 교환되는 시장

② **외환 시장의 기능**: 교역국 간에 서로 다른 가치를 지닌 화폐를 일정 비율로 교환하여 국가 간 거래가 원활하게 이루어지도록 함

2. 환율 (자료①) ┌ 예) 우리나라는 '1,000원/달러'와 같이 외국 화폐 한 단위와 교환할 수 있는 원화의 가격으로 환율을 표시해.

(1) **환율**: 서로 다른 두 나라 화폐의 교환 비율 → 자국 화폐의 대외 가치를 나타냄

(2) **환율 변동에 따른 원화의 가치 변동**

환율 상승 시	외국 화폐를 얻기 위해 지급해야 하는 우리나라 화폐의 양이 많아짐 → 원화의 가치 하락
환율 하락 시	외국 화폐를 얻기 위해 지급해야 하는 우리나라 화폐의 양이 적어짐 → 원화의 가치 상승

3. 환율 제도 (자료②)

(1) **고정 환율 제도**

의미	정부나 중앙은행이 개입하여 환율을 일정한 수준으로 고정하는 제도
장점	환율을 안정적으로 유지할 수 있어 환율 변동으로 나타날 수 있는 위험을 막을 수 있음
단점	외화가 너무 많거나 적어서 나타나는 문제를 조정하기 어려움

(2) **변동 환율 제도** ┌ 우리나라를 비롯한 세계 많은 나라에서는 변동 환율 제도를 시행하고 있어.

의미	외환 시장에서 외화에 대한 수요와 공급의 상대적인 크기에 따라 환율이 결정되는 제도
장점	외화가 너무 많거나 적을 때 나타나는 문제가 자동으로 조정될 수 있음
단점	*투기성 자금의 유입과 유출 과정에서 환율이 심하게 변동하여 국민 경제에 혼란을 줄 수 있음

이것이 핵심!

환율의 결정과 변동

환율의 결정
외환 시장에서 외화에 대한 수요와 공급에 의해 환율 결정

외화의 수요 증가 또는 공급 감소	외화의 수요 감소 또는 공급 증가
↓	↓
환율 상승	환율 하락

2 환율의 결정과 변동

1. 환율의 결정

(1) **환율의 결정**: 외환 시장에서 외화의 수요와 공급에 의해 결정됨

(2) **외화의 수요와 공급**

외화의 수요	• 의미: 외화가 해외로 나가는 것 • 요인: 외국 상품의 수입, 내국인의 해외 투자, 내국인의 해외여행 및 유학, 외채 상환 등
외화의 공급	• 의미: 외화가 국내로 들어오는 것 • 요인: 우리나라 상품의 수출, 외국인의 국내 투자 및 국내 여행, 해외 취업, 외국 자본 도입 등

(3) **균형 환율의 결정** (자료③)

외화의 공급량 < 외화의 수요량	외화의 초과 수요 발생 → 환율 상승
외화의 공급량 > 외화의 수요량	외화의 초과 공급 발생 → 환율 하락
외화의 공급량 = 외화의 수요량	균형 환율과 균형 거래량 결정

└ 외화의 수요 곡선과 공급 곡선이 만나는 점에서 균형 환율이 결정돼.

완자 자료 탐구 내 옆의 선생님

자료 ① 환율 변동에 따른 원화의 가치 변동

2016년 6월, 영국에서는 국민 투표를 통해 영국의 유럽 연합(EU) 탈퇴를 의미하는 브렉시트 (Brexit)가 결정되었고 이를 계기로 영국 화폐 1파운드당 1,800원대였던 환율이 1,400원대로 하락 하였다. 이러한 환율 변동으로 인해 파운드화로 표시된 수입품의 원화 표시 가격(국내 판매 가격) 은 낮아지고, 파운드화에 대한 원화의 가치는 상승하였다.

환율은 외국 화폐와 자국 화폐의 가치를 비교하는 개념이기 때문에 원/파운드화 환율이 하락했다는 것은 파운드화의 가치는 하락한 반면, 원화의 가치는 상대적으로 상승하였다 는 것을 의미한다. 환율이 하락하면 외국 화폐를 얻기 위해 지급해야 하는 우리나라 화폐 의 양이 줄어들어 그만큼 우리나라 화폐의 가치가 상승하게 된다.

정리 비법을 알려줄게!

환율 상승과 환율 하락

1달러 = 1,200원	• 환율 상승 • 원화의 가치 하락 • 원화 약세, 달러 강세
↑ 1달러 = 1,000원 ↓	
1달러 = 800원	• 환율 하락 • 원화의 가치 상승 • 원화 강세, 달러 약세

자료 ② 고정 환율 제도와 변동 환율 제도

환율 제도 질문	고정 환율 제도	변동 환율 제도
정부나 중앙은행이 환율 제도에 개입하나요?	예	아니요
외화의 수요와 공급에 따라 환율이 결정되나요?	아니요	예
일반적으로 환율 변동으로 나타나는 위험을 막을 수 있나요?	예	아니요
시세 차익 획득을 목적으로 한 투기성 자금의 유출입이 발생하나요?	아니요	예

일반적으로 고정 환율 제도를 시행하면 환율을 안정적으로 유지할 수 있어 예상치 못한 환율 변동으로 나타날 수 있는 위험을 막을 수 있지만, 환율을 자국에 유리하게 인위적으 로 조정하면 무역 당사국 간에 분쟁이 발생할 수 있다. 반면 변동 환율 제도를 시행하면 외환 시장의 불균형이 자동으로 조정될 수 있지만, 투기성 자금의 유출입으로 환율이 급 변동하는 등 환율과 관련한 불확실성으로 인해 국민 경제에 불안정이 발생할 수 있다.

문제 로 확인할까?

변동 환율 제도에 대한 설명으로 옳지 않은 것은?
① 투기성 자금이 유입될 수 있다.
② 환율이 외환 시장에서 자동으로 조정 된다.
③ 외화가 들어오고 나감에 따라 환율이 수시로 변한다.
④ 환율을 안정적으로 유지하여 환율 변 동에 따른 위험을 예방할 수 있다.
⑤ 외화가 너무 많거나 적을 경우 나타나 는 문제가 자동으로 조정될 수 있다.

④ 🔳

자료 하나 더 알고 가자!

외화의 수요 곡선과 공급 곡선

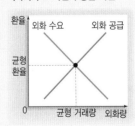

외환 시장에서 외화의 가격인 환율이 상승 하면 외화의 수요량이 감소한다. 즉 외환 시장 에서 환율과 외화의 수요량은 음(−)의 상관 관계가 있고, 외화의 수요 곡선은 우하향한 다. 반면 환율이 상승하면 외화의 공급량은 증가한다. 즉 외환 시장에서 환율과 외화의 공급량은 양(+)의 상관관계가 있고, 외화의 공급 곡선은 우상향한다.

자료 ③ 환율의 결정 과정

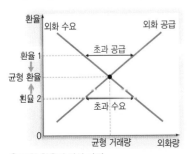

↥ 균형 환율의 달성 과정

┌─ 환율이 균형 환율보다 낮을 경우 발생하는 현상이야.
외화의 초과 수요가 발생할 경우 외화 수요자들 간의 경쟁으로 외화 공급자들이 더 높은 가격에 외화를 팔 수 있어 환율이 상승한다. 반면 외화 의 초과 공급이 발생할 경우 외화 공급자들 간의 경쟁으로 외화 수요자들이 더 낮은 가격에 외화 를 살 수 있어 환율이 하락한다. 이러한 환율 상 승과 환율 하락의 조정 과정을 통해 균형 환율에 이르게 된다. └─ 환율이 균형 환율보다 높을 경우 발생하는 현상이야.

02 환율

★ **외채 상환**
자금 조달을 위해 외국의 자본 시장에서 빌려온 자금을 갚거나 돌려주는 것

★ **외국 자본**
외국이나 외국인이 투자한 주식, 사채, 채권, 등의 자본

★ **가격 경쟁력**
공급자가 가격을 수단으로 경쟁 관계에 있는 상대편보다 이익을 더 얻을 수 있는 능력

★ **주가**
주식의 가격으로, 주식 시장에서 형성되는 시세에 따라서 결정된다.

2. 환율의 변동 자료④

(1) 외화의 수요 변화에 따른 환율의 변동

구분	외화의 수요 증가	외화의 수요 감소
변화 요인	외국 상품의 수입 증가, 내국인의 해외 투자 증가, 내국인의 해외여행 및 유학 증가, *외채 상환 등	외국 상품의 수입 감소, 내국인의 해외 투자 감소, 내국인의 해외여행 및 유학 감소 등
변동 모습	외화의 수요 곡선이 오른쪽으로 이동	외화의 수요 곡선이 왼쪽으로 이동
결과	환율 상승	환율 하락

(2) 외화의 공급 변화에 따른 환율의 변동

구분	외화의 공급 증가	외화의 공급 감소
변화 요인	우리나라 상품의 수출 증가, 외국인의 국내 투자 증가, 외국인의 국내 여행 증가, 내국인의 해외 취업 증가, *외국 자본 도입 등	우리나라 상품의 수출 감소, 외국인의 국내 투자 감소, 외국인의 국내 여행 감소 등
변동 모습	외화의 공급 곡선이 오른쪽으로 이동	외화의 공급 곡선이 왼쪽으로 이동
결과	환율 하락	환율 상승

3. 환율 변동의 영향 교과서 자료

(1) 환율 변동이 국가 경제에 미치는 영향

구분	환율 상승	환율 하락
수출과 수입	우리나라 수출품의 *가격 경쟁력 상승, 수입품의 가격 경쟁력 하락 → 수출 증가, 수입 감소 → 국내 기업의 생산 증가 및 고용 확대	우리나라 수출품의 가격 경쟁력 하락, 수입품의 가격 경쟁력 상승 → 수출 감소, 수입 증가 → 국내 기업의 생산 감소 및 고용 위축
국내 물가 자료⑤	수입 상품 및 원자재의 가격 상승 → 생산비 증가 → 상품 가격 상승 → 국내 물가 상승	수입 상품 및 원자재의 가격 하락 → 생산비 감소 → 상품 가격 하락 → 국내 물가 하락
*주가	외국 투자자들이 주식을 팔고자 함 → 주가 하락	외국 투자자들이 주식을 사고자 함 → 주가 상승
외채 상환 부담	외채의 원화 환산액 증가 → 외채 상환 부담 증가	외채의 원화 환산액 감소 → 외채 상환 부담 감소

환율이 상승하면 수출품의 원화 표시 가격은 변화가 없으나 수출품의 외화 표시 가격(수입국의 수입 가격)은 하락하게 돼.

(2) 환율 변동이 개인의 경제생활에 미치는 영향: 환율이 상승하면 같은 양의 원화로 바꿀 수 있는 외화의 금액이 줄어들어 해외여행객 및 해외 유학 중인 자녀를 둔 부모들의 부담은 늘어나지만, 외화 표시 자산 소유자의 이익은 증가함

└─ 예 외로로 임금을 받는 사람들, 외로로 예금해 놓은 사람들, 우리나라에 여행이나 유학을 온 외국인 등

자료 ④ 금리 변화에 따른 환율의 변동

미국 금리가 급격히 상승하면서 원/달러 환율이 가파르게 상승하여 9개월 만에 1,200원/달러를 넘어섰다. 미국이 금리를 인상하면 달러의 가치가 높아지므로 미국 주식이나 채권에 투자하려는 사람들이 증가한다. 우리나라에서도 미국에 투자를 확대하려는 사람이 많아지면서, 미국 투자 상품에 대한 관심이 높아지고 있다.   – 「한겨레신문」, 2016. 12. 23.

제시된 기사를 통해 미국의 금리 인상이 원/달러 환율 상승에 영향을 미친다는 것을 알 수 있다. 외국 금리가 우리나라 금리에 비해 상대적으로 높아지면 해외 투자에 따른 수익률이 높아지므로 해외에 투자하려는 내국인이 늘어나고, 이는 외화의 수요 증가로 이어진다. 외화의 수요가 증가하면 외화의 수요 곡선은 오른쪽으로 이동하고, 환율은 상승한다.

정리 비법을 알려줄게!

환율 변동의 영향

구분	환율 상승	환율 하락
수출품 가격 경쟁력	상승	하락
수입품 가격 경쟁력	하락	상승
국내 생산	증가	감소
고용	확대	위축
국내 물가	상승	하락

수능이 보이는 교과서 자료   환율 변동이 우리 경제에 미치는 영향

- 갑은 스마트폰을 수출하는 기업가이다. 갑은 다음 달에 1대당 수출 단가가 500달러인 스마트폰 1,000대를 미국에 수출하고자 한다.
- 을은 우리나라로 유학 온 외국인 학생이다. 을은 다음 달에 기숙사비를 내기 위해 가지고 있던 3,000달러를 원화로 환전하고자 한다.
- 병은 사내 배낭여행 동아리 회원이다. 병은 미국으로 배낭여행을 떠나기 위해 그동안 모아 두었던 500만 원을 달러로 환전하고자 한다.
- 정은 미국에서 청소기를 수입하는 사업가이다. 지난해 회사 사정으로 외국 자본 200만 달러를 도입하였는데, 최근 회사 사정이 좋아져 그 중 100만 달러를 갚고자 한다.

환율이 상승할 경우 갑과 같은 수출업자는 수출 대금으로 받은 달러를 더 많은 원화로 바꿀 수 있으며, 을과 같이 달러를 원화로 환전하고자 하는 사람은 같은 양의 달러로 바꿀 수 있는 원화의 양이 늘어나기 때문에 유리해진다. 반면, 환율 상승으로 인해 병과 같은 해외여행객은 같은 양의 원화로 바꿀 수 있는 외화의 금액이 줄어들고, 정과 같이 외국 자본을 도입한 기업가는 외채 상환에 대한 부담이 더 커지게 된다.

완자쌤의 탐 구 강 의

- 환율이 하락할 경우 유리한 사람과 불리한 사람을 구분해 보자.

유리한 사람	병, 정
불리한 사람	갑, 을

- 환율이 상승할 경우 달러로 월급을 받는 사람이 유리한지, 불리한지를 쓰고, 그 이유를 서술해 보자.
환율이 상승하면 달러로 월급을 받는 사람은 월급으로 받은 달러를 더 많은 원화로 바꿀 수 있으므로 유리해진다.

함께 보기 161쪽, 1등급 정복하기 6

자료 ⑤ 환율 변동이 물가에 미치는 영향

최근 계속되는 경기 부진에도 오히려 생활 물가는 높아지고 있는데, 환율 상승이 물가 상승을 이끌고 있다는 분석이 제기되었다. 환율이 1,100원/달러일 때 수입업자는 1달러짜리 물건을 1,100원에 구매할 수 있지만 환율이 1,200원/달러로 오르면 더 많은 비용을 내야 한다. 즉, 환율이 상승하면 수입품의 국내 가격이 상승하여 국내 물가도 상승하는 것이다.   – 「서울경제」, 2017. 5. 20.

제시된 사례는 환율 상승이 국내 물가 상승에 영향을 미치고 있음을 보여 준다. 환율이 상승하면 수입 상품 및 원자재의 가격이 상승하여 생산비가 증가하고, 이는 상품 가격의 인상을 초래해 국내 물가 상승에 영향을 미친다. 반면, 환율이 하락하면 수입 상품 및 원자재의 가격 하락으로 생산비가 감소하여 국내 물가 하락에 영향을 미친다.

자료 하나 더 알고 가자!

환율 상승 시 유리한 주체와 불리한 주체

유리한 주체
수출업자, 우리나라에 여행을 온 외국인, 외화로 임금을 받는 사람 등

↑↓

불리한 주체
수입업자, 해외여행을 간 우리나라 사람, 해외 유학 중인 자녀를 둔 부모 등

STEP 1 핵심 개념 확인하기

정답친해 46쪽

1 다음 빈칸에 들어갈 내용을 쓰시오.

(1) 외환이 서로 교환되는 시장을 (　　　　)이라고 한다.

(2) 자국 화폐와 외국 화폐의 교환 비율을 (　　　　)이라고 한다.

2 ㉠, ㉡에 들어갈 내용을 각각 쓰시오.

> (㉠　　　　)는 정부나 중앙은행이 개입하여 환율을 일정 수준으로 고정하는 제도이고, (㉡　　　　)는 외화의 수요와 공급의 상대적인 크기에 따라 환율이 결정되는 제도이다.

3 외화의 수요와 공급의 요인을 〈보기〉에서 골라 기호를 쓰시오.

> **보기**
> ㄱ. 외채 상환　　　　ㄴ. 외국 자본 도입
> ㄷ. 외국 상품의 수입　　ㄹ. 외국인의 국내 투자
> ㅁ. 내국인의 해외 투자　　ㅂ. 우리나라 상품의 수출

(1) 외화 수요의 요인　　　　　　　　(　　　)

(2) 외화 공급의 요인　　　　　　　　(　　　)

4 다음 괄호 안에 들어갈 알맞은 말에 ○표를 하시오.

(1) 내국인의 해외여행 증가는 외화의 수요를 (감소, 증가)시키는 요인이다.

(2) 내국인의 해외 취업 감소는 외화의 공급을 (감소, 증가)시키는 요인이다.

(3) 외화에 대한 수요가 감소하거나 외화에 대한 공급이 증가하면 환율은 (상승, 하락)한다.

5 다음 설명이 맞으면 ○표, 틀리면 ✕표를 하시오.

(1) 환율이 하락하면 외채 상환 부담이 증가한다. (　　)

(2) 환율이 상승하면 수입품의 가격 경쟁력이 낮아져 수입이 감소한다. (　　)

(3) 환율이 하락하면 해외여행을 가려는 우리나라 사람들의 부담이 증가한다. (　　)

(4) 환율이 상승하면 원자재 수입 단가가 상승하여 국내 물가 상승 요인으로 작용할 수 있다. (　　)

STEP 2 내신 만점 공략하기

01 ㉠에 대한 설명으로 옳지 <u>않은</u> 것은?

> 미국은 달러화, 일본은 엔화, 우리나라는 원화를 사용하는 등 국가마다 사용하는 화폐의 단위가 다르다. 이러한 국가별 화폐 단위의 차이는 원활한 국가 간 거래를 막는 장벽이 된다. 이에 각국의 화폐뿐만 아니라 화폐의 가치를 지니는 수표·어음 등이 서로 교환될 수 있는 시장이 존재하는데, 이를 (　㉠　)(이)라고 한다.

① 외환을 거래하는 시장이다.

② 환율이 결정되는 시장이다.

③ 국제 거래 및 국제 투자를 원활하게 해 준다.

④ 서로 다른 가치를 지닌 화폐를 일정 비율로 교환해 주는 기능을 한다.

⑤ 거래가 이루어지는 장소가 구체적으로 드러나지 않는 가상 공간은 포함하지 않는다.

02 다음은 학생이 수업 시간에 정리한 노트 필기이다. ㉠에 대한 옳은 설명을 〈보기〉에서 고른 것은?

> 학습 주제: (　㉠　)
> • 자국 화폐의 대외 가치를 나타냄
> • 서로 다른 두 나라 화폐의 교환 비율
> • 외국 화폐 한 단위와 교환되는 자국 화폐의 가격으로 표시

> **보기**
> ㄱ. ㉠이 하락하면 우리나라 화폐의 가치는 하락한다.
> ㄴ. ㉠은 외환 시장에서 외화의 수요와 공급에 의해 결정된다.
> ㄷ. 우리나라에서는 ㉠을 외국 화폐 한 단위와 교환할 수 있는 원화로 표시한다.
> ㄹ. ㉠이 상승하면 외국 화폐를 얻기 위해 지급해야 하는 우리나라 화폐의 양이 줄어든다.

① ㄱ, ㄴ　　② ㄱ, ㄷ　　③ ㄴ, ㄷ

④ ㄴ, ㄹ　　⑤ ㄷ, ㄹ

03 A국과 B국에서 채택한 환율 제도에 대한 옳은 설명을 〈보기〉에서 고른 것은?

- A국에서는 달러화의 유입에 맞춰 정부가 자국의 통화량을 조절함으로써 환율을 일정하게 유지하고 있다.
- B국에서는 달러화와 자국 화폐의 교환 비율이 외화의 수요와 공급에 따라 시장에서 자유롭게 결정되고 있다.

보기
ㄱ. A국은 환율이 안정되어 대외 무역의 안정성이 보장된다.
ㄴ. A국은 B국에 비해 외화가 너무 많거나 적을 경우 나타나는 문제를 조정하기 어렵다.
ㄷ. B국은 A국에 비해 환율 변동의 불확실성이 낮다.
ㄹ. A국은 변동 환율 제도, B국은 고정 환율 제도를 채택하고 있다.

① ㄱ, ㄴ   ② ㄱ, ㄷ   ③ ㄴ, ㄷ
④ ㄴ, ㄹ   ⑤ ㄷ, ㄹ

04 (가), (나)는 외환 시장에서 외화의 수요 곡선과 공급 곡선을 나타낸 것이다. 이에 대한 설명으로 옳은 것은?

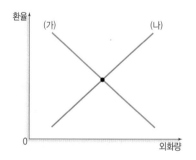

① (가)는 환율과 외화의 수요량 간의 양(+)의 관계를 표현한 것이다.
② (가)를 통해 환율이 하락하면 외화의 수요량이 감소한다는 것을 알 수 있다.
③ (나)는 환율과 외화의 공급량 간의 음(−)의 관계를 표현한 것이다.
④ (나)를 통해 환율과 외화의 공급량이 반대 방향으로 움직인다는 것을 알 수 있다.
⑤ (가)와 (나)가 만나는 지점에서 균형 환율이 형성된다.

05 ㉠, ㉡에 대한 설명으로 옳은 것은?

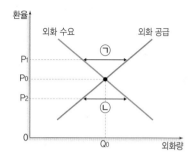

① ㉠은 환율이 균형 환율보다 낮을 때 발생한다.
② ㉠에서는 외화의 수요량이 외화의 공급량보다 많다.
③ ㉡이 발생하면 외화 수요자들 간에 경쟁이 나타나 환율이 상승한다.
④ ㉠, ㉡은 모두 외환 시장이 균형을 이룬 상태이다.
⑤ ㉠은 초과 수요, ㉡은 초과 공급에 해당한다.

06 다음은 학생이 수업 시간에 정리한 노트의 일부이다. (가), (나)에 들어갈 내용을 〈보기〉에서 골라 옳게 연결한 것은?

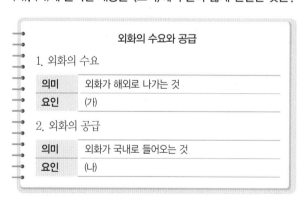

보기
ㄱ. 외채 상환   ㄴ. 해외 취업
ㄷ. 외국 상품의 수입   ㄹ. 외국인의 국내 투자

	(가)	(나)		(가)	(나)
①	ㄱ, ㄴ	ㄷ, ㄹ	②	ㄱ, ㄷ	ㄴ, ㄹ
③	ㄴ, ㄷ	ㄱ, ㄹ	④	ㄴ, ㄹ	ㄱ, ㄷ
⑤	ㄷ, ㄹ	ㄱ, ㄴ			

07 다음 상황에서 나타날 수 있는 우리나라 외환 시장의 변화를 옳게 예측한 사람은?

> 최근 외국 화장품에 대한 우리나라 국민의 기호가 급격하게 높아짐에 따라 외국 화장품의 수입이 증가하고 있다. 또한 최근 캐나다를 배경으로 제작된 드라마가 국내에서 큰 인기를 끌면서 우리나라 국민들의 캐나다 여행이 증가하고 있다.

① 갑: 외화에 대한 수요가 감소하여 환율이 하락할 거야.
② 을: 외화에 대한 수요가 증가하여 환율이 상승할 거야.
③ 병: 외화에 대한 공급이 감소하여 환율이 상승할 거야.
④ 정: 외화에 대한 공급이 증가하여 환율이 하락할 거야.
⑤ 무: 외화에 대한 수요는 증가하고 공급은 감소하여 환율이 상승할 거야.

08 그림은 갑국 외환 시장의 균형점을 나타낸 것이다. 균형점 a를 b로 이동시키는 요인으로 적절한 것을 〈보기〉에서 고른 것은? (단, 외환 시장은 수요와 공급의 법칙을 따른다.)

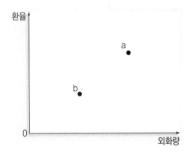

보기
ㄱ. 갑국의 수출이 증가하였다.
ㄴ. 해외로 유학을 가는 갑국 국민이 감소하였다.
ㄷ. 갑국 기업이 외국 현지에 대한 직접 투자를 확대하였다.
ㄹ. 갑국에서 외국 제품에 대한 소비자들의 기호가 감소하여 외국 제품의 수입이 감소하였다.

① ㄱ, ㄴ   ② ㄱ, ㄷ   ③ ㄴ, ㄷ
④ ㄴ, ㄹ   ⑤ ㄷ, ㄹ

09 그림은 우리나라 외환 시장의 변화를 나타낸 것이다. 이러한 변화가 나타난 요인으로 적절한 것은?

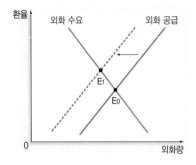

① 우리나라 상품의 수출이 감소하였다.
② 우리나라로 여행오는 외국인이 늘어났다.
③ 해외로 진학하는 우리나라 학생이 늘어났다.
④ 외국인이 우리나라 기업의 주식을 대량 매입하였다.
⑤ 국내 경기 불황으로 우리나라 정부가 외국 정부로부터 차관을 도입하였다.

10 다음과 같은 변화가 동시에 발생할 때, 현재의 균형점 E가 이동할 영역으로 옳은 것은?

> • 최근 미국 자동차에 대한 우리나라 소비자들의 선호도가 낮아짐에 따라 미국산 자동차 수입이 감소하였다.
> • 국내 금리가 급격히 상승하여 미국 금리보다 높아짐에 따라 우리나라에 대한 미국인의 투자가 증가하였다.

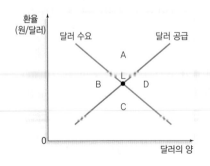

① A   ② B   ③ C   ④ D   ⑤ 불변

11 그림은 우리나라 외환 시장의 균형점 E의 변화를 나타낸 것이다. 균형점 E를 A, B 방향으로 이동시키는 요인으로 옳은 것은?

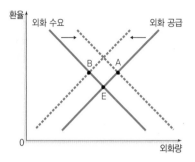

① E → A: 내국인의 해외여행 감소
② E → A: 외국 기업에 투자하는 우리나라 국민 감소
③ E → B: 우리나라 국민의 해외 취업 증가
④ E → B: 우리나라 기업에 대한 외국인의 투자 증가
⑤ E → B: 해외 경기의 불황으로 우리나라 수출품에 대한 수요 감소

12 다음과 같은 환율 변동이 우리나라 경제에 미칠 영향을 옳게 설명한 학생을 고른 것은?

> 지난주 달러당 1,000원이었던 환율이 한 주만에 달러당 1,100원으로 급격히 변동하고 있다. 전문가들은 이러한 환율 변동 추세가 당분간 지속될 것이라고 전망하였다.

① 갑, 을　　　② 갑, 병　　　③ 을, 병
④ 을, 병　　　⑤ 병, 정

13 ㉠~㉣에 들어갈 내용을 옳게 연결한 것은?

> 외환 시장에서 외화의 수요가 (㉠)하거나 외화의 공급이 증가하면 환율이 하락한다. 환율이 하락하면 수출품의 외화 표시 가격이 (㉡)하여 수출은 감소하고, 수입품의 원화 표시 가격이 (㉢)하여 수입은 증가한다. 이는 국내 기업의 생산 (㉣)로 이어져 고용이 위축된다.

	㉠	㉡	㉢	㉣
①	감소	상승	하락	감소
②	감소	상승	하락	증가
③	감소	하락	상승	감소
④	증가	상승	하락	증가
⑤	증가	하락	상승	감소

14 다음은 환율 변동과 관련된 상황을 나타낸 것이다. 이에 대한 옳은 분석 및 추론을 〈보기〉에서 고른 것은?

> • 대학생인 갑은 아르바이트를 해서 모은 돈으로 미국에 배낭여행을 가고자 한다.
> • 미국계 금융 회사에 근무하고 있는 회사원 을은 임금을 달러화로 받기로 계약하였다.
> • 미국에 스마트폰을 수출하는 기업가 병은 수출 대금으로 받은 달러화를 매달 초에 원화로 환전한다.

보기
ㄱ. 환율 상승이 예상될 경우 갑은 환전 시점을 미룰수록 유리하다.
ㄴ. 환율 하락이 예상될 경우 을은 임금을 원화로 받는 것으로 계약을 변경하는 것이 합리적이다.
ㄷ. 환율 하락이 예상될 경우 병은 달러화의 원화 환전을 앞당길수록 유리하다.
ㄹ. 환율이 상승하면 갑은 유리해지지만, 을과 병은 불리해진다.

① ㄱ, ㄴ　　　② ㄱ, ㄷ　　　③ ㄴ, ㄷ
④ ㄴ, ㄹ　　　⑤ ㄷ, ㄹ

15 그림은 달러화 대비 원화 가치의 변화 추이를 나타낸 것이다. ㉠, ㉡ 구간에 대한 옳은 분석 및 추론을 〈보기〉에서 고른 것은?

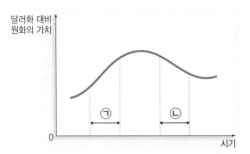

보기
ㄱ. ㉠에서 원/달러 환율은 하락한다.
ㄴ. ㉠에서는 미국 시장에서 우리나라 상품의 가격 경쟁력이 높아진다.
ㄷ. ㉡에서는 미국에서 수입하는 원자재의 국내 가격이 상승한다.
ㄹ. ㉡에서는 미국으로 유학을 떠나는 우리나라 학생의 유학 경비 부담이 작아진다.

① ㄱ, ㄴ ② ㄱ, ㄷ ③ ㄴ, ㄷ
④ ㄴ, ㄹ ⑤ ㄷ, ㄹ

16 그림에 나타난 환율 변동이 미치는 영향으로 옳은 것은? (단, 환율 변동 이외의 다른 조건은 고려하지 않는다.)

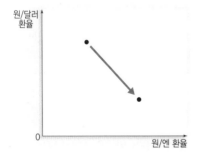

① 엔화 대비 원화의 가치는 상승한다.
② 우리나라에서는 미국 상품에 대한 수입이 감소할 것이다.
③ 우리나라에 유학 온 미국 학생의 부담은 줄어들 것이다.
④ 일본으로 여행을 떠나는 우리나라 국민의 경비 부담이 늘어날 것이다.
⑤ 우리나라에서 일본으로 수출하는 상품의 가격 경쟁력이 낮아질 것이다.

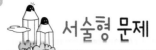

서술형 문제

● 정답친해 48쪽

01 다음 글을 읽고 물음에 답하시오.

환율을 결정하는 방식은 나라마다 다르다. 환율 제도는 크게 중앙은행이나 정부가 개입하여 환율을 일정한 수준으로 고정하는 (㉠)와 외환 시장에서 외화가 들어오고 나가는 정도에 따라 환율이 결정되는 (㉡)로 구분할 수 있다.

(1) ㉠, ㉡에 들어갈 내용을 각각 쓰시오.

(2) ㉡의 장점과 단점을 한 가지씩 서술하시오.

02 다음 글을 읽고 물음에 답하시오. (단, 다른 조건은 변함없다.)

· 해외 사업 확장을 위해 외국에 공장을 세우는 우리나라 기업이 증가하고 있다.
· 우리나라 금리가 급격히 하락하여 외국 금리에 비해 상대적으로 낮아지면서 외국인들의 국내 투자가 감소하였다.

(1) 위의 같은 변화가 동시에 나타날 때 환율의 변동 방향을 서술하시오.

(2) (1)로 인해 나타난 환율의 변동이 국가 경제에 미치는 영향을 두 가지 이상 서술하시오.

STEP 3 1등급 정복하기

1 밑줄 친 ㉠~㉣에 대한 설명으로 옳은 것은?

> ㉠ 외환 시장에서 서로 다른 두 나라의 화폐를 교환하기 위해서는 ㉡ 환율이 필요하다. 환율은 자국 화폐와 외국 화폐의 교환 비율로 표시하는데, 외환 시장에서 환율은 수시로 변화한다. 예를 들어 ㉢ 1달러당 1,000원이었던 환율이 1달러당 1,100원으로 변화하기도 하고, 반대로 ㉣ 1달러당 1,000원이었던 환율이 1달러당 900원으로 변화하기도 한다.

① 외화만 ㉠의 거래 대상에 포함된다.
② ㉡은 자국 화폐의 대내 가치를 나타낸다.
③ ㉢ 상황에서는 1달러를 얻기 위해 지불해야 하는 원화의 양이 감소한다.
④ ㉣ 상황에서 달러화 대비 원화의 가치는 상승한다.
⑤ ㉢은 환율 하락, ㉣은 환율 상승에 해당한다.

> 외환 시장과 환율

2 표는 질문에 따라 환율 제도 A, B를 구분한 것이다. 이에 대한 옳은 설명을 〈보기〉에서 고른 것은? (단, A, B는 각각 고정 환율 제도와 변동 환율 제도 중 하나이다.)

구분	A	B
(가)	예	아니요
(나)	아니요	예

> 고정 환율 제도와 변동 환율 제도

완자샘의 시험 꿀팁
고정 환율 제도와 변동 환율 제도의 일반적인 특징을 구분하는 문제가 자주 출제된다.

┌ **보기** ┐
ㄱ. A가 고정 환율 제도이면, (가)에는 '정부가 환율 제도에 개입하나요?'가 적절하다.
ㄴ. B가 변동 환율 제도이면, (나)에는 '환율 변동으로 나타나는 위험을 막을 수 있나요?'가 적절하다.
ㄷ. (가)가 '시세 차익 획득을 목적으로 한 투기성 자금의 유입이 발생하나요?'라면, A는 고정 환율 제도이다.
ㄹ. (나)가 '외화가 너무 많거나 적을 때 나타날 수 있는 문제가 자동으로 조정되나요?'라면, B는 변동 환율 제도이다.

① ㄱ, ㄴ   ② ㄱ, ㄹ   ③ ㄴ, ㄷ
④ ㄴ, ㄹ   ⑤ ㄷ, ㄹ

3 그림은 우리나라 외환 시장에서 균형점 E의 변화를 나타낸 것이다. 균형점 E를 A~D로 이동시키는 요인으로 적절한 것을 〈보기〉에서 고른 것은? (단, 외환 시장은 수요와 공급의 법칙을 따른다.)

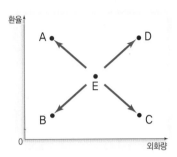

> **외화의 수요와 공급 요인**
>
> **환자샘의 시험 꿀팁**
> 환율 변동에 영향을 미치는 요인을 묻는 문제가 자주 출제된다. 외화의 수요에 영향을 주는 요인과 외화의 공급에 영향을 주는 요인을 구분할 수 있어야 한다.
>
> **│환자 사전│**
> • 조세 감면
> 과세하여야 할 일정한 세액을 경감하거나 면제하여 주는 것

┌─ 보기 ┐
ㄱ. E → A: 외국인의 국내 채권 매입이 증가하였다.
ㄴ. E → B: 외국 상품에 대한 국내 소비자의 선호도가 낮아지면서 외국 상품의 수입이 감소하고 있다.
ㄷ. E → C: 우리나라 정부의 외국 기업에 대한 조세 감면 정책으로 우리나라에 대한 외국인의 투자가 증가하고 있다.
ㄹ. E → D: 우리나라 기업의 외국 기업에 대한 특허권 사용료 지급액이 감소하였다.

① ㄱ, ㄴ　　　　　② ㄱ, ㄷ　　　　　③ ㄴ, ㄷ
④ ㄴ, ㄹ　　　　　⑤ ㄷ, ㄹ

평가원 응용

4 표는 환율의 변동 요인과 영향을 구분한 것이다. 이에 대한 설명으로 옳은 것은? (단, A는 달러화 수요의 증감 중 하나이고, B는 달러화 공급의 증감 중 하나이다.)

> **환율 변동의 요인과 영향**

변동 요인	원/달러 균형 환율	균형 환율 변동의 영향
A	(가)	수입 원자재 가격이 낮아져 국내 물가가 하락한다.
B	하락	(나)

① A는 '달러화 수요 증가'에 해당한다.
② B는 '달러화 공급 감소'에 해당한다.
③ (가)로 인해 미국 시장에 수출되는 국내산 상품의 가격 경쟁력이 낮아질 것이다.
④ (나)에는 '달러화를 원화로 환전하여 우리나라 여행을 하려는 미국인들의 부담이 감소한다.'가 들어갈 수 있다.
⑤ A와 B가 동시에 나타날 경우 원/달러 환율은 상승하고, 달러화의 거래량은 증가한다.

5 표는 미국 달러화에 대한 갑~병국 통화 가치의 전년 대비 변동률을 나타낸 것이다. 이에 대한 분석 및 추론으로 옳지 <u>않은</u> 것은? (단, 환율 이외의 다른 요인은 고려하지 않는다.)

(단위: %)

구분	갑국	을국	병국
통화 가치 변동률	+3.0	−3.3	−4.5

① 1달러와 교환되는 갑국 화폐의 양은 줄어들었다.
② 을국의 달러 대비 환율은 상승하였다.
③ 병국 수출품의 달러 표시 가격은 하락하였다.
④ 달러로 환전하여 미국에서 유학 중인 자녀에게 학비를 송금하는 갑국 부모의 부담이 늘어났다.
⑤ 달러로 환전하여 병국에 투자하려는 을국 기업의 부담은 감소하였다.

▶ 환율의 결정과 변동

┃ 환자 사전 ┃
• 통화
유통 수단이나 지불 수단으로서 기능하는 화폐

───

수능 응용

6 그림에 나타난 t년 대비 t+1년의 환율 변동 영향으로 적절한 것만을 〈보기〉에서 있는 대로 고른 것은? (단, 환율 이외의 다른 요인은 고려하지 않는다.)

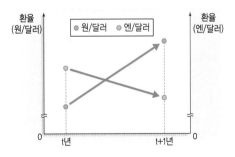

보기

ㄱ. 달러화 자금을 차입한 일본 기업의 상환 부담은 감소한다.
ㄴ. 우리나라에서 수입하는 미국산 상품의 원화 표시 가격은 하락한다.
ㄷ. 우리나라로 여행을 오는 미국 사람들의 여행비 부담은 증가한다.
ㄹ. 미국 시장에서 일본 기업과 경쟁하는 우리나라 기업의 수출품 가격 경쟁력은 상승한다.

① ㄱ, ㄹ   ② ㄴ, ㄷ   ③ ㄱ, ㄴ, ㄷ
④ ㄱ, ㄷ, ㄹ   ⑤ ㄴ, ㄷ, ㄹ

▶ 환율 변동의 영향

환자샘의 시험 꿀팁
환율 변동이 국가 경제 및 개인의 경제생활에 미치는 영향을 묻는 문제가 자주 출제된다. 환율 상승과 환율 하락에 따른 영향을 파악해 두어야 한다.

03 국제 수지

1 국제 수지의 의미와 구성

이것이 핵심!

국제 수지의 구성

의미	일정 기간 동안 한 나라와 다른 나라 사이에 이루어진 모든 경제적 거래에 따른 외화의 수취와 지급의 차이
구성	• 경상 수지: 상품 수지, 서비스 수지, 본원 소득 수지, 이전 소득 수지 • 자본 수지 • 금융 계정 • 오차 및 누락

★ **지식 재산권**
인간의 지적 활동으로 인해 발생하는 모든 재산권

★ **구호물자**
재해나 재난 따위로 어려움에 처한 사람을 도와 보호하기 위해 보내는 물건

★ **직접 투자**
우리나라 사람이 외국 기업에 대해 또는 외국인이 우리나라 기업에 대해 경영 참여 등을 목적으로 하는 투자

★ **증권 투자**
배당이나 이자 수익을 올릴 목적으로 외국의 주식, 채권과 같은 금융 자산에 투자하는 것

★ **차관**
국가 간에 자금을 빌려주거나 빌려 오는 것

★ **준비 자산**
중앙은행이 외환 시장에 개입하여 대외 신인도 유지나 외환 시장 안정 등을 위해 사용하는 대외 자산금으로, 외환 보유액의 증감을 나타낸다.

1. 국제 수지와 국제 수지표

(1) 국제 수지

① 국제 수지: 일정 기간 동안 한 나라와 다른 나라 사이에 이루어진 모든 경제적 거래에 따른 외화의 수취와 지급의 차이 → 국가 간 거래에서 우리나라로 들어온 외화와 외국으로 나간 외화의 차액을 확인할 수 있음

② 국제 수지 흑자와 적자

국제 수지 흑자	국내로 들어온 외화가 외국으로 나간 외화보다 많은 경우
국제 수지 적자	국내로 들어온 외화보다 외국으로 나간 외화가 많은 경우

(2) 국제 수지표: 국제 수지 내용을 체계적으로 정리하여 기록한 것 → 우리나라에서는 한국은행이 국제 수지표를 작성하여 발표하고 있음

2. 국제 수지의 구성 자료①

(1) 경상 수지

① 경상 수지: 상품이나 서비스와 같이 실물 부문의 거래를 통해 수취한 외화와 지급한 외화의 차액

② 경상 수지의 구성 자료② — 꿀! 경상 수지에서 가장 큰 비중을 차지해.

상품 수지	상품을 수출하여 벌어들인 외화와 외국 상품을 수입할 때 지급한 외화의 차이 예 휴대 전화 수출 대금, 농산물 수입 대금 등
서비스 수지	외국과 운송, 여행, 건설, 금융, 보험, *지식 재산권 사용 등의 서비스를 거래해서 벌어들인 외화와 지급한 외화의 차이 예 우리나라 사람이 해외여행을 가서 지출한 경비, 우리나라 영화를 수출하고 받은 대금 등
본원 소득 수지	외국과 노동, 자본 등의 생산 요소를 거래해서 벌어들인 외화와 지급한 외화의 차이 예 우리나라 근로자가 외국에 취업해 받은 임금, 우리나라 사람이 외국의 주식에 투자하여 벌어들인 배당금 등
이전 소득 수지	외국과 아무런 대가 없이 주고받은 거래에서 들어온 외화와 나간 외화의 차이 예 유학비 송금, 기부금, 무상 원조 및 *구호물자 등

VS 내국인이 외국 주식에 투자한 것은 금융 계정 지급에 해당하고, 내국인이 외국 주식에 투자하여 배당금을 벌어들인 것은 본원 소득 수지 수취에 해당해.

(2) 자본 수지와 금융 계정

① 자본 수지와 금융 계정: 국가 간 자본 거래에 따른 외화의 유입과 유출의 차이 → 자본의 국제적 이동 규모를 알 수 있음

② 자본 수지와 금융 계정의 구성 자료③

자본 수지	자산 소유권의 무상 이전, 채권자에 의한 채무 면제 등과 같은 자본 이전, 브랜드 네임, 상표 등의 취득과 처분이 기록됨 예 우리나라 사람이 외국으로 이민 갈 때 사용되는 이민 비용
금융 계정	*직접 투자, *증권 투자, 대출과 예금 등의 금융 거래, *차관 도입 또는 차관 제공, *준비 자산을 포함함 예 우리나라 기업이 외국에 공장을 설립하는 것, 우리나라 사람이 외국 금융 시장에서 주식이나 채권을 매입하는 것 등

(3) 오차 및 누락: 국제 거래 내역을 집계하는 과정에서 불가피하게 생길 수밖에 없는 통계적 오류를 조정하기 위해 마련해 놓은 항목
예 국제 수지의 통계 간 계산 시점 및 평가 방법의 차이, 통계 자체의 오류 등

완자 자료 탐구 — 내 옆의 선생님

자료 ① 우리나라의 국제 수지 추이

(단위: 억 달러)

구분		2013년	2014년	2015년	2016년	2017년
경상 수지		811.5	843.7	1,059.4	992.4	784.6
	상품 수지	827.8	888.9	1,222.7	1,189.0	1,198.9
	서비스 수지	− 65.0	− 36.8	− 149.2	− 177.4	− 344.7
	본원 소득 수지	90.6	41.5	35.7	38.5	1.2
	이전 소득 수지	− 41.9	− 49.8	− 49.9	− 57.7	− 70.8
자본 수지		− 0.3	− 0.1	− 0.6	− 0.5	− 0.3
금융 계정		801.0	893.3	1,063.0	1,025.7	871.0
오차 및 누락		− 10.2	49.7	4.2	33.7	86.7

(한국은행, 2018)

제시된 국제 수지표를 통해 2013년부터 2017년까지 우리나라의 경상 수지와 금융 계정은 흑자를, 자본 수지는 적자를 기록하고 있음을 알 수 있다. 국제 수지를 구성하는 항목의 크기를 통해 경상 수지 중 상품, 서비스 등의 거래를 기록하는 상품 수지가 경상 수지 흑자에 가장 큰 영향을 미치고 있음을 알 수 있다.

자료 ② 경상 수지의 구분

> (가) 우리나라 국민이 해외여행 경비로 2천 달러를 사용하였다.
> (나) 우리나라 기업이 외국에 자동차를 수출하고 1억 달러를 받았다.
> (다) 외국 기업에 취업한 우리나라 근로자가 월급 2천 5백 달러를 받았다.
> (라) 우리나라가 외국의 지진 피해 지역에 2만 달러어치 구호물자를 지원하였다.

(가)는 내국인의 해외여행으로 외화가 국외로 나가므로 서비스 수지의 지급에, (나)는 상품 수출에 대한 대금을 받음으로써 외화가 국내로 들어오므로 상품 수지의 수취에 해당한다. (다)는 내국인의 해외 취업으로 외화가 국내로 들어오므로 본원 소득 수지의 수취에, (라)는 우리나라 정부의 구호 활동으로 외화가 국외로 나가므로 이전 소득 수지의 지급에 해당한다.

자료 ③ 준비 자산과 외환 보유액

> 한 나라의 정부와 중앙은행이 비상사태에 대비해 비축하고 있는 외화 자금을 의미해.

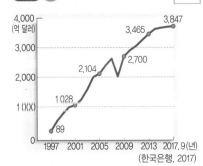

↑ 우리나라의 외환 보유액 추이

국제 수지표의 금융 계정에 표시되는 준비 자산은 외환 보유액의 증감을 포함한다. 제시된 그림을 통해 우리나라의 외환 보유액이 1997년 89억 달러에서 2017년 9월 3,847억 달러로 급격히 증가하였음을 알 수 있다. 외환 보유액은 한 국가의 대외 지급 능력을 보여 주는 지표로, 외환 보유액이 많다는 것은 그만큼 국가의 지급 능력이 뛰어나다는 것을 의미한다.

문제로 확인할까?

경상 수지에 포함되지 않는 것은?
① 해외 이주비
② 해외여행 경비
③ 정부의 해외 무상 원조
④ 해외 투자에 따른 소득
⑤ 해외 취업자의 국내 송금

① 답

정리 비법을 알려줄게!

경상 수지의 구성

상품 수지	상품의 수출로 벌어들인 외화와 수입으로 지급한 외화의 차이
서비스 수지	운송, 여행 등 서비스 거래를 통해 벌어들인 외화와 지급한 외화의 차이
본원 소득 수지	임금이나 배당, 이자 등으로 벌어들인 외화와 지급한 외화의 차이
이전 소득 수지	아무런 대가 없이 주고받은 외화의 수취와 지급의 차이

자료 하나 더 알고 가자!

자본 수지와 금융 계정의 사례

> (가) 우리나라 기업이 상표권을 외국 기업에 매각하였다.
> (나) 외국 기업이 국내 진출을 위해 우리나라에 공장을 설립하였다.

(가)에서 우리나라 기업의 상표권 매각은 양도 가능한 무형 자산을 처분한 것이므로, 자본 수지에 해당한다. (나)에서 외국 기업이 직접 투자의 목적으로 우리나라에 공장을 설립하는 것은 금융 계정에 해당한다.

03 국제 수지

이것이 핵심!

② 국제 수지의 변화와 영향

국제 수지의 변화

국제 수지의 불균형
벌어들인 외화와 지급한 외화의 양이 같지 않아 흑자나 적자가 되는 상태

↓

경상 수지 흑자	생산·고용·국민 소득 증가, 국가 대외 신용도 상승, 국내 물가 상승, 무역 마찰 유발 등
경상 수지 적자	생산·고용·국민 소득 감소, 국가 대외 신용도 하락, 국내 물가 안정 등

★ **대외 신용도**
한 국가가 대외적으로 거래한 재화의 대가를 앞으로 치를 수 있음을 보여 주는 능력의 정도

★ **통화량**
한 나라의 경제에서 일정 시점에 유통되고 있는 화폐의 존재량

1. 국제 수지의 변화

(1) **국제 수지의 균형**: 한 국가가 다른 국가와의 거래를 통해 벌어들인 외화와 지급한 외화의 양이 같은 경우

(2) **국제 수지의 불균형**

① 국제 수지의 불균형: 벌어들인 외화와 지급한 외화의 양이 같지 않아 흑자나 적자가 되는 상태

② 경상 수지 흑자와 적자 (자료④)

경상 수지 흑자	상품이나 서비스, 생산 요소 등의 거래를 통해 벌어들인 외화가 지급한 외화보다 많은 경우
경상 수지 적자	상품이나 서비스, 생산 요소 등의 거래를 통해 지급한 외화가 벌어들인 외화보다 많은 경우

(3) **국제 수지 균형의 필요성**: 경상 수지 흑자와 적자는 긍정적 측면과 부정적 측면을 모두 지니므로 장기적으로 국제 수지는 균형을 이루는 것이 바람직함

2. 국제 수지 변화의 영향 (교과서 자료)

(1) **경상 수지 변동의 영향**: 경상 수지는 수출과 수입에 관련된 상품 수지와 서비스 수지를 포함하고 있어 한 나라의 생산력을 반영하며, <u>국가 경제에 미치는 영향이 매우 큼</u>
└ 일반적으로 경상 수지의 변동은 국제 수지 변화의 중요한 요인이 된다.

(2) **경상 수지 흑자가 국가 경제에 미치는 영향**

긍정적 영향	• 상품과 서비스의 수출이 늘어나 국내 기업의 생산이 증가함 → 고용이 확대되고 국민 소득이 증가하여 국가 경제를 활성화함 • 외채 상환 능력이 향상되어 국가의 *대외 신용도가 높아짐 → 차관 도입이 용이해지고, 외국인의 국내 투자가 증가함
부정적 영향	• 지속적인 경상 수지 흑자는 국내 *통화량이 증가하는 요인으로 작용하여 국내 물가 상승을 유발할 수 있음 • 우리나라와 교역하여 적자를 보게 된 교역 상대국이 자국의 산업을 보호하기 위한 정책을 실시할 경우 무역 마찰이 발생할 수 있음

(3) **경상 수지 적자가 국가 경제에 미치는 영향**

긍정적 영향	• 국내 통화량이 감소하여 국내 물가 상승을 억제함 • 생산성을 높이기 위해 기업이 투자를 확대하는 과정에서 경상 수지 적자가 발생할 경우 장기적으로 경제 성장에 기여함
부정적 영향	• 경상 수지 적자가 지속되면 상품과 서비스의 수출이 줄어들어 국내 기업의 생산이 감소함 → 고용이 위축되고 실업이 증가하여 국민 소득이 감소하며 경기 침체를 유발할 수 있음 • 보유한 외화가 줄어들어 대외 채무가 지속적으로 늘어남 → 외채 상환 부담이 증가하고 국가의 대외 신용도가 낮아질 수 있음

3. 국제 수지와 환율의 관계 (자료⑤)

(1) **국제 수지 흑자 시**: 외화의 유입액이 외화의 유출액보다 많음 → 외화의 공급 증가 → 환율 하락 → 국내 수출 상품의 외화 표시 가격 상승으로 수출 감소, 외국 수입 상품의 국내 가격 하락으로 수입 증가 → 국제 수지 악화
┌ 외화 가치 하락, 원화 가치 상승

(2) **국제 수지 적자 시**: 외화의 유출액이 외화의 유입액보다 많음 → 외화의 공급 감소 → 환율 상승 → 국내 수출 상품의 외화 표시 가격 하락으로 수출 증가, 외국 수입 상품의 국내 가격 상승으로 수입 감소 → 국제 수지 개선
┌ 외화 가치 상승, 원화 가치 하락

완자 자료 탐구

내 옆의 선생님

자료 ④ 경상 수지의 변화

한국은행이 발표한 자료에 따르면 2016년 우리나라의 상품, 서비스 등의 거래를 기록하는 경상 수지 항목은 992억 4천만 달러 흑자로 집계되었다. 이는 2015년에 이어 두 번째로 많은 규모이며, 2012년 3월부터 58개월 연속 흑자를 기록 중이다. 경상 수지 흑자를 이끈 것은 상품 수지이다. 2016년 상품 수지는 1,189억 달러 흑자로, 국제 유가 하락에 따른 교역 조건 개선이 상품 수지 흑자에 도움이 되었다. – KBS 뉴스, 2017. 2. 3.

제시된 신문 기사를 통해 우리나라의 경상 수지가 지속적으로 흑자를 기록하고 있음을 알 수 있다. 경상 수지는 국제 수지에서 차지하는 비중이 크고 재화와 서비스의 수출과 수입을 다루고 있어 경제 전반에 미치는 영향이 매우 크다.

문제 로 확인할까?

경상 수지 흑자가 국가 경제에 미치는 영향으로 적절한 것은?
① 고용 위축
② 국내 물가 상승
③ 국민 소득 감소
④ 대외 신용도 하락
⑤ 국내 기업의 생산 감소

② 目

수능이 보이는 교과서 자료 — 국제 수지 변화의 영향

- 갑국은 주요 수출 품목인 자동차의 가격 경쟁력이 높아지면서 대규모 경상 수지 흑자를 기록하였다. 이로 인해 갑국에서는 내수 산업이 활성화되고 있지만, 일부에서는 물가 상승에 대비해야 한다는 의견이 나오고 있다.
- 을국은 주요 수출 품목인 휴대 전화의 수출 부진으로 상품 수지가 큰 폭으로 악화됨에 따라 경상 수지 적자를 기록하였다. 이로 인해 을국 내의 물가는 안정되고 있지만, 이러한 추이가 지속될 경우 국민 소득이 감소할 것을 우려하고 있다.

제시된 사례에서 갑국은 경상 수지 흑자를, 을국은 경상 수지 적자를 기록하고 있다. 경상 수지 흑자는 고용 확대와 국민 소득 증대로 이어져 국가 경제를 활성화하는 효과가 있지만, 국내 통화량을 증가시켜 물가 상승을 유발하기도 한다. 반면 경상 수지 적자는 국내 물가 상승을 억제하는 효과가 있지만, 경상 수지 적자가 지속되면 국내 기업의 생산이 위축되어 실업이 증가하고 국민 소득이 감소하기도 한다. 이와 같이 지속적인 경상 수지의 흑자와 적자는 모두 국가 경제에 부담을 줄 수 있으므로, 장기적으로 국제 수지는 균형을 이루는 것이 바람직하다.

완자쌤의 탐구 강의

- 갑국과 을국의 경상 수지 추이가 지속될 경우 환율의 변화를 예측해 보자.

갑국	환율 하락
을국	환율 상승

- 을국의 경상 수지 추이가 지속될 경우 을국의 대외 신용도는 어떻게 변화하는지 서술해 보자.
경상 수지의 적자가 지속될 경우 을국에서는 외화 부족으로 대외 채무가 늘어나고 국가의 대외 신용도는 낮아질 것이다.

함께 보기 171쪽, 1등급 정복하기 4

자료 ⑤ 국제 수지와 환율

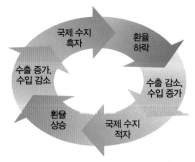

↑ 국제 수지와 환율이 영향을 주고받는 모습

국가 간 거래는 외화의 유입과 유출을 동반하므로, 국제 수지와 환율은 긴밀하게 영향을 주고받는다. 국제 수지가 흑자이면 외화의 유출보다 유입이 많아 보유하는 외화의 양이 늘어난다. 이때 외화의 가치가 낮아져 환율은 하락한다. 반면, 국제 수지가 적자이면 외화의 유출이 유입보다 많아 보유하는 외화의 양이 줄어든다. 이때 외화의 가치가 높아져 환율은 상승한다.

정리 비법을 알려줄게!

국제 수지 변화의 영향

구분	경상 수지 흑자	경상 수지 적자
국민 소득	증가	감소
국가 대외 신용도	상승	하락
국내 통화량	증가	감소
국내 물가	상승	안정

1 ㉠, ㉡에 들어갈 내용을 각각 쓰시오.

> (㉠)란 일정 기간 동안 한 나라와 다른 나라 사이에 이루어진 모든 경제적 거래에 따른 외화의 수취와 지급의 차이를 의미하며, 이를 체계적으로 정리하여 기록한 것이 (㉡)이다.

2 다음 설명에 해당하는 경상 수지의 항목을 〈보기〉에서 골라 기호를 쓰시오.

> 보기
> ㄱ. 상품 수지　　　　　ㄴ. 서비스 수지
> ㄷ. 본원 소득 수지　　　ㄹ. 이전 소득 수지

(1) 외국과 서비스를 거래해서 벌어들인 외화와 지급한 외화의 차이를 말한다.　　　　　　　　　　(　　)

(2) 상품을 수출하여 벌어들인 외화와 외국 상품을 수입할 때 지급한 외화의 차이를 말한다.　　　　　(　　)

(3) 외국과 아무런 대가 없이 주고받은 거래에서 들어온 외화와 나간 외화의 차이를 말한다.　　　　(　　)

(4) 외국과 노동, 자본 등의 생산 요소를 거래해서 벌어들인 외화와 지급한 외화의 차이를 말한다.　(　　)

3 다음 빈칸에 들어갈 내용을 쓰시오.

(1) 국가 간 거래에서 벌어들인 외화와 지급한 외화의 양이 같을 때 국제 수지는 (　　　)을 이룬다고 한다.

(2) 상품이나 서비스, 생산 요소 등의 거래를 통해 지급한 외화가 벌어들인 외화보다 많으면 경상 수지 (　　　)가 발생한다.

4 다음 설명이 맞으면 ○표, 틀리면 ×표를 하시오.

(1) 경상 수지가 흑자이면 상품과 서비스의 수출이 늘어나 국내 기업의 생산이 증가한다.　　　　　　　　(　　)

(2) 경상 수지의 적자가 지속되면 외채 상환 능력이 향상되어 국가의 대외 신용도가 높아진다.　　　　　(　　)

(3) 국제 수지가 적자인 경우 외화의 초과 공급이 나타나 환율이 하락한다.　　　　　　　　　　　(　　)

01 ㉠~㉢에 해당하는 국제 수지 유형에 대한 옳은 설명을 〈보기〉에서 고른 것은?

> 국제 수지표는 국제 수지 내용을 체계적으로 정리하여 기록한 것이다. 국제 수지표는 크게 실물 부문의 거래를 통해 수취한 외화와 지급한 외화의 차액을 나타내는 (㉠), 자산 소유권의 무상 이전 등과 같은 자본 이전, 브랜드 네임 등의 취득과 처분을 기록하는 (㉡), 직접 투자, 증권 투자, 준비 자산 등을 포함하는 (㉢), 오차 및 누락으로 구분하여 기록한다.

> 보기
> ㄱ. 일반적으로 ㉠은 국제 수지에서 가장 큰 비중을 차지한다.
> ㄴ. 외국인의 국내 주식 투자는 ㉡에 포함된다.
> ㄷ. 서비스의 수출입 대금과 관련된 항목은 ㉢에 포함된다.
> ㄹ. ㉡과 ㉢을 통해 자본의 국제적 이동 규모를 알 수 있다.

① ㄱ, ㄴ　　　② ㄱ, ㄹ　　　③ ㄴ, ㄷ
④ ㄴ, ㄹ　　　⑤ ㄷ, ㄹ

02 (가)~(다) 사례에 해당하는 경상 수지 항목을 옳게 연결한 것은?

> (가) 우리나라 기업이 미국에 자동차를 수출하고 대금을 받았다.
> (나) 우리나라 관광객이 프랑스에 있는 호텔을 이용하고 비용을 지불하였다.
> (다) 우리나라 정부가 지진으로 인해 어려움을 겪고 있는 일본을 돕기 위해 구호금을 보냈다.

	(가)	(나)	(다)
①	상품 수지	서비스 수지	이전 소득 수지
②	상품 수지	이전 소득 수지	서비스 수지
③	서비스 수지	상품 수지	이전 소득 수지
④	서비스 수지	이전 소득 수지	상품 수지
⑤	이전 소득 수지	상품 수지	서비스 수지

03 표는 우리나라의 국제 수지 항목을 구분한 것이다. (가)~(마)에 해당하는 사례를 옳게 연결한 것은?

구분		외화 수취	외화 지급
경상 수지	상품 수지		(가)
	서비스 수지	(나)	
	본원 소득 수지	(다)	
	이전 소득 수지		
자본 수지와 금융 계정	자본 수지	(라)	
	금융 계정		(마)

① (가) − 우리나라 기업이 중국에 휴대 전화를 수출하고 대금을 받았다.
② (나) − 우리나라 관광객이 단체로 스페인을 관광하였다.
③ (다) − 우리나라 정부가 미국 정부에 외채에 대한 이자를 지불하였다.
④ (라) − 국내 기업이 보유하고 있는 상표권을 외국 기업에 매각하였다.
⑤ (마) − 국내 경제 침체로 우리나라 정부가 외국 정부로부터 차관을 도입하였다.

04 다음 자료에 대한 옳은 분석을 〈보기〉에서 고른 것은?

> 표는 갑국의 전년 대비 상품 수지 변화율과 상품 수출액 변화율을 나타낸 것이다. 2014년에 갑국의 상품 수지는 100억 달러 흑자이고, 상품 수출액은 200억 달러이다.
>
> (단위: %)
>
> | 구분 | 2015년 | 2016년 | 2017년 |
> |---|---|---|---|
> | 상품 수지 변화율 | 0 | −10 | 10 |
> | 상품 수출액 변화율 | 25 | −10 | 20 |

보기
ㄱ. 2015년의 상품 수지가 가장 크다.
ㄴ. 2015년 이후 상품 수출액과 상품 수입액의 합은 지속적으로 증가하였다.
ㄷ. 2016년의 전년 대비 상품 수출액의 변화율은 상품 수입액의 변화율보다 크다.
ㄹ. 상품 수입액은 2017년이 2015년보다 더 크다.

① ㄱ, ㄴ   ② ㄱ, ㄹ   ③ ㄴ, ㄷ
④ ㄴ, ㄹ   ⑤ ㄷ, ㄹ

05 표는 갑국의 2017년 경상 수지를 나타낸 것이다. 이에 대한 옳은 분석을 〈보기〉에서 고른 것은?

(단위: 억 달러)

상품 수지	서비스 수지	본원 소득 수지	이전 소득 수지
120	−20	10	−35

보기
ㄱ. 상품 수출액은 전년 대비 120억 달러 증가하였다.
ㄴ. 서비스 거래에 따른 외화 유출액이 유입액보다 많다.
ㄷ. 외국 채권 매입에 따른 이익을 기록하는 항목은 흑자이다.
ㄹ. 해외에 제공한 공적 개발 원조액을 기록하는 항목은 흑자이다.

① ㄱ, ㄴ   ② ㄱ, ㄷ   ③ ㄴ, ㄷ
④ ㄴ, ㄹ   ⑤ ㄷ, ㄹ

06 다음은 갑국의 2017년 대외 거래 활동을 나타낸 것이다. 이에 대한 분석으로 옳은 것은? (단, 자료 외의 대외 거래는 없다고 본다.)

> • 외국 기업 주식에 투자를 하여 배당금으로 7억 달러를 벌어들였다.
> • 외국으로부터 구리, 철광석 등을 수입하고 3억 달러를 지불하였다.
> • 갑국이 국내 기업을 외국 기업에 매각한 대가로 10억 달러를 벌어들였다.
> • 갑국 기업이 외국 기업의 지식 재산권을 사용한 비용으로 5억 달러를 지불하였다.

① 경상 수지는 1억 달러 적자이다.
② 상품 수지는 3억 달러 흑자이다.
③ 금융 계정은 7억 달러 흑자이다.
④ 서비스 수지는 5억 달러 흑자이다.
⑤ 본원 소득 수지는 10억 달러 적자이다.

07 표는 갑국의 국제 수지 변화를 나타낸 것이다. 이에 대한 분석 및 추론으로 옳지 <u>않은</u> 것은? (단, 오차 및 누락은 없다.)

(단위: 억 달러)

항목 \ 연도	2015년	2016년	2017년
경상 수지	1,059.4	992.4	784.6
상품 수지	1,222.7	1,189.0	1,198.9
서비스 수지	−149.2	−177.4	−344.7
본원 소득 수지	35.7	38.5	1.2
이전 소득 수지	−49.9	−57.7	−70.8
자본 수지	−0.6	−0.5	−0.3
금융 계정	1,063.0	1,025.7	871.0

① 2015년에는 브랜드 네임의 취득과 처분이 기록되는 항목이 적자를 기록하였다.

② 2016년에는 외환 보유액의 증감이 포함되는 항목이 흑자를 기록하였다.

③ 2017년에는 임금이 포함되는 항목이 흑자를 기록하였다.

④ 2016년과 2017년 모두 전년 대비 경상 수지 흑자 폭이 감소하였다.

⑤ 2015년부터 2017년까지 무상 원조가 포함되는 항목은 매년 균형 상태에 있다.

08 다음 대화를 통해 추론할 수 있는 내용으로 가장 적절한 것은?

> • 갑: 경상 수지 흑자로 인해 고용이 확대될 수 있지만, 과도한 경상 수지 흑자는 외화를 원화로 교환하는 과정에서 통화량을 증가시켜 물가 상승을 초래할 수도 있어.
> • 을: 맞아. 그러나 경상 수지가 적자일 경우 국내 통화량을 감소시켜 물가는 안정시킬 수 있지만, 경상 수지 적자가 지속될 경우 국민 소득이 감소할 수도 있어.

① 국제 수지는 적자를 이루는 것이 바람직하다.

② 국제 수지는 항상 흑자를 유지하는 것이 바람직하다.

③ 국제 수지는 흑자와 적자를 반복하는 것이 바람직하다.

④ 국제 수지는 장기적으로 균형을 유지하는 것이 바람직하다.

⑤ 국제 수지의 변동을 파악할 때 경상 수지의 변동은 고려하지 않는 것이 바람직하다.

09 다음 신문 기사에 나타난 상황이 지속될 경우 우리나라에서 나타날 수 있는 현상으로 적절한 것을 〈보기〉에서 고른 것은?

> ## ○○ 신문
> 2017. 2. 3.
>
> 한국은행이 발표한 자료에 따르면 2016년 우리나라의 상품, 서비스 등의 거래를 기록하는 경상 수지 항목은 992억 4천만 달러 흑자로 집계되었다. 이는 2015년에 이어 두 번째로 많은 규모이며, 2012년 3월부터 58개월 연속 흑자를 기록 중이다.

〈보기〉

ㄱ. 외국인의 국내 투자가 감소할 것이다.

ㄴ. 교역 상대국과의 무역 마찰이 발생할 수 있다.

ㄷ. 내수 산업이 활성화되어 국민 소득이 증가할 수 있다.

ㄹ. 외채 상환 부담이 늘어 대외 신용도가 하락할 수 있다.

① ㄱ, ㄴ   ② ㄱ, ㄷ   ③ ㄴ, ㄷ

④ ㄴ, ㄹ   ⑤ ㄷ, ㄹ

10 (가)에 들어갈 내용으로 적절하지 <u>않은</u> 것은?

> 갑국의 주요 수출 품목인 텔레비전과 냉장고의 가격 경쟁력이 낮아지면서 전년 대비 갑국의 상품 수출 규모가 대폭 감소하였다. 또한 갑국 국민들의 해외여행 급증 및 갑국 건설 업체들의 해외 건설 사업 부진 등으로 인해 서비스 수지가 적자를 보이고 있다. 이에 갑국의 경상 수지는 20개월 연속 적자를 기록하고 있다. 이러한 현상이 지속될 경우 _____ (가) _____

① 국민 소득이 감소할 것이다.

② 물가 상승이 억제될 수 있다.

③ 국내 기업의 생산이 줄어들 것이다.

④ 실업이 증가하고 고용이 위축될 것이다.

⑤ 외채 상환에 대한 부담이 낮아지면서 대외 신용도가 높아질 것이다.

11 (가), (나) 상황이 국가 경제와 환율 변동에 미치는 영향에 대한 옳은 설명을 〈보기〉에서 고른 것은?

중요

> (가) 상품이나 서비스, 생산 요소 등의 거래를 통해 벌어들인 외화가 지급한 외화보다 많은 경우이다.
> (나) 상품이나 서비스, 생산 요소 등의 거래를 통해 지급한 외화가 벌어들인 외화보다 많은 경우이다.

보기

ㄱ. (가) 상황에서는 원화의 가치가 하락하여 환율이 하락한다.
ㄴ. (나) 상황에서는 환율이 상승하여 수출은 증가하고, 수입은 감소한다.
ㄷ. (가) 상황에서는 (나) 상황에 비해 차관 도입이 용이해진다.
ㄹ. (나) 상황에서는 (가) 상황과 달리 국제 수지가 균형을 이루고 있다.

① ㄱ, ㄴ ② ㄱ, ㄷ ③ ㄴ, ㄷ
④ ㄴ, ㄹ ⑤ ㄷ, ㄹ

12 ㉠~㉣에 들어갈 내용을 옳게 연결한 것은?

> 국가 간 거래는 외화의 유입과 유출을 동반하므로, 국제 수지와 환율은 긴밀하게 영향을 주고받는다. 국제 수지가 흑자이면 외화의 유출보다 유입이 많아 외화의 공급이 (㉠)하고, 외환 시장에서 외화의 가치는 하락하고 원화의 가치가 상승하여 환율은 (㉡)한다. 이에 따라 수출은 (㉢)하고, 수입은 (㉣)하여 국제 수지는 악화된다.

	㉠	㉡	㉢	㉣
①	감소	상승	감소	증가
②	감소	하락	증가	감소
③	증가	상승	감소	증가
④	증가	하락	감소	증가
⑤	증가	하락	증가	감소

서술형 문제

● 정답친해 51쪽

01 다음은 갑국의 2017년 10월 대외 거래 활동을 나타낸 것이다. 이를 보고 물음에 답하시오. (단, 자료 외의 대외 거래는 없다고 본다.)

> (가) 원유 소비가 늘어나면서 외국으로부터 3천 달러어치 원유를 수입하였다.
> (나) 갑국 근로자가 외국 기업에서 일한 대가로 월급 2천 5백 달러를 받았다.
> (다) 갑국 정부가 외국의 지진 피해를 돕기 위해 5천 달러어치 구호금을 보냈다.

(1) (가)~(다)가 경상 수지의 어떤 항목에 영향을 줄지 쓰시오.

(2) 2017년 10월 갑국의 경상 수지를 계산하고, 이러한 추이가 국가 경제에 미치는 영향을 서술하시오.

02 다음 글을 읽고 물음에 답하시오.

> 갑국의 자동차와 휴대 전화의 가격 경쟁력이 높아지면서 갑국의 상품 수출 규모가 전년 대비 증가하였다. 또한 갑국으로 관광오는 외국인들이 크게 증가하였다. 이와 같이 갑국과 다른 국가 사이에 경제적 거래가 이루어지면서 올해 갑국으로 들어온 외화가 다른 국가로 나간 외화보다 많아져 갑국의 경상 수지는 (㉠)을/를 기록하였다.

(1) ㉠에 들어갈 내용을 쓰시오.

(2) 위 사례에 나타난 갑국의 경상 수지 추이가 국가 경제에 미치는 영향을 <u>두 가지</u> 이상 서술하시오.

STEP 3 1등급 **정복하기**

1 (가)~(라)에 대한 설명으로 옳지 <u>않은</u> 것은?

> (가) 우리나라 기업이 중국에 반도체를 수출하고 대금을 받았다.
> (나) 일본 기업을 인수하거나 일본에 공장을 설립하는 국내 기업이 증가하였다.
> (다) 화물 운임의 대가로 미국 항공사로부터 대금을 지급 받는 국내 항공사가 증가하였다.
> (라) 미국 기업의 주식을 보유하고 있는 우리나라 국민이 주식 투자에 대한 배당금을 받았다.

① (가)는 상품 수지의 수취에 해당하는 사례이다.
② (나)는 금융 계정의 지급에 기록되는 사례이다.
③ (다)는 서비스 수지를 산정하는 대상에 포함된다.
④ (라)는 본원 소득 수지의 수취에 해당하는 사례이다.
⑤ (가)~(라)는 모두 우리나라의 경상 수지 항목에 포함된다.

▶ **국제 수지의 사례**

완자쌤의 시험 꿀팁
사례를 통해 국제 수지의 항목을 구분하는 문제가 자주 출제된다.

▌완자 사전▐
• 운임
운반이나 운수 따위의 보수로 받거나 주는 돈

`수능 응용`

2 표는 갑국의 연도별 국제 수지를 나타낸 것이다. 이에 대한 옳은 분석만을 〈보기〉에서 있는 대로 고른 것은? (단, 준비 자산과 오차 및 누락은 없다.)

(단위: 억 달러)

항목	연도	2016년	2017년
경상 수지	상품 수지	70	90
	서비스 수지	-20	20
	본원 소득 수지	10	-10
	이전 소득 수지	10	-20
자본 수지		-20	-10
금융 계정		-50	-70

┌ **보기** ┐
ㄱ. 2016년 상품 수출액은 전년에 비해 증가하였다.
ㄴ. 2017년 갑국 거주자의 외국 기업 채권 매입액이 포함된 항목은 외화 유출액이 외화 유입액보나 많나.
ㄷ. 2016년에는 2017년과 달리 갑국의 해외 무상 원조 금액이 포함된 항목이 흑자이다.
ㄹ. 2017년에는 2016년과 달리 해외 지식 재산권 사용료가 포함된 항목이 적자이다.

① ㄱ, ㄹ   ② ㄴ, ㄷ   ③ ㄱ, ㄴ, ㄷ
④ ㄱ, ㄷ, ㄹ   ⑤ ㄴ, ㄷ, ㄹ

▶ **국제 수지표 분석**

완자쌤의 시험 꿀팁
국제 수지가 어떤 항목으로 구성되어 있는지 파악하고, 국제 수지표를 분석하는 문제가 자주 출제된다.

3 표는 갑국과 을국의 전년 대비 경상 수지 증가율을 나타낸 것이다. 이에 대한 분석 및 추론으로 옳은 것은? (단, 2012년의 경상 수지는 갑국과 을국 모두 100억 달러이다.)

(단위: %)

구분	2013년	2014년	2015년	2016년	2017년
갑국	10	20	0	− 20	20
을국	− 10	− 20	50	20	− 30

① 2014년과 2017년에 갑국의 경상 수지 흑자 규모는 같다.
② 을국의 경상 수지 흑자 규모는 2016년보다 2015년에 더 크다.
③ 을국의 경상 수지 추이가 지속될 경우 을국 내 물가가 상승할 수 있다.
④ 2013년 갑국의 경상 수지는 을국의 2배 이상이다.
⑤ 갑국의 경상 수지는 모든 연도에서 을국보다 크다.

4 표는 경상 수지의 변동과 그에 따른 영향을 정리한 것이다. (가)~(라)에 들어갈 내용으로 적절한 것만을 〈보기〉에서 있는 대로 고른 것은?

경상 수지 변동의 영향

완자샘의 시험 꿀팁
경상 수지의 변동이 국가 경제에 미치는 영향을 긍정적 측면과 부정적 측면으로 구분할 수 있어야 한다.

구분	경상 수지 흑자	경상 수지 적자
긍정적 영향	(가)	(나)
부정적 영향	(다)	(라)

보기

ㄱ. (가) – 외채를 상환할 수 있는 능력이 높아지기 때문에 대외 신용도가 향상된다.
ㄴ. (나) – 국내 통화량을 감소시켜 국내 물가가 상승하는 것을 억제한다.
ㄷ. (다) – 국내 기업의 생산이 감소하여 실업이 증가한다.
ㄹ. (라) – 국민 소득 감소를 초래하여 국가 경기 침체를 유발할 수 있다.

① ㄱ, ㄴ   ② ㄴ, ㄷ   ③ ㄷ, ㄹ
④ ㄱ, ㄴ, ㄹ   ⑤ ㄴ, ㄷ, ㄹ

01 무역 원리와 무역 정책

1. 무역의 의미와 필요성

(1) 무역

의미	국가 간에 이루어지는 상거래 → 외국에 상품을 파는 수출과 외국으로부터 상품을 사는 수입으로 구분할 수 있음
필요성	각국은 무역을 통해 자국 내에서 생산되지 않거나 부족한 자원 및 재화와 서비스 등을 거래할 수 있음

(2) 무역의 증가 양상: 오늘날 교통수단과 정보 통신 기술의 발달로 국가 간 사람의 교류 및 상품과 생산 요소의 이동이 수월해짐 → 국가 간 거래가 활발해짐

2. 무역의 발생 원리

(1) 무역의 발생 원인: 국가 간 상품 생산비의 차이 발생 → 무역을 통해 한 국가가 다른 국가보다 더 잘 만들 수 있는 상품을 특화 생산하여 교환함으로써 거래 당사국은 모두 이익을 얻을 수 있음

(2) 무역의 발생 원리

절대 우위	동일한 생산 요소를 투입해서 다른 나라보다 더 많은 양의 상품을 생산할 수 있거나 더 적은 생산 요소를 투입해서 동일한 양의 상품을 생산할 수 있는 능력
(❶)	한 나라가 다른 나라보다 더 적은 기회비용, 즉 상대적으로 낮은 생산 비용으로 상품을 생산할 수 있는 능력

3. 무역 정책

(1) 무역 정책: 한 국가가 다른 국가와의 무역에 대하여 어떠한 태도를 취할 것인지를 규정하는 것

(2) 무역 정책의 종류

① 자유 무역 정책

의미	국가 간의 자유로운 무역을 추구하는 무역 정책
경제적 효과	다양한 상품 소비 가능, 기업의 생산성 향상, 대량 생산에 따른 규모의 경제 실현, 기술 이전 효과 등
한계	경쟁력이 낮은 개인·기업·산업·국가에 불이익을 초래할 수 있음, 무역의 이익이 불균등하게 배분될 수 있음, 국내 시장의 해외 의존도가 심화될 수 있음 등

② (❷   )

의미	정부가 자국의 이익을 지키기 위해 무역에 직간접적으로 개입하는 무역 정책
실시 근거	유치산업 보호, 자국민의 실업 방지, 국가 안전 보장 등
수단	• 관세: 수입하는 상품에 부과하는 세금 • 비관세 장벽: 수입 할당제, 수출 지원 금융 등
한계	국가 간 무역 마찰을 초래할 수 있음, 소비자는 다양한 상품을 싸게 구매할 수 있는 기회를 제한받을 수 있음 등

02 환율

1. 외환 시장과 환율

(1) 외환과 외환 시장

외환	외국 화폐뿐만 아니라 외국 화폐의 가치를 지니는 수표, 어음, 예금 등의 일체
외환 시장	외환이 서로 교환되는 시장

(2) 환율

① 환율: 서로 다른 두 나라 화폐의 교환 비율

② 환율 변동에 따른 원화의 가치 변동

환율 상승 시	외국 화폐를 얻기 위해 지급해야 하는 우리나라 화폐의 양이 많아짐 → 원화의 가치 (❸)
환율 하락 시	외국 화폐를 얻기 위해 지급해야 하는 우리나라 화폐의 양이 적어짐 → 원화의 가치 (❹)

(3) 환율 제도

① 고정 환율 제도

의미	정부나 중앙은행이 개입하여 환율을 일정한 수준으로 고정하는 제도
장점	환율 변동으로 나타날 수 있는 위험을 막을 수 있음
단점	외화가 너무 많거나 적어서 나타나는 문제를 조정하기 어려움

② (❺   )

의미	외환 시장에서 외화에 대한 수요와 공급의 상대적인 크기에 따라 환율이 결정되는 제도
장점	외화가 너무 많거나 적을 때 나타나는 문제가 자동으로 조정될 수 있음
단점	투기성 자금의 유출입 과정에서 환율이 심하게 변동하여 국민 경제에 혼란을 줄 수 있음

2. 환율의 결정

(1) **환율의 결정**: 외환 시장에서 외화의 수요와 공급에 의해 결정됨

(2) **균형 환율의 결정**

외화의 공급량 < 외화의 수요량	외화의 초과 수요 발생 → 환율 상승
외화의 공급량 > 외화의 수요량	외화의 초과 공급 발생 → 환율 하락
외화의 공급량 = 외화의 수요량	균형 환율과 균형 거래량 결정

3. 환율의 변동

구분	변화 요인	결과
외화의 수요 증가	수입 (❻), 내국인의 해외 투자 및 해외여행 증가, 외채 상환 등	환율 상승
외화의 수요 감소	수입 (❼), 내국인의 해외 투자 및 해외여행 감소 등	환율 하락
외화의 공급 증가	수출 증가, 외국인의 국내 투자 및 국내 여행 증가, 외국 자본 도입 등	환율 하락
외화의 공급 감소	수출 감소, 외국인의 국내 투자 및 국내 여행 감소 등	환율 상승

4. 환율 변동이 국가 경제에 미치는 영향

구분	환율 상승	환율 하락
수출과 수입	수출 증가, 수입 감소 → 국내 기업의 생산 및 고용 증가	수출 감소, 수입 증가 → 국내 기업의 생산 및 고용 감소
국내 물가	수입 상품, 원자재 가격 상승 → 생산비 증가 → 상품 가격 상승 → 국내 물가 상승	수입 상품, 원자재 가격 하락 → 생산비 감소 → 상품 가격 하락 → 국내 물가 하락
주가	외국 투자자들이 주식을 팔고자 함 → 주가 하락	외국 투자자들이 주식을 사고자 함 → 주가 상승
외채 상환 부담	외채의 원화 환산액 증가 → 외채 상환 부담 증가	외채의 원화 환산액 감소 → 외채 상환 부담 감소

03 국제 수지

1. 국제 수지의 의미와 구성

(1) **국제 수지와 국제 수지표**

국제 수지	일정 기간 동안 한 나라와 다른 나라 사이에 이루어지는 모든 경제적 거래에 따른 외화의 수취와 지급의 차이
국제 수지표	국제 수지 내용을 체계적으로 정리하여 기록한 것

---

(2) **국제 수지의 구성**

(❽)	상품 수지	상품을 수출하여 벌어들인 외화와 외국 상품을 수입할 때 지급한 외화의 차이
	서비스 수지	외국과 운송, 여행, 건설, 금융, 보험, 지식 재산권 사용 등을 거래해서 벌어들인 외화와 지급한 외화의 차이
	본원 소득 수지	외국과 생산 요소를 거래해서 벌어들인 외화와 지급한 외화의 차이
	이전 소득 수지	외국과 아무런 대가 없이 주고받은 거래에서 들어온 외화와 나간 외화의 차이
자본 수지와 금융 계정	자본 수지	자산 소유권의 무상 이전 등과 같은 자본 이전, 브랜드 네임, 상표 등의 취득과 처분이 기록됨
	금융 계정	직접 투자, 증권 투자, 대출과 예금 등의 금융 거래, 차관 도입 또는 차관 제공, 준비 자산을 포함함

2. 국제 수지의 변화와 영향

(1) **국제 수지의 변화**

국제 수지의 균형	한 국가가 다른 국가와의 거래를 통해 벌어들인 외화와 지급한 외화의 양이 같은 경우
국제 수지의 불균형	• 경상 수지 흑자: 벌어들인 외화 > 지급한 외화 • 경상 수지 적자: 벌어들인 외화 < 지급한 외화

(2) **국제 수지 변화의 영향**

구분	경상 수지 흑자	경상 수지 적자
긍정적 영향	• 국내 기업의 생산 증가 → 고용 확대, 국민 소득 증가 • 외채 상환 능력 향상에 따른 국가의 대외 신용도 향상	국내 통화량 감소에 따른 국내 물가 상승 억제
부정적 영향	• 국내 통화량 증가에 따른 국내 물가 상승 • 교역 상대국과의 무역 마찰 유발	• 국내 기업의 생산 감소 → 실업 증가, 국민 소득 감소 • 외채 상환 부담 가중에 따른 국가의 대외 신용도 하락

(3) **국제 수지와 환율의 관계**

국제 수지 흑자 시	외화의 유입액이 외화의 유출액보다 많음 → 외화의 공급 증가 → 환율 (❾) → 수출 감소, 수입 증가 → 국제 수지 악화
국제 수지 적자 시	외화의 유출액이 외화의 유입액보다 많음 → 외화의 공급 감소 → 환율 (❿) → 수출 증가, 수입 감소 → 국제 수지 개선

01 ㉠, ㉡에 들어갈 용어를 옳게 연결한 것은?

국가마다 상품을 생산하기 위한 조건이 다르므로 동일한 상품이라도 그것을 생산하는 데 들어가는 (㉠)의 차이가 발생한다. 이때 다른 국가에 비해 유리한 생산 조건을 갖춘 상품을 (㉡)하여 생산하고, 이를 다른 국가와 교환함으로써 거래 당사국은 모두 이익을 얻을 수 있다.

	㉠	㉡
①	화폐	수입
②	화폐	특화
③	생산비	수입
④	생산비	수출
⑤	생산비	특화

02 ㉠, ㉡에 들어갈 무역의 발생 원리에 대한 옳은 설명을 〈보기〉에서 고른 것은?

(㉠)란 한 나라가 동일한 생산 요소를 투입해서 다른 나라보다 더 많은 양의 상품을 생산할 수 있거나 더 적은 생산 요소를 투입해서 동일한 양의 상품을 생산할 수 있는 능력을 말한다. 한편, (㉡)는 한 나라가 다른 나라보다 상대적으로 낮은 생산 비용으로 상품을 생산할 수 있는 능력을 말한다.

보기
ㄱ. ㉠은 절대적인 생산비를 고려하여 무역의 가능성을 결정하는 원리이다.
ㄴ. ㉡은 국민의 의식 수준이나 문화 수준의 영향을 받아 결정되기도 한다.
ㄷ. ㉡은 한 나라가 다른 나라보다 더 큰 기회비용으로 상품을 생산할 수 있는 능력이다.
ㄹ. ㉠은 비교 우위, ㉡은 절대 우위이다.

① ㄱ, ㄴ   ② ㄱ, ㄷ   ③ ㄴ, ㄷ
④ ㄴ, ㄹ   ⑤ ㄷ, ㄹ

03 다음 자료에 대한 분석으로 옳지 않은 것은?

갑국과 을국은 모두 노동만을 생산 요소로 사용하여 모자와 신발을 생산한다. 표는 각 재화를 1단위 생산하는 데 필요한 노동량을 나타낸 것이다.

구분	모자	신발
갑국	7명	4명
을국	6명	5명

① 갑국은 신발 생산에 비교 우위를 갖는다.
② 갑국은 모자와 신발 생산에 모두 절대 우위를 갖는다.
③ 을국은 모자를 특화 생산하여 교역할 것이다.
④ 을국에서 신발 1단위 생산의 기회비용은 모자 5/6단위이다.
⑤ 을국은 갑국에 비해 상대적으로 적은 비용을 들여 모자를 생산할 수 있다.

04 다음 자료에 대한 옳은 분석을 〈보기〉에서 고른 것은?

표는 X재와 Y재만을 생산하는 갑국과 을국에 대한 자료이다. 양국은 비교 우위가 있는 재화의 생산에만 특화하여 교역하며, 교역은 거래 비용 없이 양국 간에만 이루어진다. 양국의 생산 가능 곡선은 직선이고, 양국이 보유한 생산 요소의 양은 같다.

구분		교역 전 최대 생산 가능량	교역량	교역 후 소비량
갑국	X재	㉠	35개	55개
	Y재	60개	30개	30개
을국	X재	120개	35개	35개
	Y재	㉡	30개	110개

* 교역 전 최대 생산 가능량: 모든 생산 요소를 한 재화 생산에만 투입했을 때의 최대 생산량

보기
ㄱ. ㉠은 90개, ㉡은 140개이다.
ㄴ. 갑국의 X재 1개 생산의 기회비용은 Y재 2/3개이다.
ㄷ. 갑국은 X재 생산에, 을국은 Y재 생산에 절대 우위가 있다.
ㄹ. 갑국과 을국의 교역 조건은 X재 1개당 Y재 7/6개이다.

① ㄱ, ㄴ   ② ㄱ, ㄷ   ③ ㄴ, ㄷ
④ ㄴ, ㄹ   ⑤ ㄷ, ㄹ

05 다음 대화에 대한 설명으로 옳지 <u>않은</u> 것은?

> • 갑: 무역 장벽을 없애면 경쟁이 활발해져 상품 가격이 내려가고 질도 더 좋아지므로 소비자들에게 더 많은 혜택이 돌아갑니다.
> • 을: 수입에 의존하면 국가 안보가 위협받거나 외국의 경제 여건 변화에 따라 어려움에 처할 수 있는 유형의 상품은 수입을 억제해야 합니다.
> • 병: 외국 수입품 소비가 증가하면 우리나라의 일자리가 감소하고 실업이 증가할 수 있으므로, 이를 방지할 수 있는 정책이 필요합니다.

① 갑은 자유 무역 협정(FTA)의 체결에 찬성할 것이다.
② 을은 보호 무역 정책을 지지할 것이다.
③ 병은 유치산업을 보호하자는 주장에 찬성할 것이다.
④ 갑, 을은 관세를 부과하는 정책을 지지할 것이다.
⑤ 병과 달리 갑은 비교 우위에 따른 국가 간 자유로운 교역을 강조할 것이다.

06 다음 상황을 고려할 때 갑국에 나타날 변화로 가장 적절한 것은?

> 갑국 정부는 갑국으로 수입되는 X재 상품에 대해 관세를 부과하지 않고, 자유 무역을 하고 있었다. 그러나 최근 X재 시장이 개방되어 수입이 증가하자 갑국 정부는 자국의 X재 산업을 보호하기 위해 외국에서 수입되는 X재에 관세를 부과하기로 결정하였다.

① 갑국 내 X재 생산량은 감소할 것이다.
② X재에 대한 갑국 정부의 관세 수입이 줄어들 것이다.
③ 수입되는 X재에 대한 갑국 내 소비가 증가할 것이다.
④ 갑국이 교역 상대국과 무역 마찰을 초래할 가능성이 높아질 것이다.
⑤ 갑국 소비자들은 자유 무역을 실시할 때보다 낮은 가격에 X재를 구입하게 될 것이다.

07 다음은 사회 수업 시간에 학생이 작성한 형성 평가지이다. 이 학생이 받을 점수로 옳은 것은?

형성 평가

외환 시장에 대한 설명이 맞으면 ○표, 틀리면 ×표를 하시오.

문항	답안
(1) 외국 화폐는 거래 대상에 포함되지 않는다.	○
(2) 국제 거래가 원만하게 이루어지도록 돕는다.	×
(3) 특정 국가의 특정 장소에 존재하는 시장이다.	×
(4) 구체적인 장소가 존재하지 않는 추상적인 시장을 포함한다.	○
(5) 교역국 간 서로 다른 가치를 지닌 화폐를 일정 비율로 교환해주는 기능을 한다.	×

(문항당 2점)

① 2점   ② 4점   ③ 6점   ④ 8점   ⑤ 10점

08 표는 환율 제도의 유형 A, B를 비교한 것이다. 이에 대한 옳은 설명을 〈보기〉에서 고른 것은?

구분	A	B
의미	정부나 중앙은행이 환율을 결정하여 고시하는 환율 제도	(가)
특징	(나)	외환이 너무 많거나 적을 경우 나타나는 문제를 자동으로 조정할 수 있음

보기

> ㄱ. (가)에는 '외화의 수요와 공급에 의해 환율이 자동으로 조절되는 제도'가 들어갈 수 있다.
> ㄴ. (나)에는 '환율을 안정적으로 유지할 수 있음'이 들어갈 수 있다.
> ㄷ. A는 B와 달리 투기성 자금의 유출입으로 환율이 급격히 변동할 우려가 있다.
> ㄹ. A는 변동 환율 제도, B는 고정 환율 제도이다.

① ㄱ, ㄴ   ② ㄱ, ㄷ   ③ ㄴ, ㄷ
④ ㄴ, ㄹ   ⑤ ㄷ, ㄹ

09 그림은 우리나라 외환 시장의 변화를 나타낸 것이다. 이러한 변화가 나타난 요인으로 적절한 것을 〈보기〉에서 고른 것은?

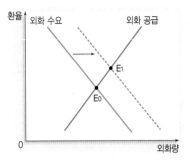

보기
ㄱ. 외국인의 국내 투자가 감소하였다.
ㄴ. 외국으로부터의 상품 수입이 증가하였다.
ㄷ. 우리나라 국민의 해외여행이 감소하였다.
ㄹ. 우리나라 국민들의 해외 투자가 증가하였다.

① ㄱ, ㄴ   ② ㄱ, ㄷ   ③ ㄴ, ㄷ
④ ㄴ, ㄹ   ⑤ ㄷ, ㄹ

10 다음 글을 통해 추론할 수 있는 갑국 경제의 변화로 적절한 것은?

대외 경제 환경이 급격히 변화함에 따라 최근 갑국에서는 달러화 대비 갑국 화폐의 환율이 떨어지는 현상이 나타나고 있다. 갑국의 ○○ 경제 연구소는 갑국의 환율 변동 추세가 당분간 지속될 것으로 예측하였다.

① 갑국 내 물가가 하락할 것이다.
② 갑국의 통화 가치가 하락할 것이다.
③ 갑국의 수출과 수입이 모두 증가할 것이다.
④ 갑국 기업의 생산과 고용이 모두 증가할 것이다.
⑤ 갑국의 달러화 표시 외채 상환 부담이 증가할 것이다.

11 밑줄 친 ㉠, ㉡의 영향에 대한 옳은 분석을 〈보기〉에서 고른 것은?

최근 ㉠ 원/달러 환율 변동으로 우리나라 국민의 미국 여행 경비 부담이 증가하였다. 반면 미국에서는 ㉡ 엔/달러 환율 변동으로 일본 여행 경비 부담이 줄어 일본 여행 상품이 인기를 끌고 있다.

보기
ㄱ. ㉠으로 인해 우리나라에서 미국산 제품의 판매 가격이 상승했을 것이다.
ㄴ. ㉠으로 인해 우리나라 기업의 달러화 표시 외채 상환 부담은 감소했을 것이다.
ㄷ. ㉡으로 인해 미국에서 원자재를 수입하는 일본 기업의 부담은 감소했을 것이다.
ㄹ. ㉡으로 인해 일본에서 임금을 달러화로 받아 엔화로 환전하여 생활하는 사람은 유리해졌을 것이다.

① ㄱ, ㄴ   ② ㄱ, ㄹ   ③ ㄴ, ㄷ
④ ㄴ, ㄹ   ⑤ ㄷ, ㄹ

12 (가), (나)에 해당하는 국제 수지의 유형에 대한 설명으로 옳지 <u>않은</u> 것은?

(가) 국가 간 자본 거래에 따라 국내로 들어오거나 외국으로 나간 외화의 차이를 나타낸 것이다.
(나) 상품이나 서비스와 같이 실물 부문의 거래를 통해 수취한 외화와 지급한 외화의 차이를 나타낸 것이다.

① 외환 보유액의 증감과 관련된 항목은 (가)에 포함된다.
② 우리나라 국민이 외국 주식을 보유하고 받는 배당금은 (가)에 포함된다.
③ 우리나라 국민이 외국에서 노동을 제공하고 벌어들인 임금은 (나)에 포함된다.
④ 상품의 수출입 대금, 지식 재산권 사용료 등과 관련된 항목은 (나)에 포함된다.
⑤ 일반적으로 (나)가 (가)보다 국제 수지에서 차지하는 비중이 더 크다.

13 표는 갑국의 연도별 상품 수지, 상품 수출액, 상품 수입액을 나타낸 것이다. 이에 대한 옳은 분석을 〈보기〉에서 고른 것은?

(단위: 억 달러)

구분	2016년	2017년
상품 수지	200	−100
상품 수출액	㉠	300
상품 수입액	300	㉡

보기

ㄱ. 2017년 갑국의 상품 수지는 전년 대비 개선되었다.
ㄴ. 2017년 갑국의 상품 수입액은 전년 대비 감소하였다.
ㄷ. 2017년 갑국의 상품 수출액 변동폭은 상품 수입액 변동폭보다 전년 대비 더 크다.
ㄹ. ㉠은 500이고, ㉡은 400이다.

① ㄱ, ㄴ   ② ㄱ, ㄷ   ③ ㄴ, ㄷ
④ ㄴ, ㄹ   ⑤ ㄷ, ㄹ

14 다음은 갑국의 2017년 대외 거래 활동을 나타낸 것이다. 갑국의 2017년 경상 수지, 금융 계정 상황을 옳게 연결한 것은? (단, 자료 외의 대외 거래는 없다고 본다.)

• 사과를 수출하여 20억 달러를 벌어들였으며, 망고를 수입하여 15억 달러를 지출하였다.
• 드라마를 수출하여 7억 달러를 벌어들였으며, 외국 영화를 수입하여 10억 달러를 지출하였다.
• 외국 기업이 20억 달러를 투자해 갑국에 공장을 설립하였고, 갑국 국민이 외국 기업의 주식을 7억 달러에 매입하였다.

	경상 수지	금융 계정
①	2억 달러 적자	13억 달러 적자
②	2억 달러 적자	27억 달러 흑자
③	2억 달러 흑자	13억 달러 흑자
④	8억 달러 적자	13억 달러 적자
⑤	8억 달러 흑자	27억 달러 흑자

15 표는 갑국의 연도별 국제 수지의 구성을 나타낸 것이다. 이에 대한 옳은 분석을 〈보기〉에서 고른 것은? (단, 오차 및 누락은 0이다.)

(단위: 억 달러)

항목 \ 연도	2016년	2017년
경상 수지	140	175
상품 수지	180	220
서비스 수지	−40	㉠
(가)	10	5
이전 소득 수지	−10	−20
자본 수지	3	−2
금융 계정(준비 자산 제외)	−130	−140

보기

ㄱ. ㉠은 30이다.
ㄴ. (가)에는 갑국 기업에 투자한 외국인에게 지급되는 배당금이 포함된다.
ㄷ. 갑국 기업에 대한 외국인의 직접 투자가 포함되는 항목은 흑자에서 적자로 전환하였다.
ㄹ. 2016년과 2017년 모두 외국에 제공하는 구호물자가 포함되는 항목의 지급액이 수취액보다 많다.

① ㄱ, ㄴ   ② ㄱ, ㄷ   ③ ㄴ, ㄷ
④ ㄴ, ㄹ   ⑤ ㄷ, ㄹ

16 밑줄 친 ㉠~㉤ 중 옳지 않은 것은?

한 국가가 다른 국가와의 거래를 통해 벌어들인 외화와 지급한 외화의 양이 같을 때 국제 수지가 균형을 이룬다고 한다. 한편 상품이나 서비스, 생산 요소 등의 거래를 통해 ㉠ 벌어들인 외화가 지급한 외화보다 많으면 경상 수지 흑자라고 하고, ㉡ 지급한 외화가 벌어들인 외화보다 많으면 경상 수지 적자라고 한다. ㉢ 경상 수지 흑자가 지속될 경우 교역 상대국과의 무역 마찰이 발생할 수 있다. 반면, ㉣ 경상 수지 적자가 지속될 경우 국내 통화량이 증가하여 국내 물가가 상승할 수 있다. 따라서 ㉤ 장기적으로 국제 수지는 균형을 이루는 것이 바람직하다.

① ㉠   ② ㉡   ③ ㉢   ④ ㉣   ⑤ ㉤

경제생활과 금융

1 금융과 금융 생활 ································· 180

2 자산·부채 관리와 금융 상품 ················· 190

3 금융 생활의 목표와 재무 설계 ··············· 202

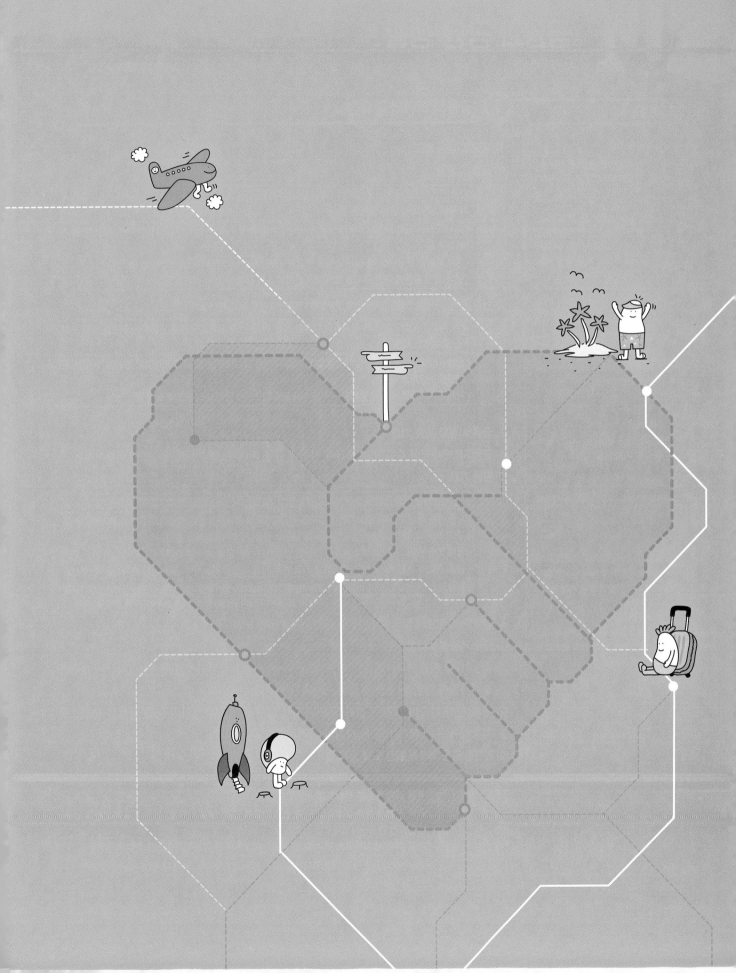

01 금융과 금융 생활

학습목표
• 금융의 의미와 안전한 금융 거래 방법을 설명할 수 있다.
• 수입, 지출, 저축, 투자, 신용의 의미와 역할을 설명할 수 있다.

이것이 핵심!

금융과 금융 기관

금융	자금 공급자에게서 자금 수요자에게로 자금(돈)이 융통되는 것
금융 제도	금융 시장을 중심으로 거래 당사자와 다양한 유관 기관, 관련 정책과 규제를 담당하는 기관을 모두 포함하는 총체적인 체계
금융 시장	자금의 수요자와 공급자 사이에 금융 거래가 조직적이고 체계적으로 이루어지는 곳
금융 기관	금융 거래를 중개하거나 금융 중개 활동을 촉진하는 역할을 수행하는 기관

★ 거래 비용
거래하기 위해 들어가는 시간, 노력, 돈 등 여러 가지 비용

★ 후생
사람들의 생활을 넉넉하고 윤택하게 하는 일

★ 약관
계약의 당사자가 다수의 상대방(고객)과 계약을 체결하기 위해 일정한 형식에 따라 미리 만들어 놓은 거래 조건

★ 예금자 보호 제도
금융 기관이 파산 등으로 예금을 지급할 수 없는 경우 예금 보험 공사에서 대신 예금을 지급해 주는 제도

① 금융의 의미와 중요성

1. 금융과 금융 제도

(1) 금융 자료①

의미	자금 공급자에게서 자금 수요자에게로 자금(돈)이 융통되는 것 예 여윳돈을 은행에 예금하는 것, 집을 사기 위해 은행에서 돈을 빌리는 것 등
기능	• 일시적으로 자금이 부족할 때 발생할 수 있는 어려움을 줄여줌 → 경제 주체의 안정적인 경제생활을 가능하게 함 • 여유 자금을 운용하여 더 많은 수익을 얻고자 하는 금융 소비자의 욕구를 충족해줄 수 있음 • 인적·물적 자원에 대한 투자를 확대하여 가계의 소득 증대, 기업의 생산성 향상으로 이어짐

(2) 금융 제도 꼭! 원활한 금융 거래를 뒷받침하기 위한 관련 제도 및 법규에 해당해.

의미	금융 시장을 중심으로 거래 당사자와 다양한 유관 기관, 관련 정책과 규제를 담당하는 기관을 모두 포함하는 총체적인 체계
기능	• 금융 기관에 돈을 맡긴 사람이 손해를 입었을 때 이를 보상해주는 등 금융 거래에서 발생할 수 있는 문제점을 예방하고 해결함 • 거래 당사자들로 하여금 정해진 규칙을 따르도록 함으로써 금융 거래를 원활하게 함

2. 금융 시장과 금융 기관

(1) 금융 시장: 자금의 수요자와 공급자 사이에 금융 거래가 조직적·체계적으로 이루어지는 곳

(2) 금융 기관 자료②

의미	금융 시장에서 금융 거래를 중개하거나 금융 중개 활동을 촉진하는 것을 목적으로 하는 기관
기능	• 자금 거래 중개: 자금의 수요자와 공급자를 직접적으로 중개하여 돈의 흐름이 원활히 이루어지도록 함 • 거래 비용의 절감: 거래에 필요한 비용을 낮추어 금융 거래의 효율성을 높임 • 금융 상품 판매: 거래 목적에 맞추어 다양한 만기와 조건의 금융 상품을 판매함 • 금융 거래의 위험 축소: 채무 불이행과 가격 변동 등의 위험을 축소하여 금융 시장 참가자들의 ★후생을 높임

Q왜? 금융 기관은 자금 수요자가 빌린 돈을 제때 갚을 수 있는 능력이 있는지 등을 조사 및 평가하여 자금의 공급이 합리적으로 이루어지도록 하기 때문이야.

3. 금융 거래 보호의 필요성과 안전한 금융 거래를 위한 노력

(1) 금융 거래 보호의 필요성

① 금융 상품 거래에 사용되는 약관이 전문적인 용어로 작성되어 있어 전문 지식이 부족한 소비자들이 약관 내용을 정확히 이해하기 어려움

② 정보 통신 기술의 발달로 전자 금융 거래가 늘어남에 따라 개인의 금융 정보를 불법으로 획득하여 돈을 빼가는 금융 사기가 급격히 증가함

(2) 안전한 금융 거래를 위한 노력 자료③

개인적 차원	• 금융 이자 관리에 대한 책임은 소소로에게 있음 ... 금융 지식을 습득하고, 거래 약관을 비롯한 금융 정보를 정확히 파악하려고 노력해야 함 • 금융 사기 피해를 예방하기 위해 공인 인증서 암호, 보안 카드 및 신용 카드 비밀번호 등을 안전하게 관리해야 함 • 금융 거래 시 자신의 재무 상태 및 거래하고자 하는 금융 상품의 특성을 고려해야 함
제도적 차원	금융 거래와 관련한 분쟁이 발생하였을 때 ★예금자 보호 제도와 같은 금융 제도를 활용하거나 금융 감독원의 금융 소비자 보호처 등에 도움을 요청할 수 있음

완자 자료 탐구

자료 1 금융과 금융 거래

> 1937년 미국의 월트 디즈니 사는 '백설 공주와 일곱 난쟁이'라는 만화 영화를 제작하는데 많은 자금이 들었고, 돈을 빌리기 위해 은행을 찾아다녔지만 대부분의 은행에서는 영화가 흥행하지 않을 것이라고 여겨 돈을 빌려주지 않았다. 그러나 한 은행에서만 영화 필름을 담보로 돈을 빌려주었고, 겨우 영화가 완성될 수 있었다. 이후 영화 '백설 공주와 일곱 난쟁이'는 많은 사람의 사랑을 받았고, 이를 계기로 월트 디즈니 사는 세계적으로 유명한 기업으로 성장하게 되었다.

제시된 사례는 금융 거래를 통해 여유 자금이 있는 공급자로부터 자금이 필요한 수요자에게 자금이 융통되고 있음을 보여 준다. 즉, 자금이 부족한 경제 주체는 여유 자금을 가진 경제 주체가 은행에 예금한 돈을 빌려 경제 활동을 할 수 있다. 이처럼 금융은 자금이 필요한 곳으로 흘러가게 함으로써 경제 주체의 원활한 경제생활을 돕는다.

자료 2 금융 기관의 종류

구분	종류
은행	일반 은행, 특수 은행
비은행 예금 취급 기관	상호 저축 은행, 새마을 금고, 종합 금융 회사, 우체국 예금 등
금융 투자 회사	증권 회사, 자산 운용 회사 등
보험 회사	생명 보험 회사, 손해 보험 회사, 우체국 보험 등
금융 보조 기관	금융 감독원, 예금 보험 공사, 금융 결제원, 한국 거래소, 신용 정보 회사 등

금융 기관은 자금 공급자에게 금융 상품을 판매하여 자금을 마련하고, 마련한 자금을 자금 수요자에게 빌려주는 등 자금의 공급자와 수요자를 중개하는 역할을 한다. 금융 기관은 취급하는 금융 상품의 성격에 따라 여러 종류로 구분할 수 있으나, 금융 상품이 다양해지고 금융 거래가 복잡해짐에 따라 금융 기관의 구분이 모호해지고 있다.

자료 3 금융 거래를 보호하는 제도

• **예금자 보호 제도**
> 실적에 따라 수익을 돌려받는 금융 상품은 보호하지 않음.

예금자 보호 제도는 다수의 소액 예금자를 우선 보호하지만, 모든 금융 상품이 보호되는 것은 아니다. 부실 금융 기관을 선택한 예금자도 일정 부분 책임을 분담하는 차원에서 한 금융 기관에 적립된 일반 금융 상품과 퇴직 연금에 대해 각각 예금 보험 공사가 정한 이자와 원금을 합쳐 1인당 5,000만 원을 보호받는다.

• **전화 금융 사기 피해금 환급 제도**
전화 금융 사기에 속아 입금했을 경우 돈을 보내거나 받은 계좌의 개설 은행 또는 금융 감독원에 지급 정지를 요청하면, 피해금이 들어 있는 계좌 전체가 묶인다. 이후 금융 감독원이 두 달간 채권 소멸 절차 개시 공고를 하고 계좌 명의인이 이의 제기를 하지 않으면 14일 이내에 돈을 다시 피해자에게 돌려준다.

금융 기관이 영업 정지나 파산 등으로 자금 공급자의 예금을 지급하지 못하면 해당 예금자는 물론 전체 금융 기관의 건전성도 큰 타격을 받을 수 있다. 이에 따라 정부는 금융 거래에서 발생하는 위험을 줄이고 금융 거래를 보호하기 위해 법과 제도를 마련하였다. 그러나 금융 의사 결정에 대한 책임은 스스로에게 있으므로 금융 소비자는 능동적인 자세를 가지고 금융 정보를 정확히 파악하려고 노력해야 한다.

자료 하나 더 알고 가자!

화폐의 의미와 발달

> 초기 화폐는 곡물, 직물 등과 같은 물품 화폐의 형태를 띠었고, 이후 금이나 은 등을 주조해 만든 금속 화폐, 오늘날 우리가 사용하는 지폐(현금)까지 화폐는 오랜 역사 속에서 발달하였다. 최근에는 정보 통신 기술의 발달로 현금 대신 언제 어디서나 간편하게 결제할 수 있는 온라인 전자 결제, 휴대 전화 소액 결제 등과 같이 전자 화폐에 대한 수요가 늘어나고 있다.

화폐는 사람들이 재화나 서비스를 사고파는 데 사용하는 지불 수단을 의미한다. 화폐는 상품의 교환을 매개하며, 재화나 서비스의 가치를 측정하고 저장하는 기능을 수행한다.

정리 비법을 알려줄게!

금융 기관의 의미와 기능

의미	금융 시장에서 금융 거래를 중개하거나 금융 중개 활동을 촉진하는 것을 목적으로 하는 기관
기능	• 자금 거래 중개 • 거래 비용의 절감 • 금융 상품 판매 • 금융 거래의 위험 축소

문제 로 확인할까?

안전한 금융 거래 방법으로 적절하지 않은 것은?

① 금융 정보의 신뢰성을 파악해야 한다.
② 금융 관련 의사 결정은 신중하게 해야 한다.
③ 모든 비밀번호를 동일하게 설정해야 한다.
④ 금융 상품 거래 약관을 꼼꼼히 확인해야 한다.
⑤ 금융 거래와 관련한 분쟁 발생 시 금융 소비자 보호처에 도움을 요청해야 한다.

Ⓒ Ⓗ

이것이 핵심!

금융 생활의 이해

수입	일정 기간 개인이나 가계로 들어오는 총금액
지출	일정 기간 개인이나 가계로부터 나가는 총금액
저축	소득에서 지출을 뺀 나머지
투자	미래의 가치 증식을 목적으로 저축을 주식이나 채권, 부동산 등으로 전환하는 활동
신용	미래의 정해진 시점에 대가를 지급하기로 약속하고 현재 상품을 이용하거나 돈을 빌릴 수 있는 능력

★ **공적 연금**
국가가 운영 주체가 되는 연금으로, 국민연금, 공무원 연금, 군인 연금 등이 있다.

★ **피복비**
생활필수품비 중 하나로, 가계에서 옷, 신발, 장식품 따위에 쓰는 비용을 말한다.

★ **처분 가능 소득**
소득에서 비소비 지출을 뺀 것으로, 생계를 유지하는 데 필수적인 소비 지출을 충당한다.

★ **소비 성향**
소득에 대한 소비 지출의 비율

vs 생산을 위해 자본재를 증가시키는 기업의 투자와는 구분해야 해.

---

2 금융 생활의 이해

1. 수입

(1) **수입**: 일정 기간 개인이나 가계로 들어오는 총금액 → 소득과 빌린 돈의 합
└─ 수입은 벌어들인 돈뿐만 아니라 빌린 돈까지 모두 포함하는 개념이야.

(2) **수입의 구성**

① 소득: 수입의 가장 중요한 원천

구분		내용
경상 소득 정기적으로 발생하는 소득을 말해.	근로 소득	사업체에 고용되어 노동을 제공하고 받은 대가 예 임금, 수당 등
	사업 소득	자영업자 또는 고용주의 지위로 사업을 경영하여 얻은 소득 예 이윤 등
	재산 소득	가계가 보유한 자본, 토지, 건물 등과 같은 재산을 이용하여 얻은 이익 예 예금 이자, 주식 배당금, 부동산 임대료 등 자료④
	이전 소득	생산에 직접 참여하지 않고 무상으로 얻는 소득 예 *공적 연금, 구호금, 정부로부터 지급받는 보조금 등
비경상 소득		비정기적이고 일시적 요인에 의해 발생하는 소득 예 경품, 복권 당첨금, 경조금 등

② 기타 수입: 저축에서 인출한 돈, 수령한 보험금, 증권을 판 대금, 빌린 돈 등

(3) **소득 향상을 위한 노력**: 지속적인 교육과 훈련을 통해 전문성과 생산성을 향상해야 함
└─ Qn? 소득은 교육 및 훈련을 받은 정도, 직업의 종류와 경력 등에 따라 달라질 수 있기 때문이야.

2. 지출 교과서 자료

(1) **지출**: 일정 기간 개인이나 가계로부터 나가는 총금액 → 일반적으로 가계의 소득이나 자산 규모가 크거나 가계 구성원이 많을수록 지출 규모도 커짐

(2) **지출의 종류**

소비 지출	생계유지 및 생활에 필요한 재화나 서비스를 구매하기 위한 지출 예 식료품비, *피복비, 주거비, 교통비, 보건·의료비, 교육비 등
비소비 지출	소비의 목적이 아닌 법 또는 제도에 의해 의무적으로 지출해야 하는 비용 예 각종 세금, 사회 보험료, 대출 이자 등

(3) **합리적인 지출 방법**

① 소비 지출이 *처분 가능 소득 한도 안에서 이루어지도록 계획적인 소비 습관을 길러야 함

② 자신의 미래 예측 소득, *소비 성향, 자산의 크기, 미래 예상 지출 등을 종합적으로 고려하여 지출 계획을 합리적으로 수립해야 함

3. 저축과 투자

(1) **저축**: 소득에서 지출을 뺀 나머지 → 미래의 소비를 위하여 현재 쓰지 않고 남겨 놓는 것

(2) **투자**: 미래의 가치 증식을 목적으로 저축을 주식이나 채권, 부동산 등으로 전환하는 활동

공격적 투자형	원금 손실의 위험을 감수하더라도 높은 수익을 추구하는 투자 유형
안정적 투자형	원금 손실의 위험을 최소화하는 데 중점을 두는 투자 유형

4. 신용과 신용 거래 자료⑤

(1) **신용**: 미래의 정해진 시점에 대가를 지급하기로 약속하고 현재 상품을 이용하거나 돈을 빌릴 수 있는 능력

(2) **신용 거래**: 현금 및 재화와 서비스 등을 거래할 때 돈을 바로 내지 않고, 정해진 기일에 돈을 지급하기로 약속하고 이루어지는 거래 예 휴대 전화 요금, 후불식 교통 카드 요금 등

자료 ④ 단리와 복리 — vs 단리는 일정한 기간 원금에 대해서만 이자를 계산하는 방법이고, 복리는 예금한 원금뿐만 아니라 발생한 이자에 대해서 다시 이자를 계산하는 방법이야.

표는 갑과 을이 은행에 맡긴 예금 100만 원에서 발생하는 이자의 누적액을 정리한 것이다. 최초 약정한 이자율과 물가 상승률은 변하지 않으며, 갑과 을은 각각 단리 또는 복리 중 하나에 해당하는 비과세 예금 상품을 선택하였다.

구분	1년 후	2년 후	3년 후
갑	10만 원	20만 원	30만 원
을	10만 원	21만 원	33만 1천 원

2년 후: 100만 원×$(1+0.1)^2$−100만 원 　 3년 후: 100만 원×$(1+0.1)^3$−100만 원

갑이 선택한 예금 상품에서는 매년 동일하게 10만 원씩 이자가 발생하고 있으므로 갑은 연 10%의 단리 계산법이 적용되는 예금 상품에 가입하였음을 알 수 있다. 한편 을이 선택한 예금 상품에서는 100만 원을 1년 예금했을 때 10만 원, 2년 예금했을 때 11만 원, 3년 예금했을 때 12만 1천 원으로 이자가 커지고 있다. 따라서 을은 연 10%의 복리 계산법이 적용되는 예금 상품에 가입하였음을 알 수 있다.

자료 하나 더 알고 가자!

명목 이자율과 실질 이자율

명목 이자율	물가 변동을 고려하지 않은 이자율
실질 이자율	물가 변동을 고려한 이자율

꼭! 명목 이자율에서 물가 상승률을 뺀 값이 되지.

수능이 보이는 교과서 자료 **가계의 수입과 지출**

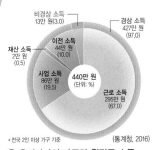

❶ 우리나라의 가구당 월평균 소득
* 전국 2인 이상 가구 기준
(통계청, 2016)

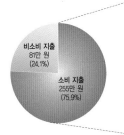

소비 지출	
식료품·비주류 음료	35만 원
의류·신발	16만 원
주거·수도·광열	27만 원
보건	18만 원
교통	31만 원
오락·문화	15만 원
교육	28만 원
음식·숙박	34만 원
기타	51만 원

❷ 우리나라의 가구당 월평균 지출
(통계청, 2016)

2016년 기준 우리나라의 가계 소득은 근로 소득이 약 67% 정도로 가장 높으며, 나머지는 사업 소득, 이전 소득, 비경상 소득, 재산 소득의 순으로 나타났다. 한편 가계의 소비 지출은 소득에서 비소비 지출을 뺀 처분 가능 소득 내에서 이루어지는 것이 바람직한데, 2016년 기준 우리나라의 처분 가능 소득은 359만 원, 소비 지출은 255만 원으로 나타났다. └ 소득 440만 원에서 비소비 지출 81만 원을 뺀 값이야. ┘

완자샘의 탐구 강의

• 발생 주기의 측면에서 경상 소득과 비경상 소득을 비교해 보자.

구분	발생 주기
경상 소득	정기적
비경상 소득	비정기적

• 가계에서 소비 지출 계획을 세울 때 유의해야 할 점을 서술해 보자.

가계는 생활하는 데 필요한 소비 지출이 처분 가능 소득 한도 안에서 이루어지도록 예산을 수립하고 계획에 따라 지출하는 습관을 길러야 한다.

함께 보기 189쪽, 1등급 정복하기 4

자료 ⑤ 신용 거래의 활용

먹거리 트럭을 이용하여 생계를 유지하고 있는 A 씨는 최근 자동차 고장이 잦아 어려움을 겪고 있다. 자동차를 한 번 고칠 때마다 비용도 많이 들지만, 수리하는 동안에는 영업을 할 수 없기 때문에 고민 끝에 A 씨는 신용 대출을 받아 새 트럭을 구입하였다.

제시된 사례에서 A 씨는 신용을 활용하여 새 트럭을 구입하였다. 신용은 개인의 경제적 지불 능력에 관한 사회적 평가로, 신용을 활용하여 거래하면 당장 돈이 없어도 물질적·금전적 혜택을 누릴 수 있다. 그러나 신용을 많이 이용할수록 충동구매나 과소비를 하게 될 수 있고, 미래에 갚아야 할 빚이 늘어난다는 문제점이 있다.

정리 비법을 알려줄게!

신용 거래의 장점과 단점

장점	당장 돈이 없어도 물질적·금전적 혜택을 누릴 수 있음
단점	• 충동구매나 과소비를 할 수 있음 • 빚을 갚기 위해 미래의 생활비를 줄여야 할 수 있음

STEP 1 핵심 개념 확인하기

정답친해 54쪽

1 여유 자금이 있는 자금 공급자에게서 자금이 필요한 자금 수요자에게 자금이 융통되는 것을 (   )이라고 한다.

2 다음 설명이 맞으면 ○표, 틀리면 ✕표를 하시오.

(1) 금융 기관은 거래 목적에 적합한 다양한 금융 상품을 판매하는 기능을 한다. (   )

(2) 금융 시장은 자금의 수요자와 공급자를 효율적으로 연결하기 위해 형성되었다. (   )

(3) 금융 거래와 관련된 분쟁이 발생하더라도 금융 소비자는 금융 기관에 도움을 요청할 수 없다. (   )

3 경상 소득의 유형과 그 설명을 옳게 연결하시오.

(1) 근로 소득 •   • ㉠ 가계가 보유한 자산을 통해 얻은 소득

(2) 사업 소득 •   • ㉡ 사업체에 고용되어 일한 대가로 받은 소득

(3) 재산 소득 •   • ㉢ 생산 활동에 참여하지 않고 무상으로 얻은 소득

(4) 이전 소득 •   • ㉣ 자영업자나 고용주의 지위로 사업을 경영하여 얻은 소득

4 다음 괄호 안의 내용 중 알맞은 말에 ○표를 하시오.

(1) 생계유지 및 생활에 필요한 재화나 서비스를 구매하기 위한 지출을 (소비 지출, 비소비 지출)이라고 한다.

(2) 세금, 건강 보험료 등 법 또는 제도에 의해 의무적으로 지출해야 하는 비용을 (소비 지출, 비소비 지출)이라고 한다.

5 다음 빈칸에 들어갈 내용을 쓰시오.

(1) 소득에서 지출을 뺀 나머지를 (   )이라고 한다.

(2) 원금 손실의 위험을 감수하더라도 높은 수익을 추구하는 투자 유형을 (   ) 투자형이라고 한다.

(3) (   )은 미래의 정해진 시점에 대가를 지급하기로 약속하고 현재 상품을 이용하거나 돈을 빌릴 수 있는 능력을 말한다.

STEP 2 내신 만점 공략하기

01 밑줄 친 ㉠, ㉡에 대한 옳은 설명만을 〈보기〉에서 있는 대로 고른 것은?

> ㉠ 금융이란 경제 주체들 가운데 자금 공급자에게서 자금 수요자에게로 자금이 융통되는 것을 의미한다. 대부분의 국가에서는 금융 시장을 중심으로 다양한 금융 기관, 관련 정책과 규제를 담당하는 기관을 모두 포함하는 체계인 ㉡ 금융 제도를 마련해 놓고 있다.

보기

ㄱ. ㉠을 활용한 거래는 경제 주체 간에 돈을 보다 유용하게 사용하고자 하는 시점이 서로 같기 때문에 발생한다.

ㄴ. ㉠은 자금이 부족해 어려움을 겪는 경제 주체의 안정적인 경제생활을 가능하게 해 준다.

ㄷ. 금융 소비자들은 ㉡을 활용해 금융 거래에서 발생할 수 있는 문제에 대처할 수 있다.

ㄹ. ㉡은 거래 당사자들이 정해진 규칙을 따르도록 하여 원활한 금융 거래를 가능하게 한다.

① ㄱ, ㄴ   ② ㄴ, ㄷ   ③ ㄷ, ㄹ
④ ㄱ, ㄷ, ㄹ   ⑤ ㄴ, ㄷ, ㄹ

02 밑줄 친 ㉠~㉢에 대한 설명으로 옳지 않은 것은?

> 고등학생인 갑은 한 달에 한 번씩 부모님께 용돈을 받는데, 매달 일정 금액을 ㉠ 은행에 저금하고, 돈이 필요할 때는 은행에서 돈을 찾아 쓴다. 이번 주에는 어머니의 생신이 있어서 ㉡ 10만 원(만 원권 10장)을 인출하여 8만 원으로 어머니 생신 선물을 구매하였고, 나머지 2만 원은 ㉢ 선불식 교통 카드에 충전하였다.

① ㉠은 화폐를 가치의 저장 수단으로 사용한 것이다.

② ㉡을 상품의 교환을 매개하는 역할을 한다.

③ 정보 통신 기술의 발달로 ㉢과 같은 화폐에 대한 수요가 증가하고 있다.

④ ㉡은 ㉢과 달리 가치 척도의 기능을 한다.

⑤ ㉡, ㉢ 모두 재화나 서비스를 사고파는 데 사용하는 지불 수단으로 기능한다.

03 ㉠, ㉡에 대한 옳은 설명을 〈보기〉에서 고른 것은?

(㉠)은/는 자금의 수요자와 공급자 사이에 금융 거래가 조직적이고 체계적으로 이루어지는 곳으로, (㉠)에는 은행, 증권 회사, 금융 투자 회사 등 다양한 금융 상품을 취급하는 (㉡)이/가 존재한다.

〈보기〉
ㄱ. ㉠에서는 주로 재화나 서비스가 교환된다.
ㄴ. ㉠은 자금 수요자와 자금 공급자를 효율적으로 연결하기 위해 형성되었다.
ㄷ. ㉡은 금융 거래를 중개하여 자금의 흐름이 원활히 이루어지게 한다.
ㄹ. 최근 금융 상품이 다양해짐에 따라 ㉡을 구분하는 기준이 명확해지고 있다.

① ㄱ, ㄴ   ② ㄱ, ㄷ   ③ ㄴ, ㄷ
④ ㄴ, ㄹ   ⑤ ㄷ, ㄹ

04 교사의 질문에 옳은 답변을 한 학생을 고른 것은?

① 갑, 을   ② 갑, 정   ③ 을, 병
④ 을, 정   ⑤ 병, 정

05 밑줄 친 A 제도에 대한 옳은 설명을 〈보기〉에서 고른 것은?

A 제도는 예금자 보호법에 의해 설립된 예금 보험 공사가 평소에 금융 기관으로부터 보험료를 받아 기금을 적립한 후, 금융 기관이 영업 정지나 파산 등으로 예금을 지급할 수 없게 되면 예금 보험 공사가 금융 기관 대신 예금자에게 예금을 지급해 주는 제도이다.

〈보기〉
ㄱ. 원금에 한해 1인당 5,000만 원까지 보호해 준다.
ㄴ. 실적에 따라 수익을 돌려받는 금융 상품은 보호하지 않는다.
ㄷ. 부실 금융 기관을 선택한 예금자의 책임을 면제해 주는 제도이다.
ㄹ. 금융 기관의 채무 불이행으로부터 자금 공급자의 예금을 보호하는 것을 목적으로 한다.

① ㄱ, ㄴ   ② ㄱ, ㄷ   ③ ㄴ, ㄷ
④ ㄴ, ㄹ   ⑤ ㄷ, ㄹ

06 밑줄 친 ㉠~㉣에 대한 설명으로 옳지 않은 것은?

사람들이 현재와 미래에 안정적인 생활을 유지하기 위해서는 ㉠ 수입이 필요하다. 수입의 가장 중요한 원천은 ㉡ 소득이며, 소득은 ㉢ 오랫동안 일정하게 발생하는 소득과 ㉣ 비정기적이고 일시적으로 발생하는 소득으로 구성된다.

① 저축에서 인출한 돈은 ㉠에 포함된다.
② ㉡의 크기는 개인의 능력, 직업의 종류 등에 따라 달라질 수 있다.
③ 정부로부터 지급받는 보조금은 ㉢에 포함된다.
④ 복권 당첨금과 같은 요인으로 얻는 소득은 ㉣에 포함된다.
⑤ ㉠은 ㉡에서 빌린 돈을 뺀 부분을 의미한다.

07 표는 어떤 가구의 연간 소득 변화를 나타낸 것이다. 2017년을 기준으로 할 때, 이에 대한 옳은 분석을 〈보기〉에서 고른 것은? (단, 다른 수입은 발생하지 않는다.)

(단위: 만 원)

구분		2016년	2017년
경상 소득	근로 소득	3,000	3,200
	사업 소득	2,300	2,500
	재산 소득	300	100
	이전 소득	40	80
비경상 소득		500	700

〈보기〉

ㄱ. 전체 소득 중 정기적으로 얻는 소득의 비율은 감소하였다.
ㄴ. 예금 이자나 부동산 임대료가 포함된 소득은 증가하였다.
ㄷ. 생산에 직접 참여하지 않고 무상으로 얻는 소득의 증가율이 가장 높다.
ㄹ. 노동을 제공하고 얻는 소득은 사업을 경영하여 얻는 소득보다 더 큰 폭으로 증가하였다.

① ㄱ, ㄴ   ② ㄱ, ㄷ   ③ ㄴ, ㄷ
④ ㄴ, ㄹ   ⑤ ㄷ, ㄹ

08 다음 자료에 대한 분석으로 옳은 것은?

표는 은행에 맡긴 예금 100만 원에 대한 이자 누적액의 변화를 나타낸 것이다. 최초 약정한 이자율과 물가 상승률은 변하지 않으며, (가), (나)는 단리 또는 복리 계산법 중 하나이다.

(단위: 원)

이자 계산 방식 \ 예치 기간	1년	2년	3년
(가)	50,000	100,000	150,000
(나)	40,000	81,600	124,864

① (가)는 연 5%의 복리 계산법이 적용되는 예금 상품이다.
② (가)에서 예치 기간이 7년일 경우 받을 수 있는 이자 누적액은 30만 원이다.
③ (나)는 최초 원금에 대해서만 이자를 계산한다.
④ (나)에서는 예금에 적용되는 이자율이 매년 상승한다.
⑤ (나)에서는 예치 기간이 1년 늘어날 때 추가되는 이자가 매년 증가한다.

09 그림은 갑국의 연도별 명목 이자율과 물가 상승률을 나타낸 것이다. 이에 대한 옳은 분석만을 〈보기〉에서 있는 대로 고른 것은?

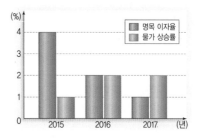

〈보기〉

ㄱ. 명목 이자율과 실질 이자율은 매년 하락하였다.
ㄴ. 명목 이자율과 실질 이자율의 차이는 2015년에 가장 크다.
ㄷ. 2015년의 실질 이자율은 2016년의 실질 이자율보다 높다.
ㄹ. 2016년과 2017년의 물가 수준은 같다.

① ㄱ, ㄷ   ② ㄴ, ㄹ   ③ ㄱ, ㄴ, ㄷ
④ ㄱ, ㄷ, ㄹ   ⑤ ㄴ, ㄷ, ㄹ

10 표는 어느 가계의 2018년 5월 수입 및 지출 내역 전부를 나타낸 것이다. 이에 대한 분석으로 옳지 않은 것은?

(단위: 만 원)

수입		지출	
항목	금액	항목	금액
급여	200	식료품비	50
상여금	50	세금	30
㉠ 주식 배당금	20	사회 보험료	40
㉡ 국민연금	30	대출 이자	20
		통신비	20

① 소비 지출액은 70만 원이다.
② 처분 가능 소득은 230만 원이다.
③ 근로 소득은 가계의 지출 총액보다 크다.
④ 전체 수입에서 비소비 지출이 차지하는 비중은 30%이다.
⑤ ㉠은 재산 소득, ㉡은 이전 소득에 해당한다.

11 밑줄 친 ㉠~㉢ 중 옳지 <u>않은</u> 것은?

사람들은 대학 등록금, 결혼 자금, 자녀 교육비 등과 같은 미래의 지출에 대비하여 저축과 투자를 한다. ㉠ <u>저축은 소득에서 지출을 뺀 나머지로, ㉡ 미래의 소비를 위하여 현재 쓰지 않고 다양한 형태의 자산으로 보유하고 있는 것</u>을 말한다. 한편 금융 생활에서 투자는 ㉢ <u>미래의 가치 증식을 목적으로 저축을 주식이나 채권, 부동산 등으로 전환하는 활동</u>을 말한다. 이때 투자는 ㉣ <u>생산을 위해 자본재를 증가시키는 기업의 투자와 같은 의미로 사용</u>되며 ㉤ <u>투자자의 성향에 따라 공격적 투자형, 안정적 투자형 등으로 구분</u>할 수 있다.

① ㉠　　② ㉡　　③ ㉢　　④ ㉣　　⑤ ㉤

12 ㉠에 대한 옳은 설명만을 〈보기〉에서 있는 대로 고른 것은?

(㉠)은/는 개인의 경제적 지불 능력에 관한 사회적 평가를 의미하는 것으로, 현대 사회에서는 이를 바탕으로 한 경제 활동이 활발하게 이루어지고 있다.

보기

ㄱ. 거래에 활용할 경우 충동구매를 막을 수 있다.
ㄴ. 많이 이용할수록 미래에 갚아야 할 빚이 늘어난다.
ㄷ. 당장 현금이 없더라도 물건을 구매할 수 있도록 해 준다.
ㄹ. 나중에 대가를 지불할 것을 약속하고 현재 돈을 빌릴 수 있는 능력을 말한다.

① ㄱ, ㄷ　　② ㄴ, ㄹ　　③ ㄱ, ㄴ, ㄷ
④ ㄱ, ㄷ, ㄹ　　⑤ ㄴ, ㄷ, ㄹ

01 다음은 A국에 사는 갑과 B국에 사는 을이 각국의 이자율 상황을 말한 것이다. 이를 보고 물음에 답하시오.

• 갑: 명목 이자율 3.2%로 예금했어요. 물가 상승률은 2.1%이었고요.
• 을: 우리나라에서는 명목 이자율보다 물가 상승률이 더 높게 나타나고 있어요.

(1) A국에서 예금으로부터 기대할 수 있는 실질 이자율이 얼마인지 계산하여 써 보자.

(2) 갑과 을이 각 나라에서 예금한 결과 이자 소득의 구매력이 어떻게 변하는지 각각 서술하시오.

02 다음은 사회 수업 시간의 모습을 나타낸 것이다. 이를 보고 물음에 답하시오.

표는 갑의 2018년 10월 수입 및 지출 내역 전부를 나타낸 것이다.

(단위: 만 원)

수입		지출	
항목	금액	항목	금액
급여	250	소득세	15
예금 이자	30	식료품비	55
복권 당첨금	10	통신비	7
		대출 이자	20
		건강 보험료	15
		교통비	10

• 교사: 2018년 10월 갑의 소비 지출은 (㉠)만 원이고, 처분 가능 소득은 (㉡)만 원이므로, 2018년 10월 갑의 지출은 합리적이라고 볼 수 있습니다.

(1) ㉠, ㉡에 들어갈 금액을 각각 쓰시오.

(2) 갑이 벌어들인 소득 중 나머지와 성격이 <u>다른</u> 소득은 무엇인지 쓰고, 그 이유를 서술하시오.

평가원 응용

1 다음 자료에 대한 설명으로 옳은 것은?

> ▶ 단리와 복리

> **| 완자 사전 |**
> • 원리금
> 원금과 이자 총액의 합

갑은 2015년 연초에 단리가 적용되는 예금 상품 A와 복리가 적용되는 예금 상품 B에 각각 100만 원을 투자하였다. 각 상품에 매년 적용된 이자율은 표와 같고, 투자 기간 중 물가 상승률은 전년 대비 4%이다. 단, A, B 모두 3년 만기 정기 예금 상품으로 이자는 매년 말일에 적립되었다.

(단위: %)

구분	2015년	2016년	2017년
A 상품	4	4	4
B 상품	2	4	6

① 2015년 A 상품에 투자한 자산의 실질 이자율은 4%이다.
② 2016년 A 상품과 B 상품의 원리금은 같다.
③ 만기 시 갑은 B 상품보다 A 상품에서 더 많은 이자액을 얻을 수 있다.
④ 예금 가입 2년 후 A 상품과 B 상품 모두 원리금의 실질 구매력은 감소하였다.
⑤ A 상품, B 상품 모두 단리가 적용되는 예금 상품이라면, 만기 시 원리금의 합계는 A 상품이 B 상품보다 많을 것이다.

평가원 응용

2 표는 갑국 전체 가구의 근로 소득과 이전 소득의 전년 동분기 대비 변화율 추이를 나타낸 것이다. 이에 대한 옳은 분석만을 〈보기〉에서 있는 대로 고른 것은?

> ▶ 소득의 유형

(단위: %)

구분	2015년 1/4분기	2015년 2/4분기	2015년 3/4분기	2015년 4/4분기	2016년 1/4분기
근로 소득	5.0	10.0	8.0	3.0	2.0
이전 소득	10.0	−5.0	5.0	−5.2	−10.0

* 2015년 1/4분기 근로 소득의 전년 동분기 대비 변화율(%)
= [(2015년 1/4분기 근로 소득 − 2014년 1/4분기 근로 소득) / 2014년 1/4분기 근로 소득] × 100

┌ **보기** ┐
ㄱ. 2015년 1/4분기의 근로 소득은 2014년 4/4분기의 근로 소득보다 많다.
ㄴ. 2014년 1/4분기 대비 2016년 1/4분기의 근로 소득 증가율은 5%보다 크다.
ㄷ. 2015년 모든 분기의 이전 소득이 동일하다면 2014년에 이전 소득이 가장 많았던 분기는 1/4분기이다.
ㄹ. 2016년 1/4분기의 이전 소득은 2014년 1/4분기의 이전 소득보다 적다.
└────────┘

① ㄱ, ㄴ   ② ㄴ, ㄹ   ③ ㄱ, ㄴ, ㄷ
④ ㄱ, ㄷ, ㄹ   ⑤ ㄴ, ㄷ, ㄹ

3 표는 갑국의 이자율 변화를 나타낸 것이다. 이에 대한 분석으로 옳은 것은? (단, (가), (나)는 각각 명목 이자율과 실질 이자율 중 하나이다.)

명목 이자율과 실질 이자율

완자샘의 시험 꿀팁
명목 이자율과 실질 이자율의 의미를 알고 물가 변동을 분석하는 문제가 자주 출제된다.

(단위: %)

구분	2013년	2014년	2015년	2016년	2017년
(가)	6	6	4	7	㉠
(나)	3	6	7	5	6

① (가)가 실질 이자율이라면, 2015년의 물가 상승률은 -3%이다.
② (가)가 명목 이자율이라면, 2013년의 물가는 전년에 비해 하락하였다.
③ (나)가 실질 이자율이라면, 2013년과 2014년의 물가는 동일하다.
④ (나)가 명목 이자율이라면, 2016년의 물가 상승률은 양(+)의 값을 가진다.
⑤ (나)가 실질 이자율이고 2017년의 물가 상승률이 2%라면, ㉠은 4이다.

4 표는 A국의 가구당 월평균 소득 및 지출 동향을 나타낸 것이다. 2017년을 기준으로 할 때, 이에 대한 옳은 분석만을 〈보기〉에서 있는 대로 고른 것은? (단, 전체 소득은 경상 소득과 비경상 소득의 합이다.)

소득과 지출

완자샘의 시험 꿀팁
소득과 지출의 유형을 구분하고, 이를 바탕으로 가계의 처분 가능 소득을 구하는 문제가 자주 출제된다.

완자 사전
• 구호금
재해나 재난 따위로 어려움에 처한 사람을 돕기 위하여 나라에서 내놓거나 여러 사람이 내어 마련한 돈

(단위: 만 원)

구분		2016년	2017년
경상 소득		4,620	4,770
	근로 소득	3,000	3,300
	사업 소득	1,200	1,000
	재산 소득	20	30
	이전 소득	400	440
비경상 소득		180	130
소비 지출		2,500	2,400
비소비 지출		800	840

┌ 보기 ┐
ㄱ. 처분 가능 소득은 증가하였다.
ㄴ. 식료품비, 교통·통신비 등이 포함된 지출 항목의 금액은 감소하였다.
ㄷ. 전체 소득에서 임금이나 수당 등이 포함된 소득의 비중은 증가하였다.
ㄹ. 예금 이자와 주식 배당금이 포함된 소득이 공적 연금이나 구호금이 포함된 소득보다 너 많이 증가하였다.

① ㄱ, ㄴ　　　　② ㄴ, ㄷ　　　　③ ㄷ, ㄹ
④ ㄱ, ㄴ, ㄷ　　　⑤ ㄴ, ㄷ, ㄹ

02 자산·부채 관리와 금융 상품

학 습 목 표
· 자산과 부채의 의미와 자산 관리, 신용 관리의 중요성을 제시할 수 있다.
· 자산 관리의 원칙과 다양한 금융 상품의 특성을 설명할 수 있다.

이것이 핵심!

자산과 부채

자산	개인이나 단체가 보유한 경제적 가치가 있는 유·무형의 물품 및 권리
부채	과거에 이루어진 거래의 결과로 현재 시점에서 갚아야 할 금전적·비금전적 의무

★ 신용 등급
금융 기관 및 금융 위원회로부터 허가를 받은 신용 조회 회사가 금융 소비자의 신용 상태를 수치화하여 나타낸 지표

★ 채무 조정 제도
신용 회복 위원회와 채권 금융 회사가 협의하여 연체자의 채무를 조정해 주는 제도

① 자산과 부채의 관리

1. 자산과 부채

(1) 자산

VS 부동산 등 구체적 형태가 있는 유형 자산과 지식 재산권, 특허권 등 구체적 형태가 없는 무형 자산으로 구분하기도 해.

의미	개인이나 단체가 보유한 경제적 가치가 있는 유·무형의 물품 및 권리
종류	· 금융 자산: 현금을 포함하여 주로 금융 기관을 통하여 거래되는 자산 ⑩ 예금, 보험, 주식, 채권 등 · 실물 자산: 실물의 형태로 존재하는 자산 ⑩ 부동산, 지하자원, 귀금속, 자동차 등

(2) 부채 자료①

의미	과거에 이루어진 거래의 결과로 현재 시점에서 갚아야 할 금전적·비금전적 의무
종류	· 단기 부채(유동 부채): 1년 이내에 갚아야 하는 부채 ⑩ 신용 카드 대금, 통신 요금 등 · 장기 부채(고정 부채): 만기가 1년 이상 남은 부채 ⑩ 자동차 할부금, 은행 대출금 등

2. 자산 관리

(1) 자산 관리: 어떤 자산을 얼마나 구입하고 언제 처분할 것인지 합리적으로 선택하는 과정

(2) 자산 관리의 중요성: 평균 수명이 늘어나 은퇴 후의 삶이 길어지고, 소득의 흐름이 불규칙해져 미래에 대한 불안감이 높아짐 → 금융 환경의 변화에 대처하고, 지속적이고 안정적인 경제생활을 하기 위해 합리적인 자산 관리가 필요함

3. 부채와 신용 관리 자료②

신용 등급이 낮은 사람들은 대출을 받지 못하거나 대출을 받더라도 더 많은 이자를 부담해야 해.

(1) 부채와 신용 관리의 중요성: 부채를 제때 갚지 않아 신용이 낮아지면 대출 제한, 신용 카드 발급 제한 등 정상적인 경제 활동에 제약을 받을 수 있음 → 철저한 신용 관리가 필요함

(2) 신용 관리 방법: 연체 방지, 적정한 채무 규모 설정, *신용 등급 향상을 위한 노력, 주거래 금융 기관에 금융 거래 집중 등

꼭! 신용은 자신이 갚을 능력이 있는지를 고려하여 신중하게 활용해야 해.

(3) 신용 회복 지원 제도: 신용 회복 위원회에서는 *채무 조정 제도를 통해 신용 회복 의지가 있는 채무자의 경제적 회생을 지원함

⑩ · 프리 워크아웃: 1~3개월 미만의 단기 연체자의 채무를 조정해 주는 제도
· 개인 워크아웃: 3개월 이상 장기 연체 채무자의 채무를 조정해 주는 제도

이것이 핵심!

자산 관리의 원칙

자산 관리의 기본 원칙
· 안전성: 원금을 보전할 수 있는 정도 · 수익성: 수익을 기대할 수 있는 정도 · 유동성: 쉽게 현금화할 수 있는 정도

↓

자신이 투자 자금을 다양한 포트폴리오로 구성하여 분산 투자함으로써 위험을 줄일 수 있음

② 자산 관리의 원칙

1. 자산 관리의 기본 원칙 자료③

(1) 안전성

의미	금융 상품의 원금에 손실이 발생하지 않을 가능성의 정도
특징	투자 위험의 요소가 많을수록 안전성은 낮음

(2) 수익성

의미	금융 상품의 가격 상승이나 이자 수익을 기대할 수 있는 정도
특징	수익률이 높을수록 위험이 크거나 유동성이 낮을 수 있음

(3) 유동성(환금성)

의미	보유 자산을 필요할 때 쉽게 현금으로 바꿀 수 있는 정도
특징	유동성이 낮은 자산을 현금으로 바꿀 때는 어느 정도 손실이 발생할 수 있음

자료 1 우리나라의 가계 부채 추이

(단위: 조 원)

543 607 665 724 776 843 916 964 1,019 1,085 1,203 1,343

2005 2006 2007 2008 2009 2010 2011 2012 2013 2014 2015 2016(년)
(한국은행, 2017)

⬆ 우리나라의 가계 부채 추이

우리나라의 가계 부채는 2006년 607조 원에서 2016년 1,343조 원으로 10년 만에 두 배 이상 증가하였다. 그뿐만 아니라 2016년 우리나라 가계의 처분 가능 소득 대비 부채 비율은 153.4%로, 100%를 초과하고 있다. 이는 한 가계가 지출할 수 있는 돈을 모두 부채를 갚는 데 써도 모자란다는 것을 의미한다.

가계 부채가 많아지면 원금 및 이자 상환에 대한 부담이 증가하여 가계의 소비와 저축이 위축되고, 이는 기업의 매출 부진으로 이어져 기업의 생산, 고용이 감소하게 된다. 이러한 악순환은 국가 경제에도 큰 타격을 줄 수 있으므로 부채의 목적과 규모, 부채의 이자율과 상환 시기 등을 고려하여 부채를 합리적으로 관리해야 한다.
└ 이자 부담이 큰 것, 상환 시기가 빠른 부채일수록 빨리 갚는 것이 좋아.

자료 2 부채와 신용 관리의 중요성

직장인 갑은 비상시에 사용하기 위해 신용 카드를 발급하였다. 그러나 막상 신용 카드가 있으니 필요하지 않은 물건을 사는 등 점차 씀씀이가 커졌다. 최근에는 이직 준비를 하면서 수입이 불안정해져 신용 카드 대금을 연체하였고, 신용 카드 대금을 갚기 위해 신용 대출까지 받았다. 그러나 대출금도 제때 갚지 못하여 신용 등급이 매우 낮아졌고, 결국 신용 회복 위원회의 도움을 받아 빚의 일부를 조정 받을 수 있었다.

신용으로 빌린 돈을 제때 갚지 못해 연체자가 됐을 경우에는 연체자 스스로 빌린 돈을 갚기 위해 노력해야 한다. 그러나 빚이 너무 많아 스스로 해결하기 어려운 사람은 신용 회복 위원회의 도움을 받을 수 있다. 신용 회복 위원회에서는 프리 워크아웃, 개인 워크아웃 등과 같은 채무 조정 제도를 통해 빚을 일정 기간 나누어 갚도록 하거나 이자율을 낮추어 주는 등 연체자들의 부담을 덜어주고, 연체자들이 신용을 회복할 수 있도록 도와준다.

자료 3 자산 관리의 기본 원칙

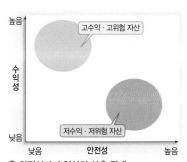

높음

고수익 · 고위험 자산

수익성

저수익 · 저위험 자산

낮음

낮음   안전성   높음

⬆ 안전성과 수익성의 상충 관계

일반적으로 수익성과 안전성은 상충 관계에 있다. 수익성이 낮은 상품은 그만큼 투자 위험이 적어 안전성이 높은 반면, 수익성이 높은 상품은 그만큼 투자 위험도 높아 안전성이 낮은 편이다. 따라서 자산 관리를 할 때는 안전성, 수익성, 유동성을 고려하여 자산을 다양한 금융 상품에 적절히 배분해야 한다.

문제 로 확인할까?

자산에 대한 설명으로 옳지 않은 것은?
① 실물 자산에는 예금, 보험 등이 포함된다.
② 금융 상품으로 존재하는 자산을 금융 자산이라고 한다.
③ 수익성, 안전성, 유동성을 고려하여 자산을 관리해야 한다.
④ 구체적 형태 유무에 따라 유형 자산과 무형 자산으로 구분된다.
⑤ 개인이나 단체가 보유한 것 중 경제적 가치를 지닌 것을 말한다.

① 답

자료 하나 더 알고 가자!

자산 관리와 '72의 법칙'

'72의 법칙'이란 돈을 복리로 운용할 경우 원금이 두 배가 되는 기간을 간편하게 알아볼 수 있는 법칙이다. 이 법칙에 따라 72를 수익률로 나누면 자산을 두 배로 늘리는 데 소요되는 기간을 대략적으로 구할 수 있다.

'72의 법칙'에 따르면 수익률이 높을수록 원금을 두 배로 만드는 데 걸리는 시간이 줄어들 수 있다. 그러나 너무 큰 수익률을 기대할 경우 원금 손실의 위험도 높아질 수 있으므로 구체적인 계획을 세워 자산을 관리해야 한다.

정리 비법을 알려줄게!

자산 관리의 기본 원칙

안전성	금융 상품의 원금에 손실이 발생하지 않을 가능성의 정도
수익성	금융 상품의 가격 상승이나 이자 수익을 기대할 수 있는 정도
유동성	보유 자산을 필요할 때 쉽게 현금으로 바꿀 수 있는 정도

02 자산·부채 관리와 금융 상품

★ **포트폴리오(portfolio)**
금융에서 포트폴리오는 금융 회사나 개인이 보유하고 있는 금융 자산의 목록을 가리키는 말로 사용된다.

2. 분산 투자 [자료④]

(1) **분산 투자의 방법**: 자산 관리의 위험을 줄이기 위해 자산 관리의 목적 및 기간에 따라 ★포트폴리오를 구성하여 여러 가지 금융 상품에 분산하여 투자해야 함

(2) **분산 투자의 중요성**: 하나의 상품에만 집중적으로 투자했을 때보다 위험을 줄일 수 있음

이것이 핵심!

다양한 금융 상품의 특징

예금	다른 상품에 비해 수익성은 낮지만 안전성이 높음
주식	수익성은 높지만 안전성이 낮음
채권	주식에 비해 안전성이 높음
펀드	운용 기관의 전문성과 분산 투자로 인해 투자 위험을 줄일 수 있음
보험	수익을 기대하여 투자하는 다른 금융 상품과 달리 위험에 대비하는 기능을 함
연금	노후 보장의 효과가 강함

★ **배당**
주식회사가 회사 경영을 통해 얻은 수익 가운데 일부를 투자 지분에 따라 투자자들에게 나누어 주는 것

★ **시세 차익**
가격이 낮게 형성되어 있을 때 매수했던 금융 상품을 가격이 오른 시점에 내다 팔아서 얻는 이익

★ **생명 보험**
사람의 생명 혹은 건강과 관련하여 우연한 사고가 발생할 경우 보험금을 지급해 주는 보험

★ **손해 보험**
신체상의 손해나 재물 손해가 났을 때 그 손해를 보상해 주는 보험

★ **국민연금**
노후 생활에 필요한 최소한의 생계비를 보장하기 위해 국가가 시행하는 제도

③ 다양한 금융 상품

1. 예금

vs 요구불 예금은 필요할 때마다 돈을 찾거나 이체하는 용도로 사용되므로 금리가 낮은 편이고, 저축성 예금은 계약한 기간이 길수록 더 높은 이자율을 적용받을 수 있어 주로 목돈을 운용하기 위한 목적으로 사용돼.

의미	은행 등의 금융 기관에 자금을 맡기고 원금과 이자를 받는 금융 상품
종류	• 요구불 예금: 자유롭게 입금과 출금을 할 수 있는 금융 상품 예 보통 예금 등 • 저축성 예금: 일정 금액의 돈을 일정 기간 맡겨 두고 이자를 받는 금융 상품 예 정기 예금, 정기 적금 등
특징	다른 금융 상품에 비해 수익성은 낮지만 원금 손실의 위험이 적어 안전성이 높음

왜? 예금자 보호 제도에 의해 보호를 받기 때문이야.

2. 금융 투자 상품 [교과서 자료]

(1) **주식**

의미	주식회사가 경영 자금을 마련하기 위해 투자자로부터 돈을 받고 발행하는 증서
특징	• 주식 투자자들은 ★배당과 ★시세 차익을 통해 수익을 얻을 수 있음 • 수익성은 높지만 원금 손실의 위험이 높아 안전성이 낮음

(2) **채권**
채권은 일반적으로 발행 주체에 따라 구분하는데 국가가 발행하는 국채, 지방 자치 단체에서 발행하는 지방채, 기업이 발행하는 회사채 등이 있어.

의미	정부나 공공 기관, 지방 자치 단체, 기업 등이 미래에 일정한 이자를 지급할 것을 약속하고 투자자로부터 돈을 빌린 후 발행하는 증서
특징	• 비교적 신용도가 높은 곳에서 발행하므로 주식에 비해 안전성이 높은 편임 • 채권 보유 시 발행 기관에서 약속한 이자를 받을 수 있고, 만기 전에도 언제든지 현금화할 수 있음

(3) **펀드**

의미	다수의 투자자로부터 모은 자금을 전문적인 운용 기관이 주식이나 채권, 부동산 등에 투자하여 그 수익을 투자자에게 분배하는 간접 투자 상품
장점	적은 돈으로도 투자할 수 있으며, 운용 기관의 전문성과 분산 투자로 인해 투자 위험을 줄일 수 있음
단점	투자한 원금 손실의 책임은 투자자 본인에게 있음

3. 보험

의미	가입자들이 미래에 발생할 수 있는 다양한 위험에 대비하기 위하여 보험 회사에 보험료를 납부하여 기금을 만든 후 사고가 발생하면 약속한 보험금을 지급받는 금융 상품
종류	• 공적 보험: 국가, 공공 단체가 운영하며, 어느 정도 강제성을 지닌 보험 예 국민 건강 보험, 고용 보험 등 • 민영 보험: 민간단체나 민영 회사가 운영하며, 자발적으로 가입하는 보험 예 ★생명 보험, ★손해 보험 등
기능	수익을 기대하여 투자하는 다른 금융 상품과 달리 위험에 대비하는 기능을 함

꼭! 보험을 통해 우리가 일상생활에서 겪을 수 있는 다양한 위험에 대비하고 큰 손해를 막는 것도 중요한 자산 관리 방법이야.

4. 연금 [자료⑤]

의미	노후 생활의 안정을 위해 경제 활동 기간에 벌어들인 소득의 일부를 적립하는 제도
종류	• 공적 연금: 국가가 운영 주체가 되는 연금 예 ★국민연금, 공무원 연금 등 • 퇴직 연금: 기업이 근로자가 퇴직할 때 근로자에게 연금 또는 일시금으로 지급하는 것 • 개인연금: 개인의 희망에 따라 자율적으로 가입하는 사적 연금
특징	장기간에 걸쳐 지속적으로 받기 때문에 노후 보장의 효과가 강한 편임

완자 자료 탐구 내 옆의 선생님

자료 ④ 분산 투자의 중요성

> 자산 관리와 관련하여 "달걀이 담긴 바구니를 떨어뜨리면 달걀이 모두 깨질 수 있기 때문에, 모든 달걀을 한 바구니에 담아서는 안 된다."라는 격언이 있다. 이는 자신이 가진 모든 돈을 하나의 금융 상품에 투자하였을 경우 해당 기업의 파산 등 예상치 못한 상황이 발생하면 큰 손해를 입게 되므로, 자산 관리를 할 때는 포트폴리오를 구성하여 여러 유형의 금융 상품에 분산하여 투자해야 한다는 의미이다.

일반적으로 금융 상품은 투자 수익이 크면 투자 위험도 커지기 때문에 안전성, 수익성, 유동성을 모두 갖춘 금융 상품을 찾는 것은 어렵다. 따라서 자산을 합리적으로 관리하기 위해서는 자산 관리의 목적 및 기간에 따라 포트폴리오를 구성하여 자산을 다양한 금융 상품에 적절하게 분산하여 투자해야 한다.

자료 하나 더 알고 가자!

정기 예금과 정기 적금

정기 예금	일정 금액의 돈을 한꺼번에 금융 기관에 맡기고 정해진 만기일에 원금과 약속한 이자를 받는 금융 상품
정기 적금	일정 금액의 돈을 일정 기간 정기적으로 금융 기관에 적립하고 만기일에 원금과 이자를 받는 금융 상품

수능이 보이는 교과서 자료 | 주식과 채권의 비교

구분	주식	채권
투자자의 지위	주주	채권자
조달 자금	회사의 자본금이 됨	회사의 부채가 됨
경영 참여	참여할 수 있음	참여할 수 없음
수익의 형태	배당, 시세 차익	약정 이자, 시세 차익
원금 상환 의무	상환 의무 없음	만기 시 원금 상환의 의무 있음

회사에서는 주식과 채권을 모두 발행하는데 주식은 회사의 소유 지분을 표시하는 증서로, 주식에 투자한 자금은 회사의 자본금이 된다. 반면 채권은 회사가 투자자에게 돈을 빌리기 위해 발행하는 증서로, 채권에 투자한 자금은 회사의 부채가 된다. 또한 주식 투자자는 회사의 주주가 되어 회사의 경영에 참여할 수 있지만, 채권 소유자는 회사의 경영에 참여할 수 없다.

완자쌤의 탐구 강의

• 주식과 채권이 공통으로 얻을 수 있는 수익의 형태를 써 보자.
시세 차익

• 안전성 측면에서 주식과 채권을 비교하여 서술해 보자.
주식은 가격 변동에 따른 위험성이 높아 안전성이 낮은 반면, 채권은 만기 시 발행 기관에서 약속한 이자를 받을 수 있으므로 주식에 비해 안전성이 높은 편이다.

함께 보기 200쪽, 1등급 정복하기 4

자료 ⑤ 연금의 종류 VS 국민연금은 소득에 따라 월 납부액이 정해지는 반면, 개인연금은 가입자가 월 납부액을 자유롭게 설정할 수 있어.

구분	국민연금	퇴직 연금	개인연금
가입 대상	국민	근로자	개인
가입 형태	의무 가입	의무 가입	임의 가입
운영 주체	국가	기업 또는 근로자	개인

└ 만 18세 이상 60세 미만의 국민이 가입 대상이 돼

오늘날 사람들의 평균 수명이 늘어나면서 은퇴 이후에 대한 대비가 매우 중요해졌다. 연금은 노후 생활을 대비하여 미리 저축해 두는 금융 상품으로, 일반적으로 은퇴 이후 장기간에 걸쳐 지속적으로 받을 수 있다. 따라서 은퇴 이후의 안정적인 경제생활을 위해서 개인은 자신의 상황에 맞는 연금에 가입하여 노후를 대비하는 것이 바람직하다.

문제로 확인할까?

펀드에 대한 설명으로 옳지 않은 것은?
① 원금 손실이 발생할 수 있다.
② 투자 전문가가 어려운 투자를 대신해 준다.
③ 분산 투자를 통해 투자 위험을 낮출 수 있다.
④ 전문가에게 자금을 맡겨 투자하는 금융 상품이다.
⑤ 원금 손실의 책임은 전적으로 투자 전문가에게 있다.

⑤ 🅰

STEP 1 핵심 개념 확인하기

1 다음 빈칸에 들어갈 내용을 쓰시오.

(1) 예금, 보험, 채권 등과 같이 금융 기관을 통해 거래되는 자산을 ( )이라고 한다.

(2) ( )는 통신 요금 등과 같이 1년 이내에 갚아야 하는 부채로, 유동 부채라고도 한다.

2 다음 설명이 맞으면 ○표, 틀리면 ×표를 하시오.

(1) 자산을 얼마나 구입하고 언제 처분할 것인지 등을 선택하는 과정을 자산 관리라고 한다. ( )

(2) 평균 수명의 증가로 은퇴 이후의 삶이 길어짐에 따라 자산 관리의 중요성은 더욱 커지고 있다. ( )

(3) 신용 등급이 낮은 사람은 신용 등급이 높은 사람보다 더 낮은 이자를 지불하고 돈을 빌릴 수 있다. ( )

3 자산 관리의 기본 원칙과 그 의미를 옳게 연결하시오.

(1) 안전성 •　　　　　• ㉠ 투자한 금융 상품으로부터 수익을 기대할 수 있는 정도

(2) 수익성 •　　　　　• ㉡ 보유 자산을 필요할 때 쉽게 현금으로 바꿀 수 있는 정도

(3) 유동성 •　　　　　• ㉢ 금융 상품의 원금에 손실이 발생하지 않을 가능성의 정도

4 자산을 효율적으로 관리하기 위해서는 자산 관리의 목적 및 기간에 따라 ( )를 구성하여 여러 가지 금융 상품에 분산하여 투자해야 한다.

5 다음 괄호 안에 들어갈 알맞은 말에 ○표를 하시오.

(1) 일반적으로 예금은 주식에 비해 (안전성, 수익성)이 높은 편이다.

(2) 채권을 만기가 되면 발행 기관에서 약속한 (배당, 이자)을/를 통해 수익을 얻을 수 있다.

(3) 다수의 투자자로부터 모은 자금을 전문가가 대신 운용하는 간접 투자 상품을 (보험, 펀드)(이)라고 한다.

(4) 노후 대비를 위해 미리 일정액을 낸 후 노후에 매달 일정액을 받는 금융 상품을 (연금, 채권)이라고 한다.

STEP 2 내신 만점 공략하기

01 ㉠, ㉡에 대한 옳은 설명만을 〈보기〉에서 있는 대로 고른 것은?

> 개인의 재무 상태는 (㉠)와/과 (㉡) 내역을 통해 알 수 있다. 이때 (㉠)은/는 개인이나 단체가 보유한 경제적 가치가 있는 유·무형의 물품 및 권리를 말한다. 한편 (㉡)은/는 과거에 이루어진 거래의 결과로 현재 시점에서 갚아야 할 금전적·비금전적 의무를 말한다.

보기

ㄱ. 토지, 건물 등은 ㉠에 포함된다.
ㄴ. 소득이 지출보다 많을 때 예금을 하면 ㉠이 늘어난다.
ㄷ. 할부로 냉장고나 자동차를 살 경우 ㉡이 발생한다.
ㄹ. 소득이 지출보다 적어 돈을 빌릴 경우에는 ㉡이 줄어든다.

① ㄱ, ㄴ　　② ㄴ, ㄹ　　③ ㄷ, ㄹ
④ ㄱ, ㄴ, ㄷ　　⑤ ㄴ, ㄷ, ㄹ

02 표는 갑의 자산과 부채 상태의 변화를 나타낸 것이다. 2016년과 비교한 2017년의 자산과 부채 상태에 대한 분석으로 옳은 것은?

(단위: 만 원)

구분	2016년	2017년
보통 예금	1,000	1,100
주식	500	300
아파트	20,000	20,000
자동차	2,000	1,800
은행 대출금	0	1,500
자동차 할부금 잔액	1,000	800
신용 카드 미결제 잔액	200	0

* 순자산 = 총자산 − 총부채

① 부채는 감소하였다.
② 순자산은 증가하였다.
③ 금융 자산은 감소하였다.
④ 실물 자산은 증가하였다.
⑤ 대출 이자에 대한 부담은 감소하였다.

03 다음과 같은 가계 부채 추이가 지속될 경우 나타날 수 있는 현상에 대해 옳게 설명한 학생을 고른 것은?

> 우리나라의 가계 부채는 크게 증가하여 2016년에 1,300조 원을 넘어섰다. 2006년 가계 부채가 607조 원이었던 것을 고려하면 10년 만에 두 배 이상 늘어난 셈이다.

갑: 가계의 신용도가 높아질 것입니다.
을: 미래의 소비 능력이 위축될 것입니다.
병: 가계의 원금 및 이자 상환에 대한 부담이 증가할 것입니다.
정: 기업의 매출이 늘어나 생산이 증가할 것입니다.

① 갑, 을   ② 갑, 병   ③ 을, 병
④ 을, 정   ⑤ 병, 정

04 ㉠에 대한 적절한 진술을 〈보기〉에서 고른 것은?

> 사람들은 누구나 지속 가능하고 안정적인 경제생활을 원한다. 하지만 평생 돈을 벌고 쓰는 과정은 불규칙하게 이루어질 때가 많다. 이에 따라 안정적인 경제생활을 유지하기 위해서는 한정된 수입을 현재와 미래의 생활에 어떻게 적절히 배분할 것인지를 합리적으로 선택하는 과정인 (㉠)이/가 필요하다.

보기
ㄱ. 한 가지 유형의 자산에 집중적으로 투자하는 것이 합리적이다.
ㄴ. 예상하지 못한 사고나 질병 등에 따른 지출에 대비할 수 있게 한다.
ㄷ. 원금 손실의 위험과 관계없이 높은 수익을 얻는 것만을 목적으로 한다.
ㄹ. 평균 수명이 늘어남에 따라 노후 생활을 위한 자금을 확보할 수 있게 한다.

① ㄱ, ㄴ   ② ㄱ, ㄷ   ③ ㄴ, ㄷ
④ ㄴ, ㄹ   ⑤ ㄷ, ㄹ

05 다음 질문에 대한 답변으로 적절하지 않은 것은?

> 현대 사회는 신용 사회라고 불린다. 신용 사회에서는 현금을 보유하지 않아도 신용이 있으면 돈을 빌려 물건을 사거나 생활에 필요한 각종 서비스를 제공받을 수 있다. 개인의 경제 활동을 바탕으로 쌓인 신용 정보는 그 사람의 신용도를 결정하는 데 이용되므로, 자금 수요자가 돈이 필요할 때 낮은 이자로 원하는 금액을 빌리기 위해서는 신용이 좋아야 한다. 평소에 신용을 올바르게 관리하기 위한 방법에는 어떤 것이 있을까?

① 연체가 발생하지 않도록 주의한다.
② 주거래 금융 기관을 정하여 거래한다.
③ 주기적인 결제 대금은 자동 이체를 활용한다.
④ 연락처가 변경되면 거래하는 금융 기관에 통보한다.
⑤ 대출 시 상환 능력보다 경제적 필요를 우선적으로 고려한다.

06 밑줄 친 ㉠~㉢에 해당하는 자산 관리의 기본 원칙을 옳게 연결한 것은?

> 금융 상품은 여러 가지 특성을 가지고 있으므로 자신의 투자 목적에 맞는 자산을 선택하기 위해서는 자산 관리의 기본 원칙을 분명하게 알아야 한다. 자산 관리를 할 때 가장 기본적으로 고려해야 할 원칙으로는 ㉠ 금융 상품의 원금에 손실이 발생하지 않을 가능성의 정도, ㉡ 보유 자산을 필요할 때 쉽게 현금으로 바꿀 수 있는 정도, ㉢ 금융 상품의 가격 상승이나 이자 수익을 기대할 수 있는 정도를 들 수 있다.

	㉠	㉡	㉢
①	안전성	유동성	수익성
②	안전성	수익성	유동성
③	수익성	안전성	유동성
④	수익성	유동성	안전성
⑤	유동성	안전성	수익성

07 표는 금융 상품 (가)~(다)를 비교한 것이다. 이에 대한 옳은 분석만을 〈보기〉에서 있는 대로 고른 것은?

평가 요소 \ 금융 상품	(가)	(나)	(다)
원금을 보전할 수 있는 정도	+	+++	++
수익을 기대할 수 있는 정도	+++	+	++
쉽게 현금화할 수 있는 정도	++	+	+++

* +의 개수가 많을수록 강함 내지 높음을 나타냄

보기

ㄱ. (가) 상품은 (다) 상품에 비해 안전성이 높다.
ㄴ. (나) 상품은 (가) 상품보다 원금 손실의 위험이 낮다.
ㄷ. (다) 상품은 (나) 상품에 비해 유동성이 높다.
ㄹ. 수익성만을 고려하여 투자하는 사람은 '(나)-(가)-(다)' 상품 순으로 선호할 것이다.

① ㄱ, ㄴ   ② ㄴ, ㄷ   ③ ㄷ, ㄹ
④ ㄱ, ㄴ, ㄷ   ⑤ ㄴ, ㄷ, ㄹ

08 자산 관리와 관련하여 다음 글에서 공통으로 강조하는 바로 가장 적절한 것은?

• 달걀이 담긴 바구니를 떨어뜨리면 달걀이 모두 깨질 수 있기 때문에, 모든 달걀을 한 바구니에 담아서는 안 된다.
• 보물찾기 놀이를 할 때는 자신이 가진 두 개의 보물을 각각 다른 장소에 숨겨야 하나가 발견되더라도 다른 보물은 지킬 수 있다.

① 안전성보다 수익성에 우선하여 투자해서 한다.
② 원금이 보장되는 금융 상품에만 투자해야 한다.
③ 한 가지 유형의 자산에 집중적으로 투자해야 한다.
④ 자금을 다양한 자산에 적절하게 나누어 투자해야 한다.
⑤ 필요할 때 쉽게 현금화할 수 있는 상품 위주로 투자해야 한다.

09 금융 상품 (가), (나)에 대한 옳은 설명을 〈보기〉에서 고른 것은?

(가) 자유롭게 입금과 출금을 할 수 있는 금융 상품으로, 금리가 매우 낮은 편이다.
(나) 가입액을 미리 정하여 목돈을 금융 기관에 일정 기간 맡기는 금융 상품으로, 목돈을 운용하기 위한 목적으로 사용된다.

보기

ㄱ. (가)는 필요할 때마다 돈을 찾거나 이체하는 용도로 사용된다.
ㄴ. (나)는 계약한 기간이 길수록 더 높은 이자율을 적용받을 수 있다.
ㄷ. (가)는 (나)와 달리 예금자 보호 제도의 보호를 받는다.
ㄹ. (가)는 저축성 예금, (나)는 요구불 예금에 해당한다.

① ㄱ, ㄴ   ② ㄱ, ㄷ   ③ ㄴ, ㄷ
④ ㄴ, ㄹ   ⑤ ㄷ, ㄹ

10 표는 질문에 따라 금융 상품 A, B를 구분한 것이다. 이에 대한 설명으로 옳은 것은? (단, A, B는 각각 주식과 채권 중 하나이다.)

구분	A	B
정부나 공공 기관에서도 발행하는가?	예	아니요
투자한 사람은 기업의 경영에 권리를 행사할 수 있는가?	아니요	예

① A는 만기일 이전에 다른 사람에게 팔 수 없다.
② B는 투자자에게 배당금을 지급한다.
③ 일반적으로 A는 B보다 안전성이 낮다.
④ A는 B와 달리 기업의 입장에서 자본금이 된다.
⑤ B는 A와 달리 예금자 보호 제도의 보호를 받을 수 있다.

11 다음은 학생이 수업 시간에 정리한 노트의 일부이다. ㉠에 대한 옳은 설명을 〈보기〉에서 고른 것은?

> (㉠)의 의미
>
> 다수의 투자자로부터 모은 자금을 전문적인 운용 기관이 주식이나 채권, 부동산 등에 투자하여 그 수익을 투자자에게 분배하는 금융 상품

보기

ㄱ. 원금 손실의 책임은 투자 전문가에게 있다.
ㄴ. 투자 전문가가 어려운 투자를 대신해 준다.
ㄷ. 분산 투자를 통해 투자 위험을 낮출 수 있다.
ㄹ. 만기 전에 되팔더라도 불이익을 받지 않는다.

① ㄱ, ㄴ   ② ㄱ, ㄷ   ③ ㄴ, ㄷ
④ ㄴ, ㄹ   ⑤ ㄷ, ㄹ

12 다음 제도에 대한 설명으로 옳은 것은?

> • 목적: 국민의 생활 안정과 복지 증진
> • 가입 대상: 만 18세 이상 60세 미만의 국민
> • 내용: 국민이 일정 금액을 일정 기간 정기적으로 납부하며 노령, 장애, 사망 시 본인 또는 가족에게 노령 연금, 장애 연금, 유족 연금 등을 지급함

① 기업이 운영 주체가 된다.
② 대상자의 의무 가입을 원칙으로 한다.
③ 개인이 희망에 따라 자율적으로 가입하는 제도이다.
④ 대상자의 수혜 정도에 따른 비용 부담을 원칙으로 한다.
⑤ 기업이 근로자의 퇴직금 지급을 위한 재원을 금융 기관에 적립하는 제도이다.

13 금융 상품 (가), (나)에 대한 옳은 설명을 〈보기〉에서 고른 것은?

> (가) 가입자들이 금융 기관에 일정 금액을 적립하여 기금을 만든 후 사고가 발생하면 약속한 금액을 지급받는 금융 상품
> (나) 경제 활동 기간에 벌어들인 소득의 일부를 적립하였다가 소득 능력을 상실하였을 때 일정 기간 지속해서 일정 금액을 지급 받는 금융 상품

보기

ㄱ. (가)는 미래에 당할지도 모를 위험에 대비하는 기능이 있다.
ㄴ. (나)는 노후 생활의 안정을 목적으로 한다.
ㄷ. (나)에는 의무 가입을 원칙으로 하는 상품만 존재한다.
ㄹ. (가)는 연금, (나)는 보험이다.

① ㄱ, ㄴ   ② ㄱ, ㄷ   ③ ㄴ, ㄷ
④ ㄴ, ㄹ   ⑤ ㄷ, ㄹ

14 ⭐중요 다음 사례에 대한 분석으로 적절하지 <u>않은</u> 것은?

> • 갑은 이자율이 연 5%(비과세)인 1년 만기의 ㉠ 채권을 1,000만 원어치 구입하였다.
> • 을은 이자율이 연 3%(비과세)인 1년 만기의 ㉡ 정기 예금에 가입하여 1,200만 원을 입금하였다.

① ㉠은 발행한 기관에서 빌린 돈을 갚기로 약속하는 증서이다.
② ㉡은 간접 투자 상품에 해당한다.
③ 일반적으로 ㉡은 ㉠보다 원금 손실에 대한 위험이 적다.
④ 갑은 만기일에 투자한 원금과 이자를 상환 받을 권리가 있다.
⑤ 1년 후 을은 갑보다 더 많은 금액을 수령할 수 있다.

15 그림은 금융 상품의 종류를 구분한 것이다. A~C에 대한 설명으로 옳은 것은? (단, A~C는 각각 정기 예금, 주식, 채권 중 하나이다.)

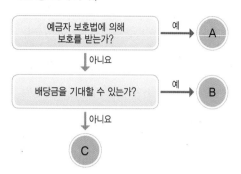

① A는 원금 손실의 위험이 큰 편이다.
② B는 원칙적으로 만기가 있는 상품이다.
③ C에 투자한 사람은 기업의 경영에 권리를 행사할 수 있다.
④ B는 A와 달리 시세 차익을 기대할 수 있다.
⑤ 일반적으로 C는 B보다 안전성이 낮다.

16 표는 갑~병이 보유한 금융 상품의 구성을 나타낸 것이다. 이에 대한 옳은 분석 및 추론만을 〈보기〉에서 있는 대로 고른 것은?

(단위: %)

구분	정기 예금	주식	채권	보험
갑	60	0	15	25
을	0	100	0	0
병	50	0	50	0

보기
ㄱ. 갑은 배당금이 지급되는 금융 상품에 투자하고 있다.
ㄴ. 을은 안전성보다 수익성을 우선시하는 투자 성향을 보이고 있다.
ㄷ. 병은 갑보다 채권에 투자인 금액이 많다.
ㄹ. 갑은 을, 병과 달리 미래의 위험에 대비하는 금융 상품에 가입하였다.

① ㄱ, ㄷ   ② ㄴ, ㄹ   ③ ㄷ, ㄹ
④ ㄱ, ㄴ, ㄷ   ⑤ ㄴ, ㄷ, ㄹ

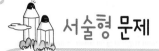

서술형 문제

● 정답친해 59쪽

01 다음 글을 읽고 물음에 답하시오.

> 갑은 현재 1,500만 원의 가치를 가진 자동차, 300만원의 은행 ㉠ 예금, 200만 원어치의 ㉡ 주식, 1억 원의 가치를 가진 아파트를 보유하고 있다.

(1) 갑의 보유한 자산 중 금융 자산과 실물 자산은 각각 얼마인지 쓰시오.

(2) 안전성 측면에서 ㉠과 ㉡의 차이점을 서술하시오.

02 다음 글을 읽고 물음에 답하시오.

> (가) 기업이 경영 자금을 마련하기 위해 투자자로부터 돈을 받고 발행하는 증서
> (나) 정부나 공공 기관, 지방 자치 단체 등이 미래에 일정한 이자를 지급할 것을 약속하고 투자자로부터 돈을 빌린 후 반환하는 증서

(1) (가), (나)에 해당하는 금융 상품의 유형을 각각 쓰시오.

(2) (가)와 (나)의 차이점을 두 가지 이상 서술하시오.

STEP 3 1등급 정복하기

▶ 자산과 부채 현황

1 표는 갑과 을의 자산과 부채 현황을 나타낸 것이다. 이에 대한 분석 및 추론으로 옳지 <u>않은</u> 것은? (단, 자산 가치 변동과 보유 및 거래 비용은 없다.)

(단위: 만 원)

구분		갑	을
자산	현금	1,000	400
	보통 예금	200	1,000
	주식	300	500
	부동산	10,000	20,000
	자동차	4,000	2,000
부채	은행 대출금	1,000	5,000
	자동차 할부금 잔액	1,000	1,500
	신용 카드 미결제 잔액	0	400

* 순자산 = 총자산 - 총부채

① 현금으로 은행 대출금을 모두 갚을 경우 갑의 자산은 증가한다.
② 갑은 을보다 실물 자산이 더 적다.
③ 을은 갑보다 순자산이 더 많다.
④ 을은 갑보다 '고수익 고위험'의 금융 자산이 더 많다.
⑤ 주식을 처분하여 은행에 모두 예금하는 경우 갑과 을의 순자산은 모두 변화가 없다.

> ▶ 완자샘의 시험 꿀팁
>
> 자산과 부채의 종류를 구분하고, 순자산을 비교하는 문제가 자주 출제된다.

▶ 신용 관리의 중요성

2 다음 사례에 대한 옳은 분석만을 〈보기〉에서 있는 대로 고른 것은?

> 직장인 갑은 비상시에 사용하기 위해 신용 카드를 발급하였다. 그러나 막상 신용 카드가 있으니 당장 필요하지 않은 물건을 사는 등 점차 씀씀이가 커졌고, 최근 이직 준비를 하면서 수입이 불안정해지자 신용 카드 대금을 연체하게 되었다. 신용 카드 대금을 지불하기 위해 은행에서 신용 대출까지 받았으나 대출금도 제때 갚지 못하여 ⑤ 신용 등급이 매우 낮아졌고, 빌린 돈을 갚을 수 없는 지경에 이르렀다. 결국 갑은 ⑥ 신용 회복 위원회에 도움을 요청하였다.

> **보기**
>
> ㄱ. 갑은 자신의 소득을 고려하여 지출하였다.
> ㄴ. 갑은 신용 거래에 따른 대금의 납부 기일을 준수하지 않았다.
> ㄷ. ⑤이 낮을수록 대출 시 낮은 이자율을 적용받는다.
> ㄹ. ⑥에서는 부채의 상환 기간 연장 및 분할 상환 등을 통해 금융 채무 불이행자의 신용 회복을 돕고 있다.

① ㄱ, ㄷ   ② ㄴ, ㄹ   ③ ㄱ, ㄴ, ㄷ
④ ㄱ, ㄴ, ㄹ   ⑤ ㄴ, ㄷ, ㄹ

> ▌완자 사전▐
>
> • 신용 회복 위원회
> 채무가 과중한 사람들을 경제적으로 빨리 재기할 수 있도록 돕기 위하여, 채무자의 채무를 조정하거나 신용 관리에 대하여 상담하고 교육하는 기관

STEP 3 1등급 정복하기

평가원 응용

3 그림은 포트폴리오 A~D의 위험성과 수익성을 나타낸 것이다. 이에 대한 옳은 분석 및 추론을 〈보기〉에서 고른 것은? (단, 투자자는 위험성과 수익성만을 고려한다.)

▶ 자산 관리의 기본 원칙과 금융 상품

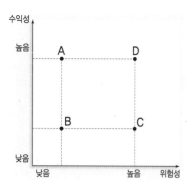

보기

ㄱ. A는 C에 비해 위험성과 수익성이 모두 낮다.

ㄴ. D는 B에 비해 주식보다 채권 위주로 구성되어 있을 것이다.

ㄷ. 다른 조건이 같다면 B보다 A를 선택하는 것이 합리적이다.

ㄹ. 안전성이 높은 자산을 원하는 투자자는 B와 D 중 하나를 선택할 수 있다면 B를 선택할 것이다.

① ㄱ, ㄴ   ② ㄱ, ㄷ   ③ ㄴ, ㄷ

④ ㄴ, ㄹ   ⑤ ㄷ, ㄹ

4 다음은 질문에 따라 금융 상품 A, B를 구분한 것이다. 이에 대한 설명으로 옳은 것은? (단, A, B는 각각 주식, 채권 중 하나이다.)

▶ 다양한 금융 상품

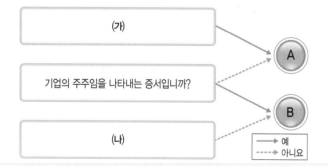

① A를 보유한 사람은 이자 수익을 기대할 수 없다.

② B를 발행한 기관에서는 부채가 증가한다.

③ A는 B에 비해 원금에 대한 안전성이 높은 편이다.

④ (가)에는 '공공 기관만 발행할 수 있습니까?'가 들어갈 수 있다.

⑤ (나)에는 '시세 차익을 기대할 수 있습니까?'가 들어갈 수 있다.

완자샘의 시험 꿀팁

금융 상품의 종류를 구분하고 각각의 특징을 비교하는 문제가 자주 출제된다.

완자 사전

• 주주

주식을 가지고 직접 또는 간접으로 회사 경영에 참여하고 있는 개인이나 법인

5 금융 상품 A~C의 일반적인 특징에 대한 설명으로 옳은 것은?

> 다양한 금융 상품

> **완자쌤의 시험 꿀팁**
> 다양한 금융 상품의 특징을 비교하는 문제가 자주 출제된다. 각 금융 상품의 일반적인 특징을 주요 키워드를 통해 구분할 수 있어야 한다.

- A~C는 각각 요구불 예금, 채권, 주식 중 하나이다.
- A는 B에 비해 안전성은 높지만, 수익성이 낮은 편이다.
- C는 원칙적으로 만기가 없다.

① A는 전문가가 투자를 대신한다는 장점이 있다.
② B를 보유할 경우 주주로서의 지위를 갖는다.
③ 정부는 C의 발행 주체가 될 수 있다.
④ 원금 손실 위험을 기피하는 투자자일수록 C보다 A를 선호할 것이다.
⑤ A~C는 모두 이자 수익을 얻을 수 있다.

6 갑~병의 투자 사례에 대한 옳은 분석 및 추론만을 〈보기〉에서 있는 대로 고른 것은?

> 다양한 금융 상품

갑, 을, 병은 1,000만 원의 자산을 각각 다음과 같이 활용하기로 하였다.
- 갑은 1년 만기의 연리 2%의 정기 예금에 가입하였다.
- 을은 1년 만기의 ㉠ 채권에 500만 원을 투자하여 만기 시 원금과 이자를 받기로 하였다. 그리고 나머지 500만 원은 갑이 가입한 조건과 동일한 정기 예금에 예치하였다.
- 병은 연리 5%로 받은 대출금 500만 원에 자기 자금 500만 원을 합한 1,000만 원을 모두 A 회사의 ㉡ 주식에 투자하였다.

보기

ㄱ. ㉠의 수익률이 연 3%일 경우, 1년 동안 갑은 을보다 더 많은 투자 수익을 얻을 수 있다.
ㄴ. 1년 후 ㉡의 가격이 10% 상승하였을 경우, 병의 투자 수익은 75만 원이다.
ㄷ. 갑이 가입한 금융 상품은 병이 가입한 금융 상품과 달리 예금자 보호 제도의 보호 대상이 된다.
ㄹ. 갑, 을, 병은 모두 배당금을 받을 수 있는 금융 상품에 투자하였다.

① ㄱ, ㄴ   ② ㄴ, ㄷ   ③ ㄷ, ㄹ
④ ㄱ, ㄴ, ㄷ   ⑤ ㄴ, ㄷ, ㄹ

03 금융 생활의 목표와 재무 설계

학 습 목 표
• 생애 주기의 의미를 이해하고, 생애 주기에 따른 재무 목표 설정의 중요성를 설명할 수 있다.
• 재무 설계 과정을 이해하고, 자신의 재무 계획을 수립할 수 있다.

이것이 핵심!

생애 주기와 재무 목표 수립

생애 주기
시간의 흐름에 따라 인간의 생애를 경제 활동 시기와 관련지어 몇 가지 단계로 나타낸 것

↑

재무 목표 수립
생애 주기에 따른 소득과 소비의 흐름을 토대로 재무적 상황을 고려하여 재무 목표를 설정해야 함

★ **재무 계획**
수입을 예상하고 이를 현재와 미래 생활에 적절하게 배분하는 계획

① 생애 주기에 따른 재무 목표 수립

1. 생애 주기

(1) **생애 주기**: 시간의 흐름에 따라 인간의 생애를 경제 활동 시기와 관련지어 몇 가지 단계로 나타낸 것

(2) **생애 주기 이해의 필요성**: 생애 주기의 각 단계에 따라 필요한 자금의 내용과 크기가 달라지며, 소득도 달라짐

(3) **생애 주기에 따른 소득과 소비**

유소년기	소득보다 소비가 많은 시기 → 부모의 소득에 의존하여 경제생활을 함
청년기	취업과 함께 소득이 발생하는 시기
중·장년기	활발하게 경제 활동을 하는 시기 → 소득이 가장 많지만 소비 규모도 큼
노년기	은퇴하여 소득이 크게 줄어드는 시기

Q4? 자녀 양육 및 결혼 등으로 지출이 늘어나기 때문이야.

꽉! 고령화로 퇴직 이후의 생애 시간이 점차 길어짐에 따라 노후 생활에 대한 대비가 더욱 중요해지고 있어.

2. 재무 목표 수립

(1) **재무 목표**: *재무 계획을 통해 달성하고자 하는 목표 자료①

(2) **생애 주기에 따른 재무 목표 수립**: 생애 주기에 따른 소득과 소비의 흐름을 토대로 결혼, 출산, 자녀 양육, 노후 대비 등의 재무적 상황을 고려하여 재무 목표를 설정해야 함 자료②

전 생애 동안의 예상 소득과 지출을 고려해 구체적으로 재무 목표를 설정해야 해.

이것이 핵심!

재무 설계 과정

재무 목표 설정
↓
| 재무 상태 분석 |
↓
| 재무 행동 계획 수립 |
↓
| 재무 행동 계획 실행 |
↓
| 재무 실행 평가와 수정 |

★ **재무 목표의 구분**
• 단기 목표: 보통 1년 이내로 설정하는 목표
• 중기 목표: 보통 1~5년 사이의 기간으로 설정하는 목표
• 장기 목표: 보통 5년 이상의 기간으로 설정하는 목표

★ **결산**
일정한 기간 동안의 수입과 지출을 계산하여 손익을 따져 보는 것

② 재무 설계

1. 재무 설계

의미	생애 주기별로 정한 구체적인 재무 목표에 맞추어 재무 계획을 세우고 실행에 옮기는 것
필요성	• 안정적인 미래를 설계하는 데 도움을 줌 • 생애 주기별 재무 목표를 계획적으로 실행할 수 있음

2. 재무 설계 과정 교과서 자료

*재무 목표 설정	• 자신의 가치관 및 기대하는 생활 양식에 적합한 단기, 중기, 장기 재무 목표를 설정함 • 목표 달성에 필요한 금액, 기간, 우선 순위 등을 고려하여 구체적이고 실현 가능한 목표를 설정함

↓

재무 상태 분석	수입 및 지출의 규모와 종류, 자산과 부채 현황 등 자신의 재무 상태를 정확히 파악함

↓

재무 행동 계획 수립	재무 목표 달성을 위해 필요한 자금을 언제까지, 어떻게 마련할 것인지에 관한 재무 행동 계획을 수립함

↓

재무 행동 계획 실행	재무 목표 달성을 위한 계획을 실행함 → 실제 실행 과정에서 예상과 다른 상황이 생길 수도 있으므로 적절한 융통성을 발휘하는 것이 필요함

↓

재무 실행 평가와 수정	정기적인 *결산을 통해 결과를 평가하고, 조정이 필요한 부분을 반영하여 재무 계획을 수정하거나 재무 목표를 재설정함

완자 자료 탐구

내 옆의 선생님

자료 1 생애 주기에 따른 주요 재무 목표

생애 주기	주요 이슈	주요 재무 목표
사회 초년기(20대)	• 졸업 • 취업 • 결혼	• 독립 및 주거 자금 • 결혼 자금
가족 형성기(30대)	• 자녀 출산 및 육아 • 내 집 마련	• 자녀 양육 자금 • 주택 구입 자금 • 부채 상환(결혼, 주택 관련)
자녀 성장기(40대)	• 자녀 교육 • 재산 형성	• 자녀 교육비 • 주택 확장 자금
가족 성숙기(50대)	• 자녀 결혼 • 은퇴 및 노후 대비 점검	• 자녀 결혼 자금 • 노후 준비
노후 생활기(60대 이후)	• 노후 생활 시작	• 은퇴 후 생활 자금 • 건강 유지 및 의료비

제시된 자료는 생애 주기별 주요 재무 목표를 나타낸 것이다. 그러나 개인마다 생애 주기와 추구하는 삶의 방식이 다르므로 재무 목표는 개인적으로 다양하게 설정할 수 있다.

자료 2 생애 주기에 따른 재무 목표 수립의 필요성

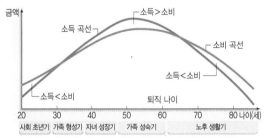

↑ 생애 주기별 소득·소비 곡선

개인이 소득을 얻을 수 있는 시기는 한정되지만, 소비 생활은 평생에 걸쳐 이루어져 소득과 소비의 불균형이 발생한다. 따라서 이러한 불균형을 어떻게 해소하여 자신이 원하는 생활을 유지해 나갈지에 관한 재무 목표를 세워야 한다.

정리 | 비법을 알려줄게!

생애 주기별 소득과 소비

유소년기	소득보다 소비가 많은 시기
청년기	취업과 함께 소득이 발생하는 시기
중·장년기	소득이 가장 많지만 소비 규모도 큰 시기
노년기	은퇴하여 소득이 크게 줄어드는 시기

자료 | 하나 더 알고 가자!

재무 설계와 재테크

재무 설계
소득의 범위를 고려하여 은퇴 이후의 생활까지 고려한 전반적인 인생의 재무 관리 계획을 짜는 것 → 장기적이고 계획적임

↕

재테크
높은 수익을 얻을 수 있는 금융 상품이나 부동산에 투자해서 자산을 늘리는 것 → 단기적이고 수익성이 높지만 안전성이 낮음

수능이 보이는 교과서 자료 재무 상태를 파악하는 방법

(가)

자산		부채	
금융 자산		은행 대출금	500만 원
예금	445만 원	신용 카드 사용액	25만 원
주식	50만 원		
실물 자산			
자동차	350만 원		
자산 총액	845만 원	부채 총액	525만 원
순자산(총자산 – 총부채)			320만 원

2019년 3월 31일 기준

(나)

수입		지출	
근로 소득	200만 원	소비 지출	
재산 소득		식료품	35만 원
이자와 배당금	3만 원	주거·수도·광열	50만 원
		교통	10만 원
		비소비 지출	
		국민연금	9만 원
		대출 이자	6만 원
수입 총액	203만 원	지출 총액	110만 원
손익 결산(총수입 – 총지출)			93만 원

2019년 3월 1일~3월 31일 기준

(가)는 한 개인의 자산과 부채 현황을 나타내는 자산 상태표이고, (나)는 한 개인의 수입과 지출 현황을 나타내는 수지 상태표이다. 자산 상태표와 수지 상태표를 작성해 보는 것은 자신의 재무 상태를 파악하는 데 도움을 준다.

완자샘의 탐구 강의

• (가), (나) 자료와 관련 있는 재무 설계 단계에서 유의해야 할 점을 서술해 보자.

재무 상태 분석 단계에서는 수입 및 지출의 규모와 종류, 자산과 부채 현황 등 자신의 재무 상태를 정확히 분석하여 이용 가능한 자원을 파악해야 한다.

함께 보기 206쪽, 내신 만점 공략하기 07

STEP 1 핵심 개념 확인하기

정답친해 61쪽

1 다음 빈칸에 들어갈 내용을 쓰시오.

(1) ( )는 재무 계획을 통해 달성하고자 하는 목표이다.

(2) ( )는 생애 주기별로 정한 구체적인 재무 목표에 맞추어 재무 계획을 세우고 실행에 옮기는 것이다.

(3) 시간의 흐름에 따라 인간의 생애를 경제 활동 시기와 관련 지어 몇 가지 단계로 나타낸 것을 ( )라고 한다.

2 다음 설명이 맞으면 ○표, 틀리면 ✕표를 하시오.

(1) 유소년기는 부모의 소득에 의존하여 경제생활을 하는 시기이다. ( )

(2) 청년기는 취업과 함께 경제 활동을 시작하는 시기이다. ( )

(3) 중·장년기는 활발한 경제 활동으로 소득이 가장 많으나 소비 지출은 감소하는 시기이다. ( )

(4) 노년기는 자녀 양육 및 결혼 등으로 지출이 많이 늘어나 소비 규모가 가장 큰 시기이다. ( )

3 재무 설계의 과정을 〈보기〉에서 찾아 순서대로 나열하시오.

┌─ 보기 ─────────────────────────────┐
ㄱ. 재무 상태 분석   ㄴ. 재무 목표 설정
ㄷ. 재무 행동 계획 실행   ㄹ. 재무 행동 계획 수립
ㅁ. 재무 실행 평가와 수정
└──────────────────────────────────┘

4 재무 설계 단계에 대한 설명을 옳게 연결하시오.

(1) 재무 목표 설정 • • ㉠ 재무 목표 달성을 위한 계획 실행

(2) 재무 상태 분석 • • ㉡ 구체적이고 실현 가능한 목표 설정

(3) 재무 행동 계획 수립 • • ㉢ 수입 및 지출 규모, 자산과 부채 현황 등 파악

(4) 재무 행동 계획 실행 • • ㉣ 자금을 언제까지, 어떻게 마련할 것인시에 관한 계획 수립

(5) 재무 실행 평가와 수정 • • ㉤ 결산을 통해 결과를 평가하고, 조정이 필요한 부분을 반영하여 계획을 수정

STEP 2 내신 만점 공략하기

01 (가)에 들어갈 내용으로 적절한 것만을 〈보기〉에서 있는 대로 고른 것은?

┌───────────────────────────────────┐
인간은 일생 동안 일반적인 삶의 과정을 거치며 살아간다. 모든 개인의 삶의 과정이 같은 것은 아니지만, 보통 시간의 흐름에 따라 인간의 생애를 몇 가지 단계로 나타낸 것을 생애 주기라고 한다. 생애 주기의 각 단계에 따라서
_____
(가)
└───────────────────────────────────┘

┌─ 보기 ─────────────────────────────┐
ㄱ. 소득이 점차 증가한다.
ㄴ. 필요한 자금의 크기가 달라진다.
ㄷ. 필요한 자금의 내용이 달라진다.
ㄹ. 출산, 결혼 등 자금이 필요한 과업들이 발생한다.
└──────────────────────────────────┘

① ㄱ, ㄴ   ② ㄱ, ㄹ   ③ ㄷ, ㄹ
④ ㄱ, ㄴ, ㄷ   ⑤ ㄴ, ㄷ, ㄹ

02 밑줄 친 ㉠~㉣에 대한 옳은 설명을 〈보기〉에서 고른 것은?

┌───────────────────────────────────┐
일반적인 사람들의 생애 주기는 ㉠ 유소년기, ㉡ 청년기, ㉢ 중·장년기, ㉣ 노년기로 나눌 수 있다. 생애 주기에 따라 소득이 지출보다 많은 시기가 있는가 하면 지출이 소득보다 많은 시기도 있다. 따라서 이러한 생애 주기의 특징을 파악하여 돈을 불필요한 곳에 쓰지 않고 삶의 질을 높일 수 있는 부분에 지출하기 위해 노력해야 한다.
└───────────────────────────────────┘

┌─ 보기 ─────────────────────────────┐
ㄱ. ㉠은 소득보다 소비가 많은 시기이다.
ㄴ. ㉡은 소득이 가장 많은 시기이다.
ㄷ. ㉢은 소비가 감소하는 시기이다.
ㄹ. ㉣은 퇴직으로 소득이 감소하는 시기이다.
└──────────────────────────────────┘

① ㄱ, ㄴ   ② ㄱ, ㄹ   ③ ㄴ, ㄷ
④ ㄴ, ㄹ   ⑤ ㄷ, ㄹ

[03~04] 그림은 생애 주기에 따른 일반적인 소득과 소비의 흐름을 나타낸 것이다. 이를 보고 물음에 답하시오.

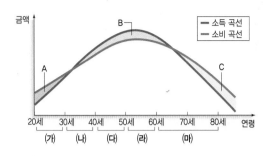

05 다음 조사 결과를 통해 내린 결론으로 가장 적절한 것은?

○○ 경제 연구원이 조사한 '연령별 경제 행복 지수'를 보면 나이가 들수록 경제 행복 지수가 낮아지는 것으로 나타났다. 특히 60대 이상의 경제 행복 지수는 100점 만점에 29.3점으로 20~30대에 비해 크게 낮았다. 60대 이상 응답자의 60%는 '노후 준비 부족'이 경제적 행복의 가장 큰 장애물이라고 대답하였다.

* 경제 행복 지수: 개인이 경제적 요인과 관련하여 어느 정도의 만족과 기쁨을 느끼는지를 평가하는 지수

① 노년기에는 소비 지출을 크게 줄여야 한다.
② 노후 생활에 대한 준비는 퇴직 이후 시작해야 한다.
③ 재무 계획을 수립하여 노후의 생활에 대비해야 한다.
④ 은퇴 이후에는 자녀의 소득에 의존하여 경제생활을 해야 한다.
⑤ 소득 중 현재 소비하고 남은 돈이 있을 경우에만 노후를 위해 저축해야 한다.

03 위 그림에 대한 분석 및 추론으로 옳은 것은?

① A 영역은 저축을 나타낸다.
② 노후 생활의 안정을 위해서는 B 영역을 줄여야 한다.
③ 취업 준비 기간이 늘어날수록 B 영역은 늘어날 것이다.
④ C 영역에서는 소득 대비 소비 수준이 지속적으로 감소하고 있다.
⑤ 은퇴 시기가 늦어질 경우 B 영역은 늘어나고 C 영역은 줄어들 것이다.

06 ㉠에 대한 설명으로 옳지 않은 것은?

(㉠)은/는 생애 주기별로 정한 구체적인 재무 목표에 맞추어 재무 계획을 세우고 실행에 옮기는 것이다.

① 노후 생활까지 고려한 장기적인 계획이다.
② 안정적인 미래를 설계하는 데 도움을 준다.
③ 생애 주기별 재무 목표를 계획적으로 실행하는 데 필요하다.
④ 생애 주기에 따라 소득과 소비의 흐름이 달라지기 때문에 필요하다.
⑤ 단기에 높은 수익을 얻을 수 있는 금융 상품에 투자해서 자산을 늘리는 것이 목적이다.

04 (가)~(마) 시기의 주요 재무 목표로 적절하지 않은 것은?

① (가) – 결혼 자금
② (나) – 자녀 양육 자금
③ (다) – 자녀 교육비
④ (라) – 독립 및 주거 자금
⑤ (마) – 건강 유지 및 의료비

07 다음은 재무 설계 과정을 나타낸 것이다. (가)~(마) 단계에 대한 설명으로 옳지 <u>않은</u> 것은?

① (가) – 기간에 따라 단기, 중기, 장기 목표를 설정한다.
② (나) – 수입과 지출, 자산과 부채 현황 등을 정확하게 파악한다.
③ (다) – 자금을 언제까지, 어떻게 마련할 것인지에 대한 구체적인 실천 방안을 세운다.
④ (라) – 실제 실행 과정에서 예상과 다른 상황이 생길 수도 있으므로 적절한 융통성을 발휘하는 것이 필요하다.
⑤ (마) – 결과를 평가하여 계획을 수정할 수 있으나, 한번 설정한 재무 목표는 변경해서는 안 된다.

08 다음은 결혼 자금 마련을 위한 갑의 재무 설계 과정을 순서 없이 나열한 것이다. (가)~(라)를 순서대로 나열한 것은?

> (가) 현재 월급과 고정 지출 비용을 파악하였다.
> (나) 결혼에 필요한 자금이 얼마인지 파악하고 5년 안에 자금을 마련하겠다는 목표를 세웠다.
> (다) 월급의 50%는 주식 및 채권에 투자하고, 20%는 정기 적금을 들기로 결정하고, 이를 실행하였다.
> (라) 월급이 인상되어 인상분의 50%는 주식에 투자하고, 나머지 50%는 새로운 정기 적금을 들기로 하였다.

① (가) – (나) – (라) – (다)
② (나) – (가) – (다) – (라)
③ (다) – (가) – (라) – (나)
④ (다) – (라) – (나) – (가)
⑤ (라) – (다) – (나) – (가)

서술형 문제

●● 정답친해 63쪽

01 그림은 생애 주기에 따른 일반적인 소득과 소비의 흐름을 나타낸 것이다. 이를 보고 물음에 답하시오. (단, A, B는 소득 곡선과 소비 곡선 중 하나이다.)

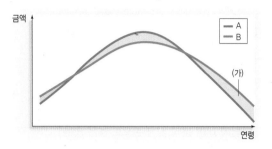

(1) A와 B는 무엇인지 각각 쓰시오.

(2) 평균 수명이 늘어날 경우 (가) 영역의 면적이 어떻게 변화할지 쓰고, 그 이유를 서술하시오.

02 다음 대화를 보고 물음에 답하시오.

> • 갑: 나는 6년 후 전셋집 마련을 위해 1억 원을 모을 거야.
> • 을: 나는 5개월 후 노트북 구입을 위해 100만 원을 모을 거야.

(1) 위 활동이 이루어지는 재무 설계의 단계를 쓰시오.

(2) (1)의 단계에서 유의해야 할 점을 <u>두 가지</u> 서술하시오.

STEP 3 1등급 정복하기

평가원 응용

1 그림은 갑과 을의 생애 주기에 따른 저축을 나타낸 것이다. 이에 대한 분석으로 옳은 것은?

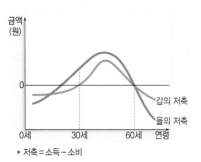

* 저축 = 소득 - 소비

① 갑의 경우, 30세부터 60세까지 매년 소득의 증가 폭이 소비의 증가 폭보다 크다.
② 을의 경우, 30세에 소득보다 소비가 크다.
③ 소득이 소비보다 많았던 기간은 갑이 을보다 길다.
④ 30세일 때의 소득은 을이 갑보다 많다.
⑤ 누적 저축액이 최대가 되는 연령은 갑과 을이 같다.

> **생애 주기에 따른 저축 변화**
>
> **완자쌤의 시험 꿀팁**
> 생애 주기에 따른 소득, 소비, 저축 등을 나타낸 그래프를 분석하는 문제가 자주 출제된다.

2 다음 상담 사례에 대한 옳은 분석을 〈보기〉에서 고른 것은?

> 저는 신혼 때 분양받은 소규모 아파트에서 10년 동안 살고 있습니다. 두 아이가 커 가면서 집이 너무 좁다는 생각이 들어요. 또 아래층에 방해가 될까 봐 아이들이 마음껏 뛰어놀지 못해요. 그래서 5년 후에는 시세가 3억 원이면서, 방음 시설이 잘되어 있고 전망이 좋은 집으로 이사하고 싶어요. 저는 현재 2억 원의 가치를 지닌 아파트와 3,100만 원의 은행 예금을 보유하고 있어요. 반면 5,000만 원의 은행 대출금, 100만 원의 신용 카드 미결제 잔액도 있어요. 이사하기 위해서 저는 앞으로 어떻게 해야 할까요?

보기
ㄱ. 상담자의 순자산은 1억 8천만 원이다.
ㄴ. 상담자는 자신의 수입과 지출 규모를 파악하였다.
ㄷ. 상담자는 재무 목표 달성을 위한 재무 행동 계획을 수립하였다.
ㄹ. 상담자는 재무 목표 달성을 위해 5년 동안 1억 2천만 원을 마련해야 한다.

① ㄱ, ㄴ   ② ㄱ, ㄹ   ③ ㄴ, ㄷ
④ ㄴ, ㄹ   ⑤ ㄷ, ㄹ

> **재무 설계**
>
> **완자 사전**
> • 순자산
> 총자산에서 총부채를 뺀 것

01 금융과 금융 생활

1. 금융과 금융 제도

(1) 금융

의미	자금 공급자에게서 자금 수요자에게로 자금(돈)이 융통되는 것
기능	• 일시적으로 자금이 부족할 때 발생할 수 있는 어려움을 줄여줌 • 여유 자금을 운용하여 더 많은 수익을 얻고자 하는 욕구를 충족해줄 수 있음

(2) 금융 제도

의미	금융 시장을 중심으로 거래 당사자와 다양한 유관 기관, 관련 정책과 규제를 담당하는 기관을 모두 포함하는 총체적인 체계
기능	• 금융 거래에서 발생할 수 있는 문제점을 예방하고 해결함 • 거래 당사자들로 하여금 정해진 규칙을 따르도록 함으로써 금융 거래를 원활하게 함

2. 금융 시장과 금융 기관

(1) **금융 시장**: 자금의 수요자와 공급자 사이에 금융 거래가 조직적이고 체계적으로 이루어지는 곳

(2) **금융 기관**

의미	금융 시장에서 금융 거래를 중개하거나 금융 중개 활동을 촉진하는 것을 목적으로 하는 기관
기능	자금 거래 중개, 거래 비용의 절감, 금융 상품 판매 등

3. 금융 생활의 이해

(1) 수입의 의미와 구성

① **수입**: 일정 기간 개인이나 가계로 들어오는 총금액

② 수입의 구성

소득	(❶)	• (❷): 사업체에 고용되어 노동을 제공하고 받은 대가 • 사업 소득: 사업을 경영하여 얻은 소득 • 재산 소득: 재산을 이용하여 얻은 이익 • 이전 소득: 생산에 직접 참여하지 않고 무상으로 얻는 소득
	비경상 소득	비정기적·일시적 요인에 의해 발생하는 소득
기타 수입		저축에서 인출한 돈, 수령한 보험금, 증권을 판 대금, 빌린 돈 등

(2) 지출의 의미와 종류

① **지출**: 일정 기간 개인이나 가계로부터 나가는 총금액

② 지출의 종류

(❸)	생계유지 및 생활에 필요한 재화나 서비스를 구매하기 위한 지출
비소비 지출	법 또는 제도에 의해 의무적으로 지출해야 하는 비용

(3) 저축과 투자

저축	소득에서 (❹)을 뺀 나머지
투자	미래의 가치 증식을 목적으로 금융 자산 또는 실물 자산으로 저축을 주식이나 채권, 부동산 등으로 전환하는 활동

(4) 신용과 신용 거래

(❺)	미래의 정해진 시점에 대가를 지급하기로 약속하고 현재 상품을 이용하거나 돈을 빌릴 수 있는 능력
신용 거래	정해진 기일에 돈을 지급하기로 약속하고 이루어지는 거래

02 자산·부채 관리와 금융 상품

1. 자산과 부채

(1) 자산

의미	경제적 가치가 있는 유·무형의 물품 및 권리
종류	• (❻): 주로 금융 기관을 통하여 거래되는 자산 • 실물 자산: 실물의 형태로 존재하는 자산

(2) 부채

의미	과거에 이루어진 거래의 결과로 현재 시점에서 갚아야 할 금전적·비금전적 의무
종류	단기 부채(유동 부채), 장기 부채(고정 부채)

2. 자산 관리의 원칙

(1) 자산 관리의 기본 원칙

안전성	금융 상품의 원금에 손실이 발생하지 않을 가능성의 정도
(❼)	금융 상품의 가격 상승이나 이자 수익을 기대할 수 있는 정도
유동성	보유 자산을 필요할 때 쉽게 현금으로 바꿀 수 있는 정도

(2) **분산 투자**: 포트폴리오를 구성하여 여러 가지 금융 상품에 자신의 투자 자금을 분산하여 투자하면 위험을 줄일 수 있음

3. 다양한 금융 상품

(1) 예금

의미	금융 기관에 자금을 맡기고 원금과 이자를 받는 금융 상품
특징	다른 금융 상품에 비해 수익성은 낮지만 원금 손실의 위험이 적어 안전성이 높음

(2) 주식

의미	주식회사가 경영 자금을 마련하기 위해 투자자로부터 돈을 받고 발행하는 증서
특징	수익성은 높지만 원금 손실의 위험이 높아 (❽)이 낮음

(3) 채권

의미	정부나 공공 기관, 지방 자치 단체, 기업 등이 미래에 일정한 이자를 지급할 것을 약속하고 투자자로부터 돈을 빌린 후 발행하는 증서
특징	• 비교적 신용도가 높은 곳에서 발행하므로 주식에 비해 안전성이 높은 편임 • 채권 보유 시 발행 기관에서 약속한 이자를 정기적으로 받을 수 있음

(4) 펀드

의미	다수의 투자자로부터 모은 자금을 전문적인 운용 기관이 주식이나 채권, 부동산 등에 투자하여 그 수익을 투자자에게 분배하는 간접 투자 상품
특징	• 운용 기관의 전문성과 분산 투자로 인해 투자 위험을 줄일 수 있음 • 투자한 원금 손실의 책임은 투자자 본인에게 있음

(5) 보험

의미	가입자들이 미래에 발생할 수 있는 다양한 위험에 대비하기 위하여 보험 회사에 보험료를 납부하여 기금을 만든 후 사고가 발생하면 약속한 보험금을 지급받는 금융 상품
특징	수익을 기대하여 투자하는 다른 금융 상품과 달리 위험에 대비하는 기능을 함

(6) 연금

의미	노후 생활의 안정을 위해 경제 활동 기간에 벌어들인 소득의 일부를 적립하는 제도
특징	노후 보장의 효과가 강한 편임

03 금융 생활의 목표와 재무 설계

1. 생애 주기

(1) (❾   ): 시간의 흐름에 따라 인간의 생애를 경제 활동 시기와 관련지어 몇 가지 단계로 나타낸 것

(2) **생애 주기에 따른 소득과 소비**

유소년기	소득보다 소비가 많은 시기 → 부모의 소득에 의존하여 경제생활을 함
청년기	취업과 함께 소득이 발생하는 시기
중·장년기	소득이 가장 많지만 소비 규모도 큰 시기 → 소득이 가장 많지만 소비 규모도 큼
노년기	은퇴하여 소득이 크게 줄어드는 시기

2. 재무 목표 수립

(1) (❿   ): 재무 계획을 통해 달성하고자 하는 목표

(2) **생애 주기에 따른 재무 목표 수립**: 생애 주기에 따른 소득과 소비의 흐름을 토대로 재무 목표를 설정해야 함

3. 재무 설계

(1) **재무 설계**: 생애 주기별로 정한 구체적인 재무 목표에 맞추어 재무 계획을 세우고 실행에 옮기는 것

(2) **재무 설계 과정**

재무 목표 설정	• 자신의 가치관 및 기대하는 생활 양식에 적합한 단기, 중기, 장기 재무 목표를 설정함 • 목표 달성에 필요한 금액, 기간, 우선 순위 등을 고려하여 구체적이고 실현 가능한 목표를 설정함
재무 상태 분석	수입 및 지출의 규모와 종류, 자산과 부채 현황 등 자신의 재무 상태를 정확히 파악함
재무 행동 계획 수립	재무 목표 달성을 위해 필요한 자금을 언제까지, 어떻게 마련할 것인지에 관한 재무 행동 계획을 수립함
재무 행동 계획 실행	재무 목표 달성을 위한 계획을 실행함
재무 실행 평가와 수정	정기적인 결산을 통해 결과를 평가하고, 조정이 필요한 부분을 반영하여 재무 계획을 수정하고 재무 목표를 재설정함

01 ㉠의 사례로 적절한 것을 〈보기〉에서 고른 것은?

> 사람들은 기본적으로 본인이 소유한 자금을 가지고 경제 생활을 하지만 자금이 부족해 돈을 빌려야할 때가 있다. 이때 여유 자금이 있는 공급자로부터 자금이 필요한 수요자에게 자금이 융통되는 것을 (㉠)(이)라고 한다.

보기
> ㄱ. 갑은 근로 계약을 체결하였다.
> ㄴ. 을은 그동안 모은 돈을 저축하였다.
> ㄷ. 병은 대출을 받아 차를 구입하였다.
> ㄹ. 정은 마트에서 장을 보고 계산하였다.

① ㄱ, ㄴ   ② ㄱ, ㄹ   ③ ㄴ, ㄷ
④ ㄴ, ㄹ   ⑤ ㄷ, ㄹ

02 다음 사례를 통해 알 수 있는 금융 기관의 기능으로 가장 적절한 것은?

> A 영화사가 제작 중인 영화가 한때 자금 부족으로 제작 중단 위기에 처했었다. 그런데 한 은행이 A 영화사에 필름을 담보로 대출을 해 주었고, A 영화사는 이 자금으로 영화를 계속 제작할 수 있었다.

① 다양한 금융 상품을 판매한다.
② 금융 거래의 비용을 줄여 준다.
③ 거래에 수반되는 위험을 줄여 준다.
④ 자금의 수요자와 공급자 사이에 자금을 중개한다.
⑤ 금융 시장에서 발생하는 불법 행위를 감시하고 관리한다.

03 표는 소득의 유형 A, B를 구분한 것이다. 이에 대한 설명으로 옳지 않은 것은?

소득 유형	의미	사례
A	비교적 오랫동안 일정하게 발생하는 소득	㉠
B	비정기적이고 일시적인 요인에 의해 발생하는 소득	㉡

① A는 경상 소득, B는 비경상 소득이다.
② 근로 소득과 이전 소득은 A에 해당한다.
③ 건전한 금융 생활을 위해서는 A보다는 B를 바탕으로 예산을 수립해야 한다.
④ ㉠에는 임금, 예금 이자 등이 적절하다.
⑤ ㉡에는 복권 당첨금, 경조금 등이 적절하다.

04 표는 2018년 10월 갑의 지출 내역 전부를 나타낸 것이다. 이에 대한 옳은 설명을 〈보기〉에서 고른 것은? (단, 갑의 월 소득은 300만 원이다.)

(단위: 만 원)

항목	금액
세금	20
식료품비	50
문화생활비	10
교통·통신비	10
보건 의료비	5
사회 보험료	10
대출 이자 비용	20

보기
> ㄱ. 비소비 지출액은 50만 원이다.
> ㄴ. 처분 가능 소득은 300만 원이다.
> ㄷ. 처분 가능 소득은 소비 지출을 충당하고 남는다.
> ㄹ. 전체 지출 총액에서 소비 지출액이 차지하는 비중은 40%이다.

① ㄱ, ㄴ   ② ㄱ, ㄷ   ③ ㄴ, ㄷ
④ ㄴ, ㄹ   ⑤ ㄷ, ㄹ

05 ㉠, ㉡에 대한 설명으로 옳지 <u>않은</u> 것은?

> (㉠)은/는 소득에서 (㉡)을/를 뺀 나머지로, 미래의 소비를 위하여 현재 쓰지 않고 남겨 놓은 것을 말한다.

① ㉠은 미래의 소비를 위해 현재의 소비를 미루는 것이다.
② ㉠은 금융 자산 또는 실물 자산으로 전환되기도 한다.
③ ㉠은 미래의 소비에 영향을 미친다.
④ ㉡은 현재의 소득보다는 미래의 예측 가능한 소득을 고려해서 결정해야 한다.
⑤ ㉠은 저축, ㉡은 지출이다.

06 ㉠에 대한 설명으로 옳지 <u>않은</u> 것은?

> 경제생활을 하다 보면 돈이 부족할 때가 있다. 이러한 경우 돈을 빌려서 충당하고 나중에 갚아야 한다. 그런데 돈을 빌리기 위해서는 (㉠)이/가 있어야 한다. (㉠)이/가 있으면 현금을 보유하지 않아도 돈을 빌려 물건을 사거나 생활에 필요한 각종 서비스를 제공받을 수 있다.

① ㉠이 좋지 않으면 경제 활동에 제약을 받을 수 있다.
② ㉠이 나쁠수록 자금을 빌릴 때 이자 비용이 적게 든다.
③ ㉠은 대출 가능 금액을 산정하는 매우 중요한 기준이 된다.
④ 후불식 교통 카드 요금은 ㉠을 바탕으로 한 거래의 사례이다.
⑤ 각종 생활 요금 미납, 카드 대금 연체 등은 ㉠을 떨어뜨리는 요인이다.

07 다음은 갑의 자산과 부채 현황을 나타낸 것이다. 이에 대한 분석으로 옳은 것은? (단, 순자산 = 총자산 − 총부채)

(단위: 만 원)

자산		부채	
㉠ 요구불 예금	1,000	부동산 담보 대출	12,000
㉡ 주식	300	자동차 할부금 잔액	2,000
㉢ 채권	200	㉤ 신용 카드 미결제	1,000
보유 ㉣ 주택	35,000	잔액	
자동차	5,000		

① 순자산은 4억 1,500만 원이다.
② 실물 자산보다 금융 자산이 더 많다.
③ ㉠은 ㉣보다 유동성이 낮다.
④ ㉠으로 ㉤을 모두 결제하면 순자산은 1,000만 원 줄어든다.
⑤ ㉡과 ㉢은 모두 시세 차익에 따른 수익을 기대할 수 있다.

08 다음 자료에 대한 설명으로 옳은 것은?

> 갑은 자산 설계사인 을에게 자신이 보유한 금융 상품의 비중 조정을 요구하였다. 을이 제시한 포트폴리오 구성안은 다음과 같다.
>
> 〈포트폴리오 구성안〉
>
> (단위: %)
>
> | 구분 | 현재 | 대안 |
> |---|---|---|
> | 예금 | 45.5 | 27.5 |
> | 채권 | 12.7 | 6.7 |
> | 주식 | 10.8 | 31.6 |
> | 펀드 | 13.4 | 20.2 |
> | 보험 | 17.6 | 14.0 |

① 갑은 미래의 위험에 대비한 금융 상품을 가지고 있지 않다.
② 을은 유동성을 높일 것을 제안하고 있다.
③ 을은 안정적 성향의 포트폴리오를 구성하여 제시하고 있다.
④ 을은 원금 손실의 위험이 높은 금융 상품의 비중을 높일 것을 제안하고 있다.
⑤ 갑이 안전성을 중시한다면 을의 의견을 수용할 것이다.

09 (가)에 들어갈 내용으로 가장 적절한 것은?

> 예금자 보호 제도는 금융 시장에서 예금자를 보호하는 가장 대표적인 제도이다. 만일 금융 기관이 파산 등으로 예금자에게 예금을 돌려주지 못하게 될 때 정부가 대신 보장해 줌으로써 예금자는 안심하고 예금을 할 수 있다. 이를 위해 예금 보험 공사는 평소에 금융 기관으로부터 보험료를 받아 기금을 마련해 둔다. 따라서 예금은
> _____(가)_____

① 입출금이 자유롭다.
② 시세 차익을 통해 수익을 얻는다.
③ 다른 금융 상품에 비해 안전성이 높다.
④ 다른 금융 상품에 비해 수익성이 높다.
⑤ 투자한 돈의 실질 가치가 하락할 수도 있다.

10 그림은 자산 관리의 기본 원칙에 따라 금융 상품 A~C를 구분한 것이다. 이에 대한 옳은 설명을 〈보기〉에서 고른 것은? (단, A~C는 각각 요구불 예금, 주식, 채권 중 하나이다.)

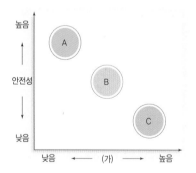

보기
ㄱ. (가)에는 유동성이 적절하다.
ㄴ. A는 B, C와 달리 예금자 보호 제도의 적용을 받는다.
ㄷ. B는 C와 달리 만기가 있다.
ㄹ. C는 B와 달리 원금 손실이 발생할 수 있다.

① ㄱ, ㄴ   ② ㄱ, ㄷ   ③ ㄴ, ㄷ
④ ㄴ, ㄹ   ⑤ ㄷ, ㄹ

11 다음 두 사례에 대한 옳은 설명을 〈보기〉에서 고른 것은?

> • 갑은 직접 ○○ 회사의 주식을 1,000만 원어치 구입하였다.
> • 을은 투자금을 주식과 채권에 나누어 투자하는 △△ 금융 기관의 펀드 상품에 1천만 원을 투자하였다.

보기
ㄱ. 갑이 투자한 금액은 ○○ 회사의 부채가 된다.
ㄴ. 을은 간접 투자 상품에 투자하였다.
ㄷ. 을은 투자 종목, 매매 시기 등을 직접 결정할 권리를 가진다.
ㄹ. 갑과 을이 투자한 금융 상품은 모두 원금 손실의 책임이 투자자 본인에게 있다.

① ㄱ, ㄴ   ② ㄱ, ㄷ   ③ ㄴ, ㄷ
④ ㄴ, ㄹ   ⑤ ㄷ, ㄹ

12 국민연금과 개인연금을 비교한 내용으로 옳지 않은 것은?

	구분	국민연금	개인연금
①	가입 대상	국민	개인
②	가입 형태	의무 가입	임의 가입
③	운영 주체	국가	개인
④	월 납부액	가입자가 자유롭게 설정할 수 있음	가입자의 소득에 따라 정해짐
⑤	공통점	노후 보장의 효과가 있음	

13 그림은 어떤 사람의 생애 주기에 따른 소득과 소비 곡선을 나타낸 것이다. 이에 대한 분석으로 옳은 것은?

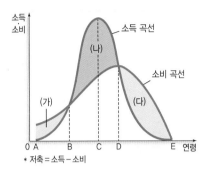

* 저축＝소득－소비

① A~B 기간에는 소득이 소비보다 크다.
② 누적 저축액은 C 시점에서 가장 크다.
③ C~D 기간에는 소득 대비 소비 수준이 지속적으로 감소한다.
④ 누적 소비액은 E 시점에서 가장 크다.
⑤ (가), (다)는 양(＋)의 저축이고, (나)는 음(－)의 저축이다.

14 그림은 소득과 소비의 관계를 나타낸 것이다. 이에 대한 옳은 분석을 〈보기〉에서 고른 것은? (단, 저축 ＝ 소득 － 소비이다.)

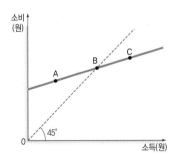

〈보기〉
ㄱ. A점에서는 음(－)의 저축이 발생한다.
ㄴ. B점에서는 소득이 소비보다 크다.
ㄷ. C점에서는 소비가 소득보다 크다.
ㄹ. 소득이 증가할수록 소득 대비 소비의 비율이 낮아진다.

① ㄱ, ㄴ   ② ㄱ, ㄹ   ③ ㄴ, ㄷ
④ ㄴ, ㄹ   ⑤ ㄷ, ㄹ

15 ㉠, ㉡에 대한 설명으로 옳지 않은 것은?

(㉠)의 목적은 높은 수익을 얻을 수 있는 금융 상품이나 부동산에 투자해서 자산을 늘리는 것이다. 반면 (㉡)은/는 자신의 생애 주기에 따른 예상 소득을 바탕으로 소비와 저축을 합리적으로 설계하는 것을 말한다.

① ㉠은 은퇴 이후의 생활까지 고려한 전반적인 인생의 재무 관리 계획을 짜는 것이다.
② ㉡은 생애 주기별 재무 목표를 계획적으로 실행할 수 있도록 해 준다.
③ ㉠은 ㉡에 비해 수익성은 높지만 안전성이 낮다.
④ ㉡은 ㉠에 비해 장기적이고 계획적이며 안전성이 높다.
⑤ ㉠은 재테크, ㉡은 재무 설계이다.

16 (가)~(마)는 재무 설계 단계에 대한 설명이다. 이를 재무 설계 과정에 따라 순서대로 나열한 것은?

(가) 재무 목표 달성을 위한 계획을 실행한다.
(나) 자신의 수입과 지출, 자산과 부채 현황 등을 분석하고 파악한다.
(다) 계획을 적절히 실행하고 있는지 꾸준히 검토하고 결과를 평가한다.
(라) 필요한 자금을 언제까지, 어떻게 마련할 것인지에 관한 계획을 수립한다.
(마) 자신의 가치관과 기대하는 생활 양식에 적합한 단기, 중기, 장기 목표를 구체적으로 설정한다.

① (나) － (라) － (마) － (가) － (다)
② (나) － (마) － (라) － (가) － (다)
③ (나) － (마) － (라) － (다) － (가)
④ (마) － (나) － (가) － (다) － (라)
⑤ (마) － (나) － (라) － (가) － (다)

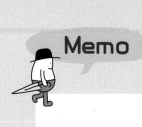

Memo

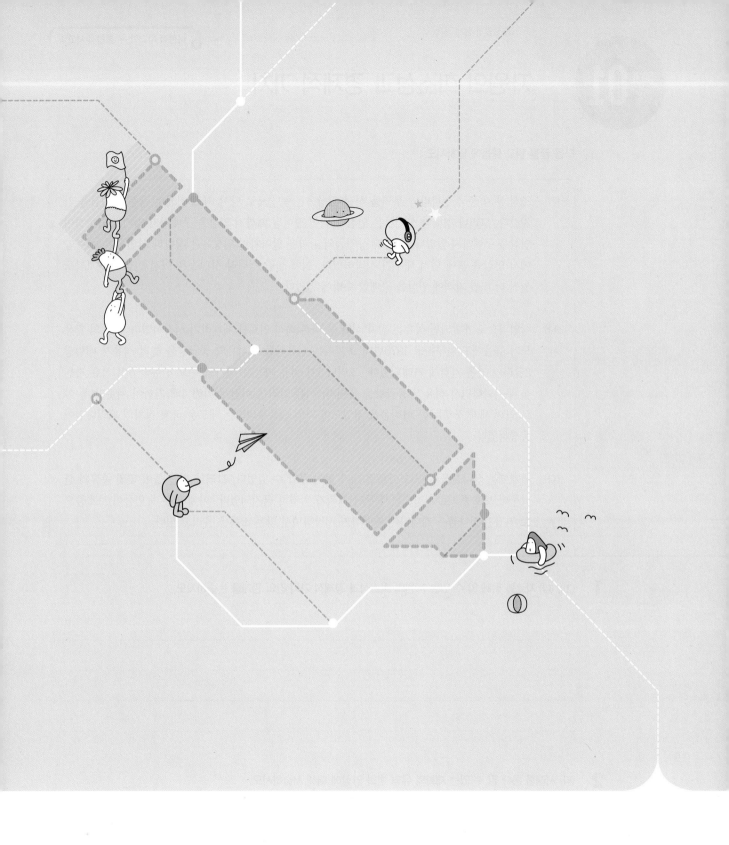

논술형 문제

>> 정답친해 66쪽

주제 **01**

자원의 희소성과 경제적 가치

다음 글을 읽고 물음에 답하시오.

> (가) 조선 후기 중국 청나라와 무역을 하던 임상옥은 북경으로 당시 최고 인기 수출품인 인삼을 가져갔다. 그러나 청나라 상인들은 인삼 가격이 떨어질 때까지 인삼을 구매하지 않기로 담합하여 인삼을 구매하지 않았다. 청나라 상인들의 담합을 알아차린 임상옥은 청나라 상인들이 보는 앞에서 인삼을 불에 던져 태우기 시작하였다. 이에 놀란 청나라 상인들은 이전 인삼 가격보다도 훨씬 더 비싼 가격에 인삼을 구매할 수밖에 없었다.
>
> (나) 상업적으로 개발되던 석유는 점차 석탄 등 다른 화석 연료를 대체하기 시작하였다. 석유의 활용도가 높음에도 불구하고 1970년대 초까지는 산유국들이 석유의 공급량을 늘려 석유가 배럴당 3달러의 낮은 가격에 거래되었다. 그러나 1차 석유 파동을 계기로 주요 산유국들이 석유 자원을 무기화하면서 석유의 공급량을 줄이자, 석유 가격은 이전에 비해 4배 가까이 치솟았다. 이로 인해 세계 경제는 큰 어려움을 겪었으며 자원 민족주의라는 새로운 국제 정치의 패러다임이 등장하였다.
>
> (다) 과거에는 산나물을 누구나 아무런 대가 없이 구할 수 있었다. 그러나 최근 들어 몇몇 종류의 산나물이 보호종으로 지정되면서 무단 채취가 엄격히 금지되었다. 이에 일부 농민들이 보호종으로 지정된 산나물을 재배하여 판매하기 시작하면서 많은 소득을 올리고 있다.

1 (가), (나) 자료를 통해 알 수 있는 자원의 희소성과 경제적 가치 간의 관계를 논술하시오.

....

....

....

....

2 (다) 사례를 통해 알 수 있는 재화의 유형 변화 양상에 대해 서술하시오.

....

....

....

....

주제 **02**

우리나라의 경제 체제

다음은 우리나라 헌법의 일부 조항이다. 이를 보고 물음에 답하시오.

제23조

① 모든 국민의 재산권은 보장된다. 그 내용과 한계는 법률로 정한다.

제119조

① 대한민국의 경제 질서는 개인과 기업의 경제상의 자유와 창의를 존중함을 기본으로 한다.

② 국가는 균형 있는 국민 경제의 성장 및 안정과 적정한 소득의 분배를 유지하고, 시장의 지배와 경제력의 남용을 방지하며, 경제 주체 간의 조화를 통한 경제의 민주화를 위하여 경제에 관한 규제와 조정을 할 수 있다.

제122조

국가는 국민 모두의 생산 및 생활의 기반이 되는 국토의 효율적이고 균형 있는 이용·개발과 보전을 위하여 법률이 정하는 바에 의하여 그에 관한 필요한 제한과 의무를 과할 수 있다.

제126조

국방상 또는 국민 경제상 긴절한 필요로 인하여 법률이 정하는 경우를 제외하고는, 사영 기업을 국유 또는 공유로 이전하거나 그 경영을 통제 또는 관리할 수 없다.

---

1 위 자료에서 시장 경제 체제의 특성과 계획 경제 체제의 특성이 나타난 헌법 조항을 찾아 각각 쓰시오.

2 위 자료를 통해 알 수 있는 우리나라 경제 체제의 특성을 설명하고, 이와 같은 경제 체제를 운용하는 이유를 논술하시오.

경제 주체의 역할

다음 자료를 보고 물음에 답하시오.

(가)

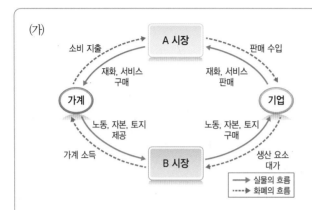

- 소비 지출
- A 시장
- 판매 수입
- 재화, 서비스 구매
- 재화, 서비스 판매
- 가계
- 기업
- 노동, 자본, 토지 제공
- 노동, 자본, 토지 구매
- 가계 소득
- B 시장
- 생산 요소 대가
- → 실물의 흐름
- ⇢ 화폐의 흐름

(나) 근로 장려 세제란 정부가 일은 하고 있지만 소득이 적어 생활이 어려운 근로자 또는 사업자 가구에 대하여 일정한 기준에 따라 산정된 근로 장려금을 지급하는 제도이다. 이 제도는 저소득 근로자에게 장려금을 지급함으로써 근로를 장려하고, 실질 소득을 지원하는 데 목적을 두고 있다.

1 (가)의 A, B 시장에서 가계와 기업의 경제적 역할을 각각 서술하시오.

2 (나)에 나타난 정부의 경제적 역할과 그 필요성을 논술하시오.

비판적 사고력 + 문제 해결 능력

주제 **04**

이윤 극대화를 위한 가격 정책

다음 글을 읽고 물음에 답하시오.

> 미국 ○○대학교의 경제학과 교수가 대학 스포츠 팀을 대상으로 '퍼플 가격 정책(Purple Pricing)'을 실시하여 '입장권 수입 162% 증가'라는 성공을 거두었다. 퍼플 가격 정책의 핵심은 두 가지였다. 첫째는 '네덜란드 식 경매(Dutch Auction)'를 통해 입장권을 판매했다는 점이다. 이는 입장권 가격을 액면가보다 높게 설정하고 다 팔리거나 판매 마감 시점까지 가격을 계속 내려가면서 파는 방식이다. 먼저 사는 사람은 높은 가격에 사고 나중에 사는 사람은 보다 낮은 가격에 사게 된다. 입장권 가격이 떨어질 줄 알면서도 먼저 사는 사람은 원하는 좌석을 그 가격이면 충분히 사도된다는 심리가 작용했고, 떨어질 때까지 기다린 사람은 그만큼 입장권을 덜 원하는 소비자들이다. 둘째는 차액 환불에 있다. 이는 비싼 가격에 산 사람에게는 판매가 종료된 시점의 낮은 가격과의 차액을 돌려주는 정책이다. 예를 들어, 최종 판매 가격이 1만 원이면 2만 원에 산 사람에게는 1만 원을 돌려주고, 1만 5,000원에 산 사람에게는 5,000원을 돌려주는 방식이다. 빨리 산 사람에게는 차액을 되돌려 받게 만들어 만족시키고, 늦게 산 사람에게는 싸게 살 수 있는 기회를 줘 만족시켰으니 예상보다 비싸게 팔린 건 지극히 당연한 결과였다.

1 위 사례에서 사용된 '퍼플 가격 정책'을 소비자 잉여 개념을 사용하여 설명하시오.

2 '퍼플 가격 정책'이 성공하기 위한 방안을 입장권에 대한 수요를 근거로 들어 서술하시오.

시장 실패

다음 글을 읽고 물음에 답하시오.

> (가) 수시 전형 중 학생부 종합 전형으로 대학에 진학하려는 학생들은 자신을 다른 학생들과 차별화하기 위해 내신 성적을 올리고 교내 활동이나 교내 대회에 적극적으로 참가한다. 또한, 자기소개서에 자신이 창의적이고, 융합적 사고력을 가지고 있으며, 21세기에 어울리는 인재상이라고 주장하는 등 자신의 능력을 드러내기 위해 행동한다. 하지만 이러한 제한된 정보로 학생들의 진면목을 파악하기 어려운 대학에서는 비용이 들더라도 여러 방법을 동원하여 학생에 대한 부족한 정보를 캐내기 위해 노력한다.
>
> (나) 개인이 예방 접종을 받는 것은 개인의 건강을 위해서이지만, 개인이 예방 접종을 받게 되면 병을 퍼뜨릴 가능성이 낮아지면서 주위 사람들에게도 그 혜택이 돌아간다. 즉, 예방 접종을 한 사람들은 다른 사람들에게 이로운 혜택을 주지만, 시장을 통해 주위 사람들에게 아무런 대가를 받을 수 없다. 개인이 예방 접종을 더 많이 하면 사회적으로 더 많은 편익이 생기지만, 과소 소비되고 있다는 점에서 자원이 비효율적으로 배분되고 있는 상황이라고 볼 수 있다.

1 (가)에 나타난 시장 실패의 원인이 무엇인지 제시하고, 그에 따른 문제점을 서술하시오.

....

....

....

....

2 (나)에 나타난 시장 실패의 원인이 무엇인지 제시하고, 이를 개선하기 위한 방안을 서술하시오.

....

....

....

....

시장 실패와 정부의 시장 개입

다음 글을 읽고 물음에 답하시오.

2004년 여름, 허리케인 '찰리'가 플로리다주를 휩쓸고 대서양으로 빠져나갔다. 그 결과 스물두 명이 목숨을 잃고, 100억 달러에 이르는 손실이 발생했다. 뒤이어 가격 폭리 논쟁이 불붙었다. 올랜도에 있는 어느 주유소는 평소 2달러에 팔던 얼음주머니를 10달러에 팔았다. 건설업자들은 지붕을 덮친 나무 두 그루를 치우는 데 무려 2만 3천 달러를 요구했다. 가정용 소형 발전기를 취급하는 상점에서는 평소 250달러 하던 발전기를 2천 달러에 팔았다. 평소 요금이 40달러인 호텔에서는 160달러를 투숙자에게 요구했다. 플로리다 주민들은 바가지요금에 분통을 터뜨렸다. 미국의 어느 신문사는 '폭풍 뒤에 찾아온 약탈자'라는 머리기사를 실었다. 플로리다 정부는 가격 폭리를 취하는 업자들에게 가격 폭리 처벌법을 집행하려 했다. 플로리다주 법무부 장관인 갑은 남의 고통과 불행을 이용해 이익을 챙기는 행위는 옳지 않다고 판단했다. 그는 "지금은 자발적 구매자가 자유로운 선택으로 시장에 들어가 자발적 판매자를 만나고, 수요와 공급에 따라 가격이 결정되는 정상적인 자유 시장 상황이 아니다. 비상 상황에서 강요받는 구매자에게 자유는 없다."라고 주장했다. 플로리다주 정부가 가격 폭리 처벌법을 집행하려고 하자 경제학자 을은 "업자가 시장이 견딜 만한 값을 요구하는 행위는 폭리가 아니다. 수요와 공급에 의한 정상적인 시장 활동이다. 또한 높은 가격이 오히려 공급을 증가시켜 피해 복구를 앞당길 수 있게 되고, 그것이 시장 경제 체제에서 재화와 서비스가 분배되는 방식이다."라고 주장했다.

1 위 자료에서 가격 폭리 처벌법에 대한 갑과 을의 입장을 비교하여 서술하시오.

2 가격 폭리 처벌법을 도입하는 것에 대한 자신의 입장을 적절한 근거를 들어 논술하시오.

비판적 사고력

국내 총생산(GDP)의 유용성과 한계

주제 07

다음 글을 읽고 물음에 답하시오.

> (가) 우리나라의 2015년 국내 총생산(GDP)은 1조 7,468억 달러로, 경제 협력 개발 기구(OECD) 34개 회원국 중 한국이 8위를 기록하였다. 문제는 국민이 체감하는 삶의 질과 만족도는 그에 걸맞게 따라오지 못하고 있다는 것이다. OECD에서는 2011년부터 주거, 소득, 고용, 공동체, 교육, 환경, 시민 참여, 건강, 안전, 삶의 만족, 일과 삶의 균형 등 11개 영역이 포함된 '더 나은 삶의 질 지수(BLI)'를 조사해 매년 발표하고 있다. OECD가 내놓은 「2017 BLI」보고서에 따르면 한국은 조사 대상 38개 회원국 중 29위였다. 2014년 25위, 2015년 27위, 2016년 28위로 매년 순위가 떨어지고 있다. 11개 세부 영역별로 보면 공동체(38위), 환경(36위), 일과 삶의 균형(35위), 삶의 만족(30위) 등이 하위권을 기록하였다.
>
> – KDI, 「나라경제」 2018년 3월호
>
> (나) 갑국에서는 치명적인 전염병이 유행하여 국민들이 불안에 떨었지만, 병원 진료와 보험 가입은 급증하여 결과적으로 국내 총생산이 증가하였다. 그리고 을국에서는 기업들이 생산 활동을 활발히 한 결과 국내 총생산은 크게 증가했지만, 환경이 심각하게 오염되었고 노동자들의 여가 시간은 크게 줄어들었다.

1 (가)에서 우리나라의 국내 총생산(GDP) 순위와 더 나은 삶의 지수(BLI) 순위 간에 괴리가 나타나는 이유를 서술하시오.

....

....

....

....

2 (나)를 통해 알 수 있는 국내 총생산의 한계를 서술하시오.

....

....

....

....

주제 08

실업과 인플레이션

다음 글을 읽고 물음에 답하시오.

(가) '고통 지수'는 국민이 피부로 느끼는 경제적인 삶의 질을 수치로 나타낸 것으로, 실업률과 인플레이션율을 합하여 계산한다. 예를 들어, 한 나라의 실업률이 17%이고, 인플레이션율이 3%일 경우, 그 나라의 고통 지수는 20이 된다. 고통 지수와 직접적으로 관련 있는 ㉠ 실업과 ㉡ 인플레이션은 국민 경제에 다양한 영향을 미친다.

(나) • A 씨는 사업 자금이 부족하여 작년에 B 씨에게 1억 원을 이자 없이 빌렸다. 돈을 빌리면서 1년 후에 갚겠다는 계약서를 작성하였는데, 이제 얼마 후면 1억 원을 갚아야 할 시기가 다가오고 있다.
• C 씨와 D 씨는 1년 전 동업을 하여 2억 원의 순이익을 얻어, 각자 1억 원씩 나누어 가졌다. C 씨는 1억 원을 부동산에 투자하였고, D 씨는 1억 원을 어디에 투자할지 결정을 내리지 못해 집 금고에 넣어 두고 있다.
• E 씨와 F 씨는 회사 입사 동기이다. E 씨는 1년 전에 여러 가지 사정으로 인해 다니던 회사를 그만 두고 개인 사업을 하는 자영업자가 되었고, F 씨는 회사에 열심히 다니고 있다. E 씨와 F 씨는 각자 안정적으로 사업 및 직장 생활을 하고 있다.

1 (가)의 밑줄 친 ㉠이 개인적 측면과 사회적 측면에 미치는 영향을 각각 서술하시오.

2 (가)의 밑줄 친 ㉡의 발생이 (나)의 A~F 씨에게 미치는 영향을 서술하시오.

주제 **09**

경제 안정회 정책

다음 글을 읽고 물음에 답하시오.

> (가) 갑국은 경기 침체에 대응하기 위하여 경기를 활성화하기 위한 재정 정책을 실시하였다. 그런데 최근 갑국은 이러한 정책이 가져올 경제적 부작용을 사전에 막기 위해 <u>출구 전략</u>을 실시하기로 하였다. 출구 전략(Exit Strategy)이란, 군사 전략에서 비롯된 용어로 작전 지역이나 전장에서 인명과 장비의 피해를 최소화하면서 철수하는 전략을 의미한다.
>
> (나) 1929년 발생한 대공황은 유효 수요의 부족에서 비롯된 것입니다. 저축은 늘어나는데 기업의 투자는 늘지 않아 수요가 줄어들었고, 실업자가 늘어나면서 사람들의 소득이 줄어 소비 또한 줄어든 것이지요. 이처럼 경기 불황으로 나타나는 문제를 해결하기 위해 정부는 재정 지출을 확대하여 일자리를 확충함으로써 국민의 소득을 늘려야 합니다.
>
> (다) 온수를 사용하기 위해 처음에 샤워 꼭지를 틀면 찬물이 나오기 마련입니다. 조금 기다리면 될 텐데 바보는 뜨거운 물이 빨리 나오게 하려고 샤워 꼭지를 얼른 더 돌립니다. 이런 식으로 바보는 하루 종일 샤워 꼭지를 돌리며 앉아 있게 되는데, 이는 그가 샤워 꼭지 조작과 그 조작의 결과 사이의 시차를 무시한 채 순간순간의 수온에 대한 정보에만 집착해서 행동하기 때문입니다. 정부가 시장에 개입하면 이러한 '샤워실의 바보' 현상이 나타납니다. 경기 과열이나 경기 불황에 대응하기 위해 정부나 중앙은행이 시장에 과도하게 개입하면 예상치 못한 부작용 및 정책 효과의 지연을 일으켜 오히려 경기 불안을 가중하게 되는 것이죠. 따라서 정부는 경제 개입을 줄여야 합니다.

1 (가)의 밑줄 친 내용에 적합한 통화 정책의 수단을 서술하시오.

....

....

....

2 정부의 경제 개입에 관한 (나), (다)의 입장 중 바람직하다고 생각하는 것을 선택하고, 그 이유를 적절한 근거를 들어 논술하시오.

....

....

....

주제 **10**

무역 정책의 경제적 효과와 한계

다음 글을 읽고 물음에 답하시오.

(가) 무역을 할 때는 국가의 개입이나 간섭을 배제하고 국가 간에 자유로운 대외 거래를 해야 한다. 각국이 비교 우위의 원리에 따라 무역을 하면 소비자는 자국에서 생산되지 않는 상품 또는 자국에서 생산하는 것보다 더 낮은 가격으로 생산되는 외국의 상품을 쉽게 접할 수 있다. 생산자 또한 생산에 필요한 원자재를 저렴한 가격에 얻을 수 있으며 넓은 수출 시장을 확보할 수 있게 되므로 결과적으로 무역에 참여한 모든 국가의 후생이 높아질 것이다.

(나) 무역을 할 때 각국 정부는 자국의 이익을 지키기 위해 무역에 직간접적으로 개입하여 국내 산업을 보호해야 한다. 신생 산업이나 기업은 이미 비교 우위를 확보한 외국 기업과 경쟁할 준비가 되지 않았기 때문에 처음부터 자유 무역을 하게 되면 외국 기업에 밀려 성장할 수 없다. 따라서 외국 기업과 대등한 입장에서 경쟁할 수 있을 때까지 성장하도록 지원해야 한다. 이를 위해서는 특정 수입품에 ㉠ 관세를 부과하거나 기술 규제, 안전 규제, 통관 기준의 강화 등을 사용하여 무역을 규제해야 한다.

1 (가)에서 강조하는 무역 정책을 쓰고, 이 무역 정책이 갖는 한계를 서술하시오.

....

....

....

....

2 밑줄 친 ㉠을 활용하여 (나)에서 강조하는 무역 정책을 실시할 때 나타나는 경제적 효과를 논술하시오.

....

....

....

....

주제 **11**

환율의 변동

다음 글을 읽고 물음에 답하시오.

(가) 미국의 금리 인상 전망이 힘을 받으면서 원/달러 환율이 가파르게 오르고 있다. 미국이 올해 안에 금리를 인상할 것이라는 예상에 따라 우리나라를 포함한 신흥 공업국의 자금 유출 및 달러화 강세 흐름이 이어지고 있기 때문이다. 뿐만 아니라 개인 투자자들도 환율 변동으로 발생하는 이익을 노리고 달러 자산 투자에 나섰다. 이에 개인의 달러화 예금은 급속히 증가하여 100억 달러에 육박하였다.
- 「세계일보」, 2016. 10. 17.

(나) 원/달러 환율이 연일 최저치를 경신하고 있다. 지난 3일 우리나라 외환 시장에서 원/달러 환율은 이전 거래일보다 2.4원 내린 1,054.2원에 마감되었다. 2014년 10월 29일에 종가 기준 1,047.3원 이후 3년 6개월여 만에 최저치를 기록한 것이다. 전 세계적인 달러화 약세 흐름에 위안화와 유로화가 강세를 보였고, 원화도 이에 동조한 것으로 분석된다. 국제 사회의 경제 상황까지 더해져 일각에서는 원/달러 환율의 1,000원선도 무너질 수 있다는 전망도 내놓고 있다.
- 「한국일보」, 2018. 4. 4.

(다) 갑국의 2017년 대외 채무 동향에 따르면 갑국에서 외국에 갚아야 할 달러화 표시 외채 규모가 2017년 말 기준 4천억 달러로, 2016년에 비해 10% 가까이 증가하였다. 2010년 이후 매년 감소하던 갑국의 대외 채무가 3년 만에 증가세로 돌아선 것이다. 뿐만 아니라 대외 채무 가운데 갑국이 1년 이내에 갚아야 할 단기 외채의 비중이 최근 5년 중 최고치를 기록하였다.

1 (가)에 나타난 변화가 외화의 수요와 공급 중 어느 쪽에 영향을 미치는지 서술하시오.

....

....

....

2 (다)에서 갑국이 처한 경제 상황을 분석하고, (가), (나)에 나타난 환율 변동이 물가와 외채 상환 부담에 어떤 영향을 미치는지 비교하여 논술하시오.

....

....

....

주제 12 경상 수지의 변동

다음 글을 읽고 물음에 답하시오.

(가) 최근 세계적인 경기 호황으로 갑국에서는 반도체와 석유 화학 제품의 수출이 강세를 보이고 있으며, 새롭게 수출하기 시작한 운송 서비스 역시 호조를 보이고 있다. 이에 따라 갑국에서는 재화와 서비스를 수출하여 얻은 외화가 재화와 서비스를 수입할 때 지급한 외화보다 많아지고 있다.

(나) 을국에서는 경기 회복을 주도하던 관광 산업의 부진으로 을국으로 여행을 오는 관광객이 급격히 감소하면서 올해 외국인이 을국에서 쓴 돈보다 을국 국민이 해외에서 쓴 돈이 더 많았다. 한편 을국 국민의 해외 취업이 줄어들면서 을국 국민이 외국에서 노동을 제공하고 벌어들인 외화가 크게 감소하였다. 이와 같이 을국과 다른 국가 사이에 경제적 거래가 이루어지면서 올해 을국으로 들어온 외화보다 다른 국가로 나간 외화가 많아졌다.

1 (가)에 나타난 갑국의 경상 수지 변동 양상을 쓰고, 이러한 양상이 지속될 경우 국가 경제에 어떤 영향을 미칠지 서술하시오.

2 (나)에 나타난 을국의 경상 수지 변동 양상을 쓰고, 이러한 양상이 지속될 경우 국가 경제에 어떤 영향을 미칠지 서술하시오.

주제 13

신용 관리의 중요성

다음 자료를 보고 물음에 답하시오.

(가) 표는 어느 은행의 신용 한도 대출 금리를 공시한 자료이다.

구분	1~2등급	3~4등급	5~6등급	7~8등급	9~10등급
신용 한도 대출 금리(연 %)	3.55	4.10	5.58	7.27	12.36

(나) 자신의 능력으로 감당할 수 없는 빚을 진 개인이 법원에 파산을 신청하여 파산 면책을 받는 경우 신용 카드를 발급 받거나 대출을 받을 수 없으며 신용 거래에도 제한을 받는다. 또한 공무원, 변호사, 국공립·사립 학교 교수 및 교사 등이 될 수 없는 직업상의 제한도 받는다. 하지만 파산에 이른 후 회생에 성공한 사람은 1/3 수준이다. 자력으로 회생에 성공하기는 쉽지 않으므로 평소에 적정 규모 이상의 부채가 발생하지 않도록 자산을 잘 관리해야 한다.

– 대한 법률 구조 공단 누리집

1 (가)에서 개인이 천만 원을 대출받을 때, 신용 등급이 1~2등급에 해당할 경우 내야 하는 이자 비용과 9~10등급에 해당할 경우 내야 하는 이자 비용의 차이를 비교하여 쓰시오.

2 (가), (나)를 바탕으로 현대 사회에서 신용이 중요한 이유를 서술하시오.

통합적 사고력 ✛ 의사 결정 능력

주제 **14**

자산 관리의 중요성

다음 글을 읽고 물음에 답하시오.

(가) 자산 관리는 한정된 수입을 현재와 미래의 생활에 어떻게 적절히 배분할 것인지를 사전에 면밀히 검토해 보는 것이라고도 할 수 있다. 평균 수명의 연장으로 은퇴 후의 생활 기간이 점점 늘어나고 있기 때문에 자산 관리는 더 절실히 요구된다. 미래에 대비한다고 해서 쓰고 남은 돈을 맹목적으로 저축하는 것만이 능사가 아니다. 언제 어느 정도의 돈을 쓰기 위해 얼마를 저축하고 또는 빌릴 것인지에 대한 구체적인 계획을 세워야 한다. 이를 위해서는 돈이 이자나 다른 수익을 통하여 스스로 불어나는 속성을 갖고 있다는 점도 잘 활용해야 한다.

– 한국은행, 『일반인을 위한 한국은행의 알기 쉬운 경제 이야기』

(나) 갑과 을은 보유하고 있는 자산 10억 원을 각각 금융 상품에 투자하였다. 갑은 증권 회사에 다니는 친구가 전해 준 정보를 믿고 A 회사의 주식에 자신이 가진 모든 돈을 투자하였다. 반면 을은 자신이 가지고 있는 자산 중 2억 원은 현금으로 보유하고, 3억 원은 목돈을 예치해 이자를 받을 수 있는 정기 예금에, 3억 원은 예금에 비해 더 높은 수익을 얻을 수 있는 주식에, 1억 원은 은퇴 이후 경제생활의 안정을 위해 연금에 투자하고 있다. 또한 나머지 1억 원은 갑자기 질병이 생겨 큰 지출이 필요할 때를 대비해 보험에 가입하였다.

1 (가)를 통해 알 수 있는 자산 관리의 중요성에 대해 서술하시오.

....

....

....

....

2 (나)에서 갑과 을의 자산 관리 방법 중 바람직하다고 생각한 것을 선택하고, 그 이유를 적절한 근거를 들어 논술하시오.

....

....

....

....

재무 목표와 재무 설계

다음 글을 읽고 물음에 답하시오.

(가) 우리나라 성인 10명 중 6명은 자신의 노후 준비 자금이 충분하지 않다고 생각하지만, 노후를 제대로 준비하지 못하고 있다는 조사 결과가 나왔다. 전문가들은 국민연금에만 의존하고 있는 부실한 노후 준비 현실을 극복하지 못하면 한국 사회에서 100세 시대는 재앙으로 다가올 수 있다고 경고한다. 보험 연구원이 2016년 20대 이상 성인 남녀 2,035명을 대상으로 조사한 결과에 따르면 응답자 중 59.5%가 "준비하고 있는 노후 자금이 불충분하다."라고 답하였고, 노후에 필요한 최소 생활비는 부부를 기준으로 월평균 236만 원으로 조사되었다. ─「매일경제」, 2016. 6. 15.

(나) 세상을 살아가다 보면 취업, 결혼, 주택 마련, 자녀 교육, 노후 생활, 상속 등의 인생 목표를 준비하고 교통사고, 질병, 각종 재해 등 뜻하지 않은 위험에 대비해야 한다. 재무 설계를 하면 개인과 가정이 행복과 보람을 느낄 수 있도록 경제적 주춧돌을 놓을 수 있다. 사회에 진출하여 사회인으로서 삶에 대한 계획을 세울 때, 결혼해서 부부 공동의 삶의 계획을 세울 때, 자녀 교육을 준비해야 할 때, 퇴직해서 은퇴 이후의 생활을 시작할 때 등 인생에서 재무 설계의 필요성을 느끼게 될 때가 있다. 그 밖에도 예상하지 못한 큰돈이 생겼을 때, 부채 관리가 필요할 때, 자녀에게 상속이나 증여하려 할 때도 재무 설계를 점검해야 한다. 또한 재무 설계를 시작하는 시기는 개인마다 차이가 있을 수 있지만 일찍 시작할수록 그 효과는 커진다.

1 (가)를 통해 알 수 있는 생애 주기를 고려한 재무 목표 설정의 중요성을 서술하시오.

....

....

....

....

2 재무 설계의 필요성에 관한 자신의 견해를 밝히고, 그 근거를 (가), (나)의 내용과 연관지어 논술하시오.

....

....

....

....

Memo

Memo

·완벽한 자율학습서·

완자

완자네 새주소

자율학습시
비상구
정확한 답과 친절한 해설
정답친해로
53

정답친해로
오삼~

경제

📖 **책 속의 가접 별책** (특허 제 0557442호)
'정답친해'는 본책에서 쉽게 분리할 수 있도록 제작되었으므로
유통 과정에서 분리될 수 있으나 파본이 아닌 정상제품입니다.

visang

자율학습시
비상구
정답친해로
53

정확한 답과 **친절한 해설**

경 제

Ⅰ. 경제생활과 경제 문제

01 경제생활과 합리적 선택

STEP 1 핵심 개념 확인하기 014쪽

STEP 1 핵심 개념 확인하기   014쪽

1 (1) 생산 (2) 가계 (3) 서비스   2 (1) × (2) × (3) ○   3 (1) – ⓒ (2) – ㉠ (3) – ㉡   4 ㉠ 명시적 비용 ㉡ 암묵적 비용   5 (1) 매몰 비용 (2) 순편익 (3) 긍정적 유인

STEP 2 내신 만점 공략하기   014~018쪽

01 ③	02 ⑤	03 ④	04 ④	05 ③	06 ①	07 ⑤
08 ⑤	09 ④	10 ②	11 ⑤	12 ⑤	13 ①	14 ④
15 ②	16 ④					

01 생산의 사례

㉠은 생산이다. 생산에는 상품을 제조하는 것뿐만 아니라 상품의 운반, 저장, 판매 등과 같이 그 경제적 가치를 증대시키는 모든 활동이 포함된다. ①은 상품의 판매, ②는 상품의 운반, ④는 상품의 제조, ⑤는 상품의 저장 및 보관으로, 모두 생산에 해당하는 사례이다.

∥바로 알기∥ ③ 소비에 해당하는 사례이다. 소비는 사람들이 만족을 얻으려고 생활에 필요한 재화나 서비스를 구매하거나 사용하는 행위를 의미한다.

02 경제 활동의 유형

⑤ 햄버거 가게에서 일하는 직원이 월급을 받은 것은 생산 활동에 참여하여 생산 요소를 제공하고 그에 대한 대가를 받은 것으로, 분배에 해당한다.

∥바로 알기∥ ① 갑과 직원 모두 경제 활동에 참여하는 행위 주체인 경제 주체에 해당한다. ② 갑이 햄버거 가게를 운영하는 것은 재화와 서비스를 새롭게 만들거나 그 가치를 증대시키는 활동, 즉 생산 활동에 해당한다. ③ 햄버거와 음료는 물질적인 형태를 가지면서 사람들의 욕구를 충족해 주는 재화에 해당한다. ④ ㉣은 재화와 서비스를 구매하여 사용하는 소비 활동에 해당한다.

완자 정리 노트	경제 활동의 유형
생산	생활에 필요한 재화나 서비스를 새롭게 만들어 내거나, 그 가치를 증대시키는 행위
분배	생산 활동에 참여하여 생산 요소를 제공하고 그에 대한 대가를 받는 행위
소비	재화와 서비스를 구매하여 사용하는 행위

03 경제 활동의 주체

A는 외국, B는 정부, C는 기업, D는 가계에 해당한다. ① 외국은 무역 활동의 주체로서, 오늘날 세계화가 확산하면서 그 영향력이 점차 커지고 있다. ②, ⑤ 정부는 가계와 기업으로부터 세금을 거두어 사회 전체적으로 필요한 재화와 서비스를 공급하고, 경제가 원활하게 작동하도록 경제 활동의 조정자 역할을 한다. ③ 기업은 재화와 서비스를 생산하여 가계에 제공하는 경제 주체이다.

∥바로 알기∥ ④ 가계는 기업에 생산 요소를 제공하고 그에 대한 대가를 받아 소비 활동을 하는 주체이다.

완자 정리 노트	경제 활동의 주체	
가계	기업에 생산 요소를 제공한 대가로 소득을 얻어 재화와 서비스를 소비하는 주체	민간 부문
기업	가계가 제공하는 생산 요소를 활용하여 재화와 서비스를 생산하는 주체	
정부	가계와 기업으로부터 세금을 거두어 사회 전체가 필요로 하는 재화나 서비스를 생산하는 주체	공공 부문
외국	무역 활동의 주체	해외 부문

04 경제 활동의 이해

자료 분석

(가) ㉠ 갑국은 홍수 피해를 예방하기 위하여 댐을 건설하였다. ─정부 ─가계 ─재화의 생산

(나) 고등학생인 ㉡ 을은 은행에 예금한 대가로 이자를 받았다. ─분배

(다) ㉢ 여행사에 근무하는 병은 국내 여행 상품을 개발하여 판매하였다. ─기업 ─서비스의 생산

① (가)에서 댐은 인간의 욕구를 충족하는 유형의 상품인 재화에 해당한다. ③ (다)에서 국내 여행 상품은 인간의 욕구를 충족하는 무형의 상품인 서비스에 해당한다. ④ (가), (다)에서는 경제적으로 가치 있는 것을 만드는 생산 활동이 이루어졌다.

∥바로 알기∥ ② 생산된 상품을 구매하여 만족감을 얻는 활동은 소비에 해당한다. (나)에서 을이 예금의 대가로 이자를 받은 것은 분배에 해당한다.

05 경제 활동의 유형과 경제 객체

생산은 사람들에게 필요한 재화나 서비스를 새롭게 만들어 내거나 그 가치를 증대시키는 모든 행위를 말하며, 소비는 재화나 서비스를 구매하여 사용하는 행위를 말한다. 경제 객체는 경제 활동의 대상이 되는 것으로, 물질적인 형태를 가지는 재화와 물질적인 형태를 가지지 않는 서비스로 구분할 수 있다. ㄴ. 스마트폰을 구매하는 것은 재화를 소비하는 행위에 해당한다. ㄷ. 학교에서 강의를 하는 것은 서비스를 생산하는 행위에 해당한다.

∥바로 알기∥ ㄱ. 콘서트를 관람하는 것은 서비스를 소비하는 행위로, (라)에 해당한다. ㄹ. 공장에서 자동차를 조립하는 것은 재화를 생산하는 행위로, (가)에 해당한다.

06 자원의 희소성

제시된 사례에서는 자원의 절대적인 양이 많더라도 사람들의 욕구에 비해 그 자원의 양이 충분하지 않다면 그 자원은 희소성을 가지게 됨을 보여 준다. 이를 통해 자원의 희소성은 사람들의 욕구의 크기에 따라 달라지는 상대적인 개념임을 알 수 있다.

▎바로 알기 ▎ ② 제시된 사례에서는 시대에 따른 자원의 희소성 변화가 나타나 있지 않다. ③ 인간의 필요와 욕구는 개인마다 다르며, 언제든지 변화할 수 있다. ④ 사람들의 필요가 증가하면 희소성은 커질 수 있다.

07 무상재와 경제재

제시된 사례에서는 환경 오염으로 무상재였던 깨끗한 물의 희소성이 커지게 되었고, 그로 인해 가격을 지불해야만 구매할 수 있는 경제재로 성격이 변화하였음을 보여 준다.

▎바로 알기 ▎ ① 무상재도 사용함으로써 만족을 느낄 수 있다. ② 경제재는 존재량이 인간의 욕구보다 적어 희소성이 존재하기 때문에 대가를 지불해야 얻을 수 있다. ③ 무상재는 경제재와 달리 인간의 필요와 욕구에 비해 존재량이 많아 대가를 지불하지 않아도 얻을 수 있다. ④ 깨끗한 물과 생수의 유용성을 비교할 수는 없다.

08 자원의 희소성과 경제 문제

제시된 그림은 자원의 희소성으로 기본적인 경제 문제가 나타나고 있음을 보여 준다. ① ㉠은 희소성이다. 재화는 희소성의 유무에 따라 무상재와 경제재로 구분할 수 있다. ② 자원은 한정되어 있기 때문에 사람들이 원하는 것을 모두 생산할 수는 없다. 어떤 재화나 서비스의 생산을 늘리면 다른 재화나 서비스의 생산에 투입할 수 있는 자원이 그만큼 줄어들기 때문이다. 따라서 무엇을 얼마나 생산할지를 고민해야 한다. ③ '생산비 절감을 위한 설비 자동화 도입'은 생산 방법을 결정하는 문제이므로 ㉢에 해당한다. ④ 생산물의 분배 문제는 '누구를 위하여 생산할 것인가?'와 관련된다.

▎바로 알기 ▎ ⑤ 기본적인 경제 문제의 해결 기준으로 효율성은 공통으로 고려되며, 생산물의 분배 문제에서는 형평성도 함께 고려해야 한다.

09 경제 문제의 사례

(가)는 생산 방법을 결정하는 문제, (나)는 생산물의 분배를 결정하는 문제, (다)는 생산물의 종류와 수량을 결정하는 문제이다. ㄱ, ㄴ. 사과 생산량을 결정하는 것과 정부가 어느 부문에 더 많은 예산을 편성할지 고민하는 것은 생산물의 종류와 수량을 결정하는 문제이므로 (다)에 해당한다. ㄷ. 직원을 고용할지 자동화 기기를 설치할지 고민하는 것은 생산 방법의 결정과 관련된 문제이므로 (가)에 해당한다. ㄹ. 임금을 무엇을 기준으로 지급할지 고민하는 것은 생산물의 분배와 관련된 문제이므로 (나)에 해당한다.

10 기본적인 경제 문제

ㄱ. 갑은 생산물의 종류와 수량을 결정하는 문제, 즉 '무엇을 얼마나 생산할 것인가?'에 관한 제안을 하고 있다. ㄹ. 갑과 을이 직면한 경제 문제는 자원의 희소성 때문에 발생한다.

▎바로 알기 ▎ ㄴ. 을은 생산 방법을 결정하는 문제, 즉 '어떻게 생산할 것인가?'에 대한 제안을 하고 있다. ㄷ. 갑과 을 모두 효율성을 높이기 위한 제안을 하고 있다.

11 기회비용과 매몰 비용

(가)는 매몰 비용, (나)는 기회비용이다. ② 합리적 선택을 하려면 선택으로 새롭게 발생하는 비용과 편익만 비교해야 한다. 이미 써버려 회수할 수 없는 매몰 비용은 선택으로 발생하는 비용이 아니므로 고려해서는 안 된다. ④ 기회비용은 포기한 대안 중에서 가장 가치가 큰 것으로 측정한다.

▎바로 알기 ▎ ⑤ 합리적 선택은 편익이 기회비용보다 큰 대안을 선택하는 것이다.

12 기회비용과 합리적 선택

갑의 선택이 합리적 선택이 되기 위해서는 편익이 기회비용보다 커야 한다. 갑이 영화를 보러 가려면 영화 티켓 가격으로 10,000원을 지불해야 하며, 아르바이트를 두 시간해서 얻을 수 있는 수입인 16,000원을 포기해야 한다. 이때 영화 티켓 가격으로 지불한 10,000원은 선택으로 직접 지불한 명시적 비용이고, 아르바이트를 두 시간해서 얻을 수 있는 수입인 16,000원은 영화 관람으로 포기한 가치이므로 암묵적 비용이다. 이를 합친 금액인 26,000원보다 더 큰 편익을 얻어야 합리적 선택이라고 볼 수 있다.

▎바로 알기 ▎ ㄱ. 갑의 선택에 따른 기회비용은 26,000원이다. ㄴ. 갑의 선택에 따른 암묵적 비용은 16,000원이다.

13 합리적 선택

ㄱ. 본인 부담금은 A국 여행을 위해 직접 지불해야 하는 비용이므로, A국 여행의 명시적 비용에 해당한다. ㄴ. B국 여행을 위해 지불한 계약금은 이미 써버려 회수할 수 없으므로, 매몰 비용에 해당한다. 합리적 선택을 위해서는 매몰 비용을 고려해서는 안 된다.

▎바로 알기 ▎ ㄷ. B국 여행을 선택했을 때 암묵적 비용은 A국 여행으로 얻을 수 있는 이익(A국 여행의 편익 − 본인 부담금)이다. ㄹ. B국 여행의 편익은 A국 여행 선택 시에는 기회비용에, B국 여행 선택 시에는 편익에 해당한다. 따라서 B국 여행의 편익 크기에 따라 갑의 선택은 달라질 수 있다.

완자 정리 노트	명시적 비용과 암묵적 비용
명시적 비용	어떤 선택을 할 때 화폐로 직접 지불한 비용
암묵적 비용	화폐로 직접 지불하지는 않았지만 어떤 선택으로 인해 포기한 다른 대안의 가치

14 합리적 선택 시 유의점

제시된 사례는 이미 지불하고 난 뒤 회수할 수 없는 비용, 즉 매몰 비용에 내내 미련을 버리지 못해 상황을 악화시킬 수우를 보여 준다. 매몰 비용은 선택으로 인해 새롭게 발생하는 비용이 아니므로 선택을 할 때 고려해서는 안 되며, 합리적 선택을 위해서는 현재에 충실해야 한다.

15 경제적 유인

㉠은 보상이나 이득과 같이 편익을 증가시켜 어떤 행위를 더 하게 하는 긍정적 유인의 사례에 해당한다. ㉡은 벌금이나 손실과 같이 비용을 증가시켜 어떤 행위를 덜 하게 하는 부정적 유인의 사례에 해당한다. 이러한 경제적 유인은 사람들이 비용과 편익을 고려하여 합리적으로 행동한다는 것을 전제로 한다.

┃ **바로 알기** ┃ ② ㉡은 비용을 증가시키는 유인이다.

완자 정리 노트   경제적 유인

긍정적 유인	보상으로 편익을 증가시키거나 비용을 감소시켜 어떤 행위를 더 하게 하는 유인
부정적 유인	벌금 등으로 비용이 증가하거나 편익이 감소하도록 하여 어떤 행위를 덜 하게 하는 유인

16 부정적 유인의 사례

부정적 유인은 벌금, 손실 등과 같이 비용을 증가시키거나 편익을 감소시킴으로써 어떤 행위를 덜 하게 만드는 경제적 유인이다. ㄴ. 불법 주정차를 하는 사람들에게 과태료를 부과하면 운전자들은 과태료를 내지 않기 위해 불법 주정차를 하지 않게 된다. ㄹ. 전기 요금에 누진제를 적용함으로써 사람들은 전기 요금을 덜 내기 위해 전기 사용을 줄이게 된다.

┃ **바로 알기** ┃ ㄱ, ㄷ. 긍정적 유인에 해당하는 사례이다.

서술형 문제

018쪽

01 주제: 자원의 희소성

(1) 무상재

(2) **예시 답안** A 지역에서 바나나보다 딸기를 구하기가 어렵더라도 사람들이 딸기를 필요로 하지 않기 때문에 딸기는 희소하지 않다. 반면 바나나는 그 존재량이 딸기보다 많지만 사람들의 필요와 욕구에 비해 그 양이 충분하지 않기 때문에 희소하다.

채점 기준

상	사람들의 필요 및 욕구와 자원의 존재량을 비교하여 딸기와 바나나의 희소성에 대해 정확하게 서술한 경우
하	희소성이 상대적인 개념이라고만 서술한 경우

02 주제: 기회비용과 합리적 선택

— 회사에 다님으로써 얻는 편익

(1) 1억 2천만 원(← 명시적 비용 9천만 원 + 암묵적 비용 3천만 원)

(2) **예시 답안** 갑이 꽃집을 개업함으로써 얻은 편익은 꽃집을 1년간 운영하여 얻은 수입인 1억 원이고, 기회비용은 1억 2천만 원이다. 즉 꽃집 개업에 따른 편익이 기회비용보다 작기 때문에 갑의 선택은 비합리적이다.

채점 기준

상	꽃집 개업에 따른 편익과 기회비용을 비교하여 갑의 선택이 비합리적이라고 서술한 경우
중	꽃집 개업에 따른 편익과 기회비용만 비교한 경우
하	갑의 선택이 비합리적이라고만 서술한 경우

STEP 3   1등급 정복하기

019~021쪽

1 ①	2 ③	3 ②	4 ④	5 ④	6 ①

1 경제 활동의 유형

음식을 배달하는 행위는 다른 사람들이 손쉽게 소비할 수 있도록 재화를 판매하고 운반하는 활동이므로 A는 생산이다. 따라서 B, C는 분배와 소비 중 하나이다. ㄱ. 생산은 경제적 측면에서 재화나 서비스의 가치를 증대시키는 활동이다. ㄷ. 생산에 참여한 대가를 받는 활동은 분배이므로 B는 분배, C는 소비이다. 가계는 소비를 통해 만족감을 얻는 경제 주체이다.

┃ **바로 알기** ┃ ㄴ. 렌터카 회사가 영업용 승용차를 구입하는 것은 기업이 생산을 위해 필요한 상품을 구입한 것으로, 생산에 해당하는 사례이다. ㄹ. 노동의 대가로 임금을 받는 것은 가계가 생산 요소를 제공하고 그에 대한 대가를 받는 것이므로 C는 분배, B는 소비이다. 택배 회사의 택배 서비스 제공은 생산의 사례이다.

2 자원의 희소성

A 버섯은 B 버섯에 비해 생산량이 상대적으로 많으며, B 버섯은 A 버섯과 달리 사람들이 원하는 만큼 생산하기 어려워 시장 가격이 상대적으로 높게 나타난다. 따라서 B 버섯은 A 버섯에 비해 희소성이 큰 재화라고 할 수 있다.

┃ **바로 알기** ┃ ① A 버섯보다 B 버섯의 존재량이 적으므로 B 버섯의 희귀성이 더 크다. ② A 버섯과 B 버섯 모두 인간의 욕구보다 존재량이 적어 희소성을 가지므로 시장에서 거래된다. ④, ⑤ 무상재는 희소성이 없는 재화이며, 경제재는 희소성이 있는 재화이다. A 버섯과 B 버섯 모두 희소성이 있는 경제재로, 경제적 가치가 있다.

3 기본적인 경제 문제

갑의 제안은 '무엇을 얼마나 생산할 것인가?'에 관한 문제를 해결하기 위한 것이며, 을의 제안은 '어떻게 생산할 것인가?'에 관한 문제를 해결하기 위한 것이다. 그리고 병의 제안은 '누구를 위하여 생산할 것인가?'의 관한 문제를 해결하기 위한 것이다. ② '어떻게 생산할 것인가?'에 관한 문제는 생산 요소의 선택 및 결합 방법을 결정하는 것과 관련 있다.

▎바로 알기▎ ① 갑은 생산물의 종류와 수량, 즉 '무엇을 얼마나 생산할 것인가?'와 관련된 제안을 하고 있다. ③ 병이 직원들에게 특별 상여금을 지급해야 한다고 제안한 것은 경제 활동의 유형 중 분배 활동과 관련 있다. ④ 갑, 을, 병은 공통적으로 효율성을 높이기 위한 제안을 하고 있으며, 병은 효율성과 함께 형평성도 높이기 위한 제안을 하고 있다. ⑤ 갑, 을, 병의 문제 인식은 모두 인간의 욕구에 비해 자원의 상대적인 수량이 부족한 상태인 자원의 희소성에 기반한다.

4 기회비용과 합리적 선택

〈1안〉을 선택할 경우 명시적 비용은 ©의 가격인 3,200만 원에서 ⊙을 중고차 시장에 내다판 가격인 ┌(가)┐ 만 원을 뺀 금액이며, 〈2안〉을 선택할 경우 명시적 비용은 ©에 참여함으로써 직접 지불해야 하는 700만 원이다. ㄴ. ©에 참여하기 위한 700만 원의 추가 비용은 〈2안〉을 선택했을 때의 명시적 비용이므로, 기회비용에 포함된다. ㄹ. (가)가 '2,500'일 경우 〈1안〉 선택 시 명시적 비용은 3,200만 원 − 2,500만 원 = 700만 원이고, 〈2안〉 선택 시 명시적 비용은 700만 원으로 같다. 그리고 A 자동차로부터 얻게 될 편익을 x만 원이라고 한다면, B 자동차로부터 얻게 될 편익은 x만 원 + 600만 원이다. 따라서 〈1안〉과 〈2안〉 선택 시 순편익은 (x만 원 + 600만 원) − 700만 원으로 같고, 〈3안〉 선택 시 순편익은 x만 원이다. 따라서 〈3안〉을 선택했을 때의 순편익은 〈1안〉, 〈2안〉을 선택했을 때의 순편익보다 100만 원만큼 더 크다.

▎바로 알기▎ ㄱ. A 자동차를 중고차 시장에 팔면 일부 금액을 회수할 수 있으므로 A 자동차를 구매할 때 지불한 3,000만 원 전액을 매몰 비용으로 볼 수는 없다. ㄷ. (가)가 '2,400'일 경우 〈1안〉 선택 시 명시적 비용은 800만 원, 〈2안〉 선택 시 명시적 비용은 700만 원이다. 따라서 〈1안〉보다는 〈2안〉이 합리적이며, 〈3안〉과의 비교는 불가능하다.

5 비용과 편익 분석

갑의 X재 또는 Y재 소비량에 따른 총효용을 표로 정리하면 다음과 같다.
  └ 평균 효용×소비량

소비량	1개	2개	3개	4개	5개
X재	2,900	5,200	6,900	8,000	8,000
Y재	1,600	3,000	4,200	4,800	4,500

④ 갑이 4,000원으로 X재 1개와 Y재 2개를 소비할 때의 총효용은 5,900으로 가장 크다

▎바로 알기▎ ① 갑이 X재를 4개 소비할 때와 5개 소비할 때 얻는 총효용은 8,000으로 같다. ② 갑이 Y재를 4개 소비할 때 얻는 총효용은 4,800이고, 5개 소비할 때 얻는 총효용은 4,500이다. 따라서 갑이 Y재를 4개 소비할 때 얻는 총효용은 5개를 소비할 때보다 크다. ③ 갑이 Y재 소비량을 1개씩

늘릴 때마다 추가적으로 얻는 총효용은 '1,400 → 1,200 → 600 → −300'으로, 4개에서 1개 늘릴 때 음(−)의 값을 가진다. ⑤ 갑이 6,000원으로 X재 2개, Y재 2개를 소비할 때의 총효용은 8,200으로, X재 1개와 Y재 4개를 소비할 때의 총효용인 7,700보다 크다. 따라서 갑이 6,000원으로 X재 1개와 Y재 4개를 소비하는 것이 합리적이라고 볼 수 없다.

6 경제적 유인

지각 벌금제는 비용을 증가시켜 어떤 행위를 덜 하게 하는 부정적 유인에 해당한다. ㄱ. '쓰레기 종량제'는 버린 쓰레기의 양만큼 비용을 부담하게 하는 제도로, 부정적 유인에 해당한다. ㄴ. 단원들이 벌금을 내면서도 계속 지각을 한 것은 지각에 대한 벌금을 기회비용으로 보고, 기회비용이 지각으로 얻게 되는 편익보다 작다고 판단했기 때문이다.

▎바로 알기▎ ㄷ. 벌금을 인상한 후에 지각하는 단원들이 없어졌으므로, 벌금을 인상할 경우 벌금으로 얻는 수입은 없어질 것이다. ㄹ. ©, @ 모두 부정적 유인에 해당한다.

02 경제 문제의 해결 방식

STEP 1 핵심 개념 확인하기   026쪽

1 ㉠ 자본주의 ㉡ 사회주의   2 (1) 전통 (2) 시장 (3) 계획   3 (1) 계 (2) 계 (3) 시 (4) 시   4 (1) × (2) ○   5 (1) 가격 기구 (2) 사유 재산권 (3) 경쟁

STEP 2 내신 만점 공략하기   026~029쪽

01 ②   02 ④   03 ③   04 ②   05 ④   06 ①   07 ③
08 ④   09 ⑤   10 ③   11 ④   12 ⑤

01 경제 체제

갑. 경제 체제에는 그 사회의 문화나 사회적 상황 등이 반영되어 있기 때문에 경제 체제는 국가나 사회에 따라 다양하게 나타난다. 정. 시장 경제 체제는 생산 수단의 사적 소유를 기본으로 하는 자본주의와 밀접한 관련이 있다.

┃바로 알기┃ 을. 전통 경제 체제에 대한 설명이다. 병. 경제 체제는 경제 문제를 해결하는 방식에 따라 전통 경제 체제, 계획 경제 체제, 시장 경제 체제로 구분할 수 있으며, 생산 수단의 소유 형태에 따라 자본주의와 사회주의로 구분할 수 있다.

02 전통 경제 체제

제시된 두 사례에서는 과거로부터 내려온 전통과 관습에 따라 경제 문제를 해결하고 있는데, 이러한 경제 체제를 전통 경제 체제라고 한다. ㄴ. 전통 경제 체제에서는 전통의 계승을 강조하기 때문에 사회의 변화와 발전을 위한 합리적인 노력을 소홀히 할 수 있다. ㄹ. 전통 경제 체제에서는 구성원들의 자유로운 선택이 제한되기 때문에 개인의 다양한 욕구를 충족하기 어렵다.

┃바로 알기┃ ㄱ. 전통 경제 체제에서는 구성원들이 전통에 따라 경제 문제를 해결하므로 외부의 변화에 신속하게 대처하기 어렵다. ㄷ. 전통 경제 체제에서는 구성원들이 전통 방식에 대해 공유하고 있으므로 각종 상황에 대한 예측이 가능하다.

완자 정리 노트   전통 경제 체제

의미	과거로부터 내려온 전통과 관습에 따라 경제 문제를 해결하는 경제 체제
장점	선택에 대한 고민이 적은 편임, 각종 상황에 대한 예측이 가능하여 사회의 안정에 기여함
단점	자유로운 선택이 제한되어 개인의 다양한 욕구 충족이 어려움, 외부 상황 변화에 대처하는 능력이 부족하여 사회의 변화와 발전이 지연될 수 있음

03 계획 경제 체제

제시된 사례에서 갑국은 중앙 정부가 생산 수단의 대부분을 소유한 채 경제 문제에 대한 의사 결정을 내리고 있으므로, 계획 경제 체제를 채택하고 있음을 알 수 있다. ③ 계획 경제 체제에서는 정부가 계획을 수립하여 경제 활동을 통제함으로써 자원 배분이 이루어진다.

┃바로 알기┃ ① 계획 경제 체제에서는 국가의 정책 목표를 신속하게 달성할 수 있다. ②, ⑤ 계획 경제 체제에서는 개별 경제 주체의 자발적인 선택이 제한되기 때문에 개인의 창의적이고 적극적인 경제 활동이 이루어지기 어려워 경제 전체의 효율성이 떨어질 수 있다. ④ 시장 경제 체제에 대한 설명이다.

완자 정리 노트   계획 경제 체제

의미	중앙 정부의 계획과 명령에 따라 경제 문제를 해결하는 경제 체제
장점	국가의 정책 목표를 효과적으로 달성할 수 있음, 분배의 형평성을 실현할 수 있음
단점	개인의 소유권 제한으로 생산 동기가 부족해짐, 소비자의 다양한 욕구를 계획에 일일이 반영하기 어려움, 개인의 자유로운 선택이 제한됨

04 시장 경제 체제

㉠은 시장 경제 체제에 해당한다. ㄱ, ㄹ. 시장 경제 체제에서는 경제 주체들이 각자 자신의 이익을 추구하고, 이들이 시장 가격에 기초하여 자발적이고 창의적으로 경제 활동을 함으로써 경제 문제를 해결한다.

┃바로 알기┃ ㄴ. 시장 경제 체제에서는 정부가 시장 개입을 최소화하고 가계와 기업이 자유롭게 의사 결정을 한다. ㄷ. 시장 경제 체제에서는 개별 경제 주체가 각자의 이익을 최대화하기 위해 노력하는 가운데 사회 전체적으로 효율성이 높아진다.

완자 정리 노트   시장 경제 체제

의미	경제 문제가 시장 가격을 통해 자율적으로 해결되는 경제 체제
장점	자유롭고 창의적인 경제 활동이 이루어짐, 사회 전체적으로 효율성이 높아짐
단점	빈부 격차와 급격한 경기 변동이 발생할 수 있음, 개인이 이익을 추구하는 과정에서 구성원 간에 충돌이 발생할 수 있음

05 계획 경제 체제와 시장 경제 체제

제시된 그림에서 자원 배분의 효율성이 높고 정부의 통제 수준이 약한 A는 시장 경제 체제, 개인 배분의 효율성이 낮고 정부의 통제 수준이 강한 B는 계획 경제 체제에 해당한다. ㄴ. 계획 경제 체제에서는 생산 수단에 대한 개인의 소유권이 제한되므로 경제 주체의 창의성과 근로 의욕이 저해될 수 있다. ㄹ. 시장 경제 체제에서 정부는 국방, 치안 등 제한적인 역할만 하며, 대부분의 경제 활동은 시장에서 민간 경제 주체들이 스스로 결정하도록 한다.

∥바로 알기∥ ㄱ. 시장 경제 체제에서는 개인의 능력 차이나 사회적·경제적 구조나 제도 등에 따라 부와 소득이 분배되어 빈부 격차가 심화될 수 있다. ㄷ. 생산 수단의 사적 소유를 기본으로 하는 자본주의와 관련 있는 경제 체제는 시장 경제 체제이다.

06 경제 체제의 변화

① 경제 운용 방식이 계획 경제 체제에서 시장 경제 체제로 변화할 경우 개인이 일한 만큼 분배받을 수 있어 생산 동기가 높아진다. **∥바로 알기∥** ② 시장 경제 체제에서는 개인의 능력이나 노력, 사회적·경제적 배경 등에 따라 부와 소득이 분배되므로 자원 배분의 형평성은 낮아진다. ③, ⑤ 시장 경제 체제에서는 개별 경제 주체의 자유로운 경제 활동과 경쟁이 이루어진다. ④ 자원의 희소성 문제는 경제 체제의 유형과 상관없이 어떤 경제 체제에서든 존재한다.

07 혼합 경제 체제

┌ **자 료 분 석** ┐
┌─ 사유 재산권의 보장을 명시하고 있어.
• 제23조 ① 모든 국민의 재산권은 보장된다. 그 내용과 한계는 법률로 정한다. ─ 시장 경제 체제의 요소에 해당해.
• 제119조 ① 대한민국의 경제 질서는 개인과 기업의 경제상의 자유와 창의를 존중함을 기본으로 한다. ─ 경제 활동의 자유를 보장하고 있어.
② 국가는 균형 있는 국민 경제의 성장 및 안정과 적정한 소득의 분배를 유지하고, 시장의 지배와 경제력의 남용을 방지하며, 경제 주체 간의 조화를 통한 경제의 민주화를 위하여 경제에 관한 규제와 조정을 할 수 있다. ─ 정부가 경제에 관한 규제와 조정을 할 수 있음을 명시한 것으로, 계획 경제 체제의 특성을 보여줌.

③ 제시된 헌법 조항을 통해 우리나라가 시장 경제 체제를 중심으로 계획 경제 체제의 일부 요소를 받아들인 혼합 경제 체제를 채택하고 있음을 알 수 있다.

완자 정리 노트 혼합 경제 체제

의미	시장 경제 체제와 계획 경제 체제의 요소가 혼합되어 있는 경제 체제
등장 배경	대공황을 해결하기 위해 정부가 시장에 직접 개입하게 됨 → 시장 경제 체제를 바탕으로 하면서 정부의 역할을 강조하는 혼합 경제 체제가 등장함

08 시장 경제 체제의 기본 원리

시장 경제 체제에서는 각 경제 주체들이 무엇을, 언제, 어디서, 어떻게, 얼마만큼 생산하고 소비할 것인가를 자율적으로 결정하며, 이 과정에서 분업과 교환을 통해 서로 협력한다. 또한 경제 주체들은 각자의 이익을 추구하면서 자유롭게 경쟁을 하며, 이를 통해 효율적인 경제 활동이 가능해진다. **∥바로 알기∥** ④ 시장 경제 체제에서 개인과 기업의 경제 활동은 '보이지 않는 손', 즉 시장 가격에 의해 자동으로 조정된다.

09 시장 가격의 기능

제시된 글은 애덤 스미스의 『국부론』의 내용이다. '보이지 않는 손'은 시장 경제에서 정부나 개인의 인위적인 조절 없이 가격 기구를 통해 자원이 효율적으로 배분되는 것을 은유적으로 표현한 것이다. 애덤 스미스는 개인의 자유로운 이익 추구가 결과적으로 사회 전체의 이익을 증진한다고 보았다.

10 자유로운 경쟁

제시된 글에서는 시장 경제 체제에서 기업과 소비자, 즉 개별 경제 주체가 자신의 이익을 추구하기 위해 자유롭게 경쟁하고 있음을 보여 준다. 시장 경제는 민간 경제 주체의 이익 추구를 위한 경쟁을 기반으로 작동한다. 소비자는 더 적은 비용으로 더 큰 편익을 주는 상품을 구입하려 하고, 생산자는 더 적은 비용으로 질좋은 상품을 개발하여 더 많은 이윤을 얻으려고 경쟁한다. 자유로운 경쟁이 보장되는 가운데 효율적인 경제 활동이 가능해지며, 사회 전체적으로 자원의 낭비를 막을 수 있다.

11 경제 활동의 자유 보장

시장 경제 체제는 경제 활동의 자유를 보장한다. 즉, 선택의 권한이 개인이나 기업에게 주어져 있다는 것이다. 우리나라에서는 직업 선택의 자유, 계약 자유의 원칙과 같은 권리를 보장함으로써 개인과 기업의 자유로운 경제 활동을 보장하고 있다.

12 공정한 경쟁의 보장

제시된 내용은 소수의 대기업에 경제력이 집중되는 것을 억제하고, 소비자 주권을 확립하기 위한 정부의 정책을 나타낸다. 이는 시장 경제 체제의 원활한 작동을 방해하는 불공정한 경쟁을 규제함으로써 자원의 효율적 배분을 유도하는 것을 목적으로 한다.

 **서술형 문제**   029쪽

01 주제: 계획 경제 체제와 시장 경제 체제

(1) A - 계획 경제 체제, B - 시장 경제 체제

(2) **예시 답안** 계획 경제 체제에서는 국가의 정책 목표를 효과적으로 달성할 수 있으며, 자원이 특정 계층에 편중되는 것을 막아 자원 배분의 형평성을 높일 수 있다. 시장 경제 체제에서는 개인의 창의성이 발휘될 수 있으며, 각자의 이익을 최대화하기 위해 노력하는 가운데 사회 전체의 효율성이 높아질 수 있다.

채점 기준

상	계획 경제 체제와 시장 경제 체제의 장점을 모두 정확하게 서술한 경우
하	계획 경제 체제와 시장 경제 체제의 장점 중 한 가지만 서술한 경우

02 주제: 사유 재산권의 보장

(1) 사유 재산권

(2) **예시 답안** 사유 재산권이 보장되면 사람들은 보다 많은 재산을 소유하기 위해 열심히 노력하고, 자원을 효율적으로 이용하려고 할 것이다. 반면, 사유 재산권이 보장되지 않는다면 사람들이 자원을 아껴 사용할 동기가 약해져 재산이나 자원이 낭비될 우려가 있다. 이러한 측면에서 사유 재산권의 보장은 자원의 효율적 배분과 더불어 사회적 자원의 낭비를 방지하는 효과가 있다.

채점 기준

상	사유 재산권 보장이 경제 주체에게 미치는 영향을 근거로 들어 사유 재산권 보장의 효과를 정확하게 서술한 경우
하	사유 재산권 보장이 자원의 효율적 배분에 기여한다고만 서술한 경우

STEP 3 1등급 정복하기

030~031쪽

1 ②   2 ②   3 ①   4 ③

1 계획 경제 체제와 시장 경제 체제

국민 경제에 대한 정부 개입이 상대적으로 강하게 이루어지는 갑국은 계획 경제 체제에 가깝고, 생산 수단의 사적 소유가 허용되는 정도가 높은 을국은 시장 경제 체제에 가깝다. ② 경제적 유인은 편익이나 비용에 변화를 주어 사람들의 행동이나 선택을 유도하거나 바꿀 수 있는 요인을 말한다. 사람들이 경제적 대가나 손실에 따라 자유롭게 의사 결정을 할 수 있는 시장 경제 체제에서 이윤 동기에 따른 경제적 유인이 강조된다.

바로 알기 ① 모든 사회에는 기본적인 경제 문제가 발생하며, 이를 해결하는 방식에 따라 계획 경제 체제나 시장 경제 체제 등으로 구분된다. ③ 시장 경제 체제에서는 경제 주체가 시장 가격에 따라 자유롭게 의사 결정을 함으로써 경제 문제를 해결하므로, 계획 경제 체제보다 시장 가격의 기능을 더 신뢰한다. ④ 급격한 경기 변동이 나타날 가능성이 높은 경제 체제는 시장 경제 체제이다. ⑤ 분배의 형평성을 중시하는 정도는 시장 경제 체제보다 계획 경제 체제에서 더 높게 나타날 것이다.

2 경제 체제의 변화

갑국은 계획 경제 체제를 채택하고 있었으나, 경제의 활력과 생산성을 높이기 위해 국영 기업의 민영화, 사유 재산의 허용 범위 확대 등 시장 경제 체제의 요소를 도입하였다. ㄱ, ㄷ. 시장 경제 체제에서는 경제 주체들 간의 자율적인 의사 결정이 중시되고, '보이지 않는 손', 즉 시장 가격 기구의 자동 조절 기능에 의해 경제 문제가 해결되므로, 자원 배분의 효율성이 높아질 것이다.

바로 알기 ㄴ. 시장 경제 체제의 요소를 도입하면 개인의 경제적 자율성이 강화될 것이다. ㄹ. 시장 경제 체제에서 소득 불평등 문제는 불가피하다. 개인의 능력이나 노력, 사회적·경제적 구조와 제도 등 다양한 요인에 의해 부와 소득의 축적 정도가 달라지기 때문이다.

3 다양한 경제 체제

자원 배분이 가격 기구에 의해 결정되는 정도가 가장 높은 A는 시장 경제 체제, 그 정도가 가장 낮은 C는 계획 경제 체제이고, B는 혼합 경제 체제이다. ① 시장 경제 체제에서는 개인이 자신의 이익을 추구하는 과정에서 경제 문제가 자율적으로 해결된다고 본다. 따라서 이 경제 체제에서는 개인의 이기심에 따른 이익 추구가 보장된다.

바로 알기 ② 계획 경제 체제에서는 자원의 균등 분배를 강조하며, 시장 경제 체제에서는 자원이 차등적으로 분배될 가능성이 높다. ③ 분업과 특화의 원리에 의해 자원이 효율적으로 배분된다고 보는 경제 체제는 시장 경제 체제이다. ④ 경제 주체들 간의 자유로운 경쟁을 보장하는 경제 체제는 시장 경제 체제이다. ⑤ 경제적 효율성이 중시되는 정도는 시장 경제 체제에서 가장 강하게 나타난다.

4 시장 경제를 뒷받침하는 사회 제도

제시된 주장에서는 자신이 일한 대가를 스스로 소유하고 이를 사용 및 처분할 수 있다는 사실이 경제 주체에게 경제 활동의 동기로 작용한다고 본다. 이를 통해 사유 재산권의 인정이 경쟁과 합리적인 선택을 가능하게 하고, 이러한 모든 과정이 경제 체제의 효율성을 높일 수 있다는 사실을 추론할 수 있다.

바로 알기 ① 분업과 교환에 따른 경제생활에 대해서는 언급하고 있지 않다. ② 제시된 주장을 통해서는 추론할 수 없는 내용이다. ④ 현대 복지국가에서는 경제적 효율성과 분배의 형평성 간의 조화를 추구한다. ⑤ 사적 소유의 확대가 빈부 격차에 따른 계층 간 갈등 및 대립을 초래할 수 있으나, 제시된 주장을 통해서는 확인할 수 없다.

03 경제 주체의 역할

STEP 1 핵심 개념 확인하기   036쪽

1 (1) 가계 (2) 생산 요소 (3) 이윤   2 (1) 공급자 (2) 임금 (3) 기업
3 ㉠ 세입 ㉡ 세출   4 (1) × (2) ○ (3) ○   5 (1) – ㉡ (2) – ㉢
(3) – ㉠

STEP 2 내신 만점 공략하기   036~039쪽

| 01 ③ | 02 ② | 03 ② | 04 ④ | 05 ③ | 06 ③ | 07 ⑤ |
| 08 ⑤ | 09 ④ | 10 ③ | 11 ⑤ | 12 ① | | |

01 가계의 경제적 역할

㉠에 들어갈 경제 주체는 가계이다. ①, ④ 가계는 소득을 바탕으로 재화와 서비스를 소비하고, 소비를 통해 자신의 필요와 욕구를 충족함으로써 효용의 극대화를 추구한다. ② 가계는 기업과 함께 민간 부문의 경제 주체에 해당한다. ⑤ 가계는 소득 중 일부를 세금으로 납부함으로써 국가 운영에 필요한 재원 마련에 기여한다.

▌바로 알기▐ ③ 생산물을 시장에 공급하는 것은 기업의 경제적 역할이다.

완자 정리 노트   가계의 경제적 역할

재화와 서비스의 수요자	기업이 생산한 재화와 서비스를 소비함 → 효용의 극대화 추구
생산 요소의 공급자	기업에 생산 요소를 제공하고, 그에 대한 대가로 소득을 얻음
납세자	정부에 소득세 등의 세금을 납부함

02 가계의 경제적 역할

민간 경제는 가계와 기업으로 구성되므로, (가)는 가계에 해당한다. ㄱ. 가계는 기업에 생산 요소를 공급하는 경제 주체이다. ㄹ. ㉡은 가계가 기업에 생산 요소를 제공한 대가로 받는 소득으로 임금, 이자, 지대 등이 이에 해당한다.

▌바로 알기▐ ㄴ, ㄷ. ㉠은 가계가 기업에 제공하는 생산 요소로 노동, 자본, 토지 등이 이에 해당하며, 생산 요소 시장에서 거래된다.

03 생산 요소의 종류

(가)는 노동, (나)는 자본, (다)는 토지로, 모두 생산 요소에 해당한다. ㄱ. 가계는 기업에 노동을 제공한 대가로 임금을 받는다. ㄹ. 생산 요소를 공급하는 경제 주체는 가계이며, 가계는 주로 소비 활동을 담당한다.

▌바로 알기▐ ㄴ. 가계는 기업에 자본을 제공한 대가로 이자를 받는다. ㄷ. 노동, 자본, 토지 모두 가계에서 제공한다.

04 노동자의 권리 보호

제시된 헌법 조항은 노동자의 권리를 보호하기 위한 것이다. 다른 생산 요소와 달리 노동은 인격과 분리하여 생각할 수 없는 특징을 가지고 있다. 또한 노동의 공급자인 노동자는 노동의 수요자인 기업에 비해 상대적으로 불리한 위치에 놓이는 경우가 있다. 이 때문에 국가는 임금 수준이나 근로 시간, 작업 환경 등에서 노동자의 권리를 보호하기 위한 법과 제도를 마련하고 있다.

05 민간 부문의 경제 순환

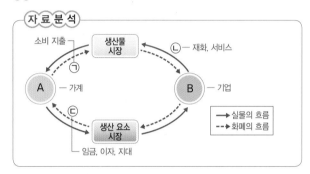

자료 분석

민간 부문에 해당하는 경제 주체는 가계와 기업이다. 실물인 생산 요소가 A에서 B로 이동하고, 생산물이 B에서 A로 이동하고 있으므로 A는 가계, B는 기업임을 알 수 있다. ① 가계는 재화와 서비스의 소비를 통해 효용을 극대화하고자 한다. ② 기업은 재화와 서비스를 생산하여 시장에 공급함으로써 이윤을 극대화하고자 한다. ④ ㉡은 기업이 생산물 시장을 통해 가계에 제공하는 것으로 재화와 서비스가 이에 해당한다. ⑤ ㉢은 기업이 가계로부터 생산 요소를 구입하고 그에 대한 대가를 지불한 것으로 임금, 이자, 지대 등이 이에 해당한다.

▌바로 알기▐ ③ ㉠은 가계가 기업으로부터 생산물을 구입하고 그에 대한 대가를 지불한 것으로, 소비 지출에 해당한다.

06 기업의 경제적 역할

(가)에서 기업이 공장 부지로 사용할 토지를 구입한 것은 생산 요소를 구입한 것이다. 이는 생산 요소의 수요자로서의 역할을 한 것이다. (나)에서 기업은 새로운 스마트폰을 개발하고 이를 음원 서비스와 함께 제공하였다. 이는 재화와 서비스의 공급자로서의 역할을 한 것이다.

완자 정리 노트   기업의 경제적 역할

재화와 서비스의 공급자	재화와 서비스를 생산하여 시장에 공급함 → 이윤 극대화 추구
생산 요소의 수요자	가계로부터 생산 요소를 구입하여 사용하고, 그에 대한 대가를 지불함
납세자	정부에 법인세, 부가 가치세 등의 세금을 납부함

07 기업의 경제적 역할

① ㉠은 재화와 서비스를 생산하고 있으므로 기업에 해당한다. 기업이 재화와 서비스를 생산하기 위해서는 생산 요소가 필요하므로 기업은 생산 요소의 수요자가 된다. ② 부가 가치세는 재화와 서비스의 생산 및 유통의 각 단계에서 창출되는 부가 가치에 부과하는 조세로, 기업에 부과된다. 기업은 부가 가치세와 같은 세금을 납부하여 정부의 재원 마련에 기여한다. ③ ㉡은 ㉠에 노동이라는 생산 요소를 제공하고 있다. ④ ㉢은 빵이라는 재화를 구매하고자 하므로, 생산물 시장의 수요자에 해당한다.

┃ 바로 알기 ┃ ⑤ ㉣은 생산물 제공에 대한 대가이다.

08 기업의 사회적 책임

제시된 주장은 기업이 이윤 창출 외에도 기업 활동에서 지켜야 할 윤리를 준수해야 한다는 기업의 사회적 책임을 강조하고 있다. 이는 기업이 단순히 사회에서 필요한 재화와 서비스를 생산하는 것을 넘어 건전한 이윤을 추구하는 것과 함께 다른 기업과 공정하게 경쟁하고 소비자의 권익을 고려하는 것까지 포함한다. 또한 기업 경영이 윤리적인지, 생산 활동에 참여한 노동자의 복지를 얼마나 충족해 주고 있는지 등이 기업의 사회적 책임 수행 정도를 파악하는 척도가 되기도 한다.

┃ 바로 알기 ┃ ⑤ 기업이 생산비 절감을 위해 일방적으로 구조 조정을 하는 것을 기업이 사회적 책임을 다한 것으로 볼 수 없다.

09 경제 주체의 역할

이윤의 극대화를 추구하는 A는 기업이며, 나머지 B, C는 가계와 정부 중 하나이다. ㄴ. B가 정부라면 C는 가계이다. 따라서 (가)에는 정부만의 특징을 묻는 질문이 들어가야 한다. 정부는 조세를 징수하는 주체이며, 가계와 기업은 정부에 조세를 납부한다. ㄹ. 재정 활동의 주체는 정부이므로 B는 정부, C는 가계이다. 가계는 생산 요소 시장에서 노동, 자본, 토지 등의 생산 요소를 공급한다.

┃ 바로 알기 ┃ ㄱ. 생산물 시장의 수요자는 가계이다. ㄷ. B가 민간 부문의 경제 주체라면 B는 가계, C는 정부이다. 따라서 (가)에는 가계만의 특징을 묻는 질문이 들어가야 한다. 공공재를 공급하는 경제 주체는 정부이다.

10 직접세와 간접세

조세는 납세자와 담세자의 일치 여부에 따라 직접세와 간접세로 구분할 수 있다. 납세자와 담세자가 일치하는 (가)는 직접세, 납세자와 담세자가 일치하지 않는 (나)는 간접세에 해당한다. ③ 직접세는 과세 표준이 증가함에 따라 세율이 높아지므로 간접세에 비해 소득 재분배 효과가 크다.

┃ 바로 알기 ┃ ① 간접세에 대한 설명이다. 간접세는 소득과 상관없이 동일한 세율이 적용되므로 소득이 적은 사람이 상대적으로 높은 조세를 부담하는 역진성이 나타난다. ② 일반적으로 간접세는 비례세율이, 직접세는 누진세율이 적용된다. ④ 간접세는 주로 상품 가격에 포함되어 징수되므로 직접세에 비해 조세 저항이 약하다. ⑤ 부가 가치세는 간접세에 해당하며, 소득세는 직접세에 해당한다.

구분	직접세	간접세
의미	납세자 = 담세자	납세자 ≠ 담세자
특징	누진세율 적용 → 소득 재분배 효과가 큼	비례세율 적용 → 조세 부담의 역진성이 나타남
종류	소득세, 법인세 등	부가 가치세 등

11 정부의 경제적 역할

제시된 사례에는 정부에서 시행하는 사회 보장 제도와 최저 임금 제도가 나타나 있다. 이러한 제도는 정부가 시장에 개입하여 불평등하게 분배된 소득을 재분배하는 것을 목적으로 한다.

12 정부의 경제적 역할

제시된 대화에서 갑은 조세 수입을 축소하는 방안을, 을은 재정 지출을 확대하는 방안을 제시하고 있다. 이는 현재 경기가 침체되어 있다고 보고 재정 지출을 늘리거나 조세 수입을 줄여 민간의 소비와 투자를 촉진함으로써 경기를 활성화하기 위한 노력에 해당한다. ㄱ. 갑은 경기를 활성화해야 한다고 보고 있으므로, 정부의 재정 지출 축소에 반대할 것이다. ㄴ. 을은 세율 인하를 통한 조세 수입 축소를 지지할 것이다.

┃ 바로 알기 ┃ ㄷ. 갑과 을 모두 경제 안정화를 위한 정부의 역할이 필요하다고 본다. ㄹ. 갑과 을 모두 현재 상황을 경기 침체로 보고 있다.

서술형 문제

039쪽

01 주제: 가계의 경제적 역할

(1) A – 가계, ㉠ – 생산 요소(노동, 자본, 토지)

(2) 예시 답안 가계는 재화와 서비스를 소비함으로써 필요와 욕구를 충족하고 만족을 얻는다. 그리고 가계는 기업에 노동이나 자본, 토지 등의 생산 요소를 제공하고 그 대가로 임금이나 이자, 지대 등을 받는다. 한편 가계는 소득세 등의 조세를 납부함으로써 국가 운영에 필요한 재원 마련에 기여한다.

채점 기준

상	가계의 경제적 역할을 두 가지 이상 정확하게 서술한 경우
하	가계의 경제적 역할을 한 가지만 서술한 경우

02 주제: 기업의 경제적 역할

(1) 기업

(2) **예시 답안** 기업은 재화와 서비스를 생산하여 시장에 공급한다. 그리고 기업은 생산 요소의 수요자로서 생산에 필요한 생산 요소를 가계로부터 제공받고, 이에 대한 대가를 가계에 지불한다. 또한 기업은 정부에 법인세, 부가 가치세와 같은 세금을 납부함으로써 정부의 재원 마련에 기여한다.

채점 기준

상	기업의 경제적 역할을 두 가지 이상 정확하게 서술한 경우
하	기업의 경제적 역할을 한 가지만 서술한 경우

03 주제: 정부의 경제적 역할

예시 답안 정부는 경기가 지나치게 침체되거나 실업이 증가할 때는 재정 지출을 늘리거나 조세 수입을 줄여 민간의 소비와 투자가 활성화되도록 유도한다.

채점 기준

상	경기 침체를 해결하기 위한 정부의 경제 안정화 정책을 재정 지출과 조세 수입 측면에서 정확하게 서술한 경우
하	재정 지출과 조세 수입 중 한 가지 측면에서만 서술한 경우

STEP 3 ○ 1등급 정복하기
040~041쪽

1 ⑤ 2 ③ 3 ⑤ 4 ④

1 민간 부문의 경제 순환

민간 부문의 경제 주체는 가계와 기업이다. 제시된 그림에서 판매 수입이 (가) 시장에서 A로 이동하고 있으므로, (가) 시장은 생산물 시장, A는 기업임을 알 수 있다. 따라서 (나) 시장은 생산 요소 시장, B는 가계이다. 그리고 기업이 생산물 시장에 제공하는 ㉠은 재화와 서비스이고, 가계가 생산 요소 시장을 통해 기업에 제공하는 ㉡은 노동, 자본, 토지 등의 생산 요소이다. ㉢은 생산 요소의 대가인 임금, 이자, 지대에 해당한다. ⑤ 물류 회사가 건물을 빌리고 임대료를 지불하는 것은 기업이 가계로부터 생산 요소를 구입하여 사용하고 그에 대한 대가를 지불하는 것이므로 ㉢에 해당한다.

∥바로 알기∥ ① 생산물 시장에서는 재화나 서비스와 같은 생산물이 거래된다. ② 생산 요소 시장에서 기업은 수요자이다. ③ 재화와 서비스를 통해 부가 가치를 창출하는 경제 주체는 기업이다. ④ 은행원의 금융 상품 판매는 ㉠에 해당한다.

2 기업의 경제적 역할

A 기업의 X재 생산량에 따른 이윤과 평균 수입, 평균 비용을 표로 정리하면 다음과 같다.
└ 총수입 - 총비용

(단위: 개, 만 원)

생산량	1	2	3	4	5	6
이윤	4	6	6	4	0	-6
평균 수입	5	5	5	5	5	5
평균 비용	1	2	3	4	5	6

③ 생산량이 증가할수록 추가적으로 지출하는 비용은 '3만 원 → 5만 원 → 7만 원 → 9만 원 → 11만 원'으로 증가하고 있다.

∥바로 알기∥ ① 생산량이 증가해도 평균 수입은 5만 원으로 동일하다. ② 생산량이 증가할수록 평균 비용은 증가한다. ④ 생산량이 4개일 때 이윤은 4만 원으로, 양(+)의 값을 갖는다. ⑤ 생산량이 5개일 때 이윤은 0원이며, 이윤이 극대화되는 생산량은 2개 또는 3개일 때이다.

3 경제 주체의 역할

A는 생산 활동을 목적으로 통원용 승합차를 구입하였으므로 기업이며, B는 공공 서비스를 위해 경찰차를 구입하였으므로 정부에 해당한다. 그리고 C는 개인적인 목적으로 자가용 자동차를 구입하였으므로 가계에 해당한다. ⑤ 가계는 생산 요소 시장에서 노동, 자본, 토지 등의 생산 요소를 기업에 제공하는 공급자이다.

∥바로 알기∥ ① 정부에 대한 설명이다. ②, ③ 가계에 대한 설명이다. ④ 기업에 대한 설명이다.

4 조세 제도의 비교

(가)는 과세 대상 소득과 상관없이 동일한 세율을 적용하므로 비례세율이다. (나)는 과세 대상 소득의 구간별로 다른 세율이 적용되며, 소득이 많을수록 높은 세율을 적용하므로 누진세율이다. ㄴ. (나)는 과세 대상 소득이 4천만 원 이하일 때는 과세 대상 소득의 증가율과 세액의 증가율이 일치하지만 과세 대상 소득이 4천만 원을 초과하면 세액의 증가율이 과세 대상 소득의 증가율보다 높게 나타난다. ㄹ. 과세 대상 소득이 2천만 원일 때 (가)에서 세액은 200만 원이고, (나)에서 세액은 100만 원이다.

∥바로 알기∥ ㄱ. 비례세율은 과세 대상 소득에 상관없이 세율이 일정하며, 세액은 과세 대상 소득에 비례하여 증가한다. ㄷ. (나)에서 과세 대상 소득 대비 세액의 비중은 과세 대상 소득이 5천만 원일 때는 [(400만 원/5천만 원) × 100]=8%이며, 6천만 원일 때에는 [(600만 원/6천만 원) × 100]=10% 이다.

01 ②   02 ③   03 ⑤   04 ④   05 ①   06 ②   07 ③
08 ⑤   09 ③   10 ②   11 ②   12 ④   13 ③   14 ②
15 ④   16 ③

01 경제 활동의 유형

A는 분배, B는 소비, C는 생산이다. ㄱ. 직원에게 월급을 지급하는 것은 노동에 대한 대가를 지급한 것으로 분배에 해당한다. ㄷ. 의사의 진료 행위는 서비스를 제공한 것으로 생산에 해당한다.

▌바로 알기▐ ㄴ. 소비 활동의 주체는 가계이다. ㄹ. 생산 활동의 주체는 기업이며, 기업은 생산물 시장의 공급자이다.

02 자원의 희소성

제시된 대화에서는 삼겹살이 목살보다 생산량이 더 많음에도 불구하고 삼겹살에 대한 수요가 목살보다 많음을 나타낸다. 따라서 목살에 비해 상대적으로 희소성이 큰 삼겹살의 가격이 더 높게 형성되고 있음을 알 수 있다.

▌바로 알기▐ ① 삼겹살보다 목살의 생산량이 더 적으므로, 목살이 삼겹살보다 희귀성이 크다. ② 삼겹살과 목살 모두 대가를 지불해야만 얻을 수 있는 경제재이다. ④ 삼겹살과 목살 모두 시장 가격이 존재하므로 경제적 가치가 있다. ⑤ 제시된 내용을 통해서는 생산 비용을 알 수 없다.

03 기본적인 경제 문제

㉠은 '무엇을 얼마나 생산할 것인가?', ㉡은 '어떻게 생산할 것인가?', ㉢은 '누구를 위하여 생산할 것인가?'와 관련된 경제 문제이다. ㄷ. 분배 방법을 결정하는 것은 생산 요소 제공에 대한 대가를 결정하는 것과 관련 있다. ㄹ. 경제 문제는 인간의 욕구에 비해 상대적으로 자원이 부족한 상태, 즉 자원의 희소성으로 인해 발생한다.

▌바로 알기▐ ㄱ. ㉠은 '무엇을 얼마나 생산할 것인가?'에 관한 문제로, 생산물의 종류와 수량을 결정하는 것과 관련 있다. ㄴ. ㉡은 '어떻게 생산할 것인가?'에 관한 문제로, 생산 요소를 어떻게 활용하고, 생산물을 어떤 방법으로 생산할 것인지와 관련 있다.

04 합리적 선택과 기회비용

갑이 해외여행을 떠날 경우의 편익은 250만 원이다. 이 경우 실제 지출한 비용인 명시적 비용은 200만 원이며, 암묵적 비용은 해외여행을 떠남으로써 포기한 가치(집에서 쉬었을 때의 만족감)인 100만 원이다. 따라서 해외여행을 떠날 경우의 순편익은 250만 원 − (200만 원 + 100만 원) = −50만 원이 된다. 반면 갑이 집에서 쉬는 경우의 편익은 100만 원이나, 이때 명시적 비용은 0원이며, 암묵적 비용은 집에서 쉼으로써 포기한 가치(여행을 떠났을 때의 만족감 − 여행 경비)인 50만 원이다. 따라서 집에서 쉬는 경우의 순편익은 100만 원 − 50만 원 = 50만 원이 된다. 즉, 해외여행을 떠날 경우의 순편익이 −50만 원, 집에서 쉬는 경우의 순편익이 50만 원이므로, 집에서 쉬는 것이 합리적인 선택이다.

▌바로 알기▐ ① 집에서 쉴 경우의 기회비용은 명시적 비용이 0원과 암묵적 비용인 50만 원을 합한 값으로, 총 50만 원이다. ② 해외여행을 떠날 경우의 순편익은 −50만 원이다. ③ 해외여행을 떠나는 경우의 기회비용은 명시적 비용인 200만 원과 암묵적 비용인 100만 원을 합한 값으로, 총 300만 원이다. ⑤ 해외여행을 떠날 경우의 암묵적 비용은 100만 원, 집에서 쉴 경우의 암묵적 비용은 50만 원이다.

05 합리적 선택

ㄱ. 고용 안정성이 높다는 것은 공무원이 되었을 때의 편익에 해당한다. 따라서 회사에 계속 다니는 것을 선택했을 때의 암묵적 비용에 포함된다. ㄴ. 공무원이 되었을 때 받는 월급은 공무원이 되었을 때의 편익에 포함된다.

▌바로 알기▐ ㄷ. 현재 회사에서 받는 월급은 공무원이 되는 것을 선택했을 때의 암묵적 비용에 해당한다. ㄹ. 공무원 시험 준비를 위해 지출한 학원비는 매몰 비용이므로, 합리적 선택을 위해서는 고려하지 않아야 한다.

06 경제적 유인

(가)에서 위약금을 부과하는 것은 비용을 증가시켜 특정 행동을 억제시키려는 것으로 부정적 유인에 해당한다. (나)에서 탄소 포인트제는 편익을 증가시켜 특정 행동을 유도하려는 것으로 긍정적 유인에 해당한다. ② 과태료 부과를 통해 경제적 손실을 주어 신호 위반 행위를 줄이려는 것으로 부정적 유인에 해당한다.

07 계획 경제 체제와 시장 경제 체제

경제 활동의 자유를 중시하는 A는 시장 경제 체제, 그렇지 않은 B는 계획 경제 체제에 해당한다. ③ 시장 경제 체제에서 사람들은 경제적 대가나 손실 등과 같은 경제적 유인에 반응하여 행동한다. 따라서 시장 경제 체제에서는 계획 경제 체제에 비해 경제적 유인이 더 강조된다.

▌바로 알기▐ ① 계획 경제 체제에 대한 설명이다. ② 시장 경제 체제에 대한 설명이다. ④ 생산 수단의 사적 소유를 허용하는 경제 체제는 시장 경제 체제이다. 따라서 ㉠에는 '예', ㉡에는 '아니요'가 들어간다. ⑤ (가)에는 시장 경제 체제는 '아니요', 계획 경제 체제는 '예'라는 답변을 할 수 있는 질문이 들어가야 한다. 자원 배분이 가격 기구에 의해 결정되는 경제 체제는 시장 경제 체제이다.

08 경제 체제의 변화

제시된 사례에서 갑국은 계획 경제 체제를 채택하고 있었으나, 시장 경제 체제의 요소를 도입한 경제 체제로 변화하였다. ㄷ. 사유 재산의 허용 범위가 확대되었으므로 민간 경제 주체의 이익 추구는 활발해질 것이다. ㄹ. 시장 경제 체제 요소의 도입으로 시장 가격 기구인 '보이지 않는 손'의 기능이 강화될 것이다.

▌바로 알기▐ ㄱ. 시장 경제 체제의 요소를 도입했으므로 경제 주체 간의 경쟁이 심화될 것이다. ㄴ. 시장 경제 체제의 요소가 도입되면 개인의 능력이나 노력의 차이, 사회적·경제적 제도 등의 요인에 의해 자원이 특정 계층이나 집단에 편중될 가능성이 높아진다.

09 다양한 경제 체제

(가)는 전통 경제 체제, (나)는 시장 경제 체제, (다)는 계획 경제 체제이다. ① 전통 경제 체제에서는 사회 구성원의 경제 활동을 전통이나 관습 등으로 제한하므로 사회의 변화와 발전이 지연될 수 있다. ② 시장 경제 체제에서 각 경제 주체는 자신의 이익을 추구하기 위해 다른 사람들과 경쟁하며, 이 과정에서 자원이 효율적으로 배분된다. ④ 전통 경제 체제에 비해 시장 경제 체제에서 급격한 경기 변동이 나타날 가능성이 높다. ⑤ 시장 경제 체제에서는 경제적 효율성을, 계획 경제 체제에서는 분배의 형평성을 중시한다.

▌바로 알기▐ ③ 시장 경제 체제에 대한 설명이다. 시장 경제 체제에서 대부분의 경제 활동은 민간 경제 주체들이 스스로 결정한다.

10 우리나라의 경제 체제

ㄱ. (가)에서는 사유 재산권의 보장을 명시하고 있다. 사유 재산권이 보장되면 사람들은 더 많은 소득을 얻기 위해 열심히 일하고 자신의 능력을 향상시키려고 노력하게 된다. ㄷ. (나)에서는 경제 활동의 자유를 보장해야 함을 명시하고 있다. 우리나라에서는 자유로운 경제 활동을 보장하기 위해 직업 선택의 자유와 같은 권리를 보장하고 있다.

▌바로 알기▐ ㄴ. (나)는 경제 활동의 자유를 보장하는 것으로, 시장 경제 체제의 요소에 해당한다. ㄹ. (다)에서는 정부가 경제에 관한 규제와 조정을 할 수 있음을 명시하고 있으므로, 계획 경제 체제의 요소에 해당한다.

11 시장 경제를 뒷받침하는 사회 제도

밑줄 친 '이 경제 체제'는 시장 경제 체제에 해당한다. 시장 경제 체제가 원활하게 작동하기 위해서는 사유 재산권, 경제 활동의 자유, 공정한 경쟁 등이 보장되어야 한다. ㄱ. 시장 경제 체제에서는 경제 활동의 자유를 보장함으로써 생산성을 높이고, 사회적 자원의 최적 배분을 유도할 수 있다. ㄷ. 사유 재산권이 보장되면 사람들은 보다 많은 재산을 소유하기 위해 열심히 노력하고, 자원을 효율적으로 이용하려고 할 것이다. 반면, 사유 재산권이 보장되지 않는다면 사람들이 자원을 아껴 사용할 동기가 약해져 재산이나 자원이 낭비될 우려가 있다. 이러한 측면에서 사유 재산권의 보장은 시장 경제를 발전하게 하는 원동력이다.

▌바로 알기▐ ㄴ. 시장 경제 체제에서는 가격 기구에 의해 자원이 효율적으로 배분된다. ㄹ. 정부가 주도하여 자원의 배분을 결정하는 것은 계획 경제 체제이다.

12 생산 요소의 유형

㉠은 회사에 노동을 제공하고 받은 대가이고, ㉡은 생산 요소 중 토지에 해당하며, ㉢은 토지를 제공하고 받은 대가에 해당한다. ④ 임금과 임대료 모두 갑이 얻은 소득으로, 소득의 증가는 구매력을 상승시킨다.

▌바로 알기▐ ② 설비나 기계는 생산 요소 중 자본에 해당한다. ③ 갑은 생산 요소 시장을 통해 택배 회사에 ㉡을 제공하였다. ⑤ 갑은 퇴직 전과 퇴직 후 모두 생산 요소 시장의 공급자에 해당한다.

13 민간 부문의 경제 순환

민간 부문의 경제 주체는 가계와 기업이다. 생산 요소 시장에 실물을 제공하는 A는 가계, 생산물 시장에 실물을 제공하는 B는 기업에 해당한다. 따라서 ㉠은 재화와 서비스, ㉡은 생산 요소 제공의 대가인 임금, 이자, 지대에 해당한다. ㄴ. 기업은 생산 요소 시장의 수요자로서 생산에 필요한 생산 요소를 가계로부터 제공받고, 이에 대한 대가를 가계에 지불한다. ㄷ. 여행사가 관광 가이드 서비스를 제공하는 것은 서비스라는 실물을 제공한 것으로 ㉠에 해당한다.

▌바로 알기▐ ㄱ. 가계는 효용의 극대화를 추구한다. ㄹ. 자본은 생산 요소에 포함된다.

14 경제 주체의 역할

조세를 납부할 의무가 있는 A, B는 가계와 기업 중 하나이며, B는 생산 요소 시장의 수요자이므로 기업에 해당한다. 따라서 A는 가계, C는 정부이다. ① 가계는 생산물 시장의 수요자로서, 재화와 서비스를 생산물 시장에서 구입하여 사용한다. ③ 정부는 사회에 필요하지만 시장에서 충분히 생산되지 않는 공공재를 생산하여 공급함으로써 시장 기능을 보완하는 역할을 한다. ④ 기업은 정부에 부가 가치세, 법인세 등의 세금을 납부한다. ⑤ 정부는 민간 부문의 경제 활동에 대한 규제와 조정을 할 수 있다.

▌바로 알기▐ ② 기업은 이윤의 극대화를 추구한다. 효용의 극대화를 추구하는 경제 주체는 가계이다.

15 정부의 경제적 역할

사회에 꼭 필요하지만 시장에서 충분히 공급되기 어려운 국방, 치안 서비스를 제공하는 것, 독과점 기업의 불공정한 거래를 규제함으로써 공정한 경쟁을 유도하는 것, 오염 물질을 배출하는 기업에 과태료를 부과함으로써 오염 물질의 생산량 감축을 유도하는 것 모두 자원이 효율적으로 배분될 수 있도록 정부가 시장 기능을 보완하는 역할에 해당한다.

▌바로 알기▐ ①, ②, ③ 정부의 경제적 역할에 해당하지만 제시된 내용과는 관련 없다. ⑤ 제시된 내용은 시장의 기능을 보완하기 위해 정부가 시장에 개입하고 있음을 보여 준다.

16 비례세율과 누진세율

(가)는 과세 대상 금액이 증가할수록 높은 세율을 적용하고 있으므로 누진세율, (나)는 과세 대상 금액의 증가에 따라 세액이 일정한 비율로 증가하고 있으므로 비례세율에 해당한다. ㄴ. 비례세율은 과세 대상 금액에 상관없이 세율이 일정하다. ㄷ. 누진세율은 과세 대상 금액이 증가함에 따라 높은 세율을 적용하므로 비례세율에 비해 소득 재분배 효과가 더 크게 나타난다.

▌바로 알기▐ ㄱ. 납세자와 담세자가 일치하지 않는 세금은 간접세이다. 우리나라에서 간접세에는 비례세율이 적용된다. ㄹ. 누진세율은 비례세율에 비해 고소득층의 조세 저항이 크다.

II. 시장과 경제 활동

01 시장의 수요와 공급

STEP 1 핵심 개념 확인하기   054쪽

1 (1) ○ (2) × (3) ○   2 ㉠ 수요량 ㉡ 수요   3 (1) 공급량 (2) 공급
(3) 공급 법칙   4 (1) 증가, 감소 (2) 증가, 감소   5 (1) – ㉢ (2) – ㉠
(3) – ㉡ (4) – ㉣

STEP 2 내신 만점 공략하기   054~058쪽

01 ③	02 ②	03 ②	04 ③	05 ⑤	06 ②	07 ⑤
08 ⑤	09 ③	10 ③	11 ⑤	12 ①	13 ②	14 ④
15 ①	16 ⑤					

01 시장의 기능

㉠은 시장이다. ①, ④ 시장이 생겨나면서 사람들은 각자가 생산한 상품을 교환할 수 있게 되었고, 이에 따라 자신이 가장 잘 생산하는 상품만을 특화할 수 있게 되었다. 이러한 교환과 특화는 분업을 촉진하였고, 사회 전체의 생산성을 향상하는 데에도 기여하였다. ② 시장에서는 구매자와 판매자 사이에 상품에 대한 정보가 교환된다. ⑤ 시장의 가격은 생산과 소비 활동의 기준을 제공함으로써 한정된 자원을 효율적으로 배분한다.

바로 알기 ③ 시장에서 거래가 이루어짐으로써 거래하는 데 드는 시간, 돈, 노력 등과 같은 거래 비용이 줄어들게 되었다.

02 거래되는 상품의 종류에 따른 시장의 구분

㉠은 생산물 시장이고, ㉡은 생산 요소 시장이다. ㄱ. 생산물 시장에서 가계는 수요자이고, 기업은 공급자이다. ㄷ. 시장은 거래되는 상품의 종류에 따라 생산물 시장과 생산 요소 시장으로 구분할 수 있다.

바로 알기 ㄴ. 생산 요소 시장에서 기업은 수요자이고, 가계는 공급자이다. ㄹ. 노동 시장은 생산 요소 시장이고, 대형 할인 매장은 생산물 시장이다.

03 경쟁의 정도에 따른 시장의 구분

(가)는 독점적 경쟁 시장, (나)는 완전 경쟁 시장, (다)는 과점 시장이다. ② 독점적 경쟁 시장에서는 상품의 질이 조금씩 다르기 때문에 개별 공급자는 가격 결정에 어느 정도 영향력을 행사할 수 있다.

바로 알기 ③ 개별 공급자가 가격을 결정하는 시장은 독점 시장이다. 완전 경쟁 시장에서는 수많은 공급자가 존재하므로 개별 공급자가 시장 가격에 영향을 미치지 못한다. ④ 개별 공급자가 제품 차별화 전략을 통해 독점

적 지위를 가지는 시장은 독점적 경쟁 시장이다. ⑤ 과점 시장은 진입 장벽이 높아 기업들이 시장에 자유롭게 참여하기가 어렵다.

04 수요량과 수요 법칙

시장의 수요량은 시장에 참여하는 모든 소비자의 수요량을 합친 것이므로, 제시된 사례에서 갑과 을의 수요량을 합하면 시장의 수요량이 된다. 이를 표로 나타내면 다음과 같다.

가격(원)	갑의 수요량(병)	을의 수요량(병)	시장의 수요량(병)
1,200	1	1	2
1,100	1	2	3
1,000	1	3	4
900	1	4	5

① 갑은 가격과 상관없이 항상 음료수 1병을 구입하고 싶어 한다. 즉, 갑의 수요량은 가격과 상관없이 일정하다. ② 가격이 내려갈수록 시장의 수요량이 증가하므로, 음료수의 시장 수요 곡선은 우하향한다. ④ 음료수 가격이 1,000원일 때 시장의 수요량은 4병이다. ⑤ 음료수 가격이 1,200원일 때 을은 1병을 소비하고자 한다.

바로 알기 ③ 음료수 가격이 하락할수록 시장의 수요량이 증가하므로, 음료수의 시장 수요는 수요 법칙이 성립한다.

05 수요 곡선과 수요 법칙

제시된 그림은 가격이 상승하면 수요량이 감소하고, 가격이 하락하면 수요량이 증가하는 수요 법칙을 그래프로 나타낸 수요 곡선이다. ⑤ 제시된 수요 곡선은 가격과 수요량 사이에 음(-)의 관계가 나타나고 있음을 보여 준다.

06 수요량과 수요의 변동

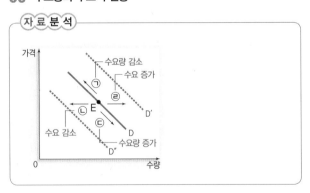

자 료 분 석

ㄱ. X재의 가격이 상승하면 수요량이 감소하므로, 그림에서 수요 곡선상의 점이 왼쪽으로 이동하게 된다.(→ ㉠ 방향) ㄹ. X재에 대한 소비자의 선호가 커지면 수요가 증가하므로, 그림에서 수요 곡선 자체가 오른쪽으로 이동하게 된다.(→ ㉣ 방향)

바로 알기 ㄴ. X재가 정상재라면 소득이 증가할 경우 수요가 증가하므로, 그림에서 수요 곡선 자체가 오른쪽으로 이동하게 된다.(→ ㉣ 방향) ㄷ. X재의 가격 하락이 예상될 경우 수요가 감소하므로, 그림에서 수요 곡선 자체가 왼쪽으로 이동하게 된다.(→ ㉢ 방향)

07 수요의 증가 요인

제시된 그림에서 수요 곡선이 오른쪽으로 이동하였으므로, A 스마트폰의 수요가 증가하였음을 알 수 있다. ㄷ, ㄹ. 미래 가격 상승 예상과 대체재의 가격 상승은 수요를 증가시키는 요인이다.

| 바로 알기 | ㄱ. 해당 상품의 가격 하락은 수요량의 증가 요인이다. ㄴ. 생산 기술의 발전은 공급의 증가 요인이다.

완자 정리 노트 수요의 변동 요인

수요의 증가 요인	수요의 감소 요인
• 소득 증가	• 소득 감소
• 상품에 대한 소비자의 기호 증가	• 상품에 대한 소비자의 기호 감소
• 대체재의 가격 상승	• 대체재의 가격 하락
• 보완재의 가격 하락	• 보완재의 가격 상승
• 소비자의 수 증가	• 소비자의 수 감소
• 미래 가격 상승 예상	• 미래 가격 하락 예상

08 정상재와 열등재

소득이 증가함에 따라 수요가 증가하는 A재는 정상재이고, 소득이 증가함에 따라 수요가 감소하는 B재는 열등재이다. ⑤ 상품의 성격은 고정되어 있는 것이 아니라 시대와 장소에 따라 다르게 나타나기도 한다. 그러므로 동일한 재화가 정상재 성격에서 열등재 성격으로 변화하기도 있다.

09 대체재와 보완재

X재의 가격이 하락할 때 Y재의 수요가 증가하므로, X재와 Y재는 보완재 관계이다. 반면, X재의 가격이 상승할 때 Z재의 수요는 증가하므로, X재와 Z재는 대체제 관계이다. ㄴ. X재의 가격이 하락하면 X재와 보완재 관계에 있는 Y재의 수요는 증가한다. ㄷ. X재의 가격이 상승하면 X재와 대체재 관계에 있는 Z재의 수요는 증가하므로, Z재의 수요 곡선이 오른쪽으로 이동한다.

| 바로 알기 | ㄱ. 제시된 자료를 통해 Y재와 Z재의 관계는 알 수 없다. ㄹ. X재와 Z재는 용도가 비슷하여 서로 대신하여 사용할 수 있는 경쟁 관계에 있는 재화이다.

10 공급 곡선과 공급 법칙

제시된 그림은 가격이 상승하면 공급량이 증가하고 가격이 하락하면 공급량이 감소하는 공급 법칙을 나타낸 공급 곡선이다. ③ 빵 가격이 내리자 빵 공급자들이 빵 생산량을 줄였으므로, 이는 공급 법칙에 해당하는 사례이다.

| 바로 알기 | ① 수요 법칙의 사례가 맞으나, 제시된 그림과 관련 없다. ② 공급 증가의 사례에 해당한다. ④ 수요 감소의 사례에 해당한다. ⑤ 수요 증가의 사례에 해당한다.

11 공급 법칙의 예외

제시문은 임금과 노동 공급량은 일정 수준까지는 정(+)의 관계를 유지하지만, 임금이 일정 금액 이상이 되면 임금이 상승할수록 노동 공급량이 감소할 수 있다는 내용이다. 이를 바탕으로 노동의 공급 곡선을 그래프로 표현하면 우상향하다가 좌상향하는 형태를 띤다.

12 공급의 감소 요인

제시된 상황은 과자의 원자재인 달걀 가격이 상승하였음을 나타낸다. ① 원자재와 같은 생산 요소의 가격이 상승하면 동일한 생산 비용으로 생산할 수 있는 상품이 줄어들게 되므로, 과자 공급이 감소할 것이다.

13 공급량과 공급의 변동

제시된 그림의 (가)는 공급량의 감소를, (나)는 공급의 증가를 나타낸다. ㄴ. 수박 가격이 하락하면 공급량이 감소한다. 이는 공급 곡선상의 점이 이동하는 (가)의 모습으로 나타난다. ㄷ. 수박 재배 기술이 발전하면 생산 비용이 낮아져 모든 가격 수준에서 공급량이 증가한다. 이는 공급 곡선 자체가 오른쪽으로 이동하는 (나)의 모습으로 나타난다.

| 바로 알기 | ㄱ. 비료 가격이 상승하면 생산 비용이 상승하여 모든 가격 수준에서 수박의 공급량이 감소한다. 이는 공급 곡선 자체가 왼쪽으로 이동하는 모습으로 나타난다. ㄹ. 자연재해로 농가가 피해를 입으면 모든 가격 수준에서 수박의 공급량이 감소한다. 이는 공급 곡선 자체가 왼쪽으로 이동하는 모습으로 나타난다.

14 공급의 변동 요인

제시된 그림의 (가)는 공급의 감소를, (나)는 공급의 증가를 나타낸다. ④ 생산 요소 가격이 하락하면 동일한 생산 비용으로 더 많은 상품을 생산할 수 있게 되므로 공급이 증가한다.

| 바로 알기 | ① 공급자 수가 늘어나면 공급이 증가한다. ② 상품 가격이 하락할 것으로 예상되면 공급자들은 가격 하락 전에 상품을 판매하려고 할 것이므로 현재의 공급이 증가한다. ③ 재화 가격이 상승하면 공급량이 증가한다.

완자 정리 노트 공급의 변동 요인

공급의 증가 요인	공급의 감소 요인
• 생산 요소의 가격 하락	• 생산 요소의 가격 상승
• 생산 기술의 발전	• 생산 여건의 악화
• 공급자의 수 증가	• 공급자의 수 감소
• 미래 가격 하락 예상	• 미래 가격 상승 예상
• 기업에 대한 규제 완화	• 기업에 대한 규제 강화

15 공급량과 공급의 변동

ㄱ. 반도체 가격이 상승하면 반도체 공급자들은 더 많은 반도체를 판매하려고 할 것이므로, 반도체의 공급량이 증가할 것이다. ㄴ. 노트북의 주요 부품인 반도체 가격이 상승하면 노트북의 생산 비용이 상승하므로, 노트북의 공급이 감소할 것이나.

16 수요와 공급의 변동

폭염으로 에어컨 판매가 급증하면 전기에 대한 수요가 증가하여 수요 곡선이 오른쪽으로 이동한다. 원자력 발전 설비가 고장 나면 전기 공급이 감소하여 공급 곡선이 왼쪽으로 이동한다. ⑤ 수요 증가, 공급 감소를 표현한 그래프이다.

┃바로 알기┃ ② 수요 감소를 표현한 그래프이다. ③ 공급 증가를 표현한 그래프이다.

서술형 문제
058쪽

01 주제: 수요량과 수요의 변동

(1) 대중교통에 대한 수요량이 감소하였다.

(2) 예시 답안 대체재 관계. 한 재화의 가격이 상승하면 그와 대체재 관계에 있는 재화의 수요는 증가한다. 대중교통 요금이 인상되자 자가용에 대한 수요가 증가하였으므로, 두 재화는 대체재 관계로 볼 수 있다.

채점 기준

상	대체재 관계라고 쓰고, 그 이유를 정확하게 서술한 경우
하	대체재 관계라고만 쓴 경우

02 주제: 수요와 공급의 변동

(1) (가) 수요 (나) 공급

(2) 예시 답안 토마토에 대한 소비자들의 선호도 증가는 수요의 증가 요인으로 토마토 수요 곡선으로 오른쪽으로 이동시키고, 공급자들의 토마토 가격 상승 예상은 공급의 감소 요인으로 토마토 공급 곡선을 왼쪽으로 이동시킨다.

채점 기준

상	수요 곡선 또는 공급 곡선의 변화 방향을 모두 정확하게 서술한 경우
하	수요 곡선 또는 공급 곡선의 변화 방향 중 한 가지만 서술한 경우

STEP 3 1등급 정복하기
059~061쪽

1 ① 2 ④ 3 ③ 4 ⑤ 5 ⑤ 6 ②

1 시장의 구분

생산 요소가 거래되는 시장인 (가)는 생산 요소 시장이고, 재화와 서비스가 거래되는 시장인 (나)는 생산물 시장이다. ㄱ. 가계는 생산 요소 시장에 노동, 자본, 토지 등의 생산 요소를 제공한다. 즉, 가계는 생산 요소 시장에서 공급자의 역할을 한다. ㄴ. 기업이 생산한 재화와 서비스는 생산물 시장에서 거래된다.

┃바로 알기┃ ㄹ. 생산 요소 시장에서는 기업이 수요자이고, 생산물 시장에서는 가계가 수요자이다.

2 수요의 변동

ㄱ. 카페 내 일회용 컵 사용이 제한되면서 일회용 컵에 대한 수요

가 감소하였을 것이다. ㄷ. 다회용 컵에 대한 선호가 증가하면서 수요 곡선이 오른쪽으로 이동하였을 것이다. ㄹ. 소비자들이 일회용 컵 대신 다회용 컵을 사용한다는 것을 통해 일회용 컵과 다회용 컵은 대체재 관계임을 알 수 있다.

┃바로 알기┃ ㄴ. 다회용컵의 공급 감소 요인은 제시된 자료에 나타나 있지 않다.

3 수요와 수요량의 변동

제시된 그림에서 a는 수요 증가, b는 수요량 감소, c는 수요 감소를 나타낸다. ㄷ. 소비자들의 X재 가격 하락 예상은 X재의 수요를 감소시키는 요인이다. ㄹ. 연관재인 Y재 가격이 상승할 때, X재의 수요가 증가한다면 두 재화는 대체재 관계이다. 한 재화의 가격이 상승할 때 그와 대체재 관계에 있는 재화의 수요는 증가한다.

┃바로 알기┃ ㄱ. X재 가격이 P_0보다 높아지면 e는 b로 이동할 수 있다. ㄴ. X재가 열등재라면 소득이 증가할 때 e는 c로 이동할 수 있다.

4 공급 법칙

⑤ 가격이 500원일 때 갑은 2개, 을은 3개, 병은 5개를 공급하려고 하므로, 갑~병의 공급량의 합계는 10개이다.

┃바로 알기┃ ① 가격이 100원이면 갑의 공급량은 1개이다. ② 을은 가격이 100원일 때 1개, 300원일 때 2개를 공급하려고 하므로, 가격이 200원이면 1개만 공급할 것이다. ③ 갑은 가격이 200원일 때 2개, 600원일 때 3개를 공급하려고 하므로, 가격이 300원이면 2개만 공급할 것이다. 그리고 을은 가격이 300원일 때 2개를 공급하려고 하므로, 갑과 을의 공급량 합계는 4개이다. ④ 을은 가격이 300원일 때 2개, 500원일 때 3개를 공급하려고 하므로, 가격이 400원이면 2개만 공급할 것이다. 그리고 병은 가격이 400원일 때 4개를 공급하려고 하므로, 을과 병의 공급량 합계는 6개이다.

5 연관재의 가격 변화와 수요의 변동

A재의 가격 상승 시 B재의 수요가 증가하므로, A재와 B재는 대체재 관계이다. 반면, A재의 가격 상승 시 C재의 수요는 감소하므로, A재와 C재는 보완재 관계이다. 한편, 정부가 A재 생산자에게 단위당 일정한 금액의 보조금을 지급하면 A재의 공급이 증가하므로, A재의 가격이 하락한다.

┃바로 알기┃ ⑤ A재 가격이 하락하면 대체재 관계에 있는 B재의 수요가 감소하고, 보완재 관계에 있는 C재의 수요는 증가한다.

6 수요와 공급의 변동

(가)는 수요 곡선이 왼쪽으로 이동하였다. 이는 수요 감소 요인에 의한 것이다. ㄴ. 기업의 신규 채용 감소는 노동의 수요 감소 요인으로, 수요 곡선을 왼쪽으로 이동시킨다. (나)는 공급 곡선이 오른쪽으로 이동하였다. 이는 공급 증가 요인에 의한 것이다. ㄱ. 전복의 양식 재배 성공은 전복의 공급 증가 요인으로, 공급 곡선을 오른쪽으로 이동시킨다. ㄷ. 외화의 유입 증가는 외환의 공급 증가 요인으로, 공급 곡선을 오른쪽으로 이동시킨다. ㄹ. 변호사 수의 증가는 법률 서비스의 공급 증가 요인으로, 공급 곡선을 오른쪽으로 이동시킨다.

02 시장 균형과 자원 배분의 효율성

STEP 1 핵심 개념 확인하기

066쪽

1 (1) 초과 수요, 상승 (2) 균형 가격, 균형 거래량 2 ㉠ 증가 ㉡ 하락 ㉢ 불분명 ㉣ 불분명 3 (1) 작다 (2) 크다 (3) 비탄력적 4 (1) × (2) ○ (3) ○ 5 ㉠ 최저 가격제 ㉡ 최고 가격제

STEP 2 내신 만점 공략하기

066~070쪽

01 ② 02 ③ 03 ② 04 ④ 05 ④ 06 ③ 07 ⑤
08 ② 09 ② 10 ③ 11 ④ 12 ① 13 ① 14 ④
15 ① 16 ⑤

01 균형 가격과 균형 거래량

① 균형 가격은 수요량과 공급량이 일치하는 지점에서 결정되는 가격이므로, X재의 균형 가격은 2,000원이다. ③ 가격이 1,800원일 때 소비자는 X재를 120개 구입하고자 하고, 판매자는 80개를 판매하고자 한다. ④ 가격이 1,900원일 때 수요량은 110개이고, 공급량은 90개이다. 따라서 20개의 초과 수요가 발생한다. ⑤ X재의 가격이 2,100원일 때 수요량은 90개이고, 공급량은 110개이다. 따라서 20개의 초과 공급이 발생하여 가격 하락 압력이 발생한다.

┃바로 알기┃ ② 균형 거래량은 수요량과 공급량이 일치하는 지점에서 결정되는 거래량이다. X재의 균형 거래량은 100개이다.

02 시장 균형의 결정

ㄴ. 수요 곡선과 공급 곡선이 만나는 지점의 가격을 균형 가격, 거래량을 균형 거래량이라고 한다. 따라서 균형 가격은 P_0이고, 균형 거래량은 Q_0이다. ㄷ. 가격이 P_1일 때 수요량은 Q_1이고 공급량은 Q_2이므로, Q_1Q_2만큼의 초과 공급이 발생한다.

┃바로 알기┃ ㄱ. 가격이 P_1일 때 공급량은 Q_2이다. ㄹ. 가격이 P_2일 때 수요자는 Q_2만큼을 사고자 하지만, 공급자는 Q_1만큼만 판매하고자 한다. 따라서 수요자는 상품을 원하는 수량만큼 살 수 없다.

03 시장 균형의 변동

X재 시장의 공급 곡선이 (가)와 (나)를 지나고 있다는 것은 공급이 변하지 않았다는 것을 나타낸다. 이러한 상황에서 균형점이 (가)에서 (나)로 이동하는 요인은 수요가 증가할 경우이다. ② X재의 대체재 가격 상승은 X재의 수요를 증가시키는 요인이다.

┃바로 알기┃ ① X재의 공급자 수 증가는 X재의 공급 증가 요인이다. ③ X재에 대한 소비자의 선호 감소는 X재의 수요 감소 요인이다. ④ X재 가격의 하락 예상은 X재의 수요 감소 및 공급 증가 요인이다. ⑤ X재 생산에 필요한 원자재 가격의 하락은 X재의 공급 증가 요인이다.

04 시장 균형의 변동

X재 생산에 필요한 원자재 가격이 상승하면 동일한 생산 비용으로 생산할 수 있는 상품이 줄어들게 되므로 X재의 공급이 감소하여 공급 곡선이 왼쪽으로 이동한다. 반면, 함께 사용하면 더 큰 편익을 얻을 수 있는 보완재인 Y재의 가격이 상승하면 X재의 수요가 감소하여 수요 곡선이 왼쪽으로 이동한다. 공급 곡선과 수요 곡선이 모두 왼쪽으로 이동하므로, 균형점은 E에서 D 영역으로 이동하게 된다.

05 시장 균형의 변동

커피를 사 먹는 사람이 늘고 있다는 것은 커피 시장의 수요 증가 요인이다. 한편, 커피의 원료인 원두 가격 상승은 커피 시장의 공급 감소 요인이다. 수요 증가와 공급 감소가 동시에 발생하면 균형 가격은 반드시 상승하지만, 균형 거래량은 수요와 공급의 상대적인 변동의 크기에 따라 증가 또는 감소한다. ④ 판매 수입은 가격×판매량으로 구한다. 제시된 사례에서 가격은 반드시 증가하지만, 판매량의 증감은 알 수 없기 때문에 판매 수입 역시 증감을 알 수 없다.

┃바로 알기┃ ① 균형 가격은 상승한다. ② 균형 거래량은 알 수 없다. ③ 수요의 변동폭과 공급의 변동폭은 알 수 없다. ⑤ 수요 곡선은 오른쪽, 공급 곡선은 왼쪽으로 움직인다.

완자 정리 노트 수요와 공급이 동시에 변동하는 경우 시장의 균형

변동 내용	변동 결과	
	균형 가격	균형 거래량
수요 증가, 공급 증가	불분명	증가
수요 증가, 공급 감소	상승	불분명
수요 감소, 공급 증가	하락	불분명
수요 감소, 공급 감소	불분명	감소

06 금융 시장 균형의 변동

가계의 저축 감소는 금융 시장의 자금 공급 감소 요인으로 공급 곡선을 왼쪽으로 이동시킨다. 한편, 자금을 빌리려는 기업의 증가는 금융 시장의 자금 수요 증가 요인으로 수요 곡선을 오른쪽으로 이동시킨다. 자금 공급 감소와 자금 수요 증가가 동시에 나타나면 자금의 가격인 이자율은 상승하나, 자금 거래량은 수요와 공급의 변동폭에 따라 달라지므로 정확히 알 수 없다.

07 수요의 가격 탄력성

수요 곡선의 기울기가 완만한 형태일수록 가격 변화에 대해 수요량이 민감하게 변동한다. 따라서 D_1은 D_2보다 수요의 가격 탄력성이 더 크다. ① 대체재가 적은 상품일수록 수요의 가격 탄력성이 작다. 따라서 대체재가 적은 상품의 수요 곡선은 D_1보다 D_2에 가깝다. ② 사치품의 성격을 가진 상품은 수요의 가격 탄력성이 크다. 따라서 사치품의 성격을 가진 상품의 수요 곡선은 D_2보다

D_1에 가깝다 ③ 필수품의 성격을 가진 상품은 수요의 가격 탄력성이 작다. 따라서 필수품의 성격을 가진 상품의 수요 곡선은 D_1보다 D_2에 가깝다.

│ 바로 알기 │ ⑤ 수요자들이 가격 변동에 대응하는 시간이 길수록 수요의 가격 탄력성이 커진다. 따라서 수요 곡선은 D_2에서 D_1으로 변화할 수 있다.

08 수요의 가격 탄력성 결정 요인

대체재가 많은 프린터에 대한 수요는 가격에 대해 탄력적인 반면, 대체재가 없다고 볼 수 있는 토너에 대한 수요는 가격에 대해 비탄력적이다. 일반적으로 기업은 판매 수입을 늘리기 위해 수요의 가격 탄력성이 큰 상품에 대해서는 가격을 인하하고, 탄력성이 작은 상품에 대해서는 가격을 인상한다. 이와 같은 원리에 따라 프린터 제조사들이 프린터는 싸게, 프린터 토너는 상대적으로 비싸게 판매하는 전략을 취하는 경우가 많다.

완자 정리 노트   수요의 가격 탄력성 결정 요인

대체재의 존재 여부	대체재가 많은 상품일수록 수요의 가격 탄력성이 커짐
상품의 성격	필수품은 수요의 가격 탄력성이 작은 반면, 사치품은 수요의 가격 탄력성이 큼
가격 변동에 대응하는 시간	수요자가 가격 변동에 대응하는 시간이 길수록 수요의 가격 탄력성이 큼
상품이 소비 예산에서 차지하는 비중	상품이 소비 예산에서 차지하는 비중이 클수록 수요의 가격 탄력성이 큼

09 수요의 가격 탄력성

X재 수요의 가격 탄력성은 $|-2/5|=0.4$이고, Y재 수요의 가격 탄력성은 $|-20/10|=2$이다. 즉, X재 수요의 가격 탄력성은 비탄력적이고, Y재 수요의 가격 탄력성은 탄력적이다. ㄱ. X재 수요의 가격 탄력성은 0.4이므로, 1보다 작다. ㄷ. 수요의 가격 탄력성이 비탄력적인 X재는 가격 인상으로 인한 수입의 증가분이 수요량 감소로 인한 수입의 감소분보다 크기 때문에 기업의 판매 수입이 증가한다.

│ 바로 알기 │ ㄴ. Y재 수요의 가격 탄력성은 1보다 크므로 탄력적이다. ㄹ. 수요의 가격 탄력성이 탄력적인 Y재는 가격 하락으로 인한 수입의 감소분보다 수요량 증가로 인한 수입의 증가분이 크기 때문에 기업의 판매 수입이 증가한다.

10 공급의 가격 탄력성

그림의 공급 곡선이 S_1에서 S_2로 변화한 것은 공급의 가격 탄력성이 탄력적으로 변화하였음을 나타낸다. ㄴ, ㄷ. 생산에 걸리는 시간이 짧아질수록, 상품을 보관할 수 있는 기간이 길어질수록 가격 변화에 대해 공급량 조절이 용이해지므로 공급의 가격 탄력성이 탄력적으로 변화할 수 있다.

│ 바로 알기 │ ㄱ. 수요의 가격 탄력성에 영향을 미치는 요인이다. ㄹ. 생산에 필요한 원재료의 확보가 어려워지면 가격 변동에 대하여 공급량 조절이 어려워져 공급의 가격 탄력성이 비탄력적으로 변화할 수 있다.

완자 정리 노트   공급의 가격 탄력성 결정 요인

공급 계획의 기간	공급 계획의 기간을 장기간으로 설정할수록 공급의 가격 탄력성이 커짐
상품의 성격	생산에 걸리는 시간이 짧고 저장이 용이한 상품일수록 공급의 가격 탄력성이 커짐
생산 조건	생산 설비 규모가 작을수록, 생산 요소의 대체 가능성이 클수록 공급의 가격 탄력성이 커짐

11 기업의 가격 차별화 전략

① 청소년에게 가격을 5% 인하하였을 때, 판매 수입이 5% 증가하였다. 이는 수요의 가격 탄력성이 탄력적($e_d>1$)이어서 가격 하락률에 비해 수요량의 증가율이 더 크기 때문이다. ② 성인에게 가격을 5% 인상하였을 때, 판매 수입이 불변하였다. 이는 수요의 가격 탄력성이 단위 탄력적($e_d=1$)이어서 가격 상승률과 수요량의 감소율이 같기 때문이다. ③ 성인에게 가격을 5% 인상하였을 때, 판매 수입이 변하지 않은 것은 판매량이 감소하였기 때문이다. ⑤ X재에 대한 수요의 가격 탄력성이 청소년은 1보다 크고, 성인은 1이다. 이를 통해 청소년이 성인에 비해 X재의 가격 변화에 더 민감한 반응을 보였음을 알 수 있다.

│ 바로 알기 │ ④ 가격 정책의 실시 결과 성인에 대한 판매 수입은 변화가 없었지만, 청소년에 대한 판매 수입은 증가하였다. 따라서 A 기업의 전체 판매 수입은 증가하였다.

12 소비자 잉여와 생산자 잉여

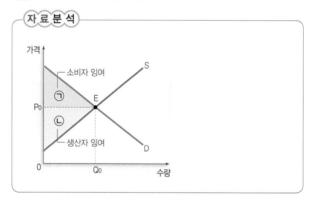

│ 자료 분석 │

㉠은 소비자가 상품을 구입하기 위해 최대로 지불할 의사가 있는 금액에서 실제로 지불한 금액을 뺀 소비자 잉여이고, ㉡은 생산자가 어떤 상품을 공급하면서 실제로 받은 금액에서 그 상품을 판매하여 최소한 받고자 하는 금액을 뺀 생산자 잉여이다. ㄱ. 소비자 잉여는 소비자가 상품을 구매하면서 얻었다고 느끼는 이득의 크기이다. ㄹ. 총잉여는 수요 곡선과 공급 곡선이 만나는 시장 균형에서 가장 커진다.

│ 바로 알기 │ ㄴ. 생산자가 실제로 받은 금액은 $P_0 \times Q_0$이다. ㄷ. 총잉여는 소비자와 생산자가 거래를 통해 얻었다고 느끼는 이득의 합으로, 소비자 잉여(㉠)와 생산자 잉여(㉡)를 합하여 구한다.

13 소비자 잉여

ㄱ. X재 가격이 200원일 때 갑, 을, 병, 정이 X재를 구입할 것이다. 따라서 거래량은 4개이다. ㄴ. X재 가격이 300원일 때 갑, 을, 병이 X재를 구입할 것이다. 따라서 소비자 잉여는 (500원 − 300원) + (400원 − 300원) + (300 − 300원) = 300원이다.

바로 알기 ㄷ. X재 가격이 500원일 때 갑만 X재를 구입할 것이다. 따라서 소비자 잉여는 500원 − 500원 = 0원이다. ㄹ. 가격이 600원일 때 아무도 X재를 구입하려 하지 않을 것이기 때문에 거래량은 0개이다.

14 최고 가격제

자료 분석

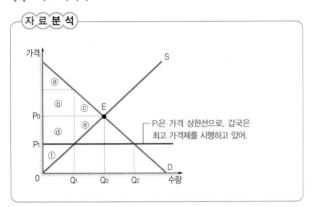

P은 가격 상한선으로, 갑국은 최고 가격제를 시행하고 있어.

시장의 균형 가격보다 낮은 수준에서 가격의 상한선을 정하고, 그 이상으로는 거래할 수 없도록 한 갑국의 가격 규제 정책은 최고 가격제에 해당한다. ① 가격 규제 전 시장의 균형 가격은 P_0이고, 균형 거래량은 Q_0이다. 이때의 소비자 잉여는 ⓐ + ⓑ + ⓒ이고, 생산자 잉여는 ⓓ + ⓔ + ⓕ이다. ② 가격 규제 이후 총잉여는 ⓒ + ⓔ만큼 감소하여 ⓐ + ⓑ + ⓓ + ⓕ가 된다. ③ 가격 규제 이후 생산자 잉여는 ⓓ + ⓔ만큼 줄어 ⓕ가 된다. ⑤ 최고 가격제는 시장 가격이 너무 높다고 판단할 때 시장의 수요자 보호를 목적으로 실시된다.

바로 알기 ④ 정부가 정한 최고 가격인 P_1에서 공급량은 Q_1이고, 수요량은 Q_2이다. 따라서 Q_1Q_2만큼의 초과 수요가 발생한다.

15 최저 임금제

최저 임금제는 정부가 임금의 최저 수준을 정하고, 사용자가 그 수준 이상의 임금을 근로자에게 지급하도록 법으로 강제하는 제도이다. ② 최저 임금이 W_1이면 고용량이 L_0에서 L_1으로 감소한다. ③, ④ 최저 임금제 시행에 따라 노동의 공급량은 L_0에서 L_2로 증가하고, 노동의 수요량은 L_0에서 L_1으로 감소한다. ⑤ 사용자는 최저 임금인 W_1 이상의 임금을 근로자에게 지급해야 한다.

바로 알기 ① 노동의 공급량이 수요량을 초과하여 L_1L_2만큼의 실업이 발생한다.

16 세금 부과에 따른 시장 균형의 변동

정부의 시장 개입 전 균형 가격은 100원이고, 균형 거래량은 100개이다. 정부가 생산자에게 X재 1단위당 20원의 세금을 부과하면

시장 거래량이 90개가 된다. 이를 그림으로 표현하면 다음과 같다.

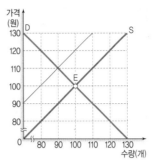

ㄷ. 소비 지출액은 10,000원(= 100개 × 100원)에서 9,900원(= 90개 × 110원)으로, 100원 감소한다. ㄹ. 정부가 X재 1단위당 20원의 세금을 부과하면 공급 곡선이 왼쪽으로 이동하여 시장 거래량이 90개가 된다.

바로 알기 ㄱ. 소비자 잉여는 1,500원(= 100개 × 30원 ÷ 2)에서 900원(= 90개 × 20원 ÷ 2)으로 감소한다. ㄴ. 시장 가격은 10원 상승하여, 110원이 된다.

서술형 문제
070쪽

01 **주제: 수요·공급의 가격 탄력성과 시장 균형의 변동**

(1) **예시 답안** X재 수요는 가격에 대해 완전 비탄력적이고, 공급은 가격에 대해 완전 탄력적이다.

(2) **예시 답안** 균형 가격은 변동 없고, 균형 거래량은 증가한다.

채점 기준

상	균형 가격과 균형 거래량의 변동 양상을 모두 정확하게 서술한 경우
하	균형 가격과 균형 거래량의 변동 양상 중 한 가지만 서술한 경우

02 **주제: 시장 균형과 총잉여**

(1) • P_0일 때 − ⓐ + ⓑ + ⓒ + ⓓ + ⓔ + ⓕ

• P_1일 때 − ⓐ + ⓑ + ⓓ + ⓕ

• P_2일 때 − ⓐ + ⓑ + ⓓ + ⓕ

(2) **예시 답안** P_0. 수요자와 공급자에 의해 자율적으로 결정된 시장 균형에서 자원이 효율적으로 배분되어 총잉여가 가장 커진다.

채점 기준

상	P_0라고 쓰고, 그 이유를 정확하게 서술한 경우
하	P_0라고만 쓴 경우

1 ① 2 ④ 3 ⑤ 4 ③ 5 ① 6 ①

1 시장 균형의 변동

ㄱ. 6월부터 7월 사이에 판매 가격은 상승하고, 판매량은 증가하였다. 수요가 증가하면 수요 곡선이 오른쪽으로 이동하고, 공급이 감소하면 공급 곡선이 왼쪽으로 이동하므로, 이와 같은 결과가 나타날 수 있다. ㄴ. 7월부터 8월 사이에 판매 가격은 상승하고, 판매량은 변동하지 않았다. 대체재의 가격이 상승하면 수요가 증가하여 수요 곡선이 오른쪽으로 이동하고, 생산비가 상승하면 공급이 감소하여 공급 곡선이 왼쪽으로 이동하므로, 이와 같은 결과가 나타날 수 있다.

┃바로 알기┃ ㄷ. 8월의 판매 수입은 9천만 원이고, 9월의 판매 수입은 9천8백만 원이다. ㄹ. 8월에서 9월 사이에 판매 가격은 상승하고, 판매량은 감소하였다. 제품에 대한 선호가 낮아지면 수요가 감소하여 수요 곡선이 왼쪽으로 이동하고, 생산비가 절감되면 공급이 증가하여 공급 곡선이 오른쪽으로 이동하므로, 판매량의 변화는 정확히 알 수 없어도 판매 가격은 반드시 하락한다.

2 시장 균형의 변동

X재의 원자재 가격이 하락하면 공급이 증가하고, X재를 선호하는 소비자의 수가 증가하면 수요가 증가한다. ④ 제시문에 따르면 공급 증가와 수요 증가에 따라 가격이 하락하고, 거래량이 증가하였다. 이는 공급의 변동폭이 수요의 변동폭보다 크기 때문이다.

┃바로 알기┃ ①, ② 수요와 공급은 모두 증가하였다. ③ 제시된 자료만으로 판매 수입이 증가했는지 여부를 알 수 없다. ⑤ X재 가격이 하락함에 따라 X재와 대체재 관계에 있는 재화의 수요는 감소할 것이다.

3 시장 균형의 변동

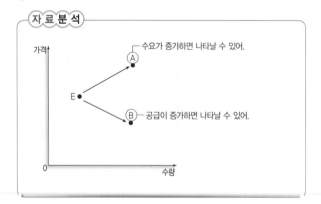

E와 A는 동일 공급 곡선상에 있으므로, A로의 이동은 수요 증가로 인한 것이다. 그리고 E와 B는 동일 수요 곡선상에 있으므로, B로의 이동은 공급 증가로 인한 것이다. ㄷ. 대체재 가격의 상승은 수요 증가 요인으로, A로의 이동 요인이 될 수 있다. ㄹ. 원자재 가격의 하락은 공급 증가 요인으로, B로의 이동 요인이 될 수 있다.

┃바로 알기┃ ㄱ. 균형점이 A로 이동하면 가격은 상승하고, 거래량은 증가하기 때문에 생산자 잉여는 증가한다. ㄴ. 균형점이 B로 이동하면 가격이 하락하는데, 이때 수요의 가격 탄력성이 탄력적이면 판매 수입이 증가하고, 비탄력적이면 판매 수입이 감소한다. 제시된 자료에 수요의 가격 탄력성이 제시되어 있지 않으므로, 판매 수입의 감소 여부를 알 수 없다.

4 수요의 가격 탄력성과 기업의 판매 수입

제시된 자료에 따르면 X~Z재는 수요 법칙을 따르며 수요의 변동은 없다. 따라서 X~Z재는 모두 공급의 변동에 따른 가격 변화로 판매량과 총판매 수입이 변화하였음을 알 수 있다. 수요의 법칙을 따르는 상황에서 판매량이 증가한다는 것은 가격이 하락하였음을 의미한다. X재는 가격이 하락함에 따라 총판매 수입이 증가하므로, 가격 하락률보다 수요량 증가율이 큰 탄력적 재화이다. Y재는 가격 하락으로 판매량이 증가함에도 불구하고 총판매 수입이 일정하므로, 가격 하락률과 수요량 증가율이 같은 단위 탄력적 재화이다. Z재는 가격이 하락함에 따라 총판매 수입이 감소하므로, 가격 하락률이 수요량 증가율보다 큰 비탄력적 재화이다. ③ 단위 탄력적인 재화는 가격 변동률과 수요량 변동률이 같으므로 총판매 수입에 변동이 없다. 즉, 소비자 입장에서 보면 가격 변동에 상관없이 항상 일정한 금액을 지출하는 것이다.

┃바로 알기┃ ① X재 수요는 가격에 대해 탄력적이다. ② Y재 수요는 가격에 대해 단위 탄력적이다. ④ Z재 수요는 가격에 대해 비탄력적이다. ⑤ 수요의 가격 탄력성이 큰 X재는 가격을 인하할 경우, 수요의 가격 탄력성이 작은 Z재는 가격을 인상할 경우 기업의 총판매 수입이 증가한다.

5 수요의 가격 탄력성과 기업의 판매 수입

ㄱ. A재는 가격이 3% 상승하였지만 판매 수입에는 변화가 없다. 이는 수요의 가격 탄력성이 단위 탄력적이어서 가격 상승률과 수요량 감소율이 같기 때문이다. ㄴ. B재는 가격이 3% 상승하자 판매 수입이 2% 증가하였다. 이는 수요의 가격 탄력성이 비탄력적이어서 가격 상승률에 비해 수요량 감소율이 작기 때문이다.

┃바로 알기┃ ㄷ. C재는 가격이 3% 상승하자 판매 수입이 3% 증가하였다. 이는 수요의 가격 탄력성이 완전 비탄력적이어서 가격 상승에도 불구하고 수요량이 변하지 않기 때문이다. 따라서 C재는 판매 수입을 늘리기 위해서 가격 인상 정책이 필요하다. ㄹ. A~C재의 판매 수입 총합은 가격 변동 전에 비해 증가하였다.

6 정부의 가격 규제 정책

ㄱ. 정부가 시장의 균형 가격(P_0)보다 높은 수준(P_1)에서 가격의 하한선을 정하고, 그 이하로 거래할 수 없도록 규제하는 것은 최저 가격제이다. 최저 가격제는 공급자를 보호하기 위한 것이다. ㄴ. 최저 가격제의 시행으로 공급이 Q_0Q_1만큼 증가하였다.

┃바로 알기┃ ㄷ, ㄹ. 새로운 수요 곡선(D')과 공급 곡선(S)이 만나는 지점에서 형성된 시장 균형 가격이 최저 가격인 P_1보다 높으므로, 최저 가격의 실효성이 사라진다. 이런 경우 시장 가격은 시장 균형 가격에서 결정된다. 시장 균형 가격에서는 수요량과 공급량이 일치하므로, 초과 수요가 발생하지 않는다.

03 시장 실패와 정부의 시장 개입

01 시장 실패의 원인

㉠은 시장 실패이다. 시장 실패가 나타나는 요인에는 불완전 경쟁, 외부 효과의 발생, 공공재의 부족, 정보의 비대칭성 등이 있다. ① 어떤 경제 주체의 경제 활동이 다른 사람에게 의도하지 않은 이익이나 피해를 주면서도 시장을 통해 그에 대한 보상이 이루어지지 않는 경우를 외부 효과라고 한다. 외부 효과가 발생하면 자원이 사회적 최적 수준보다 적은 수준에서 생산·소비되거나 사회적 최적 수준보다 많은 수준에서 생산·소비되어 자원이 효율적으로 배분되지 못한다. ② 독과점 기업이 불공정 거래 행위를 할 경우 시장의 자유로운 경쟁이 제한되어 자원이 효율적으로 배분되지 못한다. ④ 정보의 비대칭성은 사람들의 합리적 선택을 제한하여 자원의 효율적 배분을 저해한다. ⑤ 비배제성과 비경합성을 가지는 공공재는 무임승차자 문제 때문에 시장에 공급을 맡길 경우 사회가 필요로 하는 양보다 적게 생산되거나 아예 생산되지 않아 자원이 효율적으로 배분되지 못한다.

┃바로 알기┃ ③ 정부 실패의 원인에 해당한다.

02 불완전 경쟁

X재 시장은 상품을 공급하는 기업이 하나밖에 없는 독점 시장으로, 갑 기업은 시장 지배력을 통해 생산량을 줄여 가격을 올림으로써 이윤을 극대화하려고 하고 있다. Y재 시장은 상품을 공급하는 기업이 소수인 과점 시장으로, 을, 병, 정 기업은 담합하여 가격과 생산량을 조정함으로써 이윤을 극대화하려고 하고 있다. ⑤ 독점이나 과점 등과 같은 불완전 경쟁이 나타나는 시장에서는 공급자 간 경쟁이 제한되어 시장을 통한 자원 배분의 효율성이 낮아져 시장 실패가 발생한다.

┃바로 알기┃ ① 독점 시장에서 독점 기업은 가격 결정자이다. ② 독점 시장에서는 재화가 사회적 최적 생산량보다 과소 생산되는 문제가 발생한다. ③ 과점 시장에서 기업들은 이윤을 극대화하기 위해 경쟁 시장보다 높은

가격을 유지하려고 한다. ④ 독점 시장과 과점 시장에서는 모두 불완전 경쟁이 나타난다.

03 외부 효과

ㄱ. 외부 효과에는 외부 경제와 외부 불경제가 있다. 외부 경제가 발생할 경우 사회적 최적 수준보다 과소 생산·소비되는 문제가 나타나고, 외부 불경제가 발생할 경우 사회적 최적 수준보다 과다 생산·소비되는 문제가 나타난다. 즉, 외부 경제나 외부 불경제가 발생하면 시장에서 자원이 효율적으로 배분되지 못한다. ㄷ. 외부 경제는 생산에 따른 사적 비용이 사회적 비용보다 커 과소 생산되는 문제가 나타난다. ㄹ. 외부 불경제가 발생할 경우 사회 전체가 요구하는 양보다 소비나 생산이 많이 이루어져 자원이 효율적으로 배분되지 않는다.

┃바로 알기┃ ㄴ. 소비 측면에서 외부 경제가 발생한 경우 사회적 편익이 사적 편익보다 크다.

04 외부 불경제

ㄷ. 사적 비용이 사회적 비용보다 작으므로 X재 시장에서는 생산 측면에서 외부 불경제 현상이 나타나고 있음을 알 수 있다. ㄹ. 그림에서 사적 비용을 고려한 공급 곡선과 수요 곡선이 만나는 점(E)에서 결정되는 생산량이 시장의 균형 생산량(Q_1)이고, 사회적 비용을 고려한 공급 곡선과 수요 곡선이 만나는 점(E′)에서 결정되는 생산량이 사회의 최적 생산량(Q_2)이다.

┃바로 알기┃ ㄱ. 시장 균형 가격은 P_1이다. ㄴ. P_1에서 시장은 균형을 이루고 있으므로 초과 수요가 발생하지 않는다.

05 공공재

② 교육, 국방, 치안 등과 같은 재화와 서비스는 공공재에 해당한다. 공공재는 무임승차자 문제 때문에 시장에 공급을 맡길 경우 사회가 필요로 하는 양보다 적게 생산되거나 아예 생산되지 않는다. 이러한 이유 때문에 정부는 직접 공공재의 공급을 주도한다.

06 경합성과 배제성에 따른 재화의 구분

(가)는 공유 자원, (나)는 자연 독점, (다)는 사적 재화, (라)는 공공재에 해당한다. ① 공유 자원은 배제성이 없으므로 대가를 지불하지 않고도 누구나 소비할 수 있으나, 경합성이 있으므로 누군가가 자원을 소비하면 다른 사람의 소비 기회가 감소한다. 이러한 특성 때문에 사람들은 공유 자원을 아껴 쓸 유인이 없다. ③ 막히는 유료 도로는 경합성과 배제성이 있으므로, 사적 재화에 해당한다. ④ 한산한 무료 도로는 경합성과 배제성이 모두 없으므로, 공공재에 해당한다. ⑤ 배제성이 없는 공공재는 비용을 지불하지 않고도 재화나 서비스를 소비할 수 있으므로, 무임승차자 문제가 나타난다.

┃바로 알기┃ ② 공해상의 물고기는 경합성은 있으나 배제성이 없으므로, 공유 자원에 해당한다.

07 정보의 비대칭성

ㄱ. 제시문은 정보를 가지지 못하거나 적게 가진 측이 불리한 의사 결정을 하게 되는 역선택의 사례에 해당한다. ㄴ. 구매자는 판매자에 비해 중고차에 대한 정보를 상대적으로 적게 가지고 있다. 즉, 정보의 비대칭성이 나타나고 있다. ㄹ. 중고차에 문제가 있으면 기간 내에 환불해 주는 품질 보증제는 구매자와 판매자 간 정보의 비대칭성을 줄이기 위한 노력으로 볼 수 있다.

┃**바로 알기**┃ ㄷ. ⓒ은 역선택으로 인해 발생하는 시장 실패를 나타낸다.

08 도덕적 해이

㉠은 도덕적 해이다. ㄱ, ㄷ. 고용 계약 후 피고용인이 게으름을 피우는 경우와 화재 보험 가입 후 보험 가입자가 화재 예방 노력을 게을리하는 경우는 모두 정보를 가진 측(피고용인과 보험 가입자)이 정보를 가지지 못한 측(고용인과 보험 회사)의 이익에 반하는 행동을 한 것으로 도덕적 해이의 사례에 해당한다.

┃**바로 알기**┃ ㄴ. 역선택의 사례에 해당한다. ㄹ. 외부 경제의 사례에 해당한다.

09 시장 경쟁 촉진을 위한 정부의 시장 개입

제시된 자료를 통해 공정 거래 위원회가 기업의 불공정 거래 행위를 규제하고 있음을 알 수 있다. ④ 공정 거래 위원회는 공정하고 자유로운 경쟁을 촉진하기 위해 기업의 불공정 거래 행위를 감시 및 규제한다. 이는 불완전 경쟁으로 인해 발생하는 시장 실패를 개선하기 위한 정부의 노력에 해당한다.

┃**바로 알기**┃ ①, ⑤ 정부 실패를 개선하기 위한 정부의 노력에 해당한다. ② 공공재의 부족이라는 시장 실패를 해결하기 위한 정부의 노력에 해당한다.

10 외부 효과 개선을 위한 정부의 시장 개입

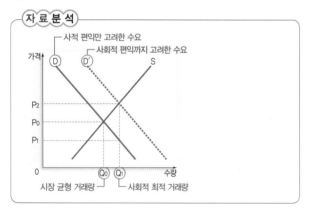

┃**자료 분석**┃

사회적 편익이 사적 편익보다 큰 X재 시장은 소비 활동으로 인해 외부 경제가 발생한 경우이다. ④ 정부가 소비자에게 P_1P_2만큼의 보조금을 지급하면 사적 편익과 사회적 편익이 동일하게 되어 사회적 최적 거래량을 달성할 수 있다.

┃**바로 알기**┃ ② 사회의 최적 거래량은 Q_1이고, 시장 균형 거래량은 이보다 적은 Q_0이다. 즉, Q_0Q_1만큼의 과소 소비의 문제가 나타나고 있다. ⑤ 아파트 베란다에서 흡연하는 행위가 이웃 주민에게 불쾌감을 주는 것은 소비 활동

으로 인해 발생한 외부 불경제 사례에 해당한다.

11 외부 효과 개선을 위한 정부의 시장 개입

② 생산 활동으로 인해 발생한 외부 경제를 해결하기 위해서는 사적 비용을 줄여 생산량 증대를 유도해야 한다.

┃**바로 알기**┃ ① 생산 활동으로 인해 외부 경제가 발생한 경우 사적 비용이 사회적 비용보다 크다. ③ 소비 활동으로 인해 외부 불경제가 발생한 경우 시장 균형 거래량이 사회적 최적 수준보다 많다. ④ 소비 활동으로 인해 발생한 외부 불경제를 해결하기 위해서는 사적 편익을 줄여 소비량을 줄이도록 해야 한다. ⑤ 생산 활동으로 인해 발생한 외부 경제와 소비 활동으로 인해 발생한 외부 불경제는 모두 사회적 최적 수준의 가격이 시장 균형 가격보다 낮다.

12 외부 효과 개선을 위한 정부의 시장 개입

경유차 이용은 환경 오염이라는 외부 불경제를 발생시키고, 수소차에 대한 연구·개발은 환경 개선이라는 외부 경제를 발생시킨다. ㄱ. 갑국 정부는 외부 불경제를 발생시키는 경유차 소유주에게 세금을 부과하여 사적 편익을 낮춰 그 소비를 줄이도록 하고 있다. ㄷ. 외부 경제와 외부 불경제는 모두 시장 실패를 가져오는 원인이다. 갑국 정부는 보조금 지급, 을국 정부는 세금 부과를 통해 시장 실패에 대처하고 있다.

┃**바로 알기**┃ ㄴ. 을국 정부는 외부 경제를 발생시키는 수소차 연구·개발에 대해 보조금을 지급하여 기업의 사적 비용을 낮춰 더 많은 연구·개발이 이루어지도록 하고 있다. ㄹ. 갑국 정부는 소비 활동으로 인해 발생한 외부 불경제, 을국 정부는 생산 활동으로 인해 발생한 외부 경제에 대처하고 있다.

┃**완자 정리 노트**┃ 외부 효과 개선 방안

외부 경제	보조금 지급, 세제 혜택 제공 등 → 해당 경제 주체의 사적 편익을 높이거나 사적 비용을 낮춰서 그 양이 증대되도록 함
외부 불경제	직접 규제, 세금이나 과징금 부과 등 → 해당 경제 주체의 사적 편익을 낮추거나 사적 비용을 높여서 그 양이 줄어들도록 함

13 공유 자원 보호를 위한 정부의 시장 개입

공해상의 꽃게는 배제성은 없으나 경합성이 있는 공유 자원에 해당한다. 사람들은 공유 자원을 다른 사람보다 먼저 더 많이 소비하려고 경쟁하기 때문에 자원이 지나치게 사용되어 고갈되는 현상이 나타난다. ④ 금어기는 공유 자원의 사용을 제한하는 정책으로, 공유 자원의 고갈을 방지하고자 하는 노력에 해당한다.

┃**바로 알기**┃ ① 공해상의 꽃게는 공유 자원이다. ② 수익성을 띠지 않기 때문에 사회가 요구하는 만큼 공급되기 어려운 재화는 공공재이다. ③ ⓒ은 시장 실패를 보완하기 위한 조치이다. ⑤ 외부 불경제를 개선하기 위한 방안으로, ⓒ과는 관련이 없다.

14 정보의 비대칭성 해소를 위한 정부의 시장 개입

③ 소비자는 생산자보다 상대적으로 상품에 대한 정보를 적게 가져 피해를 볼 가능성이 있다. 따라서 정부는 소비자와 생산자 간

정보의 비대칭성으로 인해 발생하는 문제를 보완하기 위해 국가 인증제를 통해 생산자가 상품에 대한 정보를 시장에 공개하도록 유도하고 있다. 또 소비자가 부족한 정보 때문에 잘못된 선택을 하였을 때 이를 구제하기 위해 리콜 제도를 시행하고 있다.

▌바로 알기▐ ①, ④ 두 제도는 정보의 비대칭성에 따른 시장 실패를 보완하기 위한 것으로, 정부 실패와는 관련이 없다. ③ 두 제도를 시행하면 정부의 역할이 확대될 수 있다. ⑤ 기업 간 공정한 경쟁이 이루어지도록 하기 위해 우리나라는 「독점 규제 및 공정 거래에 관한 법률」을 제정하고, 공정 거래 위원회를 설립하여 운영하고 있다.

15 정부 실패의 원인

정부의 시장 개입이 오히려 시장의 효율성을 떨어뜨리는 현상을 정부 실패라고 한다. ㄱ. 정치적 타협이나 이익 집단의 압력에 의해 정부의 정책이 결정될 수 있다. 그럴 경우 정책이 경제 원리에 따라 합리적으로 결정되지 못하여 정부 실패가 발생할 수 있다. ㄷ, ㄹ. 정부는 정책 결정에 필요한 정보 및 지식의 부족과 미래의 불확실성 때문에 잘못된 예측을 기반으로 정책을 결정하고 집행할 수 있다. 그럴 경우 최선의 대안을 수립하는 데 실패하여 정부 실패가 발생할 수 있다.

▌바로 알기▐ ㄴ. 독과점 기업에 의한 가격 결정은 시장 실패의 원인이 된다.

16 정부 실패 보완을 위한 노력

을. 정부는 방만한 경영을 하는 공기업을 민영화하여 효율적인 경영을 도모함으로써 정부 실패를 해결할 수 있다. 병. 정부는 성과급 제도나 평가 제도 등과 같은 적절한 유인과 경쟁을 도입하여 관료 조직의 비효율성을 극복함으로써 정부 실패를 해결할 수 있다.

▌바로 알기▐ 갑. 정부가 시장에 대한 규제 정책을 강화할 경우 정부 실패를 더욱 악화시킬 수 있다. 정. 정부 실패 문제를 해결하기 위해서는 정부 기관과 민간 부문의 노력이 함께 필요하다.

서술형 문제

082쪽

01 주제: 시장 실패

(1) (가) 외부 경제 (나) 외부 불경제

(2) **예시 답안** 공공재는 소비의 비배제성으로 무임승차자의 문제가 발생하기 때문에 시장에 맡겨 두면 사회적으로 필요한 양보다 적게 생산된다. 따라서 정부는 도로나 가로등 등의 공공재를 직접 생산하여 공급함으로써 시장 실패를 개선하기 위해 노력해야 한다.

02 주제: 정부 실패

(1) 미래에 대한 부정확한 예측

(2) **예시 답안** 정보나 지식의 부족, 이익 집단의 압력과 정치적 타협에 의한 정책 결정, 유권자의 정보 제한, 의도하지 않은 부작용의 발생, 관료 조직의 문제점 등으로 정부 실패가 발생할 수 있다.

STEP 3 1등급 정복하기

083~085쪽

1 ④ 2 ① 3 ③ 4 ⑤ 5 ④ 6 ④

1 재화의 유형

자료 분석

질문	비배제성, 경합성 (가)	비배제성, 비경합성 (나)	배제성, 경합성 (다)
비용을 지불하지 않고도 소비할 수 있는가? — 비배제성을 묻는 질문이야.	예	예	아니요
한 사람의 소비가 다른 사람의 소비를 제약하는가? — 경합성을 묻는 질문이야.	예	아니요	예

(가)는 공유 자원이고, (나)는 공공재이며, (다)는 사적 재화이다. ① 공유 자원은 소유권이 불분명하여 자원을 아껴 쓸 유인이 없어 자원이 지나치게 사용되어 고갈되는 현상이 나타나는데, 이를 '공유 자원의 비극'이라고 한다. ② 배제성은 없으나 경합성을 지니는 공공 도서관의 책은 공유 자원에 해당한다. ③ 공공재는 대가를 지불하지 않더라도 재화나 서비스를 소비할 수 있으므로, 무임승차자의 문제가 발생한다. ⑤ 시장에서 거래되는 대부분의 재화는 (다)처럼 배제성과 경합성을 지닌다.

▌바로 알기▐ ④ 공공재는 시장에 공급을 맡기면 사회가 필요로 하는 양보다 적게 생산된다.

2 정보의 비대칭성에 따른 시장 실패

㉠은 역선택, ㉡은 도덕적 해이와 관련 있다. ① 은행이 대출 심사 때 신용 조회를 하는 것은 상환 능력이 없는 사람에게 자금을 대출해 주는 불리한 의사 결정을 하지 않기 위한 방법 중 하나이다. 즉, 역선택을 방지하기 위한 방법이다.

▌바로 알기▐ ② 화재 보험에 가입 후 보험 가입자가 화재 예방 노력을 덜 하는 것은 도덕적 해이에 해당한다. ③ 사고 위험이 높은 사람이 보험에 가입하여 보험 회사가 어려움에 처하는 것은 역선택에 해당한다. ④ 역선택과 도덕적 해이는 외부 효과와 관련 없다. ⑤ 역선택과 도덕적 해이는 모두 거래 당사자 간 정보의 양이 서로 다르기 때문에 발생한다.

3 외부 효과 개선을 위한 정부의 시장 개입

자료 분석

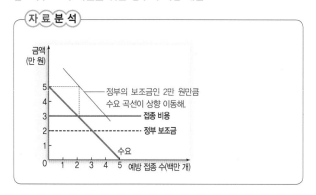

ㄴ, ㄷ. 정부의 지원이 없을 때 접종 비용은 3만 원이고, 이때의 접종자 수는 2백만 명이다. 정부가 1인당 2만 원씩 보조금을 지급하면 수요 곡선이 위 그래프와 같이 상향 이동하게 되므로, 접종자 수가 4백만 명으로 증가한다. 따라서 정부 지원에 따른 추가 접종자 수는 2백만 명이다.

┃바로 알기┃ ㄱ. 정부의 지원에도 불구하고 500만 명 중 400만 명만 접종을 받았다. ㄹ. 정부는 예방 접종이 창출하는 긍정적 외부 효과만큼 예방 접종에 대해 보조금을 지원하므로, 외부 효과로 인한 시장 실패는 해소된다.

4 외부 효과 개선을 위한 정부의 시장 개입

A 공장은 오염 물질 배출권 1장을 100만 원보다 많이 받고 B 공장에게 판매하고, B 공장은 오염 물질 배출권 1장을 150만 원보다 적게 주고 A 공장으로부터 구입하면, 두 공장 모두 이익을 보게 된다. 따라서 오염 물질 배출권은 1장당 100만 원 초과 150만 원 미만의 가격으로 거래될 것이다. ㄱ. A 공장은 오염 물질 배출권 30장을 B 공장에 판매할 것이므로, 오염 물질 100톤을 모두 자체 정화할 것이다. ㄷ. A 공장은 정부로부터 받은 오염 물질 배출권 30장을 모두 B 공장에 판매할 것이므로, 오염 물질 배출량은 0톤일 것이다. B 공장은 정부로부터 받은 오염 물질 배출권 30장과 A 공장으로부터 구매한 오염 물질 배출권 30장으로 총 60톤의 오염 물질을 배출할 것이다. 따라서 오염 물질 배출량은 B 공장이 A 공장보다 많을 것이다. ㄹ. 오염 물질 배출권은 1장당 A 공장의 자체 정화 비용인 100만 원 초과 B 공장의 자체 정화 비용인 150만 원 미만의 가격으로 거래될 것이다.

┃바로 알기┃ ㄴ. B 공장은 오염 물질 100톤 중 60톤을 배출하고, 40톤을 자체 정화할 것이다.

5 시장 실패와 정부 실패

갑은 시장 실패를 메꾸기 위해 정부의 적극적인 시장 개입을 주장하고, 을은 정부 실패를 우려해 정부의 시장 개입을 반대하고 있나. ① 독과점 시장에서는 경쟁이 제한되어 시장을 통한 자원 배분의 효율성이 낮아져 시장 실패가 발생한다. ② 유권자들이 정부 사업에 대해 잘 알지 못하는 경우 사회적 편익이 큰 사업에 반대하고, 사회적 비용이 큰 정부 사업을 지지할 수 있다. 이럴 경우 정부는 유권자들이 지지하는 사업을 할 수밖에 없으므로 정부 실패가 발생한다. ③ 시장 실패와 정부 실패는 모두 자원의 비효율적 배분을 초래한다. ⑤ 을은 정부의 시장 개입을 반대하므로, 공기업을 민영화하는 정책을 지지할 것이다.

┃바로 알기┃ ④ 갑이 아닌 정부의 시장 개입을 반대하는 을이 민간 부문의 노력을 통한 경제 문제 해결을 지지할 것이다.

6 정부 실패

제시된 글은 정부가 담합이라는 불공정 행위로 인해 발생한 시장 실패를 보완하기 위해 시장에 개입하지만, 문제를 충분히 해결하지 못하였다는 내용이다. 이를 통해 정부의 시장 개입이 항상 효율적인 자원 배분으로 이어지는 것은 아님을 알 수 있다.

┃바로 알기┃ ① 시장 실패가 정부 실패의 원인은 아니다. ②, ⑤ 제시된 글을 통해 내린 결론으로 적절하지 않다. ③ 정부는 다른 경제 주체들과 마찬가지로 정책에 필요한 정보나 지식을 충분히 가지지 못한다. 이는 정부 실패의 원인이 된다.

대단원 실력 굳히기   088~091쪽

01 ⑤	02 ④	03 ⑤	04 ③	05 ①	06 ③	07 ⑤
08 ②	09 ③	10 ④	11 ③	12 ①	13 ⑤	14 ⑤
15 ④	16 ③					

01 수요의 변동

제시된 그림에서 수요 곡선이 왼쪽으로 이동하였으므로, X재의 수요가 감소하였음을 알 수 있다. ㄷ, ㄹ. X재의 보완재 가격의 상승과 대체재 가격의 하락은 X재 수요를 감소시키는 요인이다.

▮ 바로 알기 ▮ ㄱ. 해당 재화의 가격이 하락하면 수요량이 증가한다. 이는 수요 곡선상의 이동으로 나타난다. ㄴ. 소비자의 수가 증가하면 수요가 증가하여 수요 곡선 자체가 오른쪽으로 이동한다.

02 대체제와 보완재

A재 가격이 상승하자 B재의 판매 수입이 증가하였는데, 이는 B재에 대한 수요가 증가하였기 때문이다. 즉, A재 가격이 상승하면 B재에 대한 수요가 증가하므로, A재와 B재는 대체재 관계이다. A재 가격이 상승하자 C재의 판매 수입이 감소하였는데, 이는 C재에 대한 수요가 감소하였기 때문이다. 즉, A재 가격이 상승하면 C재에 대한 수요가 감소하므로, A재와 C재는 보완재 관계이다. ④ B재의 가격이 상승하면, 대체재 관계에 있는 A재의 수요는 증가한다.

▮ 바로 알기 ▮ ① B재와 C재의 관계는 알 수 없다. ② A재 공급이 증가하면 A재 가격은 하락한다. A재 가격이 하락하면 대체재 관계에 있는 B재의 수요는 감소한다. ③ A재 공급이 감소하면 A재 가격이 상승한다. A재 가격이 상승하면 보완재 관계에 있는 C재의 수요는 감소하여 가격이 하락한다. ⑤ C재의 생산 비용이 상승하면 공급이 감소하여 C재의 가격이 상승한다. C재의 가격이 상승하면 보완재 관계에 있는 A재의 수요는 감소하여 거래량이 감소한다.

03 공급 법칙의 예외

⑤ X재는 공급 곡선이 수직이므로 수요가 증가할 경우 거래량에는 변함이 없지만 가격이 상승한다. 따라서 판매 수입이 증가한다. Y재는 공급 곡선이 수평이므로 수요가 증가할 경우 가격에는 변함이 없지만 거래량이 증가한다. 따라서 판매 수입이 증가한다.

▮ 바로 알기 ▮ ① X재의 거래량은 변동하지 않는다. ② X재의 가격은 상승한다. ③ Y재의 가격은 변동하지 않는다. ④ Y재의 거래량은 증가한다.

04 공급의 증가

제시된 그림에서 공급 곡선이 오른쪽으로 이동하였으므로, X재의 공급이 증가하였음을 알 수 있다. ㄴ. 공급 증가로 균형 가격은 P_0에서 P_1으로 하락하였고, 균형 거래량은 Q_0에서 Q_1으로 증가하였다. ㄷ. 미래에 상품 가격이 하락할 것으로 예상되면 공급자들은 가격 하락 전 상품을 판매하려고 할 것이므로, 현재의 공급이 증가한다.

▮ 바로 알기 ▮ ㄱ. 공급이 증가하였다. ㄹ. 원자재 가격이 상승하면 공급이 감소하여 공급 곡선 자체가 왼쪽으로 이동한다.

05 균형 가격과 균형 거래량의 변동

t년과 비교하여 t + 1년에 수요량은 모든 가격 수준에서 40개씩 증가하였고, 공급량은 모든 가격 수준에서 20개씩 증가하였다. 즉, 수요의 증가폭이 공급의 증가폭보다 커 균형 가격은 상승하고, 균형 거래량은 증가한다.

06 시장 균형의 변동

2017년 상황은 2016년에 비해 수요는 감소하고, 공급은 증가할 경우 나타날 수 있다. 2018년 상황은 2017년에 비해 수요와 공급이 모두 증가할 경우 나타날 수 있다. 2019년 상황은 2018년에 비해 수요는 증가하고, 공급은 감소할 경우 나타날 수 있다. ② 소득 감소는 수요 감소 요인이고, 원자재 가격 하락은 공급 증가 요인이다. ④ 수요자의 수 증가는 수요 증가 요인이고, 공급자의 수 증가는 공급 증가 요인이다. ⑤ 소비자의 선호 증가는 수요 증가 요인이고, 원자재 가격의 상승은 공급 감소 요인이다.

▮ 바로 알기 ▮ ③ 2017년에 비해 X재의 가격 상승이 예상될 경우 수요는 증가하고 공급은 감소하므로, 2018년 상황은 나타날 수 없다.

07 수요의 가격 탄력성

수요 곡선의 기울기가 완만할수록 가격 변화에 대해 수요량이 민감하게 변동한다. 즉, X재에 비해 Y재의 수요의 가격 탄력성이 크다. ㄷ. X재는 가격이 P_1에서 P_2로 상승하면 가격 상승으로 인한 수입의 증가분($P_1P_2 \times 0Q_2$)이 수요량 감소로 인한 수입의 감소분($0P_1 \times Q_2Q_1$)보다 크기 때문에 기업의 총판매 수입이 증가한다. ㄹ. Y재는 가격이 P_2에서 P_1으로 하락하면 가격 하락으로 인한 수입의 감소분($P_1P_2 \times 0Q_2$)보다 수요량 증가로 인한 수입의 증가분($0P_1 \times Q_2Q_1$)이 크기 때문에 기업의 총판매 수입이 증가한다.

▮ 바로 알기 ▮ ㄱ. 대체재가 많은 상품일수록 수요의 가격 탄력성이 크다. 따라서 X재보다 Y재의 수요 곡선에 가깝다. ㄴ. 생활필수품은 값이 비싸든 싸든 일정한 양을 소비하므로 수요의 가격 탄력성이 작다. 따라서 Y재보다 X재의 수요 곡선에 가깝다.

08 수요의 가격 탄력성

수요의 가격 탄력성은 수요량의 변화율을 가격의 변화율로 나눈 값이다. 따라서 수요의 가격 탄력성은 어린이가 2, 청소년이 1, 성인이 0.4이다. ㄱ. 어린이는 수요량의 변화율이 가격의 변화율보다 크다. 즉, 어린이의 X재 수요는 가격에 대해 탄력적이다. ㄹ. 수요의 가격 탄력성이 큰 소비자에게는 가격을 인하하고, 수요의 가격 탄력성이 1보다 작은 소비자에게는 가격을 인상하는 전략을 통해 판매 수입을 극대화할 수 있다. 따라서 수요의 가격 탄력성이 탄력적인 어린이에게는 가격을 인하하는 것이, 수요의 가격 탄력성이 비탄력적인 성인에게는 가격을 인상하는 것이 판매 수입 증대에 유리하다.

▮ 바로 알기 ▮ ㄴ. 청소년은 수요량의 변화율과 가격의 변화율이 같다. 즉, 청소년의 X재 수요는 가격에 대해 단위 탄력적이다. ㄷ. 청소년과 성인의 X재 수요량은 가격 상승 전보다 각각 5%, 2%씩 감소하였다.

09 공급의 가격 탄력성

공급 곡선의 기울기가 완만한 형태일수록 가격 변화에 대해 공급량이 민감하게 변동한다. 즉, (나)가 (가)에 비해 공급의 가격 탄력성이 크다. ③ 최저 가격제는 정부가 시장의 균형 가격보다 높은 수준에서 가격의 하한선을 정하고, 그 이하로 거래할 수 없도록 하는 정책이다. 최저 가격제가 시행되면 공급의 가격 탄력성이 큰 (나)가 (가)보다 공급량이 더 많이 증가한다. 따라서 초과 공급은 (가)보다 (나)에서 더 많을 것이다.

‖ 바로 알기 ‖ ① 정상재인 X재는 소득이 증가하면 수요가 증가한다. 판매 수입은 거래량×가격이므로, (가), (나) 모두 판매 수입이 증가한다. ② 수요가 증가하면 (가), (나) 모두 균형 가격이 상승하는데, 공급의 가격 탄력성이 비탄력적인 (가)가 (나)보다 더 많이 상승한다. ④ 최고 가격제는 정부가 시장의 균형 가격보다 낮은 수준에서 가격의 상한선을 정하고, 그 이상으로 거래할 수 없도록 하는 정책이다. 최고 가격제가 시행되면 (가), (나) 모두 공급량이 감소하는데, 공급의 가격 탄력성이 큰 (나)가 (가)보다 더 많이 감소한다. ⑤ X재의 대체재 가격이 상승하면 X재의 수요가 증가하여 (가), (나) 모두 균형 거래량이 증가하는데, 공급의 가격 탄력성이 큰 (나)가 (가)보다 더 많이 증가한다.

10 최고 가격제

분양가 상한제는 정부가 아파트 분양가가 너무 높다고 판단하여 실시하는 것으로, 최고 가격제의 사례에 해당한다. ㄴ. 최고 가격제를 시행하면 수요량은 증가하지만 공급량이 감소하여 초과 수요가 발생한다. ㄹ. 시장 균형 가격이 가격 상한선보다 낮아지면 최고 가격제의 실효성이 없어진다.

‖ 바로 알기 ‖ ㄷ. 최고 가격제는 소비자 보호를 위한 것이지만, 가격 규제 전보다 총잉여가 감소하는 비효율성이 발생한다는 한계가 있다.

11 최저 가격제

최저 가격제는 정부가 시장의 균형 가격보다 높은 수준에서 가격의 하한선을 정하고 그 이하로 거래할 수 없도록 하는 정책으로, 가격 하한제라고도 한다. ①, ②, ④, ⑤ 최저 가격을 P_1으로 설정하면 최저 가격인 P_1이 시장 가격이 된다. 이때 시장 공급량은 Q_2인데, 시장 수요량은 Q_1이기 때문에 시장에서는 Q_1만큼만 거래되고, Q_1Q_2만큼 초과 공급이 발생한다. 초과 공급이 발생하면 최저 가격을 어기고 더 싼 가격에 상품을 거래하는 암시장이 형성될 수 있다.

‖ 바로 알기 ‖ ③ 정부의 가격 규제로, Q_0Q_2만큼 공급량이 증가한다.

12 소비자 잉여와 생산자 잉여

정부가 가격을 규제하기 전 시장에서 균형이 형성되었을 때의 소비자 잉여는 ㉠+㉡+㉢이고, 생산자 잉여는 ㉣+㉤+㉥이었다. 그런데 정부가 가격을 P_1으로 규제한 이후 소비자 잉여는 ㉠, 생산자 잉여는 ㉡+㉣+㉤으로 변화하게 된다.

13 시장 실패의 원인

(가)는 재화의 비경합성과 비배제성으로 인해 과소 생산의 문제가

나타나므로, 공공재이다. (나)는 사적 비용이 사회적 비용보다 커서 과소 생산의 문제가 나타나므로, 외부 경제이다. (다)는 사적 비용이 사회적 비용보다 작아 과다 생산의 문제가 나타나므로, 외부 불경제이다. ⑤ 사적 비용이 사회적 비용보다 커서 발생하는 외부 경제 상황에서는 생산량이 사회적 적정 수준보다 적고, 사적 비용이 사회적 비용보다 작아 발생하는 외부 불경제 상황에서는 생산량이 사회적 적정 수준보다 많다.

‖ 바로 알기 ‖ ① 환경 오염은 외부 불경제의 대표적인 사례이다. ② 외부 경제 상황에서 생산자에게 세금을 부과하면 사적 비용이 증가하여 과소 생산의 문제가 더욱 악화될 수 있다. ③ 외부 경제와 외부 불경제를 외부 효과라고 한다. ④ 공공재, 외부 경제, 외부 불경제는 모두 시장의 효율적 자원 배분을 저해하는 시장 실패의 원인이다.

14 외부 경제와 외부 불경제

ㄴ. B 기업은 기술을 개발하여 다른 사람에게 혜택을 주고도 그 대가를 받지 않았다. 이는 생산 측면의 외부 경제 사례에 해당한다. ㄷ. C는 자신의 편익을 위해 흡연을 하는 과정에서 주변 사람들에게 피해를 주었다. 이는 소비 측면의 외부 불경제 사례에 해당한다. ㄹ. D 공장은 생산 과정에서 발생한 폐수를 무단 방류하여 주민들에게 피해를 주었다. 이는 생산 측면의 외부 불경제 사례에 해당한다.

‖ 바로 알기 ‖ ㄱ. 과수원을 운영하는 A는 의도하지 않게 인근 양봉업자에게 혜택을 주었다. 이는 생산 측면의 외부 경제 사례에 해당한다.

15 불완전 경쟁

X재 시장은 A, B, C, D 4개의 기업이 시장을 지배하므로, 과점 시장으로 볼 수 있다. ㄴ, ㄹ. 과점 시장에서 소수 기업들은 이윤을 극대화하기 위해 담합하여 재화의 가격이나 생산량 등을 조정하려는 경향이 강하다. 따라서 사회가 요구하는 최적 수준만큼 재화가 충분히 공급되지 않을 가능성이 있다.

‖ 바로 알기 ‖ ㄱ. 독점 시장은 시장에서 상품을 공급하는 기업이 하나만 존재하는 시장이다. ㄷ. 과점 시장은 상품의 가격 결정에 수요자보다 공급자의 영향력이 더 크다.

16 시장 실패와 정부 실패

㉠은 시장 실패, ㉡은 정부 실패를 의미한다. ① 가로등이나 도로와 같은 공공재의 부족은 시장 실패의 사례에 해당한다. ② 독점 기업이 이윤 극대화를 위해 가격을 올리는 것은 시장 실패의 사례에 해당한다. ④, ⑤ 정부의 불완전한 정보 및 미래에 대한 부정확한 예측 때문에 발생한 정부 실패의 사례에 해당한다.

‖ 바로 알기 ‖ ③ 산업 재해 방지와 같이 사회적 이익과 직접 관련된 분야에 대한 정부의 규제 강화는 정부 실패의 사례로 볼 수 없다.

III. 국가와 경제 활동

01 경제 성장과 한국 경제

01 한국 경제의 변화

우리나라는 (다) 1960년대에 들어 노동 집약적인 경공업 중심의 수
출 주도 성장 우선 정책을 실시하였으며, (라) 1970년대에는 철강,
조선 등의 중화학 공업을 중심으로 경제가 크게 성장하였다. (가)
1980년대에는 삼저 호황에 힘입어 대규모 무역 흑자가 나타났으
며, 이후 (나) 1990년대부터 2000년대까지 세계화 추세와 자유 무
역 경쟁 속에서 외환 위기와 금융 위기를 겪었으나, 이를 극복하기
위해 노력하였다.

완자 정리 노트   한국 경제의 변화

1960년대	경공업 중심의 수출 주도형 성장 추구
1970년대	중화학 공업의 집중 육성
1980년대	기술 경쟁력 강화 노력, 삼저 호황에 힘입어 경제 발전
1990년대	첨단 산업 발달, 외환 위기 발생
2000년대	세계적 금융 위기 극복

02 한국 경제의 성과와 과제

제시된 글에서는 우리나라가 정부 주도로 수출 및 중화학 공업을
육성하면서 빠른 경제 성장을 이루었음을 보여 준다. ③ 우리나라
에서는 정부가 수출과 중화학 공업 위주로 산업을 육성하면서 산
업 부문 간의 불균형이 심화되는 문제가 나타났다.

▌바로 알기▐ ①, ⑤ 경제 개발을 추진하는 과정에서 농업 부문의 더딘 성
장, 중소기업 위축, 노사 갈등 등의 문제가 발생하면서 자원 배분이 왜곡되
고 계층 간 격차가 심화되었다. ② 정부 주도의 경제 성장으로 시장 경제에
대한 정부의 개입과 규제 등이 이루어져 민간 경제의 자율성이 약화되었다.

④ 우리나라는 수출 주도형 성장 정책을 추진하여 경제가 빠르게 성장하
였다. 그러나 경제의 대외 의존도가 높아지면서 세계 경제의 움직임에 쉽게
영향을 받게 되었다.

03 민간 경제의 순환

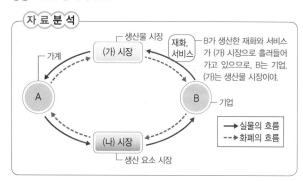

(가) 시장은 생산물 시장, (나) 시장은 생산 요소 시장이며, A는 가
계, B는 기업이다. ㄱ. 생산물 시장에서는 재화와 서비스와 같은
생산물이 거래된다. ㄴ. 임금, 지대, 이자 등은 기업이 가계로부터
생산 요소를 제공받고 그 대가로 지급한 것으로, 생산 요소 시장
에서 결정된다.

▌바로 알기▐ ㄷ. 생산물 시장에서 가계는 수요자, 기업은 공급자이다. ㄹ.
노동, 토지, 자본 등의 생산 요소는 가계가 기업에 제공하는 것이므로, 가계
에서 기업으로 이동한다.

04 국민 경제의 순환

A는 생산 요소 시장에서 노동, 토지, 자본 등의 생산 요소를 제공
하는 공급자이므로 가계이다. C는 공공재 생산에 있어 주도적 역
할을 하므로 정부이다. 따라서 나머지 B는 기업이다. ① ⓒ은 기업
이 가계로부터 생산 요소를 제공받고 그 대가로 지급하는 것이므
로 임금, 지대, 이자 등이 이에 해당한다. ② ⓛ은 가계가 기업으
로부터 생산물을 구매하고 지급한 대가인 소비 지출이다. 가계의 소
비 지출은 생산물 시장에서 발생한다. ③ ⓒ은 기업이 정부에 납
부하는 세금인 법인세 등이 해당한다. ⑤ 정부는 가계와 기업으로
부터 세금을 거두어들여 국민 경제가 원활하게 작동하도록 지원하
거나 규제한다.

▌바로 알기▐ ④ 생산물 시장에서 기업은 공급자, 정부는 수요자 또는 공급
자이다.

완자 정리 노트   국민 경제의 순환

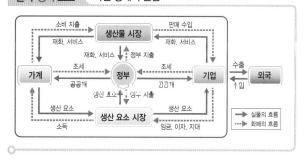

05 국내 총생산(GDP)

국내 총생산(GDP)은 한 나라의 국경 안에서 일정 기간 새롭게 생산된 최종 재화와 서비스의 가치를 시장 가격으로 계산하여 합한 것을 말한다. 을. GDP는 '일정 기간 새롭게 생산된 것'만 포함한다. 과거에 생산된 자동차를 올해 중고차 시장에서 판매하였다면 자동차의 가치는 이미 과거의 GDP에 포함되었기 때문에 올해 GDP 계산에는 포함되지 않는다. 병. GDP를 측정할 때에는 '최종 재화와 서비스의 가치'만을 포함하는데, 이는 부속품과 같이 생산 과정에 투입된 중간 생산물의 가치는 제외한다는 것이다.

‖ **바로 알기** ‖ 갑. GDP는 전체적인 경제 규모만을 나타내므로 생산의 결과가 누구에게 얼마나 분배되었는지 파악하기 어렵다. 정. GDP는 '한 나라의 국경 안에서 일어나는 생산 활동'을 측정하는 것으로, 해외에 진출한 국내 기업의 경제 활동은 제외된다.

06 국내 총생산(GDP)과 국민 총소득(GNI)

(가)는 국내 총생산(GDP), (나)는 국민 총소득(GNI)에 해당한다. 한 나라 국민들의 생활 수준을 비교하기 위해 소득을 측정할 때는 국경보다는 국적을 기준으로 한다. 국내에서 경제 활동을 하는 외국인이 벌어들인 소득은 GDP에는 포함되지만, 우리 국민의 소득이 아니기 때문에 GNI에서 제외된다. 반면 해외에서 경제 활동을 하는 우리 국민의 소득은 우리나라 안에서 얻은 것이 아니기 때문에 GDP에는 포함되지 않지만, 우리 국민의 소득이기 때문에 GNI에 포함된다. ㄱ. 생산 주체와 상관없이 우리나라의 국경 안에서 생산하였으므로 GDP에 포함된다. ㄹ. 우리나라의 국경 안에서 우리나라 기업이 벌어들인 소득이므로 GDP와 GNI 모두에 포함된다.

‖ **바로 알기** ‖ ㄴ. 우리나라의 국경 안에서 생산하였으므로 GDP에 포함된다. ㄷ. 외국인 선수가 벌어들인 소득이므로 우리나라의 GNI에는 포함되지 않는다.

07 국내 총생산(GDP)의 계산

국내 총생산(GDP)을 계산할 때는 중복 계산을 피하기 위하여 중간 생산물의 가치를 제외해야 하고, 해당 기간에 생산된 것만 포함해야 한다. 또한 시장에서 거래되지 않은 것은 원칙적으로 제외한다. ⑤ 방앗간 주인은 300만 원어치의 밀을 구입하여 1,000만 원어치의 밀가루를 생산함으로써 700만 원의 부가 가치를 창출하였다. 빵집 주인은 800만 원어치의 밀가루를 구입하여 1,500만 원어치의 빵을 생산함으로써 700만 원의 부가 가치를 창출하였다.

‖ **바로 알기** ‖ ① 갑국의 GDP를 최종 생산물의 시장 가치의 합으로 계산할 경우, 방앗간 주인이 소비자에게 직접 판매한 밀가루의 가치인 200만 원과 빵집 주인이 만든 빵의 가치인 1,500만 원을 합한 1,700만 원이 된다. ② 방앗간 주인의 이윤은 밀가루를 소비자에게 팔아 얻은 200만 원과 빵집 주인에게 팔아 얻은 800만 원의 합에서 밀을 구입하는 데 사용된 300만 원을 뺀 700만 원이다. ③ 농부가 생산한 밀은 모두 밀가루를 만드는 중간 생산물로 사용되었다. 하지만 방앗간 주인이 생산한 밀가루 중 200만 원어치는 소비자에게 직접 팔았으므로, 이는 최종 생산물이 된다. ④ 중간 생산물인 밀과 밀가루의 가치를 모두 합하면 1,100만 원이 되므로, GDP인 1,700만 원보다 작다.

08 1인당 국내 총생산(GDP)

국내 총생산(GDP)은 여러 나라의 경제 규모 및 소득 수준을 비교하는 데 활용된다. 하지만 나라마다 인구가 다르기 때문에 국내 총생산이 크다고 해서 그 나라 국민의 평균적인 생활 수준도 높다고 할 수는 없다. 따라서 GDP를 그 나라의 인구수로 나눈 1인당 GDP를 통해 그 나라 국민의 평균적인 소득 수준을 알 수 있으며, 나라 간 국민의 생활 수준을 비교해 볼 수 있다. 각 나라의 인구는 GDP를 1인당 GDP로 나누어 계산할 수 있다. 이를 통해 A~D국의 인구수를 확인해 보면, A국은 1,000만 명, B국과 D국은 500만 명, C국은 2,000만 명이다. ㄱ. GDP가 가장 큰 A국의 경제 규모가 가장 크다. ㄷ. C국 인구(2,000만 명)는 D국 인구(500만 명)의 4배이다.

‖ **바로 알기** ‖ ㄴ. 인구가 가장 많은 나라는 C국이다. ㄹ. GDP와 1인당 GDP는 총량 개념이므로, 소득 분배 상황을 정확히 나타내지 못한다.

09 국민 소득 삼면 등가의 법칙

(가)는 분배 국민 소득, (나)는 지출 국민 소득이다. 분배 국민 소득은 임금, 지대, 이자, 이윤 등의 소득을 합하여 측정하며, 지출 국민 소득은 소비 지출, 투자 지출, 정부 지출, 순수출을 합하여 측정한다. ㄴ. 예금에 대한 이자는 분배 국민 소득에 포함된다. ㄹ. 정부가 고속도로를 건설하는 데 든 비용은 정부 지출에 해당하므로 지출 국민 소득에 포함된다.

‖ **바로 알기** ‖ ㄱ. 해외에서 생산한 자동차의 가치는 GDP에 포함되지 않는다. ㄷ. 외국에서 생산한 상품을 수입한 것은 국가 내에서의 생산 활동이 아니므로 GDP에 포함되지 않는다.

완자 정리 노트   국민 소득 삼면 등가의 법칙

생산 국민 소득	분배 국민 소득	지출 국민 소득
국내 총생산(GDP)	= 임금 + 지대 + 이자 + 이윤	= 소비 지출 + 투자 지출 + 정부 지출 + 순수출

10 국내 총생산(GDP)의 한계

제시된 사례에서는 교통사고, 환경 오염 등이 국민의 삶의 질을 떨어뜨리지만, 이러한 문제를 해결하는 과정에서 오히려 국내 총생산(GDP)이 증가하는 모습을 보여 준다. 이를 통해 GDP가 국민의 삶의 질을 정확히 반영하지 못한다는 한계를 가진다는 점을 알 수 있다.

11 지출 국민 소득과 경제 성장률

실질 GDP는 생산 측면에서 국민 소득을 측정한 것으로 생산 국민 소득이라고도 한다. 이것은 분배와 지출 측면에서 계산해도 그 크기가 같다. 제시된 자료에서 지출 국민 소득인 소비 지출, 투자 지출, 정부 지출, 순수출을 모두 합한 값과 생산 국민 소득인 실질 GDP의 크기는 일치하게 된다. ㄷ. 경제 성장률은 [(금년도 실질 GDP−전년도 실질 GDP)/전년도 실질 GDP]×100으로 계산한다.

2016년 경제 성장률은 [(150억 달러−100억 달러)/100억 달러]×100=50%, 2017년 경제 성장률은 [(200억 달러−150억 달러)/150억 달러]×100=약 33.3%이다. 따라서 2016년의 경제 성장률이 2017년의 경제 성장률보다 높다. ㄹ. ㉠과 ㉡에 들어갈 값은 '20'으로 같다.

┃**바로 알기**┃ ㄱ. 제시된 표에서 순수출만을 가지고 수출액을 파악할 수는 $\overset{\text{수출액 − 수입액}}{}$ 없다. 또한 순수출이 큰 경우는 수출과 수입의 차가 큰 것이지 수출의 절대적인 크기가 크다고 할 수 없다. ㄴ. 실질 GDP에서 소비 지출이 차지하는 비중은 2015년에는 (60억 달러 / 100억 달러)×100 = 60%이고, 2016년에는 (80억 달러 / 150억 달러)×100 = 약 53.3%이다. 따라서 2016년에는 2015년에 비해 실질 GDP에서 소비 지출이 차지하는 비중이 낮아졌다.

12 경제 성장률의 측정 방식
경제 성장률은 물가의 변동분을 제거한 실질 GDP로 계산해야 한다. 생산량이 증가하지 않고 가격만 오르더라도 명목 GDP는 증가한 것으로 나타나므로, 물가 상승분만큼 그 나라의 생산 수준 및 국민들의 실제 생활 수준의 변화를 과대평가할 수 있기 때문이다. 따라서 ㉠에는 실질 GDP, ㉡에는 물가 변동이 들어간다.

완자 정리 노트	명목 GDP와 실질 GDP
명목 GDP	• 당해 연도의 상품 생산량 × 당해 연도의 가격 • 재화와 서비스의 수량 증감뿐만 아니라 물가의 변동도 반영함
실질 GDP	• 당해 연도의 상품 생산량 × 기준 연도의 가격 • 물가 변동분을 제거하여 실질적인 재화와 서비스의 생산량 변동을 측정함

13 명목 GDP와 실질 GDP
갑국의 연도별 명목 GDP와 실질 GDP를 계산하여 표로 정리하면 다음과 같다.

연도	명목 GDP	실질 GDP
2015년	(10개×100원)+(100개×10원) = 2,000원	(10개×100원)+(100개×10원) = 2,000원
2016년	(10개×150원)+(150개×10원) = 3,000원	(10개×100원)+(150개×10원) = 2,500원
2017년	(10개×300원)+(300개×10원) = 6,000원	(10개×100원)+(300개×10원) = 4,000원

① 기준 연도인 2015년의 명목 GDP와 실질 GDP는 당해 연도의 가격과 기준 연도의 가격이 동일하므로, 같은 값을 가진다. ②, ③ 2016년의 명목 GDP는 3,000원이고, 실질 GDP는 2,500원이다. 따라서 2016년에는 명목 GDP가 실질 GDP보다 크다. ⑤ 실질 GDP의 크기를 통해 경제 규모를 비교할 수 있다. 2016년의 실질 GDP는 2,500원, 2017년의 실질 GDP는 4,000원이므로, 2017년에는 2016년에 비해 경제 규모가 커졌다.

┃**바로 알기**┃ ④ 경제 성장률은 실질 GDP의 변화율로 계산할 수 있다. 2017년의 경제 성장률은 [(4,000원−2,500원) / 2,500원]×100 = 60%이다.

14 경제 성장률
2012년의 경제 성장률이 5%이므로, 전년 대비 경제 성장률 증감에 비추어 볼 때 각 연도별 경제 성장률은 2013년 6%, 2014년 7%, 2015년 7%, 2016년 6%, 2017년 4%가 된다. ㄱ. 2013년 이후 경제 성장률은 계속 양(+)의 값을 가지므로 경제 규모는 지속적으로 커졌음을 알 수 있다. ㄷ. 2014년과 2015년의 경제 성장률은 7%로 같다.

┃**바로 알기**┃ ㄴ. 경제 성장률은 전년 대비 실질 GDP의 증가율이다. 경제 성장률이 지속적으로 양(+)의 값을 가지므로, 실질 GDP는 전년보다 항상 증가해 왔음을 알 수 있다. 따라서 2017년의 실질 GDP가 가장 크다. ㄹ. 2013년과 2016년의 경제 성장률은 6%로 같다.

15 경제 성장의 요인
ㄱ. 갑국은 을국에 비해 경제 성장에서 노동과 자본 투입의 기여율이 높다. 따라서 갑국은 을국에 비해 생산 요소의 양적 증가가 경제 성장에 더 큰 영향을 미쳤을 것임을 추론할 수 있다. ㄷ. 생산 요소가 경제 성장에 이바지하는 정도는 각 나라의 경제적 여건에 따라 다르지만, 산업 구조가 고도화될수록 경제 성장에서 기술 진보의 중요성이 더욱 강조된다. 따라서 기술 진보와 교육 수준 향상의 기여율이 높은 을국이 갑국에 비해 산업 구조가 고도화되었을 가능성이 높다.

┃**바로 알기**┃ ㄴ. 제시된 자료만으로는 갑국과 을국의 경제 규모를 파악할 수 없다. ㄹ. 갑국은 경제 성장에서 자본 투입의 기여율이 기술 진보의 기여율보다 높으며, 을국은 기술 진보의 기여율이 자본 투입의 기여율보다 높다.

16 경제 성장을 위한 정부의 정책
① 기술 발전은 생산성 향상의 토대가 되므로, 정부는 기업의 연구 개발 투자에 대해 혜택을 부여할 필요가 있다. ② 생산에 투입되는 자본의 공급이 증가하면 생산성이 높아질 수 있다. 이러한 자본의 원천은 저축이므로, 정부는 저축을 장려하기 위한 정책을 마련할 필요가 있다. ③ 교육은 인적 자본에 대한 투자로서, 재화와 서비스를 생산하는 방법에 대한 새로운 아이디어를 개발하는 밑바탕이 된다. 따라서 정부는 교육에 대한 투자를 늘림으로써 인적 자본 구축을 지원해야 한다. ⑤ 자산이나 지적 생산물에 대한 재산권이 인정되면 재산 축적을 위해 노력할 동기가 생기기 때문에 경제 성장에 기여할 수 있다.

┃**바로 알기**┃ ④ 정부에서는 특허 제도를 마련하여 일정 기간 기술 개발에 따른 독점권을 인정해야 기술 개발에 대한 유인이 발생하여 경제 성장에 기여할 수 있다.

서술형 문제

102쪽

01 주제: 국내 총생산(GDP)

(1) 310만 원

(2) **예시 답안** ㉠, ㉣, ㉤. ㉠ 밀가루의 가치는 이미 최종 생산물인 떡볶이의 시장 가격에 포함되어 있다. ㉣ 올해가 아닌 지난해의 국내 총생산에 포함된다. ㉤ 중고품의 가치로, 국내 총생산에 포함되지 않는다.

채점 기준

상	㉠, ㉣, ㉤을 쓰고, 그 이유를 모두 정확하게 서술한 경우
중	㉠, ㉣, ㉤을 쓰고, 그 이유를 한 가지만 정확하게 서술한 경우
하	㉠, ㉣, ㉤만 쓴 경우

02 주제: 경제 성장률 계산

(1) **예시 답안** 2016년의 명목 GDP와 실질 GDP는 800원×100개 = 8만 원이다. 2017년 명목 GDP: 1,000원×150개 = 15만 원이고, 실질 GDP는 800원×150개 = 12만 원이다.

(2) **예시 답안** 경제 성장률은 전년 대비 실질 GDP의 변화율로 측정하므로 2017년 갑국의 경제 성장률은 [(12만 원 − 8만 원) / 8만 원] × 100 = 50%이다.

채점 기준

상	명목 GDP와 실질 GDP를 모두 정확하게 계산하고, 경제 성장률은 실질 GDP를 사용하여 구한다는 점을 명시하여 경제 성장률을 정확하게 계산한 경우
하	명목 GDP와 실질 GDP, 경제 성장률의 계산 방식을 명시하지 않고 경제 성장률만 쓴 경우

STEP 3 1등급 정복하기

103~105쪽

1 ⑤   2 ①   3 ④   4 ②   5 ④   6 ③

1 국민 경제의 순환

㉠은 가계의 소비 지출이므로 A는 가계이다. ㉡은 가계가 정부에 납부하는 것이므로 B는 정부이다. 따라서 나머지 C는 기업이다. 그리고 가계의 소비 지출이 (가) 시장을 거쳐 기업으로 흘러들어가고 있으므로 (가) 시장은 생산물 시장이며, (나) 시장은 생산 요소 시장이다. ⑤ ㉢은 가계가 기업에 생산 요소를 제공하고 받은 소득이므로, 분배 국민 소득을 측정할 때 포함된다.

┃바로 알기┃ ① 노동과 자본은 생산 요소 시장에서 거래된다. ② 가계는 생산 요소 시장의 공급자이다. ③ 기업에 대한 설명이다. ④ 기업은 생산 요소 시장의 수요자이다.

2 국민 경제 지표의 이해

국민 소득 삼면 등가의 법칙 ┐

㉠은 국내 총생산(GDP)이다. ② GDP는 생산 측면에서 측정한 국민 소득이다. 국민 소득은 생산, 분배, 지출 어느 측면에서 측정하더라도 그 크기는 일치한다. ③ GDP는 총량 개념으로 한 나라의 소득 분배 상황이나 빈부 격차 정도를 반영하지 못한다는 한계가 있다. ④ 한 나라의 국경 안에서 생산된 것이므로 GDP에 포함된다. ⑤ 금융 자산이나 부동산을 구입하는 것은 사람들 사이에서 소유권만 이전된 것이지 상품이 생산된 것이 아니므로 이때의 자산 가치는 GDP에 포함되지 않는다.

┃바로 알기┃ ① GDP는 최종 생산물의 시장 가치를 합한 것으로 생산 과정에 투입된 중간 생산물의 시장 가치는 제외한다.

3 지출 국민 소득

2015년의 GDP를 100이라고 가정하면, 2016년의 GDP는 100, 2017년의 GDP는 90이다. 이를 토대로 지출 항목별 크기를 표로 정리하면 다음과 같다.

구분	2015년	2016년	2017년
소비 지출	60	70	54
투자 지출	10	10	9
정부 지출	20	10	18
순수출	10	10	9

④ 2017년의 순수출은 9로, 전년의 10에 비해 10% 감소하였다.

┃바로 알기┃ ① 2015년의 순수출(수출액 − 수입액)은 양(+)의 값을 가지므로, 수출이 수입보다 많다. ② 2016년의 투자 지출은 10으로, 전년의 10과 동일하다. ③ 2016년의 소비 지출 대비 정부 지출의 비율은 (10/70)×100 = 약 14.3%로, 전년의 (20/60)×100 = 약 33.3%보다 하락하였다. ⑤ 2015년의 소비 지출은 60, 2017년의 소비 지출은 54이다.

4 명목 GDP와 실질 GDP

ㄱ. 기준 연도인 2014년에는 명목 GDP와 실질 GDP가 같고, 2015년에는 명목 GDP 증가율이 실질 GDP 증가율보다 높다. 따라서 2015년에는 명목 GDP가 실질 GDP가 크다. ㄷ. 실질 GDP는 물가 변동을 제외한 GDP이다. 2017년에는 명목 GDP 증가율이 실질 GDP 증가율보다 낮으므로, 전년 대비 물가가 하락하였다.

┃바로 알기┃ ㄴ. 실질 GDP 증가율은 곧 경제 성장률을 의미하는데, 2016년의 실질 GDP 증가율은 양(+)의 값을 나타내므로, 경제 성장률 역시 양(+)의 값을 가진다. ㄹ. 제시된 표에서는 명목 GDP의 증가율만 나타나 있기 때문에 정확한 증가액을 파악할 수는 없다. 그러나 2015년의 명목 GDP 증가액은 2014년 명목 GDP × 6%이고, 2016년의 명목 GDP 증가액은 2015년 명목 GDP×6% = (2014년의 명목 GDP × 1.06) × 6%이므로, 2016년의 명목 GDP 증가액이 2015년보다 크다는 것을 알 수 있다.

5 명목 GDP와 경제 성장률

기준 연도가 2015년이므로, 2015년의 명목 GDP와 실질 GDP는 100억 달러로 같다. 또한 경제 성장률은 매년 10%로 동일하므로, 갑국의 실질 GDP는 2016년에는 110억 달러, 2017년에는 121억 달러이다. ㄴ. 2016년의 명목 GDP와 실질 GDP는 110억 달러로 같다.

ㄹ. 2016년의 실질 GDP 증가액은 10억 달러, 2017년의 실질 GDP 증가액은 11억 달러로, 2017년의 실질 GDP 증가액은 2016년보다 많다.

∥ 바로 알기 ∥ ㄱ. 실질 GDP는 매년 지속적으로 증가하고 있다. ㄷ. 2017년의 명목 GDP 증가율은 약 9.1%, 실질 GDP 증가율은 10%로, 실질 GDP 증가율이 명목 GDP 증가율보다 높다.

6 경제 성장률

2016년의 실질 GDP는 매분기 100억 달러로 동일하므로, 경제 성장률이 −10%인 2017년 1분기의 실질 GDP는 90억 달러가 된다. 따라서 2분기의 실질 GDP는 99억 달러, 3분기의 실질 GDP는 110억 달러, 4분기의 실질 GDP는 110억 달러가 된다. ③ 2017년의 전분기 대비 경제 성장률은 2분기 10%, 3분기 약 11.1%로, 3분기가 2분기보다 높다.

∥ 바로 알기 ∥ ① 2017년의 1분기 실질 GDP는 90억 달러로, 전년 동분기의 실질 GDP인 100억 달러보다 작다. ② 경제 규모는 실질 GDP의 크기로 비교할 수 있다. 따라서 실질 GDP가 가장 작은 1분기의 경제 규모가 가장 작다. ④ 전분기 대비 실질 GDP 증가액은 2분기 9억 달러, 3분기 11억 달러이다. ⑤ 3분기와 4분기의 실질 GDP는 110억 달러로 같다.

02 실업과 인플레이션

STEP 1 핵심 개념 확인하기   110쪽

1 (1) 비경제 활동 인구 (2) 경제 활동 인구 (3) 15세 이상 인구   2 (1) − ㉣ (2) − ㉢ (3) − ㉠ (4) − ㉡   3 (1) 소비자 물가 지수 (2) GDP 디플레이터   4 ㄱ, ㄹ   5 (1) ○ (2) × (3) ○

STEP 2 내신 만점 공략하기   110~114쪽

01 ②	02 ④	03 ③	04 ②	05 ②	06 ③	07 ④
08 ⑤	09 ①	10 ③	11 ②	12 ①	13 ④	14 ④
15 ①	16 ⑤					

01 실업의 영향

제시된 내용에서는 우리나라에서 실업 문제가 심화하고 있음을 보여 준다. 개인이 실업자가 되면 소득이 줄어들어 생계를 유지하기 어려워질 수 있으며, 사회적 소속감을 상실하여 자신감을 잃게 될 수 있다. 한편 실업은 사회적으로 유용한 인적 자원을 낭비하게 하여 사회 전체적으로 생산성이 저하되고 소득 분배 상황을 악화시켜 경제 성장에 악영향을 끼칠 수 있다.

∥ 바로 알기 ∥ ② 실업 문제를 해결하기 위해 정부가 실업 급여나 취업 훈련비 등과 같은 사회 보장비에 대한 지출을 늘리면 정부의 재정 부담이 증가하게 된다.

02 고용 지표 관련 인구 구성

우리나라에서는 15세 이상 인구를 노동 가능 인구로 간주하며, 15세 이상 인구는 일할 능력과 의사에 따라 경제 활동 인구와 비경제 활동 인구로 구분된다. 경제 활동 인구는 취업 여부에 따라 취업자와 실업자로 구분된다. 제시된 그림에서 A는 비경제 활동 인구, B는 실업자이다. ㄴ. 실업률은 경제 활동 인구에서 실업자가 차지하는 비율로, 경제 활동 인구가 일정한 상태에서 실업자 수가 증가하면 실업률은 상승한다. ㄹ. 구직 활동을 하던 사람이 구직을 단념한 경우 실업자에서 비경제 활동 인구로 변하게 된다.

∥ 바로 알기 ∥ ㄱ. 15세 이상 인구가 일정한 상태에서 비경제 활동 인구가 증가하면 경제 활동 인구가 감소하므로, 경제 활동 참가율은 하락한다. ㄷ. 직장에 다니면서 야간 대학원에 다니는 경우 취업자에 해당한다.

03 실업률 조사

제시된 설문 조사 결과에서 갑국의 취업자는 8,000명이고, 15세 이상 인구 중 일자리가 없는 사람은 2,000명이며, 그 2,000명 중에서 1,000명이 구직 활동을 하고 있으므로 1,000명은 실업자, 1,000명은 비경제 활동 인구임을 알 수 있다. 따라서 갑국의 경제

활동 인구는 취업자와 실업자를 합한 4,000명이며, 15세 이상 인구는 경제 활동 인구와 비경제 활동 인구를 합한 5,000명이다. ㄴ. 고용률은 (3,000명 / 5,000명) × 100 = 60%이다. ㄷ. 경제 활동 참가율은 (4,000명 / 5,000명) × 100 = 80%이다.

┃바로 알기┃ ㄱ. 실업률은 (1,000 / 4,000) × 100 = 25%이다. ㄹ. 비경제 활동 인구는 1,000명이다.

완자 정리 노트	다양한 고용 지표
경제 활동 참가율(%)	$\dfrac{\text{경제 활동 인구}}{\text{15세 이상 인구}} \times 100$
실업률(%)	$\dfrac{\text{실업자 수}}{\text{경제 활동 인구}} \times 100$
고용률(%)	$\dfrac{\text{취업자 수}}{\text{15세 이상 인구}} \times 100$

04 고용 지표 분석

15세 이상 인구는 경제 활동 인구와 비경제 활동 인구의 합이다. 경제 활동 인구가 증가하였는데 15세 이상 인구가 감소하였다는 것은 비경제 활동 인구의 감소 폭이 경제 활동 인구의 증가 폭보다 더 크다는 것을 의미한다. 또한 실업자 수가 감소하였는데 경제 활동 인구가 증가한 것으로 보아 취업자 수의 증가 폭이 실업자 수의 감소 폭보다 크다는 점을 알 수 있다. ② 취업자 수는 증가하고 15세 이상 인구는 감소하였으므로 고용률은 상승한다.

┃바로 알기┃ ① 경제 활동 인구는 증가했는데 실업자 수는 감소하였으므로 실업률은 하락한다. ⑤ 15세 이상 인구는 감소했는데 경제 활동 인구는 증가하였으므로 경제 활동 참가율은 상승한다.

05 고용 동향 파악

전업주부였던 갑은 비경제 활동 인구였으나, 회사에 취직함으로써 취업자가 되었다. 15세 이상 인구가 일정하므로 경제 활동 인구는 증가하고 비경제 활동 인구는 감소한다. 취업자 수가 증가하여 경제 활동 인구가 증가하였는데 실업자 수는 변화가 없으므로, 실업률은 하락하며, 15세 이상 인구가 일정한 상태에서 취업자 수가 증가하였으므로 고용률은 상승한다. 따라서 고용 지표는 E에서 (나)로 변하게 된다.

06 고용 지표 변화 분석

갑국에서 15세 이상 인구와 취업자 수는 일정하므로, 각 연도별 실업자 수는 2015년 100만 명, 2016년 200만 명, 2017년 300만 명이다. ① 2015년의 실업률은 (100만 명 / 1,000만 명) × 100 = 10%이다. ④ 2016년에는 15세 이상 인구가 일정한 상태에서 경제 활동 인구가 증가하였으므로 비경제 활동 인구는 전년에 비해 감소하였다. ④ 2017년에는 전년에 비해 경제 활동 인구와 실업자 수 모두 100만 명씩 증가하였다. ⑤ 2016년의 실업률은 (200만 명 / 1,100만 명) × 100 = 약 18.2%로, 2015년보다 상승하였고, 2017년의 실업률은 (300만 명 / 1,200만 명) × 100 = 25%로, 2016년보다 상승하였다.

┃바로 알기┃ ③ 15세 이상 인구가 일정한 상태에서 2017년에는 2016년에 비해 경제 활동 인구가 증가하였으므로 경제 활동 참가율은 상승하였다.

07 고용률과 실업률

제시된 그림에 따르면 갑국에서 실업률은 상승하였고, 고용률은 일정하다. ①, ② 경제 활동 인구가 일정한 상태에서 실업률이 상승하였다는 것은 실업자 수는 증가하고 취업자 수는 감소하였다는 것을 의미한다. ③ 경제 활동 인구가 일정한 상태에서 취업자 수는 감소하였는데 고용률이 변하지 않았다는 것은 15세 이상 인구가 감소하였다는 것을 의미한다. ⑤ 취업자 수는 감소하고 실업자 수는 증가하였으므로 취업자 수 대비 실업자 수는 증가하였다.

┃바로 알기┃ ④ 15세 이상 인구는 감소하고 경제 활동 인구는 일정하므로 경제 활동 참가율은 상승하였다.

08 구조적 실업

제시된 사례에 나타난 산업 환경의 변화는 구조적 실업을 가져올 수 있다. ⑤ 구조적 실업은 기술 혁신으로 예전의 기술이 쓸모없어지거나 산업 구조의 변화로 어떤 산업이 사양화됨에 따라 발생하는 실업을 말한다.

┃바로 알기┃ ①, ④ 마찰적 실업에 대한 설명이다. ② 경기적 실업에 대한 설명이다. ③ 계절적 실업에 대한 설명이다.

09 실업의 유형

A는 마찰적 실업, B는 경기적 실업, C는 구조적 실업이다. ㄱ. 개인 사업을 위해 다니던 직장을 그만둔 경우는 개인의 선택에 의해 발생하는 마찰적 실업의 사례에 해당한다. ㄴ. 경기적 실업을 해결하기 위해 정부는 공공사업 실시, 정부 지출 확대 등의 경기 부양책을 마련해야 한다.

┃바로 알기┃ ㄷ. 일반적으로 사양 산업에 종사하는 사람들이 새로운 산업에서 필요로 하는 기술을 습득하기는 쉽지 않기 때문에 구조적 실업은 다른 유형의 실업에 비해 장기화된다는 특징이 있다. ㄹ. A에 속하는 사람도 B, C와 마찬가지로 실업자에 해당하므로 A의 증가는 실업률 상승의 요인이 된다.

완자 정리 노트	실업의 유형과 대책	
구분	원인	대책
경기적 실업	경기 침체	공공 지출 확대
구조적 실업	산업 구조 변화, 기술 혁신	직업 훈련, 기술 교육 확대
계절적 실업	계절 변화	농공 단지 조성
마찰적 실업	새로운 일자리 탐색	고용 관련 정보 제공

10 소비자 물가 지수

물가 지수는 기준 연도의 물가를 100으로 하여 비교 연도의 물가 변동 정도를 나타낸 것이다. ③ 2016년의 물가 지수는 105로, 기준 연도인 2015년에 비해 물가가 5% 상승하였다.

바로 알기 ① 물가 지수 측정의 기준이 되는 연도의 물가 지수를 100으로 보므로, 2015년이 기준 연도가 된다. ② 2014년에 비해 2015년의 물가 수준이 더 높으므로, 화폐의 구매력은 하락하게 된다. ④ 2017년에는 기준 연도에 비해 물가가 2% 더 상승한 것으로, 전년에 비해 물가가 3% 하락한 것으로 볼 수 없다. ⑤ 2017년에는 2016년보다 물가 수준이 낮다.

11 GDP 디플레이터

GDP 디플레이터는 명목 GDP를 실질 GDP로 나누어 100을 곱한 값으로, 현재의 물가가 기준 시점에 비해 어느 정도 변동했는지를 나타내는 지표이다. 이를 통해 각 해의 GDP 디플레이터를 계산하면, 2014년에는 (100억 달러 / 100억 달러) × 100 = 100, 2015년에는 (120억 달러 / 110억 달러) × 100 = 약 109.1, 2016년에는 (110억 달러 / 120억 달러) × 100 = 약 91.7, 2017년에는 (140억 달러 / 130억 달러) × 100 = 약 107.7이다. ㄱ. 물가 지수는 GDP 디플레이터로 측정하므로, 2014년의 GDP 디플레이터인 100이 2014년의 물가 지수가 된다. ㄷ. 물가 수준은 GDP 디플레이터가 더 높은 2015년이 2016년보다 높다.

바로 알기 ㄴ. GDP 디플레이터가 가장 높은 2015년의 물가 수준이 가장 높다. ㄹ. 물가 상승률은 전년 대비 물가가 하락한 2016년에는 음(−)의 값이고, 전년 대비 물가가 상승한 2017년에는 양(+)의 값을 가진다. 따라서 물가 상승률은 2017년이 2016년보다 높다.

12 인플레이션의 영향

제시된 신문 기사를 통해 예상치 못한 인플레이션이 발생하여 국민 경제에 큰 혼란이 초래되고 있음을 알 수 있다. ② 인플레이션으로 경제의 불확실성이 증가하면 저축과 투자가 줄어들고 단기 수익을 목적으로 한 투기가 늘어날 가능성이 높아져 건전한 경제 성장을 저해할 수 있다. ③ 인플레이션이 발생하면 화폐 가치가 하락하여 실물 자산의 가치가 상대적으로 높아지므로 실물 자산 소유자가 화폐 자산 소유자에 비해 유리해진다. ④ 다른 조건이 변화하지 않은 상황에서 우리나라 상품의 가격만 상승하면 그만큼 수출이 줄어든다. 또 상대적으로 수입품의 가격은 낮아져 수입이 증가하므로 경상 수지가 악화된다. ⑤ 인플레이션이 발생하면 화폐의 구매력이 하락하여 고정된 임금이나 연금을 받는 사람의 실질 소득이 감소하는 효과가 나타난다.

바로 알기 ① 인플레이션이 발생하면 채무자는 갚아야 할 돈의 가치가 낮아져 채무 부담이 줄어들지만 채권자는 손해를 보게 된다.

완자 정리 노트 | 인플레이션의 영향

부와 소득의 의도하지 않은 재분배	화폐 자산 소유자, 봉급 및 연금 생활자, 채권자 등은 불리해지고, 실물 자산 소유자, 채무자 등은 유리해짐
국민 경제의 건전한 성장 저해	저축 및 투자가 위축되고, 단기적 수익을 노리는 투기가 성행할 수 있음
경상 수지 악화	국내 상품의 수출 가격이 비싸져 수출이 감소하고 수입이 증가함

13 인플레이션의 발생 원인

(가)는 국민 경제 전체의 수요가 증가하여 발생하는 수요 견인 인플레이션, (나)는 국민 전체의 공급이 감소하여 발생하는 비용 인상 인플레이션에 해당한다. ④ 스태그플레이션은 물가 상승과 함께 경기 침체가 나타나는 현상으로, 비용 인상 인플레이션을 통해 설명할 수 있다.

바로 알기 ① 비용 인상 인플레이션에 대한 설명이다. ② 수요 견인 인플레이션은 경기 호황과 함께 나타나므로 물가 상승률과 실업률은 반대 방향으로 움직이게 된다. ③ 수요 견인 인플레이션에 대한 설명이다. ⑤ (가), (나) 모두 물가가 상승하는 현상으로, 물가가 상승하면 같은 돈으로 살 수 있는 물건의 양이 적어져 화폐의 구매력이 하락하게 된다.

완자 정리 노트 발생 원인에 따른 인플레이션의 유형

| 수요 견인 인플레이션 | • 원인: 국민 경제 전체의 수요 증가
• 양상: 경기 호황, 실질 GDP 증가 |
| 비용 인상 인플레이션 | • 원인: 국민 경제 전체의 공급 감소
• 양상: 경기 침체, 실질 GDP 감소 |

14 인플레이션의 대책

ㄴ. 수요 견인 인플레이션을 해결하기 위해 가계는 과소비를 자제하고, 기업은 불필요한 투자를 줄이는 등 국민 경제 전체의 수요를 줄이려는 노력을 해야 한다. ㄹ. 비용 인상 인플레이션을 해결하기 위해 기업은 생산 비용을 절감하고 생산성을 향상시키는 등 국민 경제 전체의 공급을 늘리려는 노력을 해야 한다.

바로 알기 ㄱ. 정부의 재정 지출 확대는 국민 경제 전체의 수요를 증가시켜 수요 견인 인플레이션을 더 심화시킬 수 있다. ㄷ. 비용 인상 인플레이션의 경우 긴축 정책을 통해 물가 상승을 임의로 억제하면 경기 침체가 더 심화될 수 있다.

15 수요 견인 인플레이션과 비용 인상 인플레이션

갑국에서는 민간 소비의 증가가 물가 상승의 요인으로 작용하고 있다. 이는 국민 경제 전체의 수요 증가에 따른 수요 견인 인플레이션에 해당한다. 을국에서는 원자재 가격 상승이 물가 상승의 요인으로 작용하고 있다. 이는 국민 경제 전체의 공급 감소에 따른 비용 인상 인플레이션에 해당한다. ㄴ. 비용 인상 인플레이션은 실질 GDP의 감소를 동반한다.

바로 알기 ㄷ. 국민 경제 전체의 수요를 조절하는 정부의 정책은 수요 견인 인플레이션에 대한 대책으로 적합하다. ㄹ. 갑국과 을국 모두 인플레이션이 나타나고 있으므로 실물 자산 소유자가 금융 자산 소유자보다 유리해지는 것은 갑국과 을국 모두에 해당한다.

16 디플레이션

갑국은 실질 GDP 감소, 물가 하락, 실업률 상승 등을 겪고 있다. 이를 통해 갑국은 심각한 경기 침체 상황, 즉 디플레이션을 겪고 있음을 알 수 있다.

바로 알기 ① 갑국의 경기는 침체를 겪고 있다. ② 물가가 하락하면 같은 돈으로 살 수 있는 물건의 양이 많아져 화폐의 구매력은 상승하게 된다.

③ '불황 속의 인플레이션'은 물가 상승과 경기 침체가 동시에 나타나는 현상으로, 스태그플레이션을 의미한다. ④ 가계 소비의 급격한 증가는 국민 경제 전체의 수요를 증가시켜 물가를 상승하게 한다.

 서술형 문제

114쪽

01 주제: 고용 지표 관련 인구 구성

(1) A – 비경제 활동 인구, B – 경제 활동 인구, C – 취업자, D – 실업자

(2) **예시 답안** 15세 이상 인구가 일정한 상태에서 비경제 활동 인구가 취업자로 변할 경우 경제 활동 인구와 취업자 수는 증가하고 실업자 수는 변함이 없다. 따라서 경제 활동 참가율은 상승하고, 실업률은 하락하게 된다.

채점 기준

상	고용 지표 관련 인구가 어떻게 변화하는지 근거를 들어 경제 활동 참가율과 실업률의 변화를 정확하게 서술한 경우
하	경제 활동 참가율과 실업률의 변화 방향만 서술한 경우

02 주제: 비용 인상 인플레이션

(1) 비용 인상 인플레이션

(2) **예시 답안** 정부는 장기적인 관점에서 국민 경제 전체의 공급을 증가시키기 위한 방안을 마련해야 하며, 기업은 생산성을 향상하고 경영 혁신, 신기술 개발 등을 통해 생산 비용을 절감하고자 노력해야 한다.

채점 기준

상	비용 인상 인플레이션의 대책을 두 가지 이상 정확하게 서술한 경우
하	비용 인상 인플레이션의 대책을 한 가지만 서술한 경우

STEP 3 1등급 정복하기

115~117쪽

1 ④   2 ①   3 ②   4 ③   5 ②   6 ⑤

1 고용 지표 관련 인구 구성

취업자 수, 실업자 수, 비경제 활동 인구의 합은 15세 이상 인구이다. 따라서 갑국의 15세 이상 인구는 매년 100만 명으로 동일하다.

그리고 2017년에는 15세 이상 인구가 일정한 상태에서 전년 대비 고용률과 경제 활동 참가율이 하락하였으므로 취업자 수와 경제 활동 인구는 감소하였고, 비경제 활동 인구는 증가하였음을 알 수 있다. 따라서 전년 대비 2017년에 감소한 C는 취업자 수, 전년 대비 2017년에 증가한 B는 비경제 활동 인구이므로, 나머지 A는 실업자 수에 해당한다. 이를 통해 갑국의 고용 지표 관련 인구 구성을 표로 정리하면 다음과 같다.

(단위: 만 명)

연도	경제 활동 인구		비경제 활동 인구	15세 이상 인구
	실업자 수	취업자 수		
2015년	20	70	10	100
2016년	25	65	10	100
2017년	25	55	20	100

④ 2015년과 2016년의 경제 활동 참가율은 (90만 명 / 100만 명)× 100 = 90%로 같다.

바로 알기 ① 2015년의 고용률은 (70만 명 / 100만 명)× 100 = 70%이다. ② 신규 취업자의 유무는 제시된 자료만으로는 알 수 없다. ③ 전년 대비 2017년 경제 활동 인구의 변화율은 10 / 900이고, 취업자 수의 변화율은 10 / 65이므로, 취업자 수의 변화율이 경제 활동 인구의 변화율보다 크다. ⑤ 2016년과 2017년의 실업자 수는 동일하지만 경제 활동 인구는 2017년보다 2016년이 더 많으므로 실업률은 2017년이 2016년보다 높다.

2 고용 지표 분석

ㄱ. 15세 이상 인구가 일정한 상태에서 2016년의 전년 대비 고용률은 하락하였으므로, 취업자 수는 감소하였다. ㄴ. 15세 이상 인구가 일정한 상태에서 2017년의 전년 대비 고용률이 일정하므로 취업자 수는 변하지 않았다. 이러한 상황에서 실업률이 하락하기 위해서는 실업자 수가 감소해야 한다. 따라서 경제 활동 인구는 감소하고, 비경제 활동 인구는 증가하였다.

바로 알기 ㄷ. 2016년에는 전년 대비 실업자 수가 감소하였고, 2017년에도 감소하였으므로 2017년 실업자 수는 2015년에 비해 감소하였다. ㄹ. 2016년에는 전년 대비 경제 활동 인구가 감소하였고, 2017년에도 감소하였다. 15세 이상 인구는 일정하므로 2017년 경제 활동 참가율은 2015년에 비해 하락하였다.

3 실업의 유형

갑의 대답에 나타난 실업은 마찰적 실업, 을의 대답에 나타난 실업은 구조적 실업, 병의 대답에 나타난 실업은 경기적 실업이다. ㄱ. 마찰적 실업은 직장 이동이나 직종 전환 과정에서 일시적으로 발생하는 것으로 경기가 호황일 때도 발생할 수 있다. ㄷ. 경기적 실업은 경기 침체에 따른 고용 감소로 나타나는 것으로, 본인의 의사에 반하여 발생하는 비자발적 실업에 해당한다.

바로 알기 ㄴ. 구조적 실업은 산업 구조의 변화로 위축, 쇠퇴하는 산업의 인력에 대한 수요 감소로 발생하므로, 산업 구조 개편이나 인력 개발 및 기술 교육 등의 대책이 필요하다. ㄹ. 마찰적 실업 역시 다른 유형의 실업과 마찬가지로 실업률 통계에 포함된다.

4 GDP 디플레이터

GDP 디플레이터는 명목 GDP를 실질 GDP로 나눈 값에 100을 곱하여 구한다. 따라서 실질 GDP는 (명목 GDP / GDP 디플레이터)×100으로 계산할 수 있으므로, 각 연도별 실질 GDP는 2015년에는 100, 2016년에는 110, 2017년에는 100이 된다. ③ 2016년 전년 대비 명목 GDP 증가율과 실질 GDP 증가율은 [(110억 달러 - 100억 달러) / 100억 달러] × 100 = 10%로 같다.

∥ 바로 알기 ∥ ① 2015년 이후 실질 GDP는 증가하다가 감소하였다. ② 2015년과 2016년의 GDP 디플레이터가 100으로 동일하므로, 2016의 물가는 전년과 동일하다. ④ 경제 규모는 실질 GDP가 가장 큰 2016년에 가장 크다. ⑤ 2017년의 명목 GDP는 120억 달러, 실질 GDP는 100억 달러이므로, 명목 GDP가 실질 GDP보다 크다.

5 물가 상승률

2013년을 제외하고 명목 GDP의 전년 대비 변화율은 실질 GDP의 전년 대비 변화율보다 모두 높은 수준이다. 이는 매년 물가가 상승하고 있음을 의미하며, 물가 상승률도 매년 높아지고 있음을 알 수 있다. ㄱ. 2013년에는 명목 GDP 변화율과 실질 GDP 변화율이 일치하므로, 물가 상승률은 0%이다. 이후 물가 상승률이 매년 높아지고 있으므로, 2013년의 물가 상승률이 가장 낮다는 점을 알 수 있다. ㄹ. 2014년의 실질 GDP를 x라고 하면, 2016년의 실질 GDP는 x×1.03×0.97이므로 2014년의 실질 GDP가 2016년보다 크다.

∥ 바로 알기 ∥ ㄴ. 물가 상승률은 지속적으로 양(+)의 값을 가지므로, 2016년의 물가 수준이 가장 높다. ㄷ. 2014년의 실질 GDP는 2013년 대비 3% 증가한 것이고, 2015년의 실질 GDP는 2014년 대비 3% 증가한 것이다. 따라서 실질 GDP 증가액은 2015년이 2014년보다 크다.

6 인플레이션

A국에서는 실업률과 물가 상승률이 매년 높아지고 있다. 이를 통해 경기 침체와 물가 상승이 함께 발생하는 스태그플레이션(비용 인상 인플레이션)이 나타나고 있음을 알 수 있다. ⑤ 비용 인상 인플레이션은 국민 경제 전체의 공급이 감소하여 나타나므로, 그에 대한 대책은 생산성 향상을 위한 노력 등 국민 경제 전체의 공급을 증가시키는 것이어야 한다.

∥ 바로 알기 ∥ ① 비용 인상 인플레이션은 실질 GDP의 감소를 수반한다. ② 소득세율을 인상하면 가계의 소비 지출이 감소하여 국민 경제 전체의 수요가 감소한다. ③ 디플레이션은 물가 하락과 경기 침체가 동시에 나타나는 현상이다. ④ 수요 견인 인플레이션에 대한 설명이다.

03 경기 변동과 경제 안정화 방안

STEP 1 핵심 개념 확인하기 122쪽

1 (1) 우하향 (2) 감소   2 (1) 수 (2) 공 (3) 공 (4) 수   3 경기 변동
4 (1) ○ (2) ○ (3) ×   5 (1) 공개 시장 운영 (2) 인하 (3) 총수요

STEP 2 내신 만점 공략하기 122~126쪽

01 ②	02 ⑤	03 ④	04 ③	05 ④	06 ③	07 ②
08 ③	09 ③	10 ①	11 ⑤	12 ③	13 ②	14 ①
15 ②	16 ③					

01 총수요와 총공급

A는 총수요, B는 총공급이다. 총수요는 국내에서 생산된 재화와 서비스에 대한 가계, 기업, 정부의 수요와 외국의 우리나라 재화와 서비스에 대한 수요를 합한 것을 의미한다. 따라서 총수요는 소비 지출, 투자 지출, 정부 지출, 순수출로 구성되므로, ㉠은 투자 지출이 된다. ㄱ. 기업의 건물, 차량, 기계 등의 구입 등과 같은 생산에 필요한 설비 확충은 투자에 포함된다. ㄷ. 총공급은 그 나라가 보유한 기술 수준이나 노동 생산성 등에 의해 결정된다.

∥ 바로 알기 ∥ ㄴ. 물가 수준과 총생산물에 대한 수요량은 역(-)의 관계에 있으며 총수요 곡선은 우하향한다. ㄹ. 총수요가 총공급보다 크면 물가는 상승하고 실질 GDP는 증가한다.

02 총수요 곡선

총수요 곡선은 가계, 기업, 정부, 국외 부문의 국내 총생산물에 대한 수요량과 물가 수준 간의 관계를 나타낸 것이다. 총수요 곡선은 우하향하는데, 이는 물가가 하락할 때 총수요량이 증가한다는 것을 의미한다. 따라서 (가)는 물가에 해당한다. 그리고 (나)는 총수요를 증가시키는 요인으로, 민간 소비 증가가 이에 해당한다.

∥ 바로 알기 ∥ ①, ④ 기업 투자와 정부 지출의 감소는 총수요 곡선을 왼쪽으로 이동하게 하는 요인이다. ②, ③ 원자재 가격 하락과 생산 기술 향상은 총공급 곡선을 오른쪽으로 이동하게 하는 요인이다.

03 총공급 곡선의 이동

제시된 그림에서는 총공급 곡선이 오른쪽으로 이동하여 물가는 하락하고, 실질 GDP가 증가하는 모습을 보여 준다. ④ 기업의 생산성 향상으로 생산 비용이 감소하여 총공급이 증가하면, 총공급 곡선은 오른쪽으로 이동한다.

∥ 바로 알기 ∥ ① 총수요 곡선을 왼쪽으로 이동하게 하는 요인이다. ②, ③ 총공급 곡선을 왼쪽으로 이동하게 하는 요인이다. ⑤ 총수요 곡선을 오른쪽으로 이동하게 하는 요인이다.

04 총수요와 총공급의 변동 요인

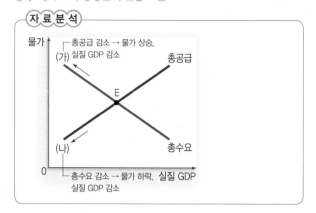

자료 분석

③ 국제 유가 상승은 총공급 감소의 요인이고, 정부 지출 감소는 총수요 감소의 요인이다.

┃ **바로 알기** ┃ ① 민간 소비와 순수출의 감소는 총수요 감소의 요인이다. ② 생산 기술 향상은 총공급 증가의 요인이고, 기업 투자 증가는 총수요 증가의 요인이다. ④ 국제 유가 하락은 총공급 증가의 요인이고, 민간 소비 증가는 총수요 증가의 요인이다. ⑤ 노동자 임금 상승은 총공급 감소의 요인이고, 기업 투자 증가는 총수요 증가의 요인이다.

05 총수요와 총공급의 변동

(가) 시기에는 정부 지출 및 기업 투자 증가로 총수요가 증가하였고, (나) 시기에는 원자재 가격 상승으로 총공급이 감소하였다. ④ 총수요의 증가로 고용 상황이 좋아지는 (가) 시기와 달리 (나) 시기에는 총공급의 감소로 인해 물가는 상승하고 실질 GDP는 감소하였다. 따라서 경기가 악화되어 생산이 위축되고 실업자가 증가하는 등 고용 상황이 나빠졌을 것이다.

┃ **바로 알기** ┃ ③ 총공급이 감소하면 물가는 상승하고 실업률은 높아진다. 따라서 (나) 시기에 물가 상승률과 실업률은 같은 방향으로 움직였을 것이다. ⑤ (가) 시기에는 총수요의 증가로 인해, (나) 시기에는 총공급의 감소로 인해 물가 수준이 높아졌을 것이다.

06 국민 경제의 균형 변동

갑국에서는 원자재 가격 하락으로 총공급이 증가하고, 민간 소비의 감소로 총수요가 감소하였다. 따라서 총공급 곡선은 오른쪽으로 이동하고 총수요 곡선이 왼쪽으로 이동하므로 갑국 경제의 새로운 균형점은 C에서 형성된다.

완자 정리 노트 ┃ **국민 경제 균형의 변동**

총수요	증가	• 원인: 소비 지출·투자 지출·정부 지출·순수출 증가 • 결과: 실질 GDP 증가, 물가 상승
	감소	• 원인: 소비 지출·투자 지출·정부 지출·순수출 감소 • 결과: 실질 GDP 감소, 물가 하락
총공급	증가	• 원인: 임금 하락, 생산성 향상, 원자재 가격 하락 • 결과: 실질 GDP 증가, 물가 하락
	감소	• 원인: 임금 상승, 원자재 가격 상승 • 결과: 실질 GDP 감소, 물가 상승

07 총수요 곡선과 총공급 곡선의 변동

갑국과 같이 물가가 상승하고 실질 GDP가 감소하기 위해서는 총수요가 불변인 상태에서 총공급이 감소해야 하므로, 총공급 곡선의 좌측 이동만이 나타나는 B가 원인이 된다. 을국과 같이 물가가 하락하고 실질 GDP가 감소하기 위해서는 총공급이 불변인 상태에서 총수요가 감소해야 하므로, 총수요 곡선의 좌측 이동만이 나타나는 A가 원인이 된다.

08 경기 변동

제시된 그림에서 A 시점은 평균 경기 수준으로부터 가장 아래쪽으로 실질 GDP가 떨어진 상황으로, 수축기에 해당한다. ③ 경기가 침체된 시기에는 생산과 고용이 줄어들어 실업률이 높아진다.

┃ **바로 알기** ┃ ①, ②, ④, ⑤ 경기가 활발할 때 나타나는 모습이다.

09 경기 변동의 4국면

경기 변동은 경제 활동이 가장 활발한 '확장기', 경제 활동이 위축되는 '후퇴기', 경제 활동이 가장 침체되는 '수축기', 경제 활동이 다시 활발해지는 '회복기'로 나뉜다. 확장기에는 소득, 소비, 생산, 투자가 크게 증가하다가 정점 부분에 이르면 과열되는 모습을 띤다. 후퇴기에는 이전에 과열된 경기로 인해 재고가 증가하고 생산이 감소한다. 또한 실업이 증가하고 소득과 소비가 감소하면서 물가 상승 속도도 둔화된다. 이후 장기 추세보다 더 낮은 경제 활동 수준에 이르게 되는 수축기에는 투자와 생산이 줄어들면서 소득과 소비가 급격히 감소하고, 물가 상승률이 하락한다. 회복기에는 재고가 감소하면서 생산과 투자가 증가하기 시작한다. 또한 고용이 증가하여 실업이 감소하고, 가계의 소득이 늘어나 소비 지출이 증가하며 물가도 상승한다.

┃ **바로 알기** ┃ ⓒ 수축기에는 재고가 급증하고, 투자와 생산이 크게 위축된다.

10 재정 정책의 효과

정부 지출을 늘려 공공사업을 확대하는 정책은 총수요를 증가시켜 경기를 활성화하는 것을 목적으로 한다. 따라서 제시된 정부의 정책이 기대하는 효과를 나타내는 그림으로는 총수요 곡선이 오른쪽으로 이동하는 ①이 적절하다.

┃ **바로 알기** ┃ ② 정부가 세율 인상, 정부 지출 축소 등 긴축 재정 정책을 시행할 경우 총수요가 감소하여 총수요 곡선이 왼쪽으로 이동한다. ③, ④, ⑤ 정부의 재정 정책은 총수요를 증가시키거나 감소시킴으로써 경기를 조절하는 것으로, 총공급의 변화와는 관련이 적다.

11 재정 정책의 방향

갑은 조세 수입을 늘림으로써 총수요를 감소시키고자 하므로 긴축 재정 정책의 필요성을 강조하고 있으며, 을은 세금 감면 혜택을 늘림으로써 총수요를 증가시키고자 하므로 확대 재정 정책의 필요성을 강조하고 있다. ⑤ 확대 재정 정책은 총수요 증가를 통해 침체된 경기를 활성화시키는 것을 목적으로 한다.

┃ 바로 알기 ┃ ① 긴축 재정 정책을 시행하여 총수요가 감소하면 물가 수준은 낮아진다. ② 갑은 긴축 재정 정책을 강조하는데, 이는 현재 경기가 과열되어 있다고 보고, 과열된 경기를 진정시키는 것을 목적으로 한다. ③ 정부 지출 확대는 을이 제시할 수 있는 대책이다. ④ 가계의 소득에 대한 세금 감면 혜택을 확대하면 가계의 처분 가능 소득이 늘어나 소비가 증가한다.

┌───┐
│ **완자 정리 노트** 재정 정책의 방향

구분	긴축 재정 정책	확대 재정 정책
국면	경기 과열 시	경기 침체 시
수단	세율 인상, 정부 지출 축소	세율 인하, 정부 지출 확대
예산 집행	흑자 재정(정부 지출 < 조세)	적자 재정(정부 지출 > 조세)

12 경기 변동과 경제 안정화 정책

제시된 그림을 통해 갑국에서 경기가 침체되고 있음을 알 수 있다. 경기 변동의 방향을 A에서 B로 변화시키기 위해서는 경기를 활성화시키기 위한 정책을 마련해야 한다. ①, ② 정부가 지출을 늘리거나 세율을 인하하면 소비와 투자가 활발해지면서 총수요가 늘어나 경기를 회복할 수 있다. ④, ⑤ 중앙은행이 공개 시장에서 국공채를 매입하면 중앙은행이 보유하고 있던 자금이 시중에 방출되어 통화량이 증가한다. 그리고 중앙은행이 시중 은행에 대한 대출을 확대하면 가계나 기업의 대출이 늘어나고 통화량이 증가한다. 이러한 통화 정책은 가계의 소비와 기업의 투자를 늘려 총수요를 증가시킴으로써 경기가 회복되는 데 도움을 준다.

┃ 바로 알기 ┃ ③ 중앙은행이 지급 준비율을 인상하면 시중 은행의 대출 가능 금액이 줄어들어 통화량이 감소하고 이자율이 높아진다. 이는 과열된 경기를 진정시키려는 긴축 통화 정책의 수단이다.

13 통화 정책의 방향

중앙은행이 기준 금리를 인상하면 시중의 돈을 흡수하여 통화량이 줄어들고, 과열된 경기를 진정하는 효과가 있다. 반대로 중앙은행이 기준 금리를 인하하면 시중에 돈이 풀려 통화량이 늘어나고, 경기가 활성화되는 효과가 있다. ㄱ. 기준 금리를 인상하면 시중 금리가 상승하여 소비와 투자를 위축시킬 수 있다. 따라서 기준 금리의 인상은 총수요를 억제하는 요인으로 작용한다. ㄹ. 기준 금리를 인하하면 시중 금리가 하락하여 기업의 투자가 활발해질 수 있다.

┃ 바로 알기 ┃ ㄴ. 기준 금리를 인상하면 시중 금리가 상승하므로 가계의 대출 이자 상환 부담이 늘어날 수 있다. 따라서 기준 금리 인상은 소비 지출을 위축시키는 요인으로 작용할 수 있다. ㄷ. 기준 금리를 인하하면 통화량이 증가하여 물가가 상승할 수 있다.

┌───┐
│ **완자 정리 노트** 통화 정책의 방향

구분	긴축 통화 정책	확대 통화 정책
국면	경기 과열 시	경기 침체 시
수단	국공채 매각, 대출 축소, 지급 준비율 인상 → 통화량 감소, 이자율 상승	국공채 매입, 대출 확대, 지급 준비율 인하 → 통화량 증가, 이자율 하락

14 경제 안정화 정책

갑국은 2015~2016년에 물가 상승률이 높아지고 실업률이 낮아지고 있어 경기가 과열되어 있음을 알 수 있다. 그런데 2017년에 물가 상승률이 낮아지고 실업률이 높아진 것으로 보아 정부와 중앙은행이 2016년에 과열된 경기를 진정시키기 위한 긴축 정책을 추진하였을 것이라고 예상할 수 있다. ㄱ. 정부가 법인세율을 인상하면 총수요가 감소하여 과열된 경기가 진정될 수 있다. ㄴ. 중앙은행이 보유 국채를 매각하면 시중의 자금이 중앙은행으로 유입되므로 통화량이 감소하고 이자율이 인상된다. 이로 인해 가계 소비와 기업 투자가 줄어들어 총수요가 감소하면서 과열된 경기가 진정될 수 있다.

┃ 바로 알기 ┃ ㄷ. 지급 준비율의 인하는 침체된 경기를 활성화시키려는 확대 통화 정책의 수단이다. ㄹ. 정부의 공공 부문에 대한 투자 확대는 침체된 경기를 활성화시키려는 확대 재정 정책의 수단이다.

15 재정 정책과 통화 정책

갑국의 정부와 중앙은행에서는 침체된 경기를 활성화시키고자 하므로 ㉠은 확대 재정 정책, ㉡은 확대 통화 정책임을 알 수 있다. ㄱ. 정부가 세율을 인하하면 민간의 소비와 기업의 투자가 증가한다. 이는 총수요의 증가로 이어져 경기를 활성화하는 효과가 있다. ㄷ. 중앙은행이 국공채를 매입하면 중앙은행이 보유하고 있던 자금이 시중에 풀리기 때문에 통화량이 증가하고 이자율이 하락한다. 이로 인해 민간의 소비와 기업의 투자가 활발해져 총수요가 증가함으로써 경기가 활성화된다.

┃ 바로 알기 ┃ ㄴ. 확대 통화 정책은 총수요를 증가시켜 총수요 곡선을 오른쪽으로 이동시키고자 한다. ㄹ. 기준 금리의 인상은 긴축 통화 정책의 수단이다.

16 경제 안정화 정책

갑국 중앙은행의 지급 준비율 인하는 확대 통화 정책, 을국 정부의 소득세율 및 법인세율 인상은 긴축 재정 정책, 병국 중앙은행의 국공채 매각 증대는 긴축 통화 정책에 해당한다. ③ 병국의 중앙은행은 국공채 매각을 통해 시중의 자금을 흡수하여 통화량을 감소시키고자 한다.

┃ 바로 알기 ┃ ① 갑국에서는 확대 통화 정책을 실시하였다. ② 을국에서는 경기 과열에 대처하기 위한 긴축 재정 정책을 실시하였다. ④ 갑국에서는 이자율 하락을, 병국에서는 이자율 상승을 유발하는 정책을 실시하였다. ⑤ 을국과 병국 모두 물가 하락을 유발할 수 있는 정책을 실시하였다.

 서술형 문제

126쪽

01 주제: 총수요의 변동

예시답안 다른 조건이 일정할 때 가계의 소비 증가, 기업의 투자 증가, 정부 지출 확대, 순수출의 증가, 통화량의 증가 등은 총수요의 증가를 가져오며, 이때 총수요 곡선은 오른쪽으로 이동한다.

채점 기준

상	총수요가 증가하는 요인을 두 가지 이상 정확하게 서술한 경우
하	총수요가 증가하는 요인을 한 가지만 서술한 경우

02 주제: 재정 정책

예시답안 정부는 과열된 경기를 진정시키기 위해 정부 지출을 축소하고 세율을 인상하는 등 총수요를 감소시키는 긴축 재정 정책을 실시해야 한다.

채점 기준

상	긴축 재정 정책의 내용을 정확하게 서술한 경우
하	긴축 재정 정책을 실시해야 한다고만 서술한 경우

03 주제: 통화 정책

예시답안 갑국의 경기가 침체되어 있으므로, 중앙은행에서는 국공채 매입, 대출 확대, 지급 준비율 인하 등의 확대 통화 정책을 실시해야 한다. 확대 통화 정책은 가계의 소비와 기업의 투자를 늘려 총수요를 증가시킴으로써 경기가 회복되는 데 도움을 준다.

채점 기준

상	갑국의 현재 경제 상황이 침체되어 있음을 제시하고, 이를 해결하기 위한 확대 통화 정책의 구체적 수단을 정확하게 서술한 경우
중	확대 통화 정책의 수단만을 제시한 경우
하	확대 통화 정책을 실시해야 한다고만 서술한 경우

STEP 3 1등급 정복하기

127~129쪽

1 ③　　2 ④　　3 ③　　4 ①　　5 ⑤　　6 ②

1 총수요와 총공급의 변동 요인

제시된 그림에 나타난 국민 경제의 균형점 변화는 총수요와 총공급이 모두 증가하여 나타난 것이다. ③ 기준 금리 인하는 확대 통화 정책의 수단으로 총수요의 증가 요인에 해당하며, 노동 생산성 향상은 총공급의 증가 요인에 해당한다.

바로 알기 ① 국공채 매각은 총수요의 감소 요인, 정부 지출 증가는 총수요의 증가 요인이다. ② 법인세율 인상은 총수요의 감소 요인, 국제 유가 하락은 총공급의 증가 요인이다. ④ 기준 금리 인상은 총수요의 감소 요인, 노동자 임금 상승은 총공급의 감소 요인이다. ⑤ 지급 준비율 인하는 총수요의 증가 요인, 노동 인구 감소는 총공급의 감소 요인이다.

2 국민 경제의 균형 변동

자료 분석

총공급 감소 → 물가 상승, 실질 GDP 감소

기상 이변으로 인해 갑국이 수입하는 원자재 가격이 상승하여 갑국의 물가 및 실질 GDP가 (가)점에서 E점으로 변화하였다. 갑국 정부에서는 이러한 실질 GDP의 변화가 바람직하지 않다고 판단하여 원래의 실질 GDP 수준을 달성하는 방향으로 재정 정책을 실시하였다. 그 결과 물가 및 실질 GDP는 E점에서 (나)점으로 이동하였다.

실질 GDP 증가를 위한 확대 재정 정책 실시 → 총수요 증가

갑국의 수입 원자재 가격 상승은 총공급의 감소 요인에 해당한다. 총공급이 감소하면 물가는 상승하고 실질 GDP가 감소한다. 물가가 상승하고 실질 GDP가 감소하여 E점으로 이동하게 되었으므로, 원자재 가격 상승 이전의 (가)점은 C점이었음을 알 수 있다. 갑국 정부에서는 이러한 실질 GDP의 감소가 적절하지 않다고 판단하였으므로 실질 GDP를 증가시키려는 확대 재정 정책을 실시하였을 것이다. 확대 재정 정책을 실시하면 총수요가 늘어나 실질 GDP는 증가하고, 물가 역시 상승하게 되므로, 갑국 정부의 재정 정책 실시 이후의 (나)점은 B점이 된다.

3 경기 변동

A 시점은 경기 상황이 정점에 가까운 확장기에 해당한다. ③ 확장기에는 경기가 지나치게 과열될 수 있으므로, 소득세율 인상을 통해 총수요를 감소시킴으로써 경기를 진정시키려는 긴축 정책의 필요성이 커질 것이다.

바로 알기 ① 확장기에는 기업의 생산이 늘어나 고용 역시 증대된다. ② 적자 재정은 확대 재정 정책에 해당하므로, 적자 재정을 지속할 경우 경기가 더욱더 과열될 우려가 있다. ④ 확장기에는 기업의 재고가 줄어든다. ⑤ 금리 인하는 확대 통화 정책에 해당하므로, 금리를 추가적으로 인하할 경우 경기가 더욱더 과열될 우려가 있다.

4 경기 변동과 경제 안정화 정책

A 시기는 확장기에 해당하므로 과열된 경기를 진정시키기 위한 긴축 재정 정책이 필요하다. B 시기는 수축기에 해당하므로 침체된 경기를 활성화시키기 위한 확대 재정 정책이 필요하다. ① 정부의 재정 정책은 총수요를 조절하여 경기를 안정화시키는 것을 목적으로 한다. 따라서 A 시기에는 총수요를 감소시켜야 하므로 ㉠, B 시기에는 총수요를 증가시켜야 하므로 ㉡에 해당한다.

바로 알기 ㉢, ㉣은 총공급을 변화시키는 것으로, 총수요를 조절하는 정부의 재정 정책과는 관련이 적다.

5 경제 안정화 정책의 배경

정부가 재정 지출을 확대하고, 중앙은행이 기준 금리를 인하하면 소비와 투자가 활발해지면서 총수요가 늘어나 경기가 활성화된다. 정부와 중앙은행이 이러한 정책을 마련한 것은 현재 경기가 침체되어 있다고 판단했기 때문이다.

┃**바로 알기**┃ ①, ②, ③, ④ 제시된 내용만으로는 알 수 없다.

6 경제 안정화 정책

지급 준비율 인상은 긴축 통화 정책의 수단으로 실질 GDP를 감소시키는 요인이다. 따라서 A에는 실질 GDP를 감소시키는 긴축 재정 정책 및 긴축 통화 정책의 내용이 들어갈 수 있다. ㄱ, ㄷ. 중앙은행이 공개 시장에서 국공채를 매각하고, 시중 은행에 대한 대출을 축소하면 시중에 유통되는 통화량이 줄어들고 이자율이 상승한다. 이러한 정책은 총수요의 감소를 가져와 실질 GDP를 감소시킨다.

┃**바로 알기**┃ ㄴ, ㄹ. 확대 재정 정책의 수단이다. 확대 재정 정책은 총수요의 증가를 가져와 실질 GDP를 증가시킨다.

┌───┐
│ **대단원 실력 굳히기**   132~135쪽 │
│   │
│ 01 ⑤   02 ②   03 ①   04 ②   05 ①   06 ②   07 ⑤ │
│ 08 ②   09 ⑤   10 ③   11 ⑤   12 ④   13 ③   14 ⑤ │
│ 15 ④   16 ②   │
└───┘

01 국민 경제의 순환

경제 주체 간 화폐의 흐름에서 생산물 시장을 통해 화폐를 제공받는 경제 주체는 기업이며, 생산 요소 시장을 통해 화폐를 제공받는 경제 주체는 가계가 된다. 따라서 A는 기업, B는 가계이다. ㄷ. 기업은 정부에 법인세 등의 세금을 납부한다. ㄹ. ㉢은 기업이 생산 요소 구매의 대가로 가계에 지급하는 것으로 임금, 지대, 이자 등이 포함된다.

┃**바로 알기**┃ ㄱ. 생산 요소 시장에서 기업은 수요자, 가계는 공급자이다. ㄴ. ㉠은 가계가 기업으로부터 재화와 서비스 등을 구입하고 그 대가를 지급하는 것으로, 소비 지출에 해당한다. 소비 지출은 지출 국민 소득을 측정할 때 포함된다.

02 국내 총생산(GDP)의 계산

국내 총생산(GDP)은 일정 기간 동안 한 나라의 국경 안에서 새롭게 생산된 최종 재화와 서비스의 시장 가치를 모두 합한 것을 말한다. 첫 번째 사례에서는 갑국이 아닌 을국의 국경 안에서 생산이 이루어졌으므로, 갑국의 GDP에 포함되지 않는다. 두 번째 사례와 같이 전년도에 생산된 재고의 판매는 새롭게 생산한 것이 아니기 때문에 2017년의 GDP에 포함되지 않는다. 세 번째 사례에서 병국의 전자 회사가 생산한 컴퓨터는 갑국의 국경 안에서 생산되었으므로, 모두 갑국의 GDP에 포함된다. 따라서 2017년 갑국의 GDP는 2,000만 원이 된다.

03 국민 소득 삼면 등가의 법칙

(가)는 지출 측면, (나)는 분배 측면에서 국내 총생산(GDP)을 파악한 것으로, 국민 소득 삼면 등가의 법칙에 따르면 (가)와 (나)의 크기는 같다. ② 정부 지출액은 갑국의 GDP인 200억 달러의 20%인 40억 달러로, 이자액인 40억 달러와 크기가 같다. ③ ㉠은 투자 지출이다. 기업의 연구 개발비는 투자 지출에 포함된다. ④ ㉡은 임금이다. 회사원이 받는 월급은 기업에 노동을 제공한 대가로 받는 임금에 포함된다.

┃**바로 알기**┃ ① 소비 지출은 갑국의 GDP인 200억 달러의 40%에 해당하므로, 소비 지출액은 80억 달러이다.

04 국내 총생산(GDP)의 한계

제시된 글을 통해 국내 총생산(GDP)은 국민의 삶의 질 수준과 복지 수준을 정확히 파악하기 어렵다는 점을 알 수 있다. 교통사고의 발생은 국민의 삶의 질을 떨어뜨리지만, 이러한 문제를 해결하는 과정에서 오히려 GDP가 증가할 수 있기 때문이다.

05 경제 성장률

ㄱ. 경제 성장률은 실질 GDP의 변화율로 측정한다. 2017년 A국의 경제 성장률은 양(+)의 값을 가지므로, A국의 실질 GDP는 전년 대비 증가하였다. ㄴ. B국의 경제 성장률은 2016년과 2017년 모두 음(-)의 값을 가지므로, 경제 규모가 지속적으로 작아지고 있음을 알 수 있다.

┃바로 알기┃ ㄷ. 2017년 A국과 C국의 경제 성장률은 3%로 같지만 정확한 실질 GDP가 제시되지 않았으므로, 경제 규모가 같은지는 알 수 없다. ㄹ. 제시된 자료만으로는 실질 GDP의 정확한 증가액을 파악할 수는 없다. 그러나 C국의 2016년 실질 GDP 증가액은 2015년 실질 GDP×5%이고, 2017년 실질 GDP 증가액은 2016년 실질 GDP×3%=(2015년의 실질 GDP×1.05)×3%이므로, 2016년의 실질 GDP 증가액이 2017년보다 많다.

06 고용 관련 인구 구성

A는 취업자, B는 실업자, C는 비경제 활동 인구이다. ② 15세 이상 인구가 일정할 때 비경제 활동 인구가 감소하면 경제 활동 인구는 증가한다. 따라서 15세 이상 인구 대비 경제 활동 인구의 비율인 경제 활동 참가율은 상승한다.

┃바로 알기┃ ① 경제 활동 인구가 일정할 때 취업자 수가 증가하면 실업자 수는 감소한다. 따라서 경제 활동 인구 대비 실업자 수의 비율인 실업률은 하락한다. ③ 취업자 수가 실업자 수보다 4배 많을 경우, 실업자 수를 100 이라고 한다면 취업자 수는 400이 된다. 따라서 취업자 수와 실업자 수를 합한 경제 활동 인구는 500이 되므로, 실업률은 (100 / 500)×100=20%가 된다. ④ 기업에서 해고되기 전에는 취업자였고, 해고된 후 구직 활동을 하고 있으므로 실업자가 되었다. ⑤ 전업주부는 비경제 활동 인구에 해당하며, 무료 자원 봉사 활동에 참여하는 것은 취업한 것이 아니므로 고용 지표에는 변화가 없다.

07 고용 관련 지표

갑국에서는 15세 이상 인구가 일정한 상태에서 고용률에 변화가 없으므로 취업자 수 역시 변하지 않았으며, 경제 활동 참가율이 낮아지고 있으므로 경제 활동 인구는 감소하였다. ⑤ 경제 활동 인구는 취업자 수와 실업자 수의 합이다. 15세 이상 인구가 일정한 상태에서 경제 활동 인구는 감소했으나 취업자 수는 변하지 않았으므로, 경제 활동 인구와 실업자 수는 같은 크기만큼 감소하였다.

┃바로 알기┃ ① 실업자 수와 경제 활동 인구가 같은 크기로 감소하였으므로, 실업률은 하락하였다. ② 취업자 수는 변하지 않았다. ③ 15세 이상 인구가 일정한 상태에서 경제 활동 인구가 감소하였으므로 비경제 활동 인구는 증가하였다. ④ 취업자 수는 일정하나 실업자 수가 감소하였으므로 취업자 수 대비 실업자 수는 감소하였다.

08 실업의 유형

(가)는 경기적 실업, (나)는 마찰적 실업, (다)는 구조적 실업의 사례이다. ㄱ. 경기적 실업은 경기가 침체되어 나타나므로, 정부가 확대 재정 정책을 통해 총수요를 증가시킴으로써 줄일 수 있다. ㄷ. 구조적 실업은 산업 구조의 변화로 기존의 기술이 필요 없어져 발생하므로, 사람들이 인력 개발과 기술 교육 등을 통해 새로운 산업에 적응하도록 지원함으로써 줄일 수 있다.

┃바로 알기┃ ㄴ. 계절적 실업에 대한 설명이다. ㄹ. (나)는 자발적 실업, (다)는 비자발적 실업에 해당한다.

09 명목 GDP와 실질 GDP

GDP 디플레이터는 명목 GDP를 실질 GDP로 나누어 100을 곱한 값으로, 2015년에는 100보다 작으며, 2016년에는 100, 2017년에는 100보다 크다. 즉 갑국의 GDP 디플레이터는 매년 지속적으로 높아지고 있다. ⑤ 2017년의 GDP 디플레이터는 100보다 크고, 2016년의 GDP 디플레이터는 100이므로, 2017년이 2016년보다 높다.

┃바로 알기┃ ①, ③ 2015년 이후 GDP 디플레이터가 매년 높아지고 있으므로, 물가 수준은 매년 지속적으로 높아지고 있음을 알 수 있다. 물가 수준이 높아지면 화폐 가치는 낮아진다. ② 2017년의 명목 GDP 증가율은 [(140억 달러 − 120억 달러) / 120억 달러]×100 = 약 16.7%이고, 실질 GDP 증가율은 [(130억 달러 − 120억 달러) / 120억 달러]×100 = 약 8.3%이다. 따라서 명목 GDP 증가율이 실질 GDP 증가율보다 높다. ④ 2016년의 경제 성장률은 [(120억 달러 − 110억 달러) / 110억 달러]×100 = 약 9.1%이고, 2017년의 경제 성장률은 [(130억 달러 − 120억 달러) / 120억 달러]×100 = 약 8.3%이다. 따라서 2016년의 경제 성장률이 2017년보다 높다.

10 인플레이션의 영향

제시된 신문 기사를 통해 A국에서 물가가 지속적으로 상승하는 인플레이션이 발생하고 있음을 알 수 있다. 을. 인플레이션으로 경제의 불확실성이 증가하면 기업은 장기 투자를 꺼리게 되고, 건전한 투자보다는 단기 수익을 목적으로 한 투기가 늘어날 가능성이 높아진다. 병. 인플레이션이 발생하면 화폐의 가치가 낮아지므로 은행에 예금한 사람은 불리해지고 건물이나 토지 등과 같이 실물 자산을 보유한 사람이 상대적으로 유리해진다.

┃바로 알기┃ 갑. 인플레이션이 발생하면 화폐의 구매력이 하락하여 가계의 실질 소득이 줄어들게 된다. 정. 인플레이션이 발생하면 채무자는 갚아야 할 돈의 가치가 낮아져 이득을 보게 되고 채권자는 손해를 보게 된다.

11 인플레이션의 유형

(가)는 총수요의 증가로 나타나는 수요 견인 인플레이션, (나)는 총공급의 감소로 나타나는 비용 인상 인플레이션에 해당한다. ① 수요 견인 인플레이션은 실질 GDP 증가를 수반한다. ② 비용 인상 인플레이션은 물가 상승과 함께 경기 침체를 유발한다. ③ 정부가 소득세율을 인하하면 가계의 소비가 증가하여 총수요가 증가하므로, 수요 견인 인플레이션의 요인이 된다. ④ 원자재 가격 상승은 총공급을 감소시키므로, 비용 인상 인플레이션의 요인이 된다.

┃바로 알기┃ ⑤ 비용 인상 인플레이션이 발생한 상태에서 정부가 총수요를 억제하여 물가를 낮추는 정책을 펼치면 경기 침체가 심화할 수 있다.

12 총수요와 총공급의 변동

ㄴ. 원유 가격의 이상은 생산비의 증가를 초래하므로, 총공급 감소의 요인이 된다. ㄹ. 보고서의 전망이 모두 현실화될 경우 총수요와 총공급이 모두 감소하므로, 총수요 곡선과 총공급 곡선 모두 왼쪽으로 이동하여 실질 GDP는 감소하게 된다.

┃바로 알기┃ ㄱ. 기업의 투자 지출은 총수요의 구성 요소이므로, 기업의 설비 투자 감소는 총수요 감소의 요인이 된다. ㄷ. 총수요와 총공급이 감소하면 경기가 침체되므로, 갑국 내에서는 법인세율 인하와 같은 확대 재정 정책의 필요성이 제기될 것이다.

13 총수요와 총공급의 변동 요인

갑국에서는 총공급이 일정한 상태에서 총수요가 감소하여 총수요 곡선이 왼쪽으로 이동하였다. ③ 정부가 개별 소비세율을 인상하면 가계의 소비가 줄어들기 때문에 총수요가 감소한다. 따라서 총수요 곡선이 왼쪽으로 이동하게 된다.

┃바로 알기┃ ① 순수출의 증가는 총수요의 증가 요인이다. ② 기업의 생산성 향상은 총공급의 증가 요인이다. ④ 중앙은행의 기준 금리 인하는 총수요의 증가 요인이다. ⑤ 노동 인구의 증가는 총공급의 증가 요인이다.

14 국민 경제의 균형 변동

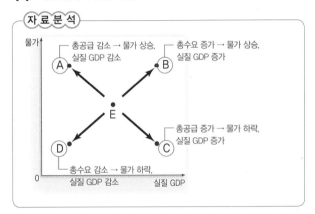

① 원자재 가격 상승은 총공급 감소의 요인이므로, A로의 이동 요인이 된다. ② B로의 균형점 이동은 총수요가 증가할 때 나타나므로 경기가 주로 확장 국면에 있을 때 나타난다. ③ 총공급이 증가하면 C로 이동한다. 기업의 생산 활동이 활발해져 총공급 곡선이 오른쪽으로 이동하게 되면 일자리가 창출되어 고용 수준이 향상되고 실질 GDP 또한 증가하게 된다. ④ 기업 투자의 감소는 총수요 감소의 요인이므로, D로의 이동 요인이 된다.

┃바로 알기┃ ⑤ 정부가 확대 재정 정책을 실시하면 총수요가 증가하여 B로 이동하게 되고, 긴축 재정 정책을 실시하면 총수요가 감소하여 D로 이동하게 된다. 따라서 정부가 재정 정책을 실시하면 국민 경제의 균형점은 B 또는 D로 이동하게 된다.

15 경기 변동과 경제 안정화 정책

A 시기에는 경기가 침체되고 있으며, B 시기에는 경기가 과열되고 있다. 따라서 A 시기에는 침체된 경기를 활성화시키기 위한 확대 재정 정책과 확대 통화 정책을 실시해야 하며, B 시기에는 과열된 경기를 진정시키기 위해 긴축 재정 정책과 긴축 통화 정책을 실시해야 한다. (4) 정부 지출 확대는 총수요를 증가시켜 경기를 활성화시키려는 확대 재정 정책에 해당한다. 지급 준비율 인상은 통화량을 감소시키고 이자율을 상승시켜 총수요를 감소시킴으로써 과열된 경기를 진정시키려는 긴축 통화 정책에 해당한다.

┃바로 알기┃ ① 세율 인상은 긴축 재정 정책, 국공채 매각은 긴축 통화 정책의 수단이다. ② 국공채 매입은 확대 통화 정책, 세율 인하는 확대 재정 정책의 수단이다. ③ 기준 금리 인상은 긴축 통화 정책, 국공채 매입은 확대 통화 정책의 수단이다. ⑤ 지급 준비율 인상은 긴축 통화 정책, 정부 지출 축소는 긴축 재정 정책의 수단이다.

16 경제 안정화 정책

갑은 정부 지출의 확대를 주장하고 있으므로, 확대 재정 정책의 필요성을 강조하고 있음을 알 수 있다. 을은 통화량 감소를 통한 물가 안정을 주장하고 있으므로, 긴축 통화 정책의 필요성을 강조하고 있음을 알 수 있다. ㄱ. 확대 재정 정책은 총수요를 증가시킴으로써 물가 상승을 유발할 수 있다. ㄷ. 국공채 매각은 긴축 통화 정책의 수단이다.

┃바로 알기┃ ㄴ. 확대 재정 정책은 정부 지출이 조세 수입보다 많은 적자 재정 정책에 해당한다. ㄹ. 현재 경제 상황에 대해 갑은 경기가 침체되어 있다고 보고 있으며, 을은 경기가 과열되어 있다고 보고 있다.

Ⅳ. 세계 시장과 교역

01 무역 원리와 무역 정책

STEP 1 핵심 개념 확인하기   142쪽

1 (1) ○ (2) ○ (3) ✕   2 (1)-ⓛ (2)-㉠   3 ⓛ 자유 무역 정책
ⓛ 보호 무역 정책   4 (1) 낮은 (2) 감소   5 (1) 관세 (2) 수입 할당제

STEP 2 내신 만점 공략하기   142~146쪽

01 ⑤	02 ②	03 ④	04 ④	05 ③	06 ①	07 ③
08 ④	09 ③	10 ①	11 ②	12 ②	13 ⑤	14 ④
15 ③	16 ①					

01 무역의 의미와 필요성

① 무역은 외국으로부터 상품을 사는 수입과 외국에 상품을 파는 수출로 구분할 수 있다. ② 국가마다 자본, 기술 등 생산 조건에 따라 상품의 생산비가 다르기 때문에 무역이 발생한다. ③ 오늘날 정보 통신 기술의 발달로 국가 간 상품과 생산 요소의 이동이 수월해지면서 무역을 통해 거래되는 품목이 다양해지고 광범위해지고 있다. ④ 자국에서 생산할 수 있더라도 생산비가 많이 드는 상품은 무역을 통해 다른 나라로부터 수입할 수 있다.

┃바로 알기┃ ⑤ 국가마다 상품의 생산 조건이 다르기 때문에 같은 상품을 만들더라도 국가 간 생산비 차이가 발생한다. 이로 인해 각국은 무역을 통해 다른 국가보다 더 잘 만들 수 있는 상품을 생산하여 교환한다.

02 무역 의존도

ㄱ. 갑국의 무역 의존도는 2011년에 비해 2012년에는 증가하였지만, 2012년 이후에는 지속적으로 감소하고 있다. ㄹ. 갑국은 을국에 비해 무역 의존도가 높다. 무역 의존도가 높은 국가일수록 국외의 경제 상황에 영향을 많이 받는다.

┃바로 알기┃ ㄴ. 2013년과 2014년 을국의 무역 의존도는 같지만 국내 총생산은 매년 증가하고 있으므로, 2014년 을국의 무역액도 2013년에 비해 증가하였다. ㄷ. 2015년 갑국의 무역 의존도는 을국에 비해 높지만 갑국과 을국의 국내 총생산은 알 수 없으므로, 갑국과 을국의 무역액은 비교할 수 없다.

※ 무역 의존도 = 수출액 + 수입액 / 국내 총생산

03 우리나라의 주요 수출 품목 변화

제시된 표에서는 우리나라가 주로 수출하는 품목이 시기에 따라 변화하고 있음을 보여 준다. ④ 각국은 비교 우위에 있는 상품을 특화하여 다른 나라에 수출한다는 점을 고려할 때, 시대에 따라 우리나라의 비교 우위 품목이 변화하고 있음을 알 수 있다.

┃바로 알기┃ ①, ② 제시된 자료를 통해 우리나라의 무역 의존도와 수출 규모를 파악할 수 없다. ③, ⑤ 노동, 자본, 기술 등과 같은 생산 여건이 변화함에 따라 우리나라의 주요 수출 품목은 경제 성장 초기에 노동 집약적 상품에서 1990년 이후 기술 집약적 상품으로 변화하였다.

04 절대 우위와 비교 우위

갑은 절대적인 생산성을 기준으로 무역 여부를 판단하고 있으므로 절대 우위를, 을은 상대적인 생산성을 기준으로 무역 여부를 판단하고 있으므로 비교 우위를 강조하고 있음을 알 수 있다. ④ 을은 비교 우위의 원리에 따라 A국과 B국이 각각 비교 우위가 있는 상품을 특화하여 교환할 경우 두 나라 모두 이익을 얻을 수 있다고 본다.

┃바로 알기┃ ② 갑의 주장에 따르면 A국은 B국보다 모든 상품의 생산성이 높은 것은 맞지만 기회비용이 B국에 비해 모두 적은 지는 알 수 없다. ③, ⑤ 을의 주장에 따르면 A국과 B국은 각자 다른 나라보다 상대적으로 낮은 생산 비용, 즉 기회비용이 적은 상품에 특화하여 생산해야 한다고 본다. 각국이 비교 우위에 기초해 특화 생산하여 교환하면 거래 당사국 모두에게 이득이 발생한다.

완자 정리 노트   무역의 발생 원리

절대 우위	동일한 생산 요소를 투입해서 다른 나라보다 더 많은 양의 상품을 생산할 수 있거나 더 적은 생산 요소를 투입해서 동일한 양의 상품을 생산할 수 있는 능력
비교 우위	한 나라가 다른 나라보다 더 적은 기회비용, 즉 상대적으로 낮은 생산 비용으로 상품을 생산할 수 있는 능력

05 비교 우위의 결정 요인

제시된 글에서는 노동이나 자본과 같은 생산 요소의 양 차이로 인해 나라마다 더 효율적으로 생산할 수 있는 상품이 달라진다는 것을 보여 준다. 이를 통해 한 나라의 비교 우위는 그 나라가 보유한 생산 요소의 양에 의해 결정된다는 것을 알 수 있다.

06 절대 우위와 비교 우위

제시된 사례에서 갑은 을에 비해 축구도 잘하고 잔디도 잘 깎으므로, 축구 선수와 정원사 모두에 절대 우위가 있다. 그러나 기회비용을 고려할 때 상대적으로 갑은 축구를 잘하고, 을은 잔디 깎는 일을 잘한다. 따라서 갑은 축구 선수에, 을은 정원사에 비교 우위가 있다.

┃바로 알기┃ ㄷ. 축구 선수에 절대 우위가 있는 사람은 갑이다. ㄹ. 비교 우위는 상대적인 개념이므로, 을이 갑에 비해 축구 선수와 정원사에 모두 비교 우위를 가질 수는 없다.

07 생산비에 따른 무역의 발생 원리 분석

갑국과 을국의 공책과 볼펜 1단위 생산에 따른 기회비용은 아래 표와 같다.

구분	공책	볼펜
갑국	볼펜 1/2단위(← 2/4)	공책 2단위(← 4/2)
을국	볼펜 7/5단위	공책 5/7단위

①, ⑤ 공책 1단위 생산의 기회비용은 갑국이 을국보다 적으므로, 갑국은 공책 생산에 비교 우위를 갖는다. 반면, 볼펜 1단위 생산의 기회비용은 을국이 갑국보다 적으므로, 을국은 볼펜 생산에 비교 우위를 갖는다. 따라서 갑국과 을국이 무역을 할 경우 갑국은 공책 생산에, 을국은 볼펜 생산에 특화하는 것이 합리적이다. ② 갑국은 을국에 비해 공책과 볼펜을 더 적은 비용으로 생산할 수 있다. 따라서 갑국은 공책과 볼펜 생산에 모두 절대 우위를 갖는다. ④ 을국의 볼펜 1단위 생산의 기회비용은 공책 5/7단위이다.

▌바로 알기 ▌ ③ 갑국은 공책 1단위를 더 생산하기 위해 볼펜 1/2단위 생산을 포기해야 하므로, 갑국의 공책 1단위 생산의 기회비용은 볼펜 1/2단위이다.

08 생산량에 따른 무역의 발생 원리 분석

갑국과 을국의 X재와 Y재 1개 생산에 따른 기회비용은 아래 표와 같다.

구분	X재	Y재
갑국	Y재 5/3개(← 100/60)	X재 3/5개(← 60/100)
을국	Y재 5/6개(← 100/120)	X재 6/5개(← 120/100)

④ 갑국과 을국은 X재 1개와 교환되는 Y재의 수량이 5/6~5/3개 사이에서 교역 조건이 결정될 때 무역의 이익을 얻을 수 있다. 따라서 X재와 Y재의 교환 비율이 1:1으로 정해지면 양국 모두 무역의 이익을 얻을 수 있으므로 갑국과 을국 모두 무역에 응할 것이다.

▌바로 알기 ▌ ① 동일한 양의 생산 요소를 투입하여 갑국은 X재 60개, 을국은 X재 120개를 생산할 수 있다. 즉, 동일한 생산 요소를 투입할 때 을국이 갑국보다 더 많은 양의 X재를 생산할 수 있으므로 을국이 X재 생산에 절대 우위가 있다. ② 을국은 Y재 1개를 더 생산하기 위해 X재 6/5개 생산을 포기해야 하므로, 을국의 Y재 1개 생산의 기회비용은 X재 6/5개이다. ③, ⑤ X재 1개 생산의 기회비용은 을국이 갑국보다 적으므로 을국은 X재 생산에 비교 우위가 있고, Y재 1개 생산의 기회비용은 갑국이 을국보다 적으므로 갑국은 Y재 생산에 비교 우위가 있다.

09 비교 우위와 무역의 이익

③ 갑국은 소비하고 남은 X재 4개를 을국에 수출하고 을국으로부터 Y재 12개를 수입하여 소비하고 있다. 따라서 갑국과 을국은 X개 1개당 Y재 3개를 교환한다.

▌바로 알기 ▌ ① 갑국은 교역 후 X재를 5개 더 생산하고 Y재 10개 생산을 포기하였으므로, 갑국의 X재 1개 생산의 기회비용은 Y재 2개이다. ② 을국은 교역 후 Y재를 16개 더 생산하고 X재 2개 생산을 포기하였으므로, 을국의 Y재 1개 생산의 기회비용은 X재 1/8개이다. ④ 교역 전 X재 1개 생산의 기회비용은 갑국은 Y재 2개이고 을국은 Y재 8개이므로, X재 1개당 Y재 2개~Y재 8개의 범위에서 교환할 때 갑국과 을국 모두 무역의 이익을 얻을 수 있다. 따라서 X재 1개당 Y재 9개로 교환할 경우 갑국은 이익을 얻을 수 있지만, 을국은 이익을 얻지 못한다. ⑤ 교역 후 갑국은 X재를, 을국은 Y재를 특화하여 생산하고 있으므로 갑국은 X재, 을국은 Y재 생산에 비교 우위가 있다.

10 자유 무역 정책의 경제적 효과

㉠은 자유 무역 정책이다. ㄱ. 자유 무역을 통해 소비자들은 자국

에서 생산되지 않거나 부족한 상품을 더 싸고 쉽게 구할 수 있으며, 상품 선택의 폭이 넓어져 편익이 증가할 수 있다. ㄴ. 자유 무역 정책을 통해 국내 기업과 외국 기업 간 경쟁이 촉진되면 기업이 경쟁력을 향상시키기 위해 노력함으로써 국내 기업의 효율성과 생산성이 높아질 수 있다.

▌바로 알기 ▌ ㄷ. ㄹ. 보호 무역 정책의 실시 근거에 해당한다.

11 자유 무역 정책의 한계

제시된 사례는 국제 무역의 확대가 경쟁력을 갖추지 못한 국내 산업에 어려움을 주고 있음을 보여 준다. ② 자유 무역이 활발해지면 경쟁력을 갖추지 못한 개인, 산업 등이 경쟁에서 불리할 수 있다.

▌바로 알기 ▌ ① 자유 무역을 통해 재화나 서비스가 들어올 때 새로운 기술이 함께 들어오는 기술 이전 효과가 나타나기도 한다. ③ 자유 무역을 하면 상품을 판매하는 시장이 전 세계로 확대되므로 규모의 경제가 발생하여 상품의 생산비를 낮출 수 있다. ④ 자유 무역을 통해 자국에서 생산되지 않는 외국의 상품을 쉽게 접할 수 있으므로, 각국 내에서 소비할 수 있는 재화와 서비스의 양이 늘어난다. ⑤ 보호 무역 정책의 한계에 해당한다.

12 세계 경제 환경의 변화와 무역 정책

② 세계 무역 기구는 국가 간 무역 장벽을 제거하고 자유 무역을 확대하기 위해 설립되었으며, 회원국 간의 무역 분쟁 조정, 관세 인하 요구 등의 법적인 권한과 구속력을 행사한다.

▌바로 알기 ▌ ① 세계 무역 기구는 각종 수입 제한 조치를 완화하여 자유 무역을 촉진한다. ③, ④ 자유 무역 협정은 회원국 간에 관세를 인하하거나 무역 제한을 없애는 것을 목표로 형성된 것으로, 자유 무역 협정의 체결이 활발해질수록 협정 당사국 간 상품의 이동이 증가할 것이다. ⑤ 정부는 자유 무역 협정에 위반되는 내용의 정책을 집행해서는 안 되기 때문에 정부가 경제 정책을 자율적으로 운영하는 데 제약이 될 수 있다.

13 보호 무역 정책의 수단

㉠은 관세, ㉡은 비관세 장벽이다. ㄴ. 수입품에 관세를 부과하면 그만큼 수입품의 국내 가격이 상승하므로 수입품의 국내 소비가 감소하고, 관련 국내 산업의 가격 경쟁력은 높아지는 효과가 있다. ㄷ. 수입 할당제는 수입하는 상품의 수량을 제한하여 해당 상품의 수입을 억제하는 것으로, 비관세 장벽의 실시 수단에 해당한다. ㄹ. 보호 무역 정책은 관세와 비관세 장벽을 활용하여 외국 기업에 비해 생산 기술 및 비용 면에서 경쟁력을 갖추지 못한 자국의 유치 산업을 보호하고자 한다.

▌바로 알기 ▌ ㄱ. 수입품에 대한 기술 규제, 위생 규제, 안전 규제 등은 비관세 장벽에 포함된다.

14 관세 부과의 효과

① ⑤ 관세 부과로 쌀의 수입 가격이 높아지고 총 소비량은 감소하므로, 정부는 'e'만큼의 관세 수입을 얻게 된다. 또한 갑국의 소비자 잉여는 'c+d+e+f'만큼 감소할 것이다. ② 쌀에 관세가 부과되면 쌀의 수입 가격은 관세의 크기만큼 높아져 쌀에 대한 갑국

내 소비량은 Q_3Q_4만큼 감소할 것이다. ③ 쌀에 관세가 부과되면 쌀의 수입 가격이 높아져 갑국 내 기업이 가격 경쟁력을 가지게 되므로, 쌀의 갑국 내 생산량은 Q_1Q_2만큼 증가할 것이다.

┃바로 알기┃ ④ 관세를 폐지하면 국내 수요량이 Q_3에서 Q_4로 늘어난다. 따라서 관세를 폐지하면 수입량은 $Q_1Q_2 + Q_3Q_4$만큼 증가할 것이다.

15 보호 무역 정책의 실시 근거와 한계

㉠ 보호 무역 정책은 외국 기업에 비해 생산 비용과 기술적인 면에서 경쟁력이 부족한 자국의 유치산업을 어느 정도 경쟁력을 갖출 때까지 보호할 수 있다. ㉡ 외국의 수입에만 의존할 경우 국가 안전 보장에 위협을 받을 수 있는 산업을 보호 무역 정책을 통해 정책적으로 보호할 수 있다. ㉣ 보호 무역 정책은 모든 국가가 자국 산업을 보호한다는 명분으로 무역 장벽을 사용할 경우 국가 간 무역 마찰을 초래할 수 있다는 한계가 있다. ㉤ 보호 무역을 하면 소비자는 자유 무역을 할 때보다 다양한 상품을 싸게 구매할 수 있는 기회를 제한받기도 한다.

┃바로 알기┃ ㉢ 외국에서 상품을 수입하면 국내 상품에 대한 수요가 줄어들어 국내 기업의 공급량이 감소하고, 그 과정에서 실업이 발생할 수 있다. 이러한 문제에 대처하기 위해 보호 무역 정책을 추진해야 한다는 주장이 제기되고 있다.

16 자유 무역 정책과 보호 무역 정책

갑은 시장 개방을 통해 상품의 생산 비용을 절감할 수 있다고 보는 반면 을은 정부의 무역 개입을 통해 국가 안전 보장을 위해 필요한 산업을 보호할 수 있다고 본다. 따라서 갑은 자유 무역 정책을, 을은 보호 무역 정책을 지지하고 있음을 알 수 있다. ㄱ. 갑은 시장 개방을 통해 상품을 판매하는 시장이 전 세계로 확대되므로 대량 생산에 따른 규모의 경제를 실현할 수 있다고 본다. ㄴ. 다른 나라가 특정 상품의 가격을 매우 낮추어 수출하는 불공정 거래 행위가 늘어날수록 이에 대응할 필요성이 커지므로, 을의 주장이 설득력을 얻게 될 것이다.

┃바로 알기┃ ㄷ. 을은 갑과 달리 보호 무역 정책을 지지하므로, 보호 무역 정책의 수단 중 하나인 수입품에 대해 관세를 부과하는 것에 동의할 것이다.

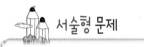

서술형 문제
146쪽

01 주제: 무역의 발생 원리

(1) ㉠ 절대 우위 ㉡ 비교 우위

(2) **예시 답안** 비교 우위를 결정하는 요인에는 생산 요소의 양, 지리적 여건이나 기후와 같은 자연환경, 국민의 의식 수준이나 문화 수준과 같은 질적 요소, 기술 수준 등이 있다.

02 주제: 보호 무역 정책

(1) 보호 무역 정책

(2) **예시 답안** 보호 무역 정책을 실시하면 외국 기업에 비해 경쟁력이 부족한 자국의 유치산업을 어느 정도 경쟁력을 갖출 때까지 보호할 수 있고, 국내 시장이 확대되어 고용이 늘어나고 실업이 발생하는 것을 막을 수 있다. 또한 농산물이나 국방에 필요한 무기 등 국가 안전 보장을 위해 필요한 산업을 정책적으로 보호하고 육성할 수 있다.

STEP 3 1등급 정복하기
147~149쪽

1 ① 2 ③ 3 ⑤ 4 ⑤ 5 ④ 6 ②

1 무역 관련 지표의 변화

무역액은 수출액과 수입액을 합한 것이며 이때 갑국의 <u>무역 의존도</u>는 아래 표와 같다.

└ 무역액 / GDP × 100 ┘

(단위: %)

구분	2013년	2014년	2015년	2016년
무역 의존도	81	78	82	84

ㄱ. 2013년 갑국의 무역 의존도는 81%이다. ㄴ. 갑국의 무역 의존도는 2013년에 비해 2014에 감소했지만, 2014년 이후 점차 증가하고 있다.

┃바로 알기┃ ㄷ. 갑국의 무역액은 2013년에 2,430억 달러(← 수출액 1,770억 달러 + 수입액 660억 달러)이고 2015년에 3,690억 달러(← 수출액 2,220억 달러 + 수입액 1,470억 달러)이므로, 2013년보다 2015년에 더 크다. ㄹ. GDP 대비 수입액의 비중은 2014년에 (940억 달러/4,000억 달러) × 100% = 23.5%이고 2016년에 (1,530억 달러/6,000억 달러) × 100% = 25.5%이므로, 2014년보다 2016년에 더 크다.

2 무역의 발생 원리

갑국과 을국의 쌀과 물고기 1톤 생산에 따른 기회비용은 아래 표와 같다.

구분	쌀	물고기
갑국	물고기 1/2톤 (← 50/100)	쌀 2톤 (← 100/50)
을국	물고기 2톤 (← 100/50)	쌀 1/2톤 (← 50/100)

③ 을국은 물고기 1톤을 더 생산하기 위해 쌀 1/2톤 생산을 포기해야 하므로, 을국의 물고기 1톤 생산의 기회비용은 쌀 1/2톤이다.

┃바로 알기┃ ① 동일한 양의 생산 요소를 투입하여 갑국은 물고기 50만 톤, 을국은 물고기 100만 톤을 생산할 수 있으므로, 물고기 생산에 절대 우위가 있는 국가는 을국이다. ② 갑국의 쌀 1톤 생산의 기회비용은 물고기 1/2톤이다. ④ 생산 가능 곡선에 따르면 갑국에서는 쌀 100만 톤을 생산할 때 물고기를 생산할 수 없으며, 물고기 50만 톤을 생산할 때 쌀을 생산할 수 없다. 따라서 갑국은 쌀 100만 톤과 물고기 50만 톤을 동시에 생산할 수 없다. ⑤ 갑국과 을국은 각각 비교 우위가 있는 상품을 특화 생산하여 교환함으로써 이익을 얻을 수 있다. 따라서 갑국과 을국이 무역을 할 경우 갑국은 쌀을 생산하여 을국에 수출하고, 을국은 물고기를 생산하여 갑국에 수출하는 것이 합리적이다.

3 무역의 발생 원리

갑국과 을국의 X재와 Y재 1개 생산에 따른 기회비용은 아래 표와 같다.

구분	X재	Y재
갑국	Y재 3/2개 (← 6/4)	X재 2/3개 (← 4/6)
을국	Y재 1/2개 (← 5/10)	X재 2개 (← 10/5)

ㄴ. X재 1개를 생산할 때 투입되는 생산 요소의 양이 을국이 갑국에 비해 적으므로, 을국은 X재 생산에 절대 우위를 가진다. 또한 X재 1개를 생산할 때 을국의 기회비용이 갑국의 기회비용보다 적으므로, 을국은 X재 생산에 비교 우위를 가진다. 따라서 을국은 X재 생산에 절대 우위와 비교 우위가 모두 있다. ㄷ. ㄹ. 갑국과 을국은 X재 1개와 교환되는 Y재의 수량이 1/2~3/2개 사이에서 교역 조건이 결정될 때 무역의 이익을 얻을 수 있다. 따라서 X재 1개와 Y재 1개의 교환 비율이 1:3/4으로 정해지면 갑국은 무역을 통해 이익을 얻을 수 있으므로 무역에 참여할 것이다. 반면, X재 1개와 Y재 1개의 교환 비율이 1:1/3으로 정해지면 을국은 무역을 통해 이익을 얻을 수 없으므로 무역에 참여하지 않을 것이다.

┃바로 알기┃ ㄱ. Y재 1개를 생산할 때 투입되는 생산 요소의 양이 갑국이 을국에 비해 적으므로 갑국은 Y재 생산에 절대 우위를 가진다.

4 무역 정책

한 국가가 자국의 경제적 목적을 추구하기 위하여 다른 국가와의 무역에 대해 어떠한 태도를 취할 것인가를 규정하는 것을 무역 정책이라고 한다. ①, ② 무역 정책은 국가 간의 자유로운 무역을 추구하는 자유 무역 정책과 정부가 자국의 이익을 지키기 위해 무역에 직간접적으로 개입하는 보호 무역 정책으로 나뉜다. ③ 자유 무역 정책을 실시하면 상품을 판매하는 시장이 전 세계로 확대되므로 대량 생산에 따른 규모의 경제를 실현할 수 있다. ④ 보호 무역은 외국 기업에 비해 생산 비용과 기술적인 면에서 경쟁력이 부족한 자국의 유치산업을 어느 정도 경쟁력을 갖출 때까지 보호하기 위해 실시한다.

┃바로 알기┃ ⑤ 보호 무역 정책을 시행하면 외국 기업에 비해 생산 비용과 기술적인 면에서 경쟁력이 부족한 자국의 유치산업을 어느 정도 경쟁력을 갖출 때까지 보호할 수 있다.

5 무역 정책

갑은 자국의 이익을 위해 정부가 무역 활동에 직간접적으로 개입해야 한다고 보는 반면, 을은 정부가 무역 활동에 개입해서는 안 된다고 보고 있다. 이를 통해 갑은 보호 무역 정책을, 을은 자유 무역 정책을 지지하고 있음을 알 수 있다. ④ 무역 장벽이 교역 상대국의 보호 무역을 불러일으켜 국가 간 무역 마찰을 불러올 수 있다고 보는 것은 보호 무역 정책의 한계에 해당하므로, 자유 무역 정책을 지지하는 을의 주장에 찬성하는 근거로 적절하다.

┃바로 알기┃ ① 시장 개방을 통해 규모의 경제를 실현할 수 있다고 보는 것은 자유 무역 정책의 경제적 효과에 해당한다. ② 을은 자유 무역 정책을 지지하므로, 보호 무역 정책의 수단에 해당하는 수출 기업에 대한 보조금 지급에 반대할 것이다. ③ 정부가 무역 활동에 개입해 자국의 유치산업을 보호하는 것은 보호 무역 정책의 실시 근거에 해당하므로, 보호 무역 정책을 지지하는 갑의 주장에 반대하는 근거로 적절하지 않다.

6 관세 부과의 효과

ㄷ. t+1 시기에 관세 철폐로 X재의 가격이 하락함에 따라 갑국 내 X재의 생산량이 Q_1Q_2만큼 감소한다. 따라서 t+1 시기에 갑국에서 X재를 생산하는 기업의 생산자 잉여는 t 시기보다 감소한다. ㄹ. t+1 시기와 t+2 시기에 국내 가격은 P_1으로 동일하다.

┃바로 알기┃ ㄱ. t 시기에 갑국에서 X재의 국내 가격이 P_2 수준에서 형성되므로, 갑국에서 X재를 생산하는 기업의 공급량은 Q_2가 된다. ㄴ. t+1 시기에 갑국에서는 자유 무역 협정의 체결로 X재에 대한 관세를 철폐하였으므로, X재의 국내 가격이 P_2 수준에서 P_1 수준으로 하락한다. 이때 X재의 국내 공급량은 Q_1이고 국내 수요량은 Q_4이므로, Q_1Q_4만큼 초과 수요량이 발생한다. 따라서 t+1 시기에 갑국의 수입량은 Q_1Q_4이다.

02 환율

STEP 1 핵심 개념 확인하기 154쪽

1 (1) 외환 시장 (2) 환율   2 (1) ㉠ 고정 환율 제도 ㉡ 변동 환율
제도   3 (1) ㄱ, ㄷ, ㅁ (2) ㄴ, ㄹ, ㅂ   4 (1) 증가 (2) 감소 (3) 하락
5 (1) × (2) ○ (3) × (4) ○

STEP 2 내신 만점 공략하기 154~158쪽

01 ⑤ 02 ③ 03 ① 04 ⑤ 05 ③ 06 ② 07 ②
08 ④ 09 ① 10 ③ 11 ⑤ 12 ② 13 ① 14 ③
15 ② 16 ④

01 외환 시장의 의미와 기능

㉠은 외환 시장이다. ① 외환 시장은 외국 화폐뿐만 아니라 외국
화폐의 가치를 지니는 수표·어음·예금, 즉 외환을 거래하는 시장
이다. ② 환율은 외환 시장에서 외화에 대한 수요와 공급에 의해
결정된다. ③, ④ 외환 시장은 교역국 간 서로 다른 가치를 지닌 화
폐를 일정 비율로 교환해 줌으로써 국제 거래, 국제 투자 등이 원
활하게 이루어지게 한다.

┃ 바로 알기 ┃ ⑤ 외환 시장은 외환이 거래되는 모든 장소를 뜻하는 추상적
인 시장으로, 거래가 이루어지는 장소가 구체적으로 드러나지 않는 가상
공간도 포함한다.

02 환율의 의미

ㄴ. 환율은 외환 시장에서 외화에 대한 수요와 공급에 의해 결정
된다. ㄷ. 우리나라에서는 환율을 외국 화폐 한 단위당 교환할 수
있는 원화로 표시한다.

┃ 바로 알기 ┃ ㄱ. 환율이 하락하면 외국 화폐를 얻기 위해 지급해야 하는
우리나라 화폐의 양이 적어지므로, 그만큼 우리나라 화폐의 가치가 상승한
다. ㄹ. 환율이 상승하면 외국 화폐를 얻기 위해 지급해야 하는 우리나라 화
폐의 양이 많아지므로, 그만큼 우리나라 화폐의 가치가 하락한다.

03 고정 환율 제도와 변동 환율 제도

> **자료 분석**
> • A국에서는 달러화의 유입에 맞춰 정부가 자국의 통화량을 조절
>   함으로써 환율을 일정하게 유지하고 있다. └─ 고정 환율 제도에 해당해.
> • B국에서는 달러화와 자국 화폐의 교환 비율이 외화의 수요와
>   공급에 따라 시장에서 자유롭게 결정되고 있다.
>   └─ 변동 환율 제도에 해당해.

ㄱ. 고정 환율 제도에서는 환율이 안정되어 대외 무역의 안정성이
보장되기 때문에 국제 거래에 도움이 될 수 있다. ㄴ. 환율이 자동
으로 조정되는 변동 환율 제도와 달리 고정 환율 제도에서는 외화
가 너무 많거나 적을 경우 나타나는 문제를 조정하기 어렵다.

┃ 바로 알기 ┃ ㄷ. 변동 환율 제도는 시세 변동을 예상한 외국의 투기성 자
금이 유출입되는 과정에서 환율이 심하게 변동할 수 있으므로, 고정 환율
제도에 비해 환율 변동의 불확실성이 높은 편이다.

04 외화의 수요 곡선과 공급 곡선

(가)는 외화의 수요 곡선, (나)는 외화의 공급 곡선이다. ⑤ 외화의
수요 곡선과 공급 곡선이 만나는 점에서 균형 환율이 결정된다.

┃ 바로 알기 ┃ ①, ② 외화의 수요 곡선은 환율과 외화의 수요량 간의 음(-)
의 관계를 표현한 것으로, 환율이 하락하면 외화의 수요량은 증가한다. ③,
④ 외화의 공급 곡선은 환율과 외화의 공급량 간의 양(+)의 관계를 표현한
것으로, 환율과 외화의 공급량은 같은 방향으로 움직인다.

05 환율의 결정

㉠은 외화의 초과 공급, ㉡은 외화의 초과 수요가 나타나고 있음
을 나타낸다. ③ 외화의 초과 수요가 발생할 경우 외화 수요자들
간의 경쟁으로 외화 공급자들이 더 높은 가격에 외화를 팔려고 하
므로 환율이 상승한다.

┃ 바로 알기 ┃ ①, ② 환율이 균형 환율보다 높아 외화의 공급량이 외화의
수요량보다 많은 상태를 초과 공급이라고 한다. ④ 초과 공급과 초과 수요
는 모두 외환 시장이 균형을 이루지 못한 상태이다.

06 외화의 수요와 공급 요인

(가)에는 외화의 수요 요인이, (나)에는 외화의 공급 요인이 들어가
야 한다. 외화의 수요 요인에는 외채 상환, 외국 상품의 수입, 내국
인의 해외여행 및 유학 등이 있고, 외화의 공급 요인에는 해외 취
업, 외국인의 국내 투자, 우리나라 상품의 수출 등이 있다.

07 외화의 수요 증가에 따른 환율의 변화

외국 화장품의 수입 증가, 우리나라 국민의 캐나다 여행 증가는 모
두 외화의 수요 증가 요인에 해당한다. ② 외화에 대한 수요가 증가
하면 외화의 수요 곡선이 오른쪽으로 이동하여 환율은 상승한다.

08 외화의 수요 감소 요인

제시된 그림에서 균형점이 a에서 b로 이동하는 것은 우리나라 외
환 시장에서 외화의 수요가 감소하여 환율이 하락하였음을 나타
낸다. ㄴ, ㄹ. 내국인의 유학 감소와 외국 제품의 수입 감소는 외화
에 대한 수요를 감소시키는 요인에 해당한다.

┃ 바로 알기 ┃ ㄱ. 수출 증가는 외화에 대한 공급을 증가시키는 요인에 해당
한다. ㄷ. 국내 기업의 해외 투자 증가는 외화에 대한 수요를 증가시키는 요
인에 해당한다.

09 외화의 공급 감소 요인

제시된 그림은 외화에 대한 공급이 감소하여 환율이 상승하였음을 보여 준다. ① 우리나라 상품의 수출 감소는 외화에 대한 공급을 감소시키는 요인에 해당한다.

┃바로 알기┃ ②, ④, ⑤ 외국인의 국내 여행 증가, 주식 매입과 같은 외국인의 국내 투자 증가, 우리나라 정부의 외국 자본 도입은 외화에 대한 공급을 증가시키는 요인에 해당한다. ③ 우리나라 국민의 유학 증가는 외화에 대한 수요를 증가시키는 요인에 해당한다.

10 외화의 수요와 공급 변화에 따른 환율의 변동

첫 번째 상황은 미국산 자동차의 수입 감소를 나타내는데, 이는 달러화의 수요 감소 요인에 해당한다. 두 번째 상황은 미국인의 국내 투자 증가를 나타내는데, 이는 달러화의 공급 증가 요인에 해당한다. 따라서 달러화의 수요 곡선은 왼쪽으로 이동하고, 달러화의 공급 곡선은 오른쪽으로 이동하므로, 균형점은 C 영역으로 이동한다.

11 외화의 수요와 공급 변화에 따른 환율의 변동

제시된 그림에서 균형점이 E에서 A로 이동하는 것은 외화의 수요가 증가한 경우, 균형점이 E에서 B로 이동하는 것은 외화의 공급이 감소한 경우에 해당한다. ⑤ 우리나라 상품의 수출 감소는 외화의 공급을 감소시키는 요인에 해당한다.

┃바로 알기┃ ①, ② 내국인의 해외여행 및 해외 투자 감소는 외화의 수요를 감소시키는 요인에 해당한다. ③, ④ 내국인의 해외 취업 증가, 외국인의 국내 투자 증가는 외화의 공급을 증가시키는 요인에 해당한다.

12 환율 상승이 국가 경제에 미치는 영향

제시된 글을 통해 우리나라의 원/달러 환율이 상승하고 있음을 알 수 있다. 갑. 환율이 상승하면 원화 가치가 하락하므로, 외채 상환에 대한 부담이 증가할 것이다. 병. 환율이 상승하면 외국인 투자자들이 손해를 입기 전에 주식을 팔고자 하므로 주가가 하락할 것이다.

┃바로 알기┃ 을, 정. 일반적으로 환율이 상승하면 수출 상품의 가격 경쟁력이 높아져 수출은 증가하고, 수입 상품의 가격 경쟁력이 낮아져 수입은 감소할 수 있다. 이에 따라 국내 기업의 생산이 증가하고 고용이 확대될 것이다.

완자 정리 노트 환율 변동이 국가 경제에 미치는 영향

구분	환율 상승	환율 하락
수출과 수입	수출 증가, 수입 감소 → 국내 기업의 생산 및 고용 증가	수출 감소, 수입 증가 → 국내 기업의 생산 및 고용 감소
국내 물가	수입 상품 및 원자재의 가격 상승 → 생산비 증가 → 상품 가격 상승 → 국내 물가 상승	수입 상품 및 원자재의 가격 하락 → 생산비 감소 → 상품 가격 하락 → 국내 물가 하락
주가	외국 투자자들이 주식을 팔고자 함 → 주가 하락	외국 투자자들이 주식을 사고자 함 → 주가 상승
외채 상환 부담	외채의 원화 환산액 증가 → 외채 상환 부담 증가	외채의 원화 환산액 감소 → 외채 상환 부담 감소

13 환율 하락이 국가 경제에 미치는 영향

① 외환 시장에서 외화의 수요가 감소하거나 외화의 공급이 증가하면 환율이 하락한다. 환율이 하락하면 수출 상품의 가격 경쟁력이 낮아져 수출은 감소하고 수입 상품의 가격 경쟁력이 높아져 수입은 증가할 수 있다. 이에 따라 국내 기업의 생산이 감소하고 고용이 위축되어 경제 성장에 부정적인 영향을 미친다.

14 환율 변동이 개인의 경제생활에 미치는 영향

ㄴ, ㄷ. 원/달러 환율이 하락하면 같은 금액의 달러화로 바꿀 수 있는 원화의 금액이 줄어든다. 따라서 환율 하락이 예상될 경우 을이 임금을 원화로 받기로 계약을 변경하는 것은 합리적이며, 병은 환전 시점을 앞당길수록 유리하다.

┃바로 알기┃ ㄱ. 원/달러 환율이 상승하면 같은 양의 원화로 바꿀 수 있는 달러화의 금액이 줄어들기 때문에 환율 상승이 예상될 경우 갑은 환전 시점을 앞당길수록 유리하다. ㄹ. 환율이 상승하면 달러화로 표시된 자산을 보유한 을과 병은 같은 양의 달러화로 바꿀 수 있는 원화의 금액이 늘어나기 때문에 유리해지는 반면, 갑은 해외여행 경비 증가로 인해 불리해진다.

15 환율 변동의 영향

ㄱ. ㉠에서는 달러화 대비 원화의 가치가 상승하므로, 원/달러 환율은 하락하고 있음을 알 수 있다. ㄷ. ㉡에서는 달러화 대비 원화의 가치가 하락하므로, 원/달러 환율은 상승하고 있음을 알 수 있다. 원/달러 환율이 상승하면 미국에서 수입하는 원자재의 국내 가격이 상승한다.

┃바로 알기┃ ㄴ. ㉠에서는 원/달러 환율이 하락하므로, 달러화로 표시한 우리나라 상품의 가격이 상승해 미국 시장에서 우리나라 상품의 가격 경쟁력이 낮아진다. ㄹ. ㉡에서는 원/달러 환율이 상승하므로, 같은 양의 원화로 바꿀 수 있는 외화의 금액이 줄어든다. 따라서 미국으로 유학을 떠나는 우리나라 유학생의 경비 부담이 커진다.

16 환율 변동의 영향

제시된 그림을 통해 원/달러 환율은 하락하는 반면, 원/엔 환율은 상승하고 있음을 알 수 있다. ④ 원/엔 환율이 상승하면, 같은 양의 원화로 환전할 수 있는 엔화의 금액이 줄어들기 때문에 일본으로 여행을 떠나는 우리나라 국민의 경비 부담이 늘어날 것이다.

┃바로 알기┃ ① 원/엔 환율이 상승하였으므로 제시된 그림에서 엔화 대비 원화의 가치는 하락한다. ② 원/달러 환율이 하락하면, 미국 상품의 원화 표시 가격이 낮아져 수입 상품의 가격 경쟁력이 높아지므로 우리나라에서 미국 상품에 대한 수입이 증가할 것이다. ③ 원/달러 환율이 하락하면, 같은 양의 달러화로 환전할 수 있는 원화의 양이 줄어들기 때문에 우리나라에 유학 온 미국인 학생들의 부담은 늘어날 것이다. ⑤ 원/엔 환율이 상승하면, 우리나라 상품의 엔화 표시 가격이 낮아져 일본으로 수출하는 우리나라 상품의 가격 경쟁력이 높아질 것이다.

서술형 문제

158쪽

01 주제: 환율 제도

(1) ㉠ 고정 환율 제도 ㉡ 변동 환율 제도

(2) **예시 답안** 변동 환율 제도를 시행하면 외화가 너무 많거나 적어질 때 나타나는 문제가 자동으로 조정될 수 있다. 그러나 시세 변동을 예상한 외국의 투기성 자금이 차익을 획득할 목적으로 들어오고 나가는 과정에서 환율이 심하게 변동하여 국민 경제에 혼란을 줄 수 있다.

채점 기준

상	변동 환율 제도의 장점과 단점을 각각 정확하게 서술한 경우
하	변동 환율 제도의 장점과 단점 중 한 가지만 서술한 경우

02 주제: 환율 변동의 영향

(1) 환율 상승

(2) **예시 답안** 환율이 상승하면 수입 상품 및 원자재의 가격 상승으로 생산비가 증가하여 국내 물가가 상승한다. 또한 수출은 증가하고 수입은 감소해 국내 기업의 생산이 증가하고 고용이 증가한다.

채점 기준

상	환율의 상승이 국가 경제에 미치는 영향을 두 가지 이상 정확하게 서술한 경우
하	환율의 상승이 국가 경제에 미치는 영향을 한 가지만 서술한 경우

STEP 3 1등급 정복하기

159~161쪽

1 ④ 2 ② 3 ③ 4 ③ 5 ④ 6 ①

1 외환 시장과 환율

④ 1달러당 1,000원이었던 환율이 1달러당 900원으로 변화한 것은 환율이 하락한 것이다. 환율이 하락하면 1달러를 구입하기 위해 지불해야 하는 원화의 양이 감소하므로 그만큼 원화의 가치가 상승한다.

┃바로 알기┃ ① 외환 시장은 외화뿐만 아니라 외국 화폐의 가치를 지니는 수표, 어음, 예금 등 외환을 거래하는 시장을 말한다. ② 환율은 자국 화폐와 외국 화폐의 교환 비율로, 자국 화폐의 대외 가치를 나타낸다. ③ 1달러당 1,000원이었던 환율이 1달러당 1,100원으로 변화하면 1달러를 얻기 위해 100원의 원화가 더 필요해진다. ⑤ ㉢은 환율이 오르고 있는 상황이므로 환율 상승, ㉣은 환율이 떨어지고 있는 상황이므로 환율 하락에 해당한다.

2 고정 환율 제도와 변동 환율 제도

ㄱ. A가 고정 환율 제도이면 B는 변동 환율 제도이다. 따라서 (가)

에는 고정 환율 제도는 '예' 변동 환율 제도는 '아니요'라는 답변을 할 수 있는 질문이 들어가야 한다. 고정 환율 제도는 정부나 중앙은행이 개입하여 환율을 일정한 수준으로 고정하는 제도이므로, (가)의 질문으로 적절하다. ㄹ. 외화가 너무 많거나 적을 때 나타나는 문제가 자동으로 조정될 수 있는 제도는 변동 환율 제도이다. 따라서 A는 고정 환율 제도, B는 변동 환율 제도이다.

┃바로 알기┃ ㄴ. B가 변동 환율 제도이면 A는 고정 환율 제도이다. 따라서 (나)에는 고정 환율 제도는 '아니요', 변동 환율 제도는 '예'라는 답변을 할 수 있는 질문이 들어가야 한다. 환율을 안정적으로 유지할 수 있어 환율 변동으로 나타나는 위험을 막을 수 있는 제도는 고정 환율 제도이므로, (나)에는 적절하지 않다. ㄷ. 시세 차익 획득을 목적으로 한 투기성 자금의 유출입이 발생하는 제도는 변동 환율 제도이다. 따라서 A는 변동 환율 제도, B는 고정 환율 제도이다.

3 외화의 수요와 공급 요인

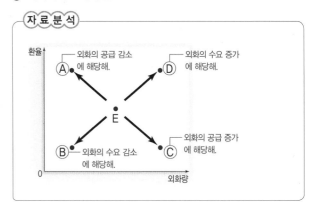

ㄴ. 외국 상품에 대한 수입이 감소하면 외화의 수요가 감소하므로, 균형점은 E에서 B로 이동한다. ㄷ. 외국인의 국내 투자가 증가하면 외화의 공급이 증가하므로, 균형점은 E에서 C로 이동한다.

┃바로 알기┃ ㄱ. 우리나라의 주식, 채권 등에 대한 외국인의 투자가 증가하면 외화의 공급이 증가하므로, 균형점은 E에서 C로 이동한다. ㄹ. 우리나라 기업이 외국 기업에 지급하는 특허권 사용료가 줄어들면 외화의 수요가 감소하므로, 균형점은 E에서 B로 이동한다.

4 환율 변동의 요인과 영향

③ 수입 원자재 가격이 낮아진 것으로 보아 (가)는 원/달러 환율이 하락한 상태이다. 원/달러 환율이 하락하면 미국 시장에 수출하는 우리나라 상품의 가격 경쟁력이 낮아져 수출이 감소한다.

┃바로 알기┃ ① 수입 원자재 가격의 하락으로 국내 물가가 하락하는 것은 달러화 하락의 영향에 해당한다. 외화의 수요가 감소할 때 환율은 하락하므로, A는 '달러화 수요 감소'에 해당한다. ② 외화의 공급이 증가할 때 환율은 하락하므로, B는 '달러화 공급 증가'에 해당한다. ④ 환율이 하락하면 같은 양의 달러화로 바꿀 수 있는 원화의 양이 줄어들기 때문에 달러화를 원화로 환전하여 우리나라 여행을 하려는 미국들의 부담은 증가한다. ⑤ 달러화의 수요가 감소하면서 동시에 달러화의 공급이 증가할 때 원/달러 환율은 하락하지만, 달러화의 거래량 변화는 알 수 없다.

5 환율의 결정과 변동

제시된 표에서 달러화에 대한 갑국 통화의 화폐 가치가 상승하였으므로, 갑국의 달러 대비 환율은 하락하였음을 알 수 있다. 반면 을국과 병국 통화의 달러화에 대한 자국의 화폐 가치가 하락하였으므로, 을국과 병국의 달러 대비 환율은 상승하였음을 알 수 있다. ① 갑국의 달러 대비 환율이 하락하였으므로, 1달러를 구입하기 위해 지불해야 하는 갑국 화폐의 양은 줄어들었다. ③ 병국의 달러 대비 환율이 상승하였으므로, 병국 수출품의 달러 표시 가격이 하락하여 병국 수출품의 가격 경쟁력은 높아진다. ⑤ 달러화에 대한 병국 통화의 가치가 을국 통화의 가치보다 더 크게 하락하였기 때문에 달러로 환전하여 병국에 투자하려는 을국 기업의 부담은 감소하였다.

│바로 알기│ ④ 갑국의 달러 대비 환율은 하락하였으므로, 같은 양의 갑국 화폐로 바꿀 수 있는 달러의 금액은 늘어난다. 따라서 달러로 환전하여 미국에서 유학 중인 자녀에게 학비를 송금하는 갑국 부모의 부담은 줄어들었다.

6 환율 변동의 영향

제시된 그림을 통해 t년 대비 t+1년에 원/달러 환율은 상승하고, 엔/달러 환율은 하락하고 있음을 알 수 있다. ㄱ. 엔/달러 환율이 하락하면 달러화 표시 외채를 상환할 때 지불해야 할 엔화가 줄어든다. 따라서 달러화 표시 외채를 가지고 있는 일본 기업의 상환 부담은 감소한다. ㄹ. 엔/달러 환율이 하락하므로 미국 시장에서 일본 상품의 달러 표시 가격은 상승하고, 원/달러 환율이 상승하므로 미국 시장에서 우리나라 상품의 달러 표시 가격은 하락한다. 따라서 미국 시장에서 우리나라 상품의 가격이 일본 상품의 가격에 비해 상대적으로 낮아지므로, 미국 시장에서 일본 기업과 경쟁하는 우리나라 기업의 수출품 가격 경쟁력은 상승한다.

│바로 알기│ ㄴ. 원/달러 환율이 상승하면 미국산 수입 상품의 원화 표시 가격이 상승한다. ㄷ. 원/달러 환율이 상승하면 같은 양의 달러화로 환전할 수 있는 원화의 금액이 늘어나기 때문에 우리나라로 여행을 오는 미국 사람들의 여행비 부담이 낮아질 것이다.

03 국제 수지

STEP 1 핵심 개념 확인하기   166쪽

1 ㉠ 국제 수지 ㉡ 국제 수지표   **2** (1) ㄴ (2) ㄱ (3) ㄹ (4) ㄷ   **3** (1) 균형 (2) 적자   **4** (1) ○ (2) × (3) ×

STEP 2 내신 만점 공략하기   166~169쪽

01 ②	02 ①	03 ④	04 ②	05 ③	06 ①	07 ⑤
08 ④	09 ③	10 ⑤	11 ③	12 ④		

01 국제 수지의 의미와 구성

㉠은 경상 수지, ㉡은 자본 수지, ㉢은 금융 계정이다. ㄱ. 경상 수지는 상품 수지와 서비스 수지를 포함하고 있어 국제 수지에서 가장 큰 비중을 차지한다. ㄹ. 자본 수지와 금융 계정은 국가 간 자본 거래에 따른 외화의 유입과 유출의 차이를 나타낸 것으로, 자본의 국제적 이동 규모를 알 수 있다.

│바로 알기│ ㄴ. 외국인의 국내 주식 투자는 외국과의 증권 거래에 해당하므로, 금융 계정에 포함된다. ㄷ. 서비스의 수출입 대금과 관련한 항목은 서비스 수지이므로, 경상 수지에 포함된다.

02 국제 수지의 구성

(가)는 상품을 수출하여 대금을 받은 것이므로, 상품 수지에 해당한다. (나)는 우리나라 국민이 여행 서비스를 이용한 것이므로, 서비스 수지에 해당한다. (다)는 우리나라 정부가 다른 나라에 구호금을 보낸 것이므로, 이전 소득 수지에 해당한다.

03 국제 수지의 사례

④ 우리나라 기업이 상표권을 외국 기업에 매각한 것은 외화가 국내로 들어오는 것이므로, 자본 수지의 수취에 해당한다.

│바로 알기│ ① 상품을 수출하고 대금을 받은 것은 외화가 국내로 들어오는 것이므로, 상품 수지의 수취에 해당한다. ② 내국인이 해외여행을 가는 것은 외화가 국외로 나가는 것이므로, 서비스 수지의 지급에 해당한다. ③ 외채에 대한 이자를 지불하는 것은 외화가 국외로 나가는 것이므로, 본원소득 수지의 지급에 해당한다. ⑤ 우리나라 정부가 차관을 도입한 것은 외화가 국내로 들어오는 것이므로, 금융 계정의 수취에 해당한다.

04 경상 수지의 계산

2014년 갑국의 상품 수지와 상품 수출액을 통해 2015년~2017년 갑국의 상품 수지, 상품 수출액, 상품 수입액을 구할 수 있다. 이를 표로 정리하면 다음과 같다.

구분	2015년	2016년	2017년
상품 수지	100	90	99
상품 수출액	250	225	270
상품 수입액	150	135	171

┌─ 상품 수출액 − 상품 수입액   (단위: 억 달러)

ㄱ. 상품 수지는 2015년에 가장 크다. ㄹ. 2017년의 상품 수입액은 2015년의 상품 수입액보다 크다.

▮ 바로 알기 ▮ ㄴ. 상품 수출액과 상품 수입액의 합은 2015년 400억 달러, 2016년 360억 달러, 2017년 441억 달러로 감소하다가 증가하였다. ㄷ. 2016년의 전년 대비 상품 수출액 변화율은 −10%이고, 상품 수입액 변화율은 [(135억 달러 − 150억 달러)/150억 달러] × 100 = −10%이다. 따라서 2016년의 전년 대비 상품 수출액 변화율과 상품 수입액 변화율은 같다.

05 경상 수지의 흑자와 적자

ㄴ. 서비스 거래에 따른 외화 유출액과 유입액의 차이는 서비스 수지에 해당한다. 갑국의 서비스 수지는 적자이므로, 서비스 거래에 따른 외화 유출액이 유입액보다 많다. ㄷ. 해외 투자에 따른 이익은 본원 소득 수지에 해당하며, 갑국의 본원 소득 수지는 흑자이다.

▮ 바로 알기 ▮ ㄱ. 갑국의 상품 수지에서 120억 달러 흑자를 기록한 것이므로 상품 수출액이 상품 수입액보다 120억 달러 많았음을 의미한다. ㄹ. 해외에 제공한 공적 개발 원조액은 이전 소득 수지에 해당하며, 갑국의 이전 소득 수지는 적자이다.

06 국제 수지의 계산

제시된 자료에서 외국 기업 주식 투자에 대한 배당금은 본원 소득 수지의 수취(+)에 해당하므로, 본원 소득 수지는 7억 달러 흑자이다. 외국 상품 수입은 상품 수지 지급(−)에 해당하므로, 상품 수지는 3억 달러 적자이다. 국내 기업 매각에 대한 대가는 금융 계정 수취(+)에 해당하므로, 금융 계정은 10억 달러 흑자이다. 지식 재산권 사용료는 서비스 수지 지급(−)에 해당하므로, 서비스 수지는 5억 달러 적자이다. ① 경상 수지는 상품 수지, 서비스 수지, 본원 소득 수지, 이전 소득 수지로 구성되므로, 갑국의 경상 수지는 1억 달러 적자(+7억 달러 − 3억 달러 − 5억 달러)이다.

07 국제 수지표 분석

① 브랜드 네임의 취득과 처분이 기록되는 항목은 자본 수지이다. 2015년 갑국의 자본 수지는 적자를 기록하였다. ② 외환 보유액의 증감이 포함되는 항목은 금융 계정이다. 2016년 갑국의 금융 계정은 흑자를 기록하였다. ③ 임금이 포함되는 항목은 본원 소득 수지이다. 2017년 갑국의 본원 소득 수지는 흑자를 기록하였다. ④ 2016년과 2017년 모두 전년 대비 경상 수지 흑자 폭이 감소하였다.

▮ 바로 알기 ▮ ⑤ 무상 원조가 포함된 항목은 이전 소득 수지로, 2015년부터 2017년까지 모두 적자를 기록하였다.

08 국제 수지의 균형

제시된 대화를 통해 경상 수지 흑자와 경상 수지 적자는 긍정적인

측면과 부정적인 측면을 모두 지니므로 장기적으로 국제 수지는 균형을 유지하는 것이 바람직하다는 것을 추론할 수 있다.

09 경상 수지 흑자가 경제에 미치는 영향

제시된 신문 기사를 통해 우리나라 경상 수지가 지속적으로 흑자를 기록하고 있음을 알 수 있다. ㄴ, ㄷ. 경상 수지가 흑자이면 상품과 서비스의 수출 증가로 내수 산업이 활성화되어 고용이 확대되고 국민 소득이 증가할 수 있다. 그러나 우리나라와 교역하여 적자를 보게 된 교역 상대국이 자국의 산업을 보호하기 위한 정책을 실시할 경우 무역 마찰을 유발할 수 있다.

▮ 바로 알기 ▮ ㄱ, ㄹ. 경상 수지가 흑자이면 외채를 상환할 수 있는 능력이 향상되어 국가 대외 신용도가 높아지고 외국인의 국내 투자가 증가할 것이다.

10 경상 수지 적자가 경제에 미치는 영향

제시된 글은 갑국의 경상 수지가 적자를 기록하였음을 보여 주므로, (가)에는 경상 수지 적자가 국가 경제에 미치는 영향이 들어가야 한다. ①, ②, ③, ④ 경상 수지 적자로 인해 국내 물가 상승은 억제될 수 있지만, 경상 수지가 지속되면 상품과 서비스의 수출이 줄어들어 국내 기업의 생산이 위축되고, 실업이 증가하여 국민 소득이 감소할 수 있다.

▮ 바로 알기 ▮ ⑤ 경상 수지 적자가 지속될 경우 외화 보유액 부족으로 외채 상환에 대한 부담이 높아지면서 대외 신용도가 하락할 수 있다.

11 국제 수지의 변화

(가)는 국제 수지 흑자, (나)는 국제 수지 적자 상황에 해당한다. ㄴ. 국제 수지가 적자일 경우 외화의 공급 감소로 환율이 상승한다. 환율이 상승하면 수출은 증가하고 수입은 감소한다. ㄷ. 국제 수지가 흑자일 경우 환율이 하락하므로 외채 상환 능력이 향상되고 국가 대외 신용도가 높아져 차관 도입이 용이해진다.

▮ 바로 알기 ▮ ㄱ. 국제 수지가 흑자이면 외환 시장에서 외화의 가치는 하락하고 원화의 가치가 상승하여 환율은 하락한다. ㄹ. 국제 수지 흑자와 국제 수지 적자는 모두 국제 수지가 균형을 이루지 못하는 상태이다.

완자 정리 노트	국제 수지 변화의 영향
경상 수지 흑자	생산·고용·국민 소득 증가, 국가 대외 신용도 상승, 국내 통화량 증가, 국내 물가 상승, 무역 마찰 유발 등
경상 수지 적자	생산·고용·국민 소득 감소, 국가 대외 신용도 하락, 국내 통화량 감소, 국내 물가 안정 등

12 국제 수지와 환율의 관계

① 국제 수지가 흑자이면 외환 시장으로 유입되는 외화의 양이 늘어나 외화의 가치는 하락하고 원화의 가치가 상승하여 환율은 하락한다. 환율이 하락하면 국내 수출 상품의 외화 표시 가격이 높아져 수출은 줄어들고, 상대적으로 외국 수입 상품의 국내 가격이 낮아져 수입이 늘어나 국제 수지는 악화된다. 따라서 ㉠은 증가, ㉡은 하락, ㉢은 감소, ㉣은 증가이다.

서술형 문제

169쪽

01 주제: 국제 수지의 구성

(1) (가) 상품 수지 (나) 본원 소득 수지 (다) 이전 소득 수지

(2) **예시 답안** 2017년 10월 갑국의 경상 수지는 5천 5백 달러 적자이다. 경상 수지 적자가 지속되면 국내 기업의 생산이 위축되며, 이에 따라 실업이 증가하고 국민 소득이 감소한다. 또한 외화 부족으로 대외 채무가 늘어나고 국가 대외 신용도가 낮아진다.

상	갑국의 경상 수지를 계산하고, 경상 수지 적자가 국가 경제에 미치는 영향을 정확하게 서술한 경우
중	경상 수지 적자가 국가 경제에 미치는 영향만 서술한 경우
하	갑국의 경상 수지 규모만 쓴 경우

02 주제: 국제 수지 변동의 영향

(1) 흑자

(2) **예시 답안** 경상 수지가 흑자이면 상품과 서비스의 수출이 늘어나 국내 기업의 생산이 증가하며, 이에 따라 고용이 확대되고 국민 소득이 증가한다. 그러나 지속적인 경상 수지 흑자는 국내 통화량이 증가하는 요인으로 작용하여 국내 물가 상승을 가져올 수 있다.

채점 기준

상	경상 수지 흑자가 국가 경제에 미치는 영향을 두 가지 이상 정확하게 서술한 경우
하	경상 수지 흑자가 국가 경제에 미치는 영향을 한 가지만 서술한 경우

STEP 3 1등급 정복하기

170~171쪽

1 ⑤   2 ②   3 ③   4 ④

1 국제 수지의 사례

① 상품을 수출하고 대금을 받은 것은 외화가 국내로 들어오는 것이므로, 상품 수지의 수취에 해당한다. ② 국내 기업이 외국에 투자하는 것은 외화가 국내로 들어오는 것이므로, 금융 계정의 지급에 해당한다. ③ 화물 운임의 대가는 서비스 수지에 포함된다. ④ 해외 주식에 투자하여 배당금을 받는 것은 외화가 국내로 들어오는 것이므로, 본원 소득 수지의 수취에 해당한다.

바로 알기 ⑤ 경상 수지는 상품 수지, 서비스 수지, 본원 소득 수지, 이전 소득 수지로 구성되므로, 금융 계정은 경상 수지 항목에 포함되지 않는다.

2 국제 수지표 분석

ㄴ. 외국 기업 채권 매입액이 포함된 항목은 금융 계정에 해당한다. 2017년 갑국의 금융 계정은 70억 달러 적자이므로, 금융 계정의 외화 유출액이 외화 유입액보다 많다. ㄷ. 해외 무상 원조 금액

이 포함된 항목은 이전 소득 수지에 해당한다. 갑국의 이전 소득 수지는 2016년에는 10억 달러 흑자이고, 2017년에는 20억 달러 적자이다. 따라서 2017년과 달리 2016년에 갑국의 이전 소득 수지는 흑자이다.

바로 알기 ㄱ. 갑국의 상품 수출액은 제시된 자료를 통해 알 수 없다. ㄹ. 해외 지식 재산권 사용료가 포함된 항목은 서비스 수지에 해당한다. 갑국의 서비스 수지는 2016년에는 20억 달러 적자이고, 2017년에는 20억 달러 흑자이다. 따라서 2016년과 달리 2017년에 갑국의 서비스 수지는 흑자이다.

3 경상 수지 증가율 분석

2012년 갑국과 을국의 경상 수지는 100억 달러이므로, 2013 ~ 2017년 갑국과 을국의 경상 수지를 표로 정리하면 다음과 같다.

(단위: 억 달러)

구분	2013년	2014년	2015년	2016년	2017년
갑국	110	132	132	105.6	126.72
을국	90	72	108	129.6	90.72

③ 을국의 경상 수지는 매년 흑자를 기록하고 있다. 지속적인 경상 수지 흑자는 국내 통화량을 증가시켜 국내 물가의 상승을 가져올 수 있다. 따라서 을국의 경상 수지 흑자가 지속될 경우 을국 내 물가가 상승할 수 있다.

바로 알기 ① 갑국의 경상 수지 흑자 규모는 2017년보다 2014년에 더 크다. ② 을국의 경상 수지 흑자 규모는 2015년보다 2016년에 더 크다. ④ 2013년 갑국의 경상 수지는 110억 달러, 을국의 경상 수지는 90억 달러이므로, 2013년 갑국의 경상 수지는 을국 경상 수지의 2배 이상이 아니다. ⑤ 2016년에는 갑국보다 을국의 경상 수지 흑자 규모가 더 크므로 갑국의 경상 수지가 모든 연도에서 을국보다 큰 것은 아니다.

4 경상 수지 변동의 영향

ㄱ. 경상 수지 흑자가 지속되면 외채 상환 능력이 향상되어 국가 대외 신용도가 높아질 수 있다. ㄴ. 경상 수지 적자는 국내 통화량을 감소시켜 국내 물가 상승을 억제한다. ㄹ. 경상 수지 적자가 지속되면 국내 기업의 생산이 위축되며, 이에 따라 실업이 증가한다. 이는 국민 소득의 감소로 이어져 경기 침체를 유발할 수 있다.

바로 알기 ㄷ. 국내 기업의 생산이 감소하여 실업이 증가한다는 것은 경상 수지 적자의 부정적인 측면에 해당하므로, (라)에 들어갈 내용으로 적절하다.

01 무역의 의미와 발생 원인

㉠은 생산비, ㉡은 특화이다. 국가마다 상품의 생산 조건이 달라 국가 간 생산비의 차이가 발생한다. 이때 각국이 생산에 유리한 상품을 특화 생산하여 교역하면 거래 당사국 모두 이익을 얻을 수 있다.

02 절대 우위와 비교 우위

㉠은 절대 우위, ㉡은 비교 우위이다. ㄱ. 절대 우위론에 따르면 두 나라가 각각 생산비가 절대적으로 낮은 상품 생산에 특화하여 교환하면 두 나라 모두 이익을 얻을 수 있다고 본다. ㄴ. 한 나라의 비교 우위는 그 나라가 보유한 생산 요소의 양뿐만 아니라 국민의 의식 수준 및 문화 수준과 같은 질적인 부분, 지리적 여건 등 여러 요인에 의해 결정되기도 한다.

바로 알기 ㄷ. 비교 우위는 한 나라가 다른 나라보다 더 적은 기회비용, 즉 상대적으로 낮은 생산 비용으로 상품을 생산할 수 있는 능력을 말한다.

03 생산 요소의 양에 따른 비교 우위 분석

갑국과 을국의 모자와 신발 1단위 생산에 따른 기회비용은 아래 표와 같다.

구분	모자	신발
갑국	신발 7/4단위	모자 4/7단위
을국	신발 6/5단위	모자 5/6단위

① 신발 1단위 생산의 기회비용은 갑국이 을국보다 적으므로 갑국은 신발 생산에 비교 우위를 갖는다. ③, ⑤ 을국은 갑국에 비해 더 적은 기회비용으로 모자를 생산할 수 있으므로 을국은 모자 생산에 비교 우위를 갖는다. 따라서 을국은 모자를 특화 생산하여 교역할 것이다. ④ 을국은 신발 1단위를 더 생산하기 위해 모자 5/6단위 생산을 포기해야 하므로, 을국에서 신발 1단위를 생산할 때의 기회비용은 모자 5/6단위이다.

바로 알기 ② 신발 1단위의 절대적인 생산비는 갑국이 을국보다 적으므로 갑국은 신발 생산에 절대 우위가 있고, 모자 1단위의 절대적인 생산비는 을국이 갑국보다 적으므로 을국이 모자 생산에 절대 우위가 있다.

04 무역의 발생 원리

제시된 자료에서 갑국에서는 X재의 교역 후 소비량이 교역량보다 많으므로 X재에 특화하였고, 을국에서는 Y재의 교역 후 소비량이 교역량보다 많으므로 Y재에 특화하였음을 안 수 있다. ㄱ. 교역 후 갑국과 을국의 X재 소비량의 합이 90개이므로 ㉠은 90이고, 교역 후 갑국과 을국의 Y재 소비량의 합이 140개이므로 ㉡은 140이다. ㄴ. 갑국에서 X재와 Y재의 최대 생산 가능량은 각각 90개, 60개이다.

이때 갑국은 X재 1개를 더 생산하기 위해 Y재 2/3개 생산을 포기해야 하므로, 갑국의 X재 1개 생산의 기회비용은 Y재 2/3개이다.

바로 알기 ㄷ. X재의 경우 동일한 양의 생산 요소를 투입하여 갑국은 90개, 을국은 120개를 생산할 수 있다. 또한 Y재의 경우 동일한 양의 생산 요소를 투입하여 갑국은 60개, 을국은 140개를 생산할 수 있다. 즉, X재와 Y재 모두 동일한 양의 생산 요소를 투입할 때 을국이 갑국에 비해 더 많이 생산할 수 있으므로 을국이 X재와 Y재 생산에 모두 절대 우위가 있다. ㄹ. 갑국과 을국은 X재 35개와 Y재 30개를 교환하였으므로, 교역 조건은 X재 1개당 Y재 6/7개이다.

05 자유 무역 정책과 보호 무역 정책

갑은 자유 무역 정책을, 을, 병은 보호 무역 정책을 지지하고 있다. ① 갑은 자유 무역 정책을 지지하므로, 국가 간 상품의 자유로운 이동을 위해 무역 장벽을 완화하거나 제거하는 자유 무역 협정의 체결에 찬성할 것이다. ② 을은 농산물이나 국방에 필요한 무기 등 국가 안전 보장을 위해 필요한 산업을 보호하기 위해 실시하는 보호 무역 정책을 지지할 것이다. ③ 병은 보호 무역 정책을 지지하므로, 외국 기업에 비해 경쟁력이 부족한 자국의 유치산업을 보호하자는 주장에 찬성할 것이다. ⑤ 갑은 자유 무역 정책을 지지하므로, 각국이 비교 우위가 있는 상품을 특화 생산하여 자유롭게 교역하는 것을 지지할 것이다.

바로 알기 ④ 자유 무역 정책을 지지하는 갑과 달리 을은 보호 무역 정책을 지지하므로, 보호 무역 정책의 수단 중 하나인 관세 부과를 지지할 것이다.

06 보호 무역 정책의 결과

제시문을 통해 자유 무역을 실시하던 갑국이 수입품에 관세를 부과함으로써 보호 무역 정책을 시행하고자 함을 알 수 있다. ④ 보호 무역 정책을 시행할 경우 무역 상대국의 보호 무역을 불러일으켜 무역 마찰을 초래할 가능성이 높아질 것이다.

바로 알기 ①, ③ 갑국으로 수입되는 X재에 관세가 부과될 경우 X재의 가격이 높아지므로 X재에 대한 갑국 내 소비는 감소하고 생산량은 증가할 것이다. ② 갑국 정부는 관세 수입을 부과함으로써 X재 수입량에 관세를 곱한 것만큼 관세 수입을 얻게 될 것이다. ⑤ 갑국에 수입되는 X재의 가격은 부과된 관세만큼 상승하기 때문에 갑국 소비자들은 자유 무역을 실시할 때보다 높은 가격에 X재를 구입하게 될 것이다.

07 외환 시장의 의미와 기능

(3), (4) 외환 시장은 외환이 거래되는 모든 장소를 뜻하는 추상적인 시장으로, 어느 특정 국가의 특정 장소에 존재하는 것이 아니라 본질상 국경이 없는 국제적인 성격을 띤다.

바로 알기 (1) 외환 시장은 외국 화폐뿐만 아니라 외국 화폐의 가치를 지니는 수표·어음·예금 등 외환이 교환되는 시장이다. (2), (5) 외환 시장은 교역국 간 서로 다른 가치를 지닌 화폐를 일정 비율로 교환하여 국제 거래가 원만하게 이루어지게 한다.

08 고정 환율 제도와 변동 환율 제도

A는 고정 환율 제도, B는 변동 환율 제도에 해당한다. ㄱ. 변동 환율 제도는 외화의 수요와 공급에 의해 환율이 자동으로 조절되는

제도이다. ㄴ. 일반적으로 고정 환율 제도를 시행하면 환율을 안정적으로 유지할 수 있어 환율 변동으로 나타날 수 있는 위험을 막을 수 있다.

▌바로 알기▐ ㄷ. 변동 환율 제도를 시행하면 시세 변동을 예상한 외국의 투기성 자금이 차익을 획득할 목적으로 들어오고 나갈 수 있으며, 이 과정에서 환율이 심하게 변동하여 국민 경제에 혼란을 줄 수 있다.

09 외화의 수요 증가 요인

제시된 그림은 외화에 대한 수요가 증가하여 환율이 상승하였음을 보여 준다. ㄴ, ㄹ. 외국 상품의 수입 증가와 내국인의 해외 투자 증가는 외화에 대한 수요를 증가시키는 요인에 해당한다.

▌바로 알기▐ ㄱ. 외국인의 국내 투자 감소는 외화의 공급 감소 요인에 해당한다. ㄷ. 내국인의 해외여행 감소는 외화의 수요 감소 요인에 해당한다.

10 환율 하락이 국가 경제에 미치는 영향

① 갑국의 환율이 하락하면 수입 상품 및 원자재의 가격이 낮아지고, 이로 인해 생산비가 감소하여 상품 가격이 하락하기 때문에 갑국 내 물가가 하락할 것이다.

▌바로 알기▐ ②, ⑤ 환율이 하락하면 달러를 얻기 위해 지불해야 하는 갑국 통화의 양이 감소해 갑국 통화의 가치는 상승하고, 갑국의 외채 상환 부담은 감소할 것이다. ③, ④ 환율이 하락하면 수출은 감소하지만 수입은 증가하기 때문에 갑국 기업의 생산과 고용은 모두 감소할 것이다.

11 환율 변동의 영향

우리나라 국민의 미국 여행 경비 부담이 증가하였으므로, ㉠은 원/달러 환율 상승을, 미국에서 일본 여행 경비 부담이 감소하였으므로, ㉡은 엔/달러 환율 상승을 나타낸다. ㄱ. 원/달러 환율이 상승하면, 원화로 표시한 미국산 제품의 가격이 높아져 우리나라에서 미국산 제품의 가격 경쟁력은 낮아진다. ㄹ. 엔/달러 환율이 상승하면 같은 금액의 달러화로 바꿀 수 있는 엔화의 금액이 늘어나기 때문에 일본에서 임금을 달러화로 받아 엔화로 환전하여 생활하는 사람은 유리해졌을 것이다.

▌바로 알기▐ ㄴ. 원/달러 환율이 상승하면 달러화 표시 외채를 상환할 때 지불해야 하는 원화가 늘어난다. 따라서 우리나라 기업의 달러화 표시 외채 상환 부담은 높아졌을 것이다. ㄷ. 엔/달러 환율이 상승하면, 미국에서 수입하는 원자재의 엔화 가격이 높아지므로, 미국으로부터 원자재를 수입하는 일본 기업의 부담은 증가했을 것이다.

12 국제 수지의 구성

(가)는 자본 수지와 금융 계정, (나)는 경상 수지이다. ① 외환 보유액의 증감을 나타내는 준비 자산은 금융 계정에 해당한다. ③ 외국에 취업해 받은 임금은 본원 소득 수지이므로, 경상 수지에 포함된다. ④ 상품의 수출입 대금과 관련된 항목은 상품 수지, 지식 재산권 사용료와 관련된 항목은 서비스 수지이므로 경상 수지에 포함된다. ⑤ 경상 수지는 수출과 수입에 관련된 상품 수지와 서비스 수지를 포함하므로 일반적으로 국제 수지에서 차지하는 비중이 자본 수지와 금융 계정보다 더 크다.

▌바로 알기▐ ② 내국인이 외국의 주식에 투자하여 벌어들인 배당금은 본원 소득 수지이므로, 경상 수지에 포함된다.

13 국제 수지의 계산

ㄷ, ㄹ. 상품 수지는 상품 수출액에서 상품 수입액을 뺀 것이므로, ㉠은 500(← 200 + 300)이고, ㉡은 400(← 300 − (−100))이다. 이때, 갑국의 상품 수출액 변동폭은 40%(← (200억 달러 / 500억 달러) × 100)이고, 상품 수입액 변동폭은 약 33.3%(← (100억 달러 / 300억 달러) × 100)이다. 따라서 갑국의 상품 수출액 변동폭은 상품 수입액 변동폭보다 더 크다.

▌바로 알기▐ ㄱ. 갑국의 상품 수지는 2016년에는 200억 달러 흑자를, 2017년에는 100억 달러 적자를 기록하였다. 따라서 2017년 갑국의 상품 수지는 2016년에 비해 악화되었다. ㄴ. 갑국의 상품 수입액은 2016년에 300억 달러에서 2017년에 400억 달러로 증가하였다.

14 국제 수지의 계산

사과 수출은 상품 수지 수취(+)에, 망고 수입은 상품 수지 지급(−)에 해당하므로 갑국의 상품 수지는 5억(20억 − 15억) 달러 흑자이다. 드라마 수출은 서비스 수지 수취(+)에, 영화 수입은 서비스 수지 지급(−)에 해당하므로 갑국의 서비스 수지는 3억(7억 − 10억) 달러 적자이다. 따라서 갑국의 경상 수지는 2억(5억 − 3억) 달러 흑자이다. 한편 외국 기업의 국내 투자는 금융 계정 수취(+)에, 갑국 국민의 외국 기업 주식 매입은 금융 계정 지급(−)에 해당하므로 갑국의 금융 계정은 13억(20억 − 7억) 달러 흑자이다.

15 국제 수지표 분석

ㄴ. (가)는 본원 소득 수지이다. 국내 주식에 투자한 외국인에게 지급되는 배당금은 본원 소득 수지 지급에 해당한다. ㄹ. 외국에 무상으로 제공하는 구호물자는 이전 소득에 해당한다. 2016년과 2017년 모두 이전 소득 수지는 적자를 기록하였다.

▌바로 알기▐ ㄱ. ㉠은 2017년 서비스 수지 규모이다. 경상 수지는 상품 수지, 서비스 수지, 본원 소득 수지, 이전 소득 수지로 구성되므로, (가)는 −30(← 175 − (220 + 5 − 20))이다. ㄷ. 갑국 기업에 대한 외국인의 직접 투자는 금융 계정에 해당한다. 2016년과 2017년 모두 금융 계정은 적자를 기록하였다.

16 경상 수지 변동의 영향

㉠, ㉡ 상품이나 서비스 등의 거래를 통해 벌어들인 외화와 지급한 외화의 양이 같지 않아 흑자나 적자가 될 때 국제 수지는 불균형 상태에 있다고 한다. ㉢ 경상 수지 흑자가 지속될 경우 교역 상대국과의 무역 마찰을 유발할 수도 있다. ㉣ 경상 수지의 흑자와 적자는 긍정적인 측면과 부정적인 측면을 모두 가지므로, 장기적으로 국제 수지는 균형을 이루는 것이 바람직하다.

▌바로 알기▐ ㉤ 경상 수지 적자가 지속되면 국내 통화량이 감소하여 국내 물가 상승을 억제되는 효과를 가져오기도 한다.

V. 경제생활과 금융

01 금융과 금융 생활

STEP 1 핵심 개념 확인하기 184쪽

1 금융 2 (1) ○ (2) ○ (3) × 3 (1)－ⓒ (2)－ⓔ (3)－ⓐ (4)－ⓑ
4 (1) 소비 지출 (2) 비소비 지출 5 (1) 저축 (2) 공격적 (3) 신용

STEP 2 내신 만점 공략하기 184~187쪽

| 01 ⑤ | 02 ④ | 03 ③ | 04 ② | 05 ④ | 06 ⑤ | 07 ② |
| 08 ⑤ | 09 ① | 10 ② | 11 ④ | 12 ⑤ | | |

01 금융과 금융 제도

ㄴ. 금융은 일시적으로 자금이 부족할 때 발생할 수 있는 어려움을 줄여주어 경제 주체의 안정적인 경제생활을 가능하게 한다. ㄷ. 금융 제도는 금융 거래에서 발생할 수 있는 문제점을 예방하고 해결해 주는 기능을 한다. ㄹ. 금융 제도는 거래 당사자들로 하여금 정해진 규칙을 따르도록 함으로써 금융 거래를 원활하게 한다.

‖바로 알기‖ ㄱ. 금융은 경제 주체 간에 돈을 보다 유용하게 사용하고자 하는 시점이 서로 다르기 때문에 발생한다.

02 화폐의 의미와 기능

① 갑이 부모님께 받은 용돈을 은행에 저금하는 것은 화폐를 가치의 저장 수단으로 사용한 것이다. ②, ⑤ 지폐, 전자 화폐 등과 같은 화폐는 사람들이 재화나 서비스를 사고파는 데 사용하는 지불 수단으로, 상품의 교환을 매개하는 역할을 한다. ③ 선불식 교통카드는 미리 카드에 돈을 충전한 다음 필요할 때 사용하는 전자 화폐에 해당한다. 최근에는 정보 통신 기술의 발달로 지불 수단의 전자화가 진행되면서 언제 어디서나 간편하게 결제할 수 있는 전자 화폐에 대한 수요가 증가하고 있다.

‖바로 알기‖ ④ 지폐와 전자 화폐 모두 재화나 서비스의 가치를 측정하는 가치 척도의 기능을 한다.

03 금융 시장과 금융 기관

㉠은 금융 시장, ㉡은 금융 기관에 해당한다. ㄴ. 금융 시장은 자금이 필요한 자금 수요자와 여유 자금을 가진 자금 공급자를 효율적으로 연결하기 위해 형성되었다. ㄷ. 금융 기관은 자금의 수요자와 공급자를 직간접적으로 중개하여 돈의 흐름이 원활이 이루어지도록 한다.

‖바로 알기‖ ㄱ. 금융 시장에서는 재화나 서비스가 아닌 자금이 융통된다. ㄹ. 금융 기관은 취급하는 금융 상품의 성격에 따라 여러 종류로 구분할 수 있으나, 최근 금융 상품이 다양해지고 금융 거래가 복잡해짐에 따라 금융 기관을 구분하는 기준이 모호해지고 있다.

04 금융 기관의 기능

갑. 금융 기관은 자금의 수요자와 공급자를 직간접적으로 중개하여 돈의 흐름이 원활히 이루어지게 한다. 정. 금융 기관에서는 거래 목적에 맞추어 다양한 만기와 조건의 금융 상품을 판매한다.

‖바로 알기‖ 을. 금융 기관이 자금의 수요자와 공급자를 중개하면 거래에 필요한 비용을 낮추고 작은 규모의 금융 거래도 이루어질 수 있게 하여 금융 거래의 효율성을 높여 준다. 병. 금융 기관은 자금 수요자가 빌린 돈을 제때 갚을 수 있는 능력이 있는지 등을 조사하여 공급자의 자금을 수요자에게 빌려주기 때문에 금융 거래에 따른 위험을 줄여 준다.

완자 정리 노트　금융 기관의 의미와 기능

의미	금융 시장에서 금융 거래를 중개하거나 금융 중개 활동을 촉진하는 것을 목적으로 하는 기관
기능	자금 거래 중개, 거래 비용의 절감, 금융 상품 판매, 금융 거래의 위험 축소 등

05 금융 거래를 보호하는 제도

자료 분석

┌ 예금자 보호 제도
A 제도는 예금자 보호법에 의해 설립된 예금 보험 공사가 평소에 금융 기관으로부터 보험료를 받아 기금을 적립한 후, 금융 기관이 영업 정지나 파산 등으로 예금을 지급할 수 없게 되면 예금 보험 공사가 금융 기관 대신 예금자에게 예금을 지급해 주는 제도이다.
└ 예금자 보호 제도는 예금자를 보호하는 것을 목적으로 하지만, 부실 금융 기관을 선택한 예금자도 일정 부분 책임을 분담하는 차원에서 원금과 이자를 합쳐 1인당 5,000만 원까지만 보호해 줘.

ㄴ. 주식이나 펀드 등과 같이 실적에 따라 수익을 돌려받는 금융 상품은 예금자 보호 제도의 보호 대상에 포함되지 않는다. ㄹ. 예금자 보호 제도는 금융 기관의 채무 불이행으로부터 자금 공급자의 예금을 보호하기 위해 마련된 제도이다.

‖바로 알기‖ ㄱ. 예금자 보호 제도는 한 금융 기관에 적립된 일반 금융 상품과 퇴직 연금에 대해 각각 예금 보험 공사가 정한 이자와 원금을 합쳐 1인당 5,000만 원까지 보호해 준다. ㄷ. 예금자 보호 제도는 예금자의 책임을 면제하는 것이 아니라 금융 기관의 건전성을 판단하기 어려운 일반 예금자를 보호하는 것을 목적으로 한다.

06 소득의 유형

① 저축에서 인출한 돈은 소득은 아니지만 자신에게 들어오므로 수입에 포함된다. ② 일반적으로 교육을 통해 능력을 계발하고, 전문성이 높은 직업일수록 소득이 증가한다. 즉, 교육 및 훈련을 받은 정도, 직업의 종류와 경력 등에 따라 소득의 크기는 달라질 수

있다. ③ ⓒ은 경상 소득이다. 정부로부터 지급받는 보조금은 생산에 직접 참여하지 않고 무상으로 얻는 이전 소득으로, 경상 소득에 포함된다. ④ ⓔ은 비경상 소득이다. 복권 당첨금, 경조금은 일시적 요인에 의해 발생하는 소득으로, 비경상 소득에 포함된다.

┃ 바로 알기 ┃ ⑤ 수입은 일정 기간 벌어들인 소득과 빌린 돈의 합을 말한다.

07 소득의 유형

ㄱ. 정기적으로 얻는 소득은 경상 소득이다. 전체 소득 중 경상 소득의 비율은 (5,640만 원/6,140만 원) × 100% = 약 92%에서 (5,880만 원/6,580만 원) × 100% = 약 89%로 감소하였다. ㄷ. 생산에 직접 참여하지 않고 무상으로 얻는 소득은 이전 소득이다. 이전 소득의 증가율은 (80만 원 − 40만 원)/40만 원 × 100 = 100%로, 전체 소득 중 증가율이 가장 높다.

┃ 바로 알기 ┃ ㄴ. 예금 이자나 부동산 임대료는 재산 소득에 포함된다. 재산 소득은 300만 원에서 100만 원으로 감소하였다. ㄹ. 노동을 제공하고 얻는 소득은 근로 소득이고, 사업을 경영하여 얻는 소득은 사업 소득이다. 근로 소득과 사업 소득 모두 200만 원 증가하였으므로, 근로 소득과 사업 소득의 증가폭은 같다.

완자 정리 노트 ╲ 소득의 구성

경상 소득	근로 소득	사업체에 고용되어 노동을 제공하고 받은 대가
	사업 소득	자영업자 또는 고용주의 지위로 사업을 경영하여 얻은 소득
	재산 소득	가계가 보유한 자본, 토지, 건물 등과 같은 재산을 이용하여 얻은 이익
	이전 소득	생산에 직접 참여하지 않고 무상으로 얻는 소득
비경상 소득		비정기적이고 일시적 요인에 의해 발생하는 소득

08 단리와 복리

┌ 자 료 분 석 ┐

표는 은행에 맡긴 예금 100만 원에 대한 이자 누적액의 변화를 나타낸 것이다. 최초 약정한 이자율과 물가 상승률은 변하지 않으며, (가), (나)는 단리 또는 복리 계산법 중 하나이다.

(단위: 원)

예치 기간 이자 계산 방식	1년	2년	3년
(가) — 단리 계산법	50,000	100,000	150,000
(나) — 복리 계산법	40,000	81,600	124,864

100만 원×(1+0.04)²−100만 원
100만 원×(1+0.04)³−100만 원

(가)는 100만 원을 예금했을 때 매년 동일하게 50,000원씩 이자가 발생하고 있으므로, 5% 단리 계산법이나 (나)는 100만 원을 너 예금했을 때 40,000원, 2년 예금했을 때 81,600원 등으로 이자가 커지고 있으므로, 4% 복리 계산법이다. ⑤ (나)는 4% 복리 계산법이므로, 예치 기간이 늘어날 때 추가되는 이자가 매년 증가한다.

┃ 바로 알기 ┃ ① (가)에서는 매년 동일하게 5만 원씩 이자가 발생하고 있으므로 (가)는 연 5%의 단리 계산법이 적용되는 예금 상품이다. ② (가)는 5% 단리 계산법이므로, 7년 후에는 35만 원(← 100만 원×0.05×7)의 이자를 받을 수 있다. ③, ④ (나)는 복리 계산법이므로, 원금뿐만 아니라 발생한 이자에 대해서도 다시 이자를 계산한다. 따라서 (나)는 이자율이 적용되는 금액 자체가 매년 증가하기 때문에 이자 금액이 늘어나는 것일 뿐 이자율이 매년 상승하는 것은 아니다.

09 명목 이자율과 실질 이자율

물가 변동을 고려하지 않은 이자율을 명목 이자율, 물가 변동을 고려한 이자율을 실질 이자율이라고 하며, 실질 이자율은 명목 이자율에서 물가 상승률을 뺀 값이 된다. 제시된 그림에서 2015년, 2016년, 2017년의 실질 이자율은 각각 3%, 0%, −1%가 된다. ㄱ. 명목 이자율과 실질 이자율은 매년 하락하였다. ㄷ. 2015년의 실질 이자율(3%)은 2016년의 실질 이자율(0%)보다 높다.

┃ 바로 알기 ┃ ㄴ. 명목 이자율과 실질 이자율의 차이, 즉 물가 상승률의 크기는 2015년에 가장 작다. ㄹ. 2017년의 물가 상승률은 2%이므로, 2016년에 비해 물가가 상승하였다. 따라서 2017년의 물가 수준은 2016년에 비해 더 높다.

10 수입과 지출

① 소비 지출은 식료품비와 통신비를 합한 70만 원이다. ③ 근로 소득은 급여와 상여금을 합한 250만 원이며, 가계의 지출 총액은 160만 원이다. 따라서 근로 소득이 가계의 지출 총액보다 크다. ④ 지출 내역 중 세금, 사회 보험료, 대출 이자는 법 또는 제도에 의해 의무적으로 지출해야 하는 비용인 비소비 지출에 해당한다. 전체 수입에서 비소비 지출이 차지하는 비중은 [(30만 원 + 40만 원 + 20만 원)/300만 원] × 100 = 30%이다. ⑤ 주식 배당금은 가계가 보유한 재산을 이용하여 얻은 이익이므로, 재산 소득에 해당한다. 국민연금은 생산에 직접 참여하지 않고 무상으로 얻는 소득이므로, 이전 소득에 해당한다.

┃ 바로 알기 ┃ ② 처분 가능 소득은 소득에서 비소비 지출을 뺀 것으로, 제시된 표에서 처분 가능 소득은 소득 300만 원 − 비소비 지출 90만 원 = 210만 원이 된다.

11 저축과 투자

ㄱ, ㄴ 저축은 미래에 자금이 필요한 경우를 대비하여 소득 중 일부를 현재 쓰지 않고 다양한 형태의 자산으로 보유하고 있는 것을 말한다. ㄷ, ㅁ 투자는 미래의 가치를 늘리기 위한 저축의 한 형태로, 투자 유형에는 투자자의 성향에 따라 원금 손실의 위험을 감수하더라도 높은 수익을 추구하는 공격적 투자형, 원금 손실의 위험을 최소화하는 데 중점을 두는 안정적 투자형 등으로 구분할 수 있다.

┃ 바로 알기 ┃ ㄹ 금융 생활에서 투자는 미래의 가치 증식을 목적으로 저축을 여러 형태의 자산으로 전환하는 활동을 의미하며, 생산을 위해 자본재를 증가시키는 기업의 투자와는 구분된다.

12 신용과 신용 거래

㉠에 들어갈 용어는 신용이다. ㄴ, ㄷ, ㄹ. 신용이란 나중에 대가를 지불할 것을 약속하고 상품을 이용하거나 돈을 빌릴 수 있는 능력으로, 사람들은 당장 현금이 없어도 신용을 활용하여 물건을 구매할 수 있다. 그러나 신용을 많이 이용할수록 미래에 갚아야 할 빚이 늘어나고, 빚을 갚기 위해 미래의 생활비를 줄여야 하는 등의 책임이 따른다.

▎바로 알기▎ ㄱ. 신용을 활용하여 거래할 경우 당장 현금이 없더라도 상품을 구매할 수 있기 때문에, 충동구매나 과소비로 이어질 우려가 있다.

서술형 문제

187쪽

01 주제: 명목 이자율과 실질 이자율

(1) 명목 이자율 3.2% – 물가 상승률 2.1% = 실질 이자율 1.1%

(2) **예시 답안** A국에서는 실질 이자율이 양(+)의 값을 가지므로, 이자 소득의 구매력은 상승한 반면 B국에서는 실질 이자율이 음(−)의 값을 가지므로, 이자 소득의 구매력은 하락하였다.

채점 기준

상	각국의 실질 이자율에 따른 이자 소득 구매력의 변화를 모두 정확하게 서술한 경우
하	각국의 실질 이자율의 변화만 서술한 경우

02 주제: 소득과 지출

(1) ㉠ 72 ㉡ 240

(2) **예시 답안** 복권 당첨금. 갑이 벌어들인 소득 중 급여는 근로 소득이고 예금 이자는 재산 소득으로, 모두 정기적으로 얻을 수 있는 경상 소득에 해당한다. 반면, 복권 당첨금은 비정기적이고 일시적인 요인에 의해 발생한 비경상 소득에 해당한다.

채점 기준

상	복권 당첨금을 쓰고, 갑이 벌어들인 소득을 경상 소득과 비경상 소득으로 구분하여 그 차이점을 정확하게 서술한 경우
중	복권 당첨금을 쓰고, 복권 당첨금이 비경상 소득이라고만 서술한 경우
하	복권 당첨금이라고만 쓴 경우

1 단리와 복리

원리금은 원금과 이자 총액의 합이므로, 제시된 자료에서 A 상품과 B 상품의 원리금을 구하면 다음과 같다.

구분	2015년	2016년	2017년
A 상품	1,040,000원	1,080,000원	1,120,000원
B 상품	1,020,000원	1,060,800원	1,124,448원

④ B는 이자율보다 물가 상승률이 높으므로 원리금의 실질 구매력은 감소했다. A는 이자율과 물가 상승률이 일치하지만 2015년에 발생한 이자의 1년 후 실질 가치가 감소했으므로 결과적으로 원리금의 실질 구매력은 감소했다.

▎바로 알기▎ ① 실질 이자율은 명목 이자율에서 물가 상승률을 뺀 값이 된다. 2015년 A 상품의 명목 이자율은 4%이고 물가 상승률은 4%이므로, 2015년 A 상품에 투자한 자산의 실질 이자율은 0%가 된다. ② 2016년 A 상품의 원리금은 100만 원+[(100만 원×0.04)×2]=108만 원이고 B 상품의 원리금은 100만 원×1.02×1.04=1,060,800원이므로, 2016년 원리금은 A 상품이 B 상품보다 크다. ③ 만기 시 A 상품의 이자는 112만 원−100만 원=12만 원이고, B 상품의 이자는 1,124,448원−100만 원=124,448원이므로 만기 시 갑은 A 상품보다 B 상품에서 더 많은 이자액을 얻을 수 있다. ⑤ A 상품, B 상품 모두 단리가 적용되는 예금 상품이라면, 만기 시 이자액은 A 상품과 B 상품 모두 원금의 12%이므로 만기 시 원리금의 합계는 같다.

2 소득의 유형

ㄴ. 2015년 1/4분기의 근로 소득은 전년 동기 대비 5% 증가하였고, 2016년 1/4분기의 근로 소득은 전년 동기 대비 2% 증가하였다. 따라서 2014년 1/4분기 대비 2016년 1/4분기의 근로 소득 증가율은 5%보다 크다. ㄹ. 2015년 1/4분기의 이전 소득은 전년 동기 대비 10% 증가하였고, 2016년 1/4분기의 이전 소득은 전년 동기 대비 10% 감소하였다. 2014년 1/4분기의 이전 소득이 100만 원이라면, 2015년 1/4분기의 이전 소득은 100×1.1=110만 원이고, 2016년 1/4분기의 이전 소득은 110×0.9=99만 원이다. 따라서 2016년 1/4분기의 이전 소득은 2014년 1/4분기의 이전 소득보다 1% 감소하였다.

▎바로 알기▎ ㄱ. 주어진 자료를 통해 2015년 1/4분기의 근로 소득과 2014년 4/4분기의 근로 소득은 비교할 수 없다. ㄷ. 2015년에 전년 동기 대비 이전 소득의 감소율이 가장 큰 분기는 4/4분기이다. 따라서 2015년 모든 분기의 이전 소득이 동일할 경우 2014년에 이전 소득이 가장 많았던 분기는 4/4분기가 된다.

3 명목 이자율과 실질 이자율

물가 변동을 고려하지 않은 이자율을 명목 이자율이라고 하고, 물가 변동을 고려한 이자율을 실질 이자율이라고 한다. 이때 제시된 표에서 (가)가 명목 이자율, (나)가 실질 이자율이라면, 2013년

— 명목 이자율 – 물가 상승률

~2016년에 갑국의 물가 상승률은 각각 3%, 0%, -3%, 2%가 된다. 만약 (가)가 실질 이자율, (나)가 명목 이자율이라면, 2013년~2016년에 갑국의 물가 상승률은 각각 -3%, 0%, 3%, -2%가 된다. ③ (나)가 실질 이자율이라면 2014년의 물가 상승률은 0%이므로, 2013년과 2014년의 물가는 동일하다.

▌바로 알기▐ ① (가)가 실질 이자율이라면 2015년의 물가 상승률은 3%이다. ② (가)가 명목 이자율이라면 2013년의 물가 상승률은 3%이므로, 전년도에 비해 물가가 상승하였다. ④ (나)가 명목 이자율이라면 2016년의 물가 상승률은 -2%이므로, 음(-)의 값을 가진다. ⑤ 명목 이자율은 실질 이자율에서 물가 상승률을 더한 값이므로, (나)가 실질 이자율이고 2017년의 물가 상승률이 2%라면, ㉠은 8이 된다.

4 소득과 지출

2016년의 전체 소득은 경상 소득 4,620만 원 + 비경상 소득 180만 원 = 4,800만 원이고, 2017년의 전체 소득은 경상 소득 4,770만 원 + 비경상 소득 130만 원 = 4,900만 원이다. ㄱ. 처분 가능 소득은 가계 소득에서 비소비 지출을 뺀 값이 된다. 2016년의 처분 가능 소득은 4,000만 원(← 소득 4,800만 원 - 비소비 지출 800만 원), 2017년의 처분 가능 소득은 4,060만 원(← 소득 4,900만 원 - 비소비 지출 840만 원)으로, 처분 가능 소득은 증가하였다. ㄴ. 식료품비, 교통·통신비 등이 포함된 지출 항목은 소비 지출에 포함된다. 2017년의 소비 지출은 2016년도에 비해 감소하였다. ㄷ. 임금이나 수당 등은 근로 소득에 포함된다. 전체 소득에서 근로 소득이 차지하는 비중은 2016년 (3,000만 원/4,800만 원) × 100 = 62.5%에서 2017년 (3,300만 원/4,900만 원) × 100 = 약 67.3%으로 증가하였다.

▌바로 알기▐ ㄹ. 예금 이자, 주식 배당금 등이 포함된 소득은 재산 소득이고, 공적 연금이나 구호금이 포함된 소득은 이전 소득이다. 2017년 이전 소득 증가액은 40만 원, 재산 소득 증가액은 10만 원으로 이전 소득 증가액이 더 많다.

02 자산·부채 관리와 금융 상품

STEP 1   핵심 개념 확인하기   194쪽

1 (1) 금융 자산 (2) 단기 부채   2 (1) ○ (2) ○ (3) ×   3 (1) - ㉢ (2) - ㉠ (3) - ㉡   4 포트폴리오   5 (1) 안전성 (2) 이자 (3) 펀드 (4) 연금

STEP 2   내신 만점 공략하기   194~198쪽

01 ④	02 ③	03 ②	04 ④	05 ⑤	06 ①	07 ②
08 ④	09 ①	10 ②	11 ③	12 ②	13 ①	14 ②
15 ④	16 ②					

01 자산과 부채

㉠은 자산, ㉡은 부채이다. ㄱ. 토지나 건물 등과 같은 부동산은 실물의 형태로 존재하는 실물 자산이므로, 자산에 포함된다. ㄴ. 소득이 지출보다 많을 때 여유 자금을 이용해 예금을 하면 자산은 늘어난다. ㄷ. 금융 기관에서 돈을 빌리는 것뿐만 아니라 물품을 구매할 때 할부를 사용하여 지출을 미루는 것도 부채의 발생 원인이 된다.

▌바로 알기▐ ㄹ. 소득이 지출보다 적어 돈을 빌릴 경우 부채는 늘어난다.

완자 정리 노트   자산과 부채

자산	• 의미: 개인이나 단체가 보유한 경제적 가치가 있는 유·무형의 물품 및 권리 • 종류: 금융 자산, 실물 자산 등
부채	• 의미: 과거에 이루어진 거래의 결과로 현재 시점에서 갚아야 할 금전적·비금전적 의무 • 종류: 단기 부채(유동 부채), 장기 부채(고정 부채) 등

02 자산과 부채 상태의 변화

제시된 표에서 보통 예금, 주식, 아파트, 자동차는 자산에 해당하며, 은행 대출금, 자동차 할부금 잔액, 신용 카드 미결제 잔액은 부채에 해당한다. ③ 금융 자산은 주로 금융 기관을 통해 거래되는 자산으로, 제시된 표에서는 보통 예금, 주식이 이에 해당한다. 갑의 2016년의 금융 자산은 1,500만 원, 2017년의 금융 자산은 1,400만 원으로 금융 자산은 감소하였다.

▌바로 알기▐ ① 부채는 1,200만 원에서 2,300만 원으로 증가하였다. ② 순자산은 총자산에서 총부채를 뺀 값으로, 2016년 갑의 총자산은 2억 3,500만 원이고 총부채는 1,200만 원이므로, 순자산은 2억 2,300만 원이다. 2017년 갑의 총자산은 2억 3,200만 원이고 총부채는 2,300만 원이므로, 순자산은 2억 900만 원이다. 따라서 순자산은 감소하였다. ④ 실물 자

산은 실물의 형태로 존재하는 자산으로, 제시된 표에서는 아파트와 자동차가 이에 해당한다. 2016년의 실물 자산은 2억 2,000만 원, 2017년의 실물 자산은 2억 1,800만 원으로, 실물 자산은 감소하였다. ⑤ 제시된 표에서는 은행 대출금으로 인해 대출 이자가 발생한다. 2017년에는 2016년과 달리 은행 대출금이 발생하였으므로, 대출 이자에 대한 부담은 증가하였다.

03 가계 부채 증가의 문제점

제시문을 통해 우리나라의 가계 부채 규모가 지속적으로 커지고 있음을 알 수 있다. 갑. 가계의 부채 증가로 가계의 저축이 감소하면 미래의 소비 능력이 위축될 수 있다. 병. 가계의 부채가 많아지면 가계의 원금 및 이자 상환에 대한 부담이 증가해 가계의 소비와 저축이 위축될 것이다.

바로 알기 을. 가계가 부채를 제때 상환하지 못할 경우 가계의 신용도는 낮아질 것이다. 정. 가계 부채가 늘어나 가계가 소비를 줄이면 기업의 매출 부진으로 이어져 생산이 감소할 것이다.

04 자산 관리의 중요성

㉠에 들어갈 말은 자산 관리이다. ㄴ. 자산 관리를 통해 예상하지 못한 사고나 질병 등에 따른 지출에 대비하고 안정적인 경제생활을 유지할 수 있다. ㄹ. 평균 수명이 늘어남에 따라 은퇴 후의 삶에 대비해야 할 필요성이 높아지면서 자산 관리의 중요성은 더욱 커지고 있다.

바로 알기 ㄱ. 자산 관리를 할 때는 한 가지 유형의 자산에 집중적으로 투자하는 것보다 서로 다른 특징을 가진 여러 유형의 자산에 나누어 투자하는 것이 합리적이다. ㄷ. 자산 관리 시 너무 큰 수익률만을 기대할 경우 원금 손실의 위험도 높아질 수 있으므로 구체적인 계획을 세워야 한다.

05 신용 관리 방법

① 금융 거래 대금을 연체하면 개인의 신용 등급이 낮아져 신용도가 하락하게 되므로 소액이라도 절대 연체해서는 안 된다. ②, ③ 금융 거래를 주거래 금융 기관에 집중하고, 주기적인 결제 대금은 자동 이체가 되도록 하는 것이 좋은 신용을 쌓는 것에 유리하다. ④ 연락처 등 개인 정보가 변경되었을 때는 거래하는 금융 기관에 즉시 알려야 금융 기관으로부터 필요한 연락을 받지 못해 발생할 수 있는 불이익을 예방할 수 있다.

바로 알기 ⑤ 돈을 빌릴 때는 자신의 소득, 재산 등을 고려하여 개인이 갚을 수 있는 능력을 초과하는 과도한 부채를 지지 않도록 주의해야 한다.

06 자산 관리의 기본 원칙

㉠은 안전성, ㉡은 유동성, ㉢은 수익성이다. 일반적으로 수익성이 높은 상품은 그만큼 투자 위험이 커서 안전성이 높은 반면, 수익성이 높은 상품은 그만큼 투자 위험이 높아 안전성이 낮은 편이다. 또한 현금으로 비꾸기 어려운 자산은 유동성이 낮다고 볼 수 있으며, 유동성이 낮은 자산을 현금으로 바꿀 때는 어느 정도 손실이 발생할 수 있다. 따라서 자산 관리를 할 때는 안전성, 수익성, 유동성을 모두 고려하여 자산을 다양한 금융 상품에 적절히 배분해야 한다.

07 자산 관리의 기본 원칙

자료 분석

평가 요소 \ 금융 상품	(가)	(나)	(다)
원금을 보전할 수 있는 정도 - 안전성	+	+++	++
수익을 기대할 수 있는 정도 - 수익성	+++	+	++
쉽게 현금화할 수 있는 정도 - 유동성	++	+	+++

* +의 개수가 많을수록 강함 내지 높음을 나타냄

ㄴ. (나) 상품은 (가) 상품에 비해 안전성은 높고, 수익성은 낮다. 일반적으로 투자 수단의 위험성이 낮을수록 안전성은 높아지므로, 원금 손실의 위험은 (나) 상품이 (가) 상품보다 낮다. ㄷ. (다) 상품은 (나) 상품에 비해 쉽게 현금화할 수 있는 정도가 높으므로, 유동성이 높다.

바로 알기 ㄱ. (가) 상품은 (다) 상품에 비해 원금을 보전할 수 있는 정도가 낮으므로, 안전성이 낮다. ㄹ. 수익성은 '(가)-(다)-(나)' 상품 순으로 높다.

완자 정리 노트 자산 관리의 기본 원칙

안전성	금융 상품의 원금에 손실이 발생하지 않을 가능성의 정도
수익성	금융 상품의 가격 상승이나 이자 수익을 기대할 수 있는 정도
유동성(환금성)	보유 자산을 필요할 때 쉽게 현금으로 바꿀 수 있는 정도

08 분산 투자의 중요성

제시된 글은 하나의 금융 상품에 자신이 가진 모든 돈을 투자했을 경우, 해당 기업의 파산 등 예상치 못한 상황이 발생하면 큰 손해를 입게 될 수 있으므로, 자산 관리를 할 때는 자금을 다양한 자산에 분산하여 투자하는 것이 중요하다고 강조하고 있다.

09 예금의 종류

(가)는 요구불 예금, (나)는 정기 예금이다. ㄱ. 요구불 예금은 금리가 매우 낮기 때문에 자산의 가치를 늘리려는 목적보다는 돈을 맡겨 놓고 필요할 때마다 돈을 찾거나 이체하는 용도로 사용된다. ㄴ. 정기 예금은 저축성 예금에 포함된다. 저축성 예금은 계약한 기간이 길수록 더 높은 이자율을 적용받을 수 있어 주로 목돈을 운용하기 위한 목적으로 사용된다.

바로 알기 ㄷ. 요구불 예금과 정기 예금은 모두 예금에 해당한다. 예금은 예금자 보호 제도에 의해 보호를 받기 때문에 원금 손실의 위험이 적은 편이다. ㄹ. (가)는 요구불 예금, (나)는 저축성 예금에 해당한다.

10 주식과 채권

A는 채권, B는 주식이다. ② 주식회사는 회사 경영을 통해 얻은 수익 가운데 일부를 투자 지분에 따라 투자자들에게 나누어 주는데, 이를 배당이라고 한다.

| **바로 알기** | ① 채권은 만기일 이전에 언제든지 팔아 현금화할 수 있다. ③ 채권은 정부, 공공 기관 등 비교적 신용도가 높은 기관에서 발행하므로 주식보다 안전성이 높은 편이다. ④ 주식에 대한 설명이다. 주식은 회사의 소유 지분을 표시하는 증서로, 주식에 투자한 자금은 회사의 자본금이 된다. ⑤ 주식과 채권은 모두 예금자 보호 제도의 보호를 받을 수 없다.

완자 정리 노트   주식과 채권

구분	주식	채권
투자자의 지위	주주	채권자
발행자	주식회사	정부나 공공 기관, 지방 자치 단체, 기업 등
조달 자금	회사의 자본금이 됨	회사의 부채가 됨
수익의 형태	배당, 시세 차익	약정 이자, 시세 차익
원금 상환 의무	상환 의무 없음	만기 시 원금 상환의 의무 있음

11 펀드

㉠은 펀드이다. ㄴ. 펀드는 전문 운용 기관에 돈을 맡겨서 대신 투자하도록 하는 간접 투자 상품으로, 투자 전문가가 어려운 투자를 대신해 준다는 장점이 있다. ㄷ. 펀드는 전문적인 자산 운용 기관이 다수의 투자자로부터 대규모로 자금을 형성하여 분산 투자를 함으로써 투자 위험을 낮출 수 있다는 장점이 있다.

| **바로 알기** | ㄱ. 펀드는 자산 운용 결과에 따라 투자한 원금이 손실될 수 있는데, 그 책임은 투자자 본인에게 있다. ㄹ. 펀드는 만기 전에 되팔 경우 수수료를 지불하는 등 불이익을 받을 수 있다.

12 연금

제시된 제도는 국민연금이다. ② 국민연금은 노후 생활에 필요한 최소한의 생계비를 보장하기 위해 국가가 시행하는 제도로, 대상자의 의무 가입을 원칙으로 한다.

| **바로 알기** | ① 국민연금은 국가가 운영 주체가 된다. ③ 개인연금에 대한 설명이다. ④ 국민연금은 대상자의 수혜 정도와 무관하게 가입자의 부담 능력에 따라 보험료를 차등 징수한다. ⑤ 퇴직 연금에 대한 설명이다.

13 보험과 연금

(가)는 보험, (나)는 연금이다. ㄱ. 보험은 보험 회사에 보험료를 납부하여 기금을 만든 후 사고가 발생하면 약속한 보험금을 지급받는 금융 상품으로, 미래에 발생할 수 있는 위험에 대비하는 기능을 한다. ㄴ. 연금은 경제 활동 기간에 벌어들인 소득의 일부를 적립한 후 은퇴 후에 지급받는 것으로, 노후 생활의 안정을 목적으로 한다.

| **바로 알기** | ㄷ. 연금에는 대상자의 의무 가입을 원칙으로 하는 국민연금뿐만 아니라 개인의 희망에 따라 자율적으로 가입하는 개인연금도 있다.

14 채권과 정기 예금

① 채권은 정부나 공공 기관, 기업 등에서 미래에 일정한 이자를 지급할 것을 약속하고 돈을 빌린 후 제공하는 증서이다. ③ 정기 예금은 일반적으로 채권에 비해 수익성은 낮고 원금 손실의 위험이 적어 안전성은 높은 편이다. ④ 채권 소유자는 채권 만기 시 투자한 원금과 약속한 이자를 상환 받을 권리가 있다. ⑤ 1년 후 갑은 1,000만 원 + (1,000만 원 × 5%) = 1,050만 원, 을은 1,200만 원 + (1,200만 원 × 3%) = 1,236만 원을 수령하게 되므로, 1년 후 을이 갑보다 더 많은 금액을 수령할 수 있다.

| **바로 알기** | ② 펀드에 대한 설명이다. 펀드는 다수의 투자자에게서 모은 자금을 전문적인 운용 기관이 주식이나 채권 등에 투자하여 그 수익을 투자자들에게 분배하는 간접 투자 상품을 말한다.

15 다양한 금융 상품

A는 예금자 보호법에 의해 보호를 받는다고 했으므로 정기 예금, B는 배당금을 기대할 수 있다고 했으므로 주식에 해당한다. 따라서 C는 채권이다. ④ 주식은 시세 차익을 통해 수익을 올릴 수 있는 반면, 정기 예금은 정해진 이자 수익만을 얻을 수 있다.

| **바로 알기** | ① 정기 예금은 예금자 보호법에 의해 보호를 받으므로, 원금 손실의 위험이 적은 편이다. ② 만기가 있는 금융 상품은 정기 예금과 채권이다. ③ 주식에 대한 설명이다. 주식을 소유한 사람은 주주로서 기업의 경영에 권리를 행사할 수 있다. ⑤ 채권은 정부, 공공 기관 등 비교적 신용도가 높은 기관에서 발행하므로 주식보다 안전성이 높은 편이다.

16 다양한 금융 상품

ㄴ. 을은 원금 손실의 위험이 높은 주식에만 투자하고 있으므로 안전성보다 수익성을 우선시한다고 볼 수 있다. ㄹ. 미래의 위험에 대비하는 금융 상품은 보험이다. 갑은 을, 병과 달리 보험에 가입하였다.

| **바로 알기** | ㄱ. 배당금이 지급되는 금융 상품은 주식이다. 갑은 주식에 투자하고 있지 않다. ㄷ. 제시된 표에는 갑~병의 투자 총액이 제시되어 있지 않으므로, 병이 갑보다 채권에 대한 투자 비중이 많다고 해서 채권에 투자한 금액이 더 많다고 볼 수 없다.

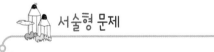

서술형 문제

198쪽

01 주제: 자산과 부채의 관리

(1) 금융 자산 – 500만 원, 실물 자산 – 1억 1,500만 원

(2) **예시 답안** 예금은 예금자 보호 제도의 보호를 받아 안전성이 높은 편이다. 반면 주식은 가격 변동에 따른 위험성이 높아 안전성이 낮은 편이다.

채점 기준

상	근거를 들어 예금은 안전성이 높고 주식은 안전성이 낮다는 것을 정확하게 서술한 경우
하	예금은 안전성이 높고, 주식은 안전성이 낮다고만 서술한 경우

02 주제: 다양한 금융 상품

(1) (가) 주식 (나) 채권

(2) 예시 답안 주식에 투자한 자금은 회사의 자본금이 되는 반면, 채권에 투자한 자금은 회사의 부채가 된다. 또한 주식을 통해 얻을 수 있는 수익에는 배당과 시세 차익이 있고, 채권으로 얻을 수 있는 수익에는 채권 발행 기관에서 약속한 원금과 이자뿐만 아니라 상환 기관이 돌아오기 전에 금융 기관을 통해 판매하여 현금화함으로써 시세 차익을 얻을 수도 있다.

채점 기준

상	주식과 채권의 차이점을 두 가지 이상 정확하게 서술한 경우
하	주식과 채권의 차이점을 한 가지만 서술한 경우

STEP 3 1등급 정복하기

199~201쪽

1 ① 2 ② 3 ⑤ 4 ③ 5 ④ 6 ②

1 자산과 부채 현황

② 실물 자산은 실물의 형태로 존재하는 자산으로, 제시된 표에서는 부동산, 자동차가 이에 해당한다. 갑이 보유한 실물 자산은 1억 4,000만 원이고 을이 보유한 실물 자산은 2억 2,000만 원이므로, 갑은 을보다 실물 자산이 더 적다. ③ 순자산은 총자산에서 총부채를 뺀 값으로, 갑의 총자산은 1억 5,500만 원이고 총부채는 2,000만 원이므로, 순자산은 1억 3,500만 원이다. 한편 을의 총자산은 2억 3,900만 원이고 총부채는 6,900만 원이므로, 순자산은 1억 7,000만 원이다. 따라서 을은 갑보다 순자산이 더 많다. ④ 제시된 자산 중에서 고수익 고위험의 성격을 지닌 금융 자산은 주식이다. 주식 보유액이 갑이 300만 원, 을이 500만 원이므로, 고수익 고위험의 금융 자산은 을이 갑보다 많다. ⑤ 주식과 예금은 모두 자산에 해당하므로, 주식을 처분하여 은행에 모두 예금하더라도 갑과 을의 자산과 순자산은 변화가 없다.

바로 알기 ① 현금으로 은행 대출금을 모두 갚을 경우, 대출금을 갚는 데 사용한 금액만큼 자산은 감소하게 된다.

2 신용 관리의 중요성

ㄴ. 갑은 신용 카드 대금을 갚아야 할 날에 제대로 갚지 않는 등 부채를 제때 갚지 않아 신용 등급이 낮아졌다. ㄹ. 신용 회복 위원회에서는 채무 조정 제도를 통해 빚을 일정 기간 나누어 갚도록 하거나 이자율을 낮추어 주는 등 연체자들의 부담을 덜어주고, 연체자들이 신용을 회복할 수 있도록 도와준다.

바로 알기 ㄱ. 갑은 신용 카드를 만들어 사용하면서 자신이 소득과 상환 능력을 고려하지 않고 소비 지출을 하였다. ㄷ. 신용 등급이 낮을수록 대출을 받지 못하거나 대출 시 상대적으로 높은 이자율을 적용받을 수 있다.

3 자산 관리의 기본 원칙과 금융 상품

ㄷ. 다른 조건이 일정할 때 투자자는 수익성과 위험성이 모두 낮은 B보다 위험성은 낮고 수익성은 높은 A를 선택하는 것이 합리적이다. ㄹ. B는 저수익–저위험 상품이며, D는 고수익–고위험 상품이다. 위험성이 낮을수록 안전한 자산이므로, 안전성이 높은 자산을 원하는 투자자는 B를 선택할 것이다.

바로 알기 ㄱ. A는 C에 비해 위험성은 낮고 수익성은 높다. ㄴ. 주식과 채권 모두 수익성이 높은 금융 상품이지만, 일반적으로 주식이 채권보다 위험성이 높다. 따라서 D는 B에 비해 채권보다 주식 위주로 구성되어 있을 것이다.

4 다양한 금융 상품

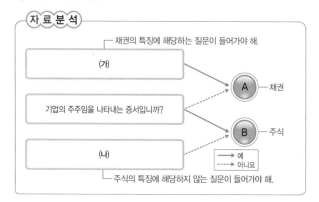

③ 채권은 상환 금액과 만기가 정해져 있고 주로 정부나 공공 기관 등과 같은 신용도가 높은 곳에서 발행하므로, 주식에 비해 원금에 대한 안전성이 높은 편이다.

바로 알기 ① 채권은 발행한 기관에서 미래에 일정한 이자를 지급할 것을 약속하고 투자자로부터 돈을 빌린 후 발행하는 증서로, 채권을 보유한 사람은 만기 시 원금과 이자를 받을 수 있다. ② 채권에 대한 설명이다. 채권은 투자자에게 자금을 빌리기 위해 발생하는 증서이므로, 발행 기관의 입장에서는 부채가 된다. ④ 채권은 공공 기관뿐만 아니라 정부, 지방 자치 단체, 기업 등이 발행할 수 있다. ⑤ 주식 투자자들은 주식의 가격이 낮게 형성되어 있을 때 매수했던 주식을 가격이 오른 시점에 내다 팔아 시세 차익을 얻을 수 있다.

5 다양한 금융 상품

④ 원금 손실의 위험이 낮다고 했으므로 주식, A는 B에 비해 안전성은 높지만 수익성은 낮다고 했으므로 A는 요구불 예금, B는 채권에 해당한다. ④ 요구불 예금은 수시로 입출금 예금자 보호 제도의 보호를 받으므로, 원금 손실의 위험이 적은 편이다. 따라서 원금 손실 위험을 기피하는 투자자일수록 주식보다 요구불 예금을 선호할 것이다.

▎바로 알기▎ ① 펀드에 대한 설명이다. 펀드는 간접 투자 상품으로, 투자 전문가가 어려운 투자를 대신해 준다는 장점이 있다. ② 주식에 대한 설명이다. 주식 투자자는 투자한 만큼 회사의 지분을 소유하며, 주주로서 회사의 경영에 참여할 수 있다. ③ 주식은 주식회사가 경영 자금을 마련하기 위해 투자자로부터 돈을 받고 발행하는 증서로, 정부는 주식의 발행 주체가 될 수 없다. ⑤ 요구불 예금이나 채권과 달리 주식은 이자 수익을 얻을 수 없다. 주식 투자자는 배당 또는 시세 차익을 통해 수익을 얻을 수 있다.

6 다양한 금융 상품

ㄴ. 1년 후 A 회사 주가가 10% 상승하였을 경우 병은 주식 가격 상승으로 얻을 수 있는 시세 차익 1,000만 원×10% = 100만 원에서 대출 이자 500만 원×5% = 25만 원을 뺀 75만 원의 투자 수익을 얻을 수 있다. ㄷ. 정기 예금은 주식과 달리 예금자 보호 제도의 보호를 받으므로 원금 손실의 위험이 적어 안전성이 높은 편이다.

▎바로 알기▎ ㄱ. 제시된 자료에서 갑이 1년 동안 얻을 수 있는 수익은 1,000만 원×2% = 20만 원이며, 채권의 수익률이 연 3%일 경우 을이 1년 동안 얻을 수 있는 수익은 (500만 원×3%) + (500만 원×2%) = 25만 원이다. 따라서 을이 갑보다 더 많은 투자 수익을 얻을 수 있다. ㄹ. 배당금을 받을 수 있는 금융 상품은 주식이므로, 갑~병 중 병만 배당금을 받을 수 있다.

---

03 금융 생활의 목표와 재무 설계

STEP 1 핵심 개념 확인하기   204쪽

1 (1) 재무 목표 (2) 재무 설계 (3) 생애 주기   2 (1) ○ (2) ○ (3) ✕
(4) ✕   3 ㄴ-ㄱ-ㄹ-ㄷ-ㅁ   4 (1)-ⓛ (2)-ⓒ (3)-ⓔ
(4)-ⓐ (5)-ⓜ

STEP 2 내신 만점 공략하기   204~206쪽

01 ⑤   02 ②   03 ⑤   04 ④   05 ③   06 ⑤   07 ⑤
08 ②

01 생애 주기

ㄴ, ㄷ. 생애 주기의 각 단계에 따라 필요한 자금의 내용과 크기가 달라진다. ㄹ. 생애 주기의 각 단계에 따라 결혼, 출산, 자녀 교육, 노후 대비 등 자금이 필요한 과업들이 발생한다.

▎바로 알기▎ ㄱ. 일반적으로 한 사람의 소득은 20대 중반부터 50대 초반에 이르기까지 점차 증가하다가 최고점에 달한 후 감소하기 시작한다. 즉, 생애 주기의 각 단계에 따라 소득이 증가하다 감소한다.

02 생애 주기별 특징

ㄱ. 유소년기는 소득보다 소비가 많은 시기로, 경제적으로 자립하기 어려워 부모의 소득에 의존하여 경제생활을 한다. ㄹ. 노년기는 퇴직으로 소득이 크게 감소하는 시기로, 그동안 축적해 놓은 자산에서 발생하는 소득이나 연금 등으로 살아간다.

▎바로 알기▎ ㄴ. 소득이 가장 많은 시기는 중·장년기이다. ㄷ. 중·장년기는 자녀 양육, 주택 마련 및 확장, 노후 준비 등에 따른 소비 규모도 큰 시기이다.

03 생애 주기에 따른 소득과 소비 변화

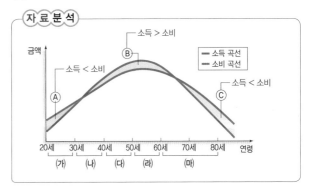

소득보다 소비가 많은 A 영역과 C 영역은 음(−)의 저축을 나타내고, 소득보다 소비가 적은 B 영역은 양(+)의 저축을 나타낸다. ⑤

은퇴 시기가 늦어질수록 소득이 발생하는 기간이 늘어나므로 B 영역은 늘어나고, C 영역은 줄어들 것이다.

바로 알기 ① 저축을 나타내는 영역은 B이다. ② 노후 생활의 안정을 위해서는 B 영역을 늘려야 한다. ③ 취업 준비 기간이 늘어날수록 소득이 발생하는 시기가 늦어지므로 B 영역은 줄어들 것이다. ④ C 영역에서는 소득과 소비가 모두 지속적으로 줄어들고 있으나 소득의 감소폭이 소비의 감소폭보다 더 크므로, 소득 대비 소비 수준은 지속적으로 증가하고 있다.

04 생애 주기별 주요 재무 목표

(가)는 사회 초년기, (나)는 가족 형성기, (다)는 자녀 성장기, (라)는 가족 성숙기, (마)는 노후 생활기다. ① 사회 초년기에는 독립 및 주거 자금이나 결혼 자금 등이 주요 재무 목표가 될 수 있다. ② 가족 형성기에는 자녀 양육 자금이나 주택 구입 자금 등이 재무 목표가 될 수 있다. ③ 자녀 성장기에는 자녀 교육비나 주택 확장 자금 등이 주요 재무 목표가 될 수 있다. ⑤ 노후 생활기에는 건강 유지 및 의료비 등이 주요 재무 목표가 될 수 있다.

바로 알기 ④ 독립 및 주거 자금은 사회 초년기의 주요 재무 목표이다. 가족 성숙기에는 자녀 결혼 자금이나 노후 준비 등이 주요 재무 목표가 될 수 있다.

05 재무 계획의 필요성

제시문은 60대 이상 응답자의 60%가 노후 준비 부족을 경제적 행복의 장애물로 생각하고 있다는 내용이다. 이를 통해 안정적인 노후 생활을 위해서 재무 계획을 수립하여 노후의 생활에 대비해야 한다는 결론을 내릴 수 있다.

바로 알기 ① 노년기에도 생활 자금과 의료비 등처럼 기본적으로 소비해야할 부분이 있으므로, 소비 지출을 크게 줄이기는 어렵다. ② 노년기에는 퇴직으로 소득이 크게 감소하므로 퇴직 이후 노후 생활을 준비하는 것은 바람직하지 않다. ④ 자녀의 소득에 의존하여 경제생활을 하는 것은 바람직하지 않다. 재무 계획을 통해 스스로 노년을 준비해야 한다. ⑤ 소비하고 남은 돈이 있을 경우에만 저축을 하는 것은 바람직하지 않다. 안정적인 경제생활을 위해서는 재무 계획에 따라 소비와 저축이 이루어져야 한다.

06 재무 설계

㉠은 재무 설계이다. ① 재무 설계는 유소년기부터 퇴직 이후의 노후 생활까지 고려한 장기적인 계획이다. ② 재무 설계는 현재와 미래의 경제생활에서 자금을 어떻게 배분할 것인지를 고민하게 함으로써 안정적인 미래를 설계하는 데 도움을 준다. ③ 재무 설계를 통해 재무 목표 달성에 필요한 비용을 구체적으로 산정하고 이를 마련하기 위한 저축 및 투자 계획을 수립하므로, 재무 설계는 생애 주기별 재무 목표를 계획적으로 실행하는 데 필요하다. ④ 생애 주기에 따라 소득과 소비의 흐름이 달라져 불균형이 발생하므로, 안정적인 경제생활을 위한 재무 설계가 필요하다.

바로 알기 ⑤ 재테크에 대한 설명이다. 재테크는 짧은 시간에 최대한 많은 수익을 얻는 것이 목적이기 때문에 재무 설계에 비해 단기적이고 수익성이 높지만 안전성은 낮다는 특징이 있다.

07 재무 설계 과정

① 재무 목표 설정 단계에서는 자신의 가치관 및 목표 달성에 필요한 금액 등을 고려하여 단기, 중기, 장기 재무 목표를 설정해야 한다. ② 재무 상태 분석 단계에서는 수입 및 지출의 규모와 종류, 자산과 부채 현황 등 자신의 재무 상태를 정확히 파악해야 한다. ③ 재무 행동 계획 수립 단계에서는 수입을 바탕으로 목표 달성에 필요한 자금을 언제까지, 어떻게 마련할 것인지 자신의 성향을 고려하여 구체적인 실천 방안을 세워야 한다. ④ 재무 행동 계획 실행 단계에서는 계획한 대로 실행하는 것이 예상과 달리 어려울 수도 있으므로, 적절한 융통성을 발휘해야 한다.

바로 알기 ⑤ 재무 실행 평가와 수정 단계에서는 결산을 통해 결과를 평가하고, 조정이 필요한 부분이 있을 경우 재무 계획을 수정할 수 있으며, 재무 목표를 재설정할 수도 있다.

완자 정리 노트	재무 설계 과정
재무 목표 설정	• 자신의 가치관과 기대하는 생활 양식에 적합한 단기, 중기, 장기 재무 목표를 설정함 • 목표 달성에 필요한 금액, 기간 등을 고려하여 구체적이고 실현 가능한 목표를 설정함
재무 상태 분석	수입 및 지출의 규모와 종류, 자산과 부채 현황 등 자신의 재무 상태를 정확히 파악함
재무 행동 계획 수립	재무 목표 달성을 위해 필요한 자금을 언제까지, 어떻게 마련할 것인지에 관한 재무 행동 계획을 수립함
재무 행동 계획 실행	재무 목표 달성을 위한 계획을 실행함
재무 실행 평가와 수정	정기적인 결산을 통해 결과를 평가하고, 조정이 필요한 부분을 반영하여 재무 계획을 수정하거나 재무 목표를 재설정함

08 재무 설계 과정

(가)에서 갑은 자신의 소득 및 지출 규모를 분석하였다. 이는 재무 상태 파악 단계에 해당한다. (나)에서 갑은 5년 이내에 결혼 자금을 마련하겠다는 목표를 세웠다. 이는 재무 목표 설정 단계에 해당한다. (다)에서 갑은 자신의 월급을 바탕으로 저축 및 투자 계획을 수립하고 실행하였다. 이는 재무 행동 계획 수립 및 실행 단계에 해당한다. (라)에서 갑은 자신의 소득 규모에 변화가 발생하자 재무 계획을 수정하였다. 이는 재무 실행 평가와 수정 단계에 해당한다. 따라서 (가)~(라)를 재무 설계 과정에 따라 순서대로 나열하면 '(나) – (가) – (다) – (라)'가 된다.

서술형 문제

206쪽

01 주제: 생애 주기에 따른 소득과 소비 변화

(1) A – 소득 곡선, B – 소비 곡선

(2) **예시 답안** 평균 수명이 늘어나면 퇴직 이후의 생애 시간이 더욱 길어지기 때문에 (가) 영역의 면적이 넓어진다.

상	(가) 영역의 면적이 넓어지는 이유를 정확하게 서술한 경우
하	(가) 영역의 면적이 넓어진다고만 서술한 경우

02 재무 목표 설정

(1) 재무 목표 설정

(2) **예시 답안** 자신의 가치관 및 기대하는 생활 양식에 적합한 단기, 중기, 장기 재무 목표를 설정해야 한다. 목표 달성에 필요한 금액, 기간 등을 고려하여 구체적이고 실현 가능한 재무 목표를 설정해야 한다.

상	재무 목표 설정 단계에서 유의해야 할 점 두 가지를 정확하게 서술한 경우
하	재무 목표 설정 단계에서 유의해야 할 점을 한 가지만 서술한 경우

축액이 증가하다 감소하였으므로, 처음에는 소득의 증가 폭이 소비의 증가 폭보다 크다가 이후에는 소비의 증가 폭이 커져 60세에는 소득과 소비가 일치하게 된다. ② 을의 경우, 30세에 소득이 소비보다 커 양(+)의 저축이 발생하였다. ③ 소득이 소비보다 많았던 기간은 갑의 경우 30년(30세~60세)이며, 을은 이보다 길다. 즉, 소득이 소비보다 많았던 기간은 을이 갑보다 길다. ④ 주어진 자료만으로 소득의 크기를 비교할 수 없다.

2 재무 설계

ㄱ. 상담자의 자산은 2억 3천 1백만 원(= 아파트 2억 원 + 은행 예금 3,100만 원)이고, 부채는 5천 1백만 원(= 은행 대출금 5,000만 원 + 신용 카드 미결제 잔액 100만 원)이다. 따라서 순자산은 1억 8천만 원이다. ㄹ. 상담자는 재무 목표 달성을 위해 5년 동안 1억 2천만 원(= 목표 금액 3억 원 – 순자산 1억 8천만 원)을 마련해야 한다.

| 바로 알기 | ㄴ. 상담자는 자신의 자산과 부채 현황은 파악하였으나, 수입과 지출 규모를 파악하지는 않았다. ㄷ. 상담자는 아직 재무 목표 달성을 위한 재무 행동 계획을 수립하지 않았다.

STEP 3 1등급 정복하기

207쪽

1 ⑤   2 ②

1 생애 주기에 따른 저축 변화

자료분석

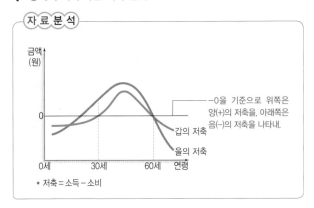

* 저축 = 소득 – 소비

저축 = 소득 – 소비이므로 0을 기준으로 위쪽은 소득이 소비보다 많고, 아래쪽은 소득이 소비보다 적다. ⑤ 저축은 갑과 을 모두 60세까지 발생하므로, 누적 저축액이 최대가 되는 연령은 갑과 을 모두 60세로 같다.

| 바로 알기 | ① 매년 소득의 증가 폭이 소비의 증가 폭보다 컸다면, 저축액이 계속 증가하는 형태로 그래프가 나타났을 것이다. 그런데 갑의 경우 저

01 금융의 사례

㉠은 금융이다. ㄴ, ㄷ. 여윳돈을 은행에 예금하는 것과 은행에서 필요한 돈을 대출받는 것은 금융의 사례에 해당한다.

┃바로 알기┃ ㄱ. 계약의 사례에 해당한다. ㄹ. 소비 활동의 사례에 해당한다.

02 금융 기관의 기능

제시된 사례를 통해 금융 기관이 자금 수요자와 자금 공급자 사이에서 직간접적으로 자금을 중개하는 기능을 한다는 것을 알 수 있다.

┃바로 알기┃ ①, ②, ③ 금융 기관의 기능에 해당하지만, 제시된 사례와는 관련이 없다. ⑤ 금융 기관 중 금융 감독원의 기능에 해당한다.

03 소득의 구성

비교적 오랫동안 일정하게 발생하는 소득은 경상 소득이고, 비정기적이고 일시적인 요인에 의해 발생하는 소득은 비경상 소득이다. ② 경상 소득에는 근로 소득, 사업 소득, 재산 소득, 이전 소득이 포함된다. ④ 임금은 근로 소득이고, 예금 이자는 재산 소득이므로, 경상 소득의 사례에 해당한다. ⑤ 복권 당첨금과 경조금 등은 비경상 소득의 사례에 해당한다.

┃바로 알기┃ ③ 비경상 소득은 예상하지 못한 요인에 의해 발생하는 경우가 많으므로 예산을 수립할 때에는 비경상 소득보다는 경상 소득을 바탕으로 수립해야 한다. 비경상 소득은 실제로 발생한 경우에만 예산에 포함한다.

04 소득과 지출

ㄱ. 비소비 지출액은 소비의 목적이 아닌 법 또는 제도에 의해 의무적으로 지출해야 하는 비용이다. 제시된 사례에서 비소비 지출액은 50만 원(= 세금 20만 원 + 사회 보험료 10만 원 + 대출 이자 비용 20만 원)이다. ㄷ. 처분 가능 소득은 소득에서 비소비 지출액을 뺀 것으로, 250만 원(= 소득 300만 원 − 비소비 지출액 50만 원)이다. 소비 지출액은 75만 원(= 식료품비 50만 원 + 문화생활비 10만 원 + 교통·통신비 10만 원 + 보건 의료비 5만 원)이다. 따라서 처분 가능 소득은 소비 지출을 충당하고, 175만 원이 남는다.

┃바로 알기┃ ㄹ. 전체 지출 총액 125만 원에서 소비 지출액 75만 원이 차지하는 비중은 60%(= 75만 원/125만 원 × 100)이다.

05 소득, 지출, 저축

저축은 소득에서 지출을 뺀 나머지로, 미래의 소비를 위하여 현재 쓰지 않고 남겨 놓은 것을 말한다. 따라서 ㉠은 저축이고, ㉡은 지출이다. ①, ③ 저축은 미래의 소비를 위해 현재의 소비를 미루는 것이다. 따라서 저축은 미래의 소비에 영향을 미친다. ② 저축은

주식, 채권, 부동산 등의 금융 자산이나 실물 자산으로 전환되기도 한다.

┃바로 알기┃ ④ 지출은 현재의 소득과 미래의 소득을 종합적으로 고려해서 결정해야 한다.

06 신용

㉠은 신용이다. ① 신용이 좋지 않으면 대출 제한, 신용 카드 발급 제한 등 정상적인 경제 활동에 제약을 받을 수 있다. ③ 금융 기관은 고객의 신용 상태에 따라 대출 여부 및 대출 가능 금액을 산출한다. ④ 후불식 교통 카드 요금은 신용을 바탕으로 먼저 사용하고 나중에 요금을 낸다. 즉, 신용 거래의 사례로 볼 수 있다. ⑤ 각종 생활 요금 미납, 카드 대금 연체 등은 신용을 떨어뜨리는 요인이 된다. 높은 신용을 유지하기 위해서는 통신 요금을 포함한 각종 생활 요금과 신용 카드 대금을 약속한 기한 내에 반드시 지불해야 한다.

┃바로 알기┃ ② 신용이 나쁜 사람은 아예 돈을 빌릴 수 없거나 돈을 빌리더라도 다른 사람보다 더 많은 이자를 부담해야 한다.

07 자산과 부채

자료 분석

(단위: 만 원)

자산 — 4억 1,500만 원		부채 — 1억 5,000만 원	
㉠ 요구불 예금 – 금융 자산	1,000	부동산 담보 대출	12,000
㉡ 주식 – 금융 자산	300	자동차 할부금 잔액	2,000
㉢ 채권 – 금융 자산	200	㉤ 신용 카드 미결제 잔액	1,000
보유 ㉣ 주택 – 실물 자산	35,000		
자동차 – 실물 자산	5,000		

⑤ 주식과 채권은 모두 시세 차익에 따른 수익을 기대할 수 있는 금융 상품이다.

┃바로 알기┃ ① 순자산은 2억 6,500만 원(= 총자산 4억 1,500만 원 − 총부채 1억 5,000만 원)이다. ② 금융 자산은 1,500만 원(= 요구불 예금 1,000만 원 + 주식 300만 원 + 채권 200만 원)이고, 실물 자산은 4억 원(= 주택 35,000만 원 + 자동차 5,000만 원)이다. 따라서 실물 자산이 금융 자산보다 더 많다. ③ 유동성은 자산을 쉽게 현금으로 바꿀 수 있는 정도로, 요구불 예금은 주택보다 유동성이 높다. ④ 요구불 예금으로 신용 카드 미결제 잔액을 모두 결제하면 자산과 부채가 각각 1,000만 원씩 줄기 때문에 결국 순자산은 2억 6,500만 원으로 변동이 없다.

08 포트폴리오 구성

④ 갑은 을에게 예금, 채권, 보험의 비중은 줄이고 주식과 펀드의 비중을 늘릴 것을 제안하고 있는데, 주식과 펀드는 원금 손실의 위험이 높은 금융 상품이다.

┃바로 알기┃ ① 갑은 미래의 위험에 대비한 금융 상품인 보험을 가지고 있다. ② 을은 수익성을 높일 것을 제안하고 있다. ③ 을은 공격적 성향의 포트폴리오를 구성하여 제시하고 있다. ⑤ 갑이 안전성을 중시한다면 을의 의견을 수용하지 않을 것이다.

09 예금의 특징

③ 예금은 예금자 보호 제도의 보호를 받으므로 다른 금융 상품에 비해 안전성이 높다.

▌ 바로 알기 ▌ ① 예금 중 요구불 예금은 입출금이 자유로우나, (가)에 들어갈 내용으로 적절하지는 않다. ② 시세 차익을 통해 수익을 얻을 수 있는 금융 상품은 주식과 채권이다. ④ 예금은 다른 금융 상품에 비해 수익성이 낮다. ⑤ 예금은 물가 상승률이 명목 이자율보다 높으면 화폐 가치가 하락하여 실질 이자율이 음(−)의 값을 갖게 되어 투자한 돈의 가치가 하락할 수도 있으나, (가)에 들어갈 내용으로 적절하지는 않다.

10 다양한 금융 상품

요구불 예금, 주식, 채권 중 안전성이 가장 높은 금융 상품은 요구불 예금이고, 안전성이 가장 낮은 금융 상품은 주식이다. 따라서 A는 요구불 예금이고, B는 채권이며, C는 주식에 해당한다. ㄴ. 요구불 예금은 채권, 주식과 달리 예금자 보호 제도의 적용을 받아 안전성이 높다. ㄷ. 채권은 주식과 달리 만기가 있다. 만기가 되면 채권 발행 기관에서 약속한 원금과 이자를 지급한다.

▌ 바로 알기 ▌ ㄱ. 요구불 예금은 유동성은 높고, 수익성은 낮다. 따라서 (가)에는 유동성보다 수익성이 들어가는 것이 적절하다. ㄹ. 주식과 채권은 모두 원금 손실이 발생할 수 있다.

11 주식과 펀드

ㄴ. 펀드는 간접 투자 상품이다. ㄹ. 주식과 펀드는 모두 원금을 잃을 수 있으며, 그 책임은 투자자 본인에게 있다.

▌ 바로 알기 ▌ ㄱ. 갑이 투자한 금액은 ○○ 회사의 자본금이 된다. ㄷ. 펀드는 자산 운용 기관에서 투자 종목, 매매 시기 등을 결정한다.

12 국민연금과 개인연금

국민연금은 개인의 노후 생활에 필요한 최소한의 생활비를 보장해 주기 위해 국가적으로 시행하는 제도이다. 만 18세 이상 60세 미만인 국민은 의무적으로 가입해야 한다. 반면 개인연금은 개인이 좀 더 여유로운 노후 생활을 목표로 하여 본인의 희망에 따라 자발적으로 가입하는 연금이다. 국민연금이나 개인연금은 매월 일정액을 납부하면 노후에 연금을 지급하기 때문에 노후 보장의 효과가 있다.

▌ 바로 알기 ▌ ④ 국민연금은 소득에 따라 월 납부액이 정해지는데 반해 개인연금은 월 납부액을 개인이 자유롭게 설정할 수 있다.

13 생애 주기에 따른 소득과 소비 변화

④ 누적 소비액이 최대가 되는 시점은 더 이상 소비를 하지 않는 E 시점이다.

▌ 바로 알기 ▌ ① A~D 기간에는 소비가 소득보다 크다. ② 누적 저축액은 D 시점에서 가장 크다. ③ C~D 기간에는 소득은 감소하지만 소비는 증가하므로, 소득 대비 소비가 지속적으로 증가한다. ⑤ A~B 기간과 D~E 기간은 소득이 소비보다 작은 기간으로서, 그 차이인 (가), (다)만큼 음(−)의 저축이 발생한다. B~D 기간은 소득이 소비보다 큰 기간으로서, 그 차이인

(나)만큼 양(+)의 저축이 발생한다.

14 소득과 소비의 관계

정비례 곡선 위에 위치한 B점은 소득과 소비가 같고, B점을 기준으로 왼쪽은 소득보다 소비가 크며, 오른쪽은 소비보다 소득이 크다. 소득에서 소비를 뺀 나머지가 저축이므로 B점에서는 저축이 0이고, A점에서는 음(−)의 저축이 발생하며, C점에서는 양(+)의 저축이 발생한다. ㄱ. A점은 소득에 비해 소비가 더 크기 때문에 음(−)의 저축이 발생한다. ㄹ. 소득 대비 소비 비율이 A점에서는 1보다 크고, B점에서는 1이고, C점에서는 1보다 작다. 즉, 소득이 증가할수록 소득 대비 소비 비율이 낮아진다.

▌ 바로 알기 ▌ ㄴ. B점에서는 소득과 소비가 같다. ㄷ. C점에서는 소득이 소비보다 크다.

15 재테크와 재무 설계

㉠은 재테크이고, ㉡은 재무 설계이다. ② 재무 설계는 불확실한 미래에 대비하고 생애 주기별 재무 목표를 계획적으로 실행하는 데 도움을 준다. ③ 재테크는 짧은 시간에 최대한 많은 수익을 얻는 것이 목적이기 때문에 재무 설계에 비해 수익성은 높지만 안전성이 낮다는 특징이 있다. ④ 재무 설계는 생애 주기를 고려하여 재무 목표를 정하기 때문에 재테크에 비해 장기적이고 계획적이며 안전성이 높다는 특징이 있다.

▌ 바로 알기 ▌ ① 재무 설계에 대한 설명이다. 재무 설계는 취업 이전의 유소년기부터 퇴직 이후의 노후 생활까지 고려해서 인생 전체의 재무 목표를 정하고 그것을 달성하기 위한 계획을 세우는 것이다.

16 재무 설계 과정

(가)는 재무 행동 계획 실행 단계, (나)는 재무 상태 분석 단계, (다)는 재무 실행 평가와 수정 단계, (라)는 재무 행동 계획 수립 단계, (마)는 재무 목표 설정 단계에 대한 설명이다. (가)~(마)를 재무 설계 과정에 따라 순서대로 나열하면 '(마) − (나) − (라) − (가) − (다)'가 된다.

논술형 문제 풀이

 주제 01 자원의 희소성과 경제적 가치

 논술 SOLUTION

> (가)는 임상옥이 중국 상인들의 담합에 대해 인삼의 존재량을 감소시킴으로써 대응하였다는 내용이다.

⬇

> (나)는 공급량이 많아 가격이 낮았던 석유가 석유 파동 이후 공급량이 감소하자 가격이 치솟았다는 내용이다.

⬇

> (다)는 산나물이 대가를 지불하지 않고도 얻을 수 있던 재화에서 대가를 지불해야만 얻을 수 있는 재화가 되었다는 내용이다.

● POINT ● 재화의 존재량이 재화의 희소성에 미치는 영향을 파악하고, 재화의 희소성과 경제적 가치 간의 관계에 대해 논술한다.

1. 예시 답안 (가)에서 임상옥이 인삼을 불에 태우자, 인삼 가격이 올랐다. (나)에서 산유국들이 석유 생산량을 줄이자, 석유 가격이 올랐다. 이는 자원의 존재량이 줄어 자원의 희소성이 더욱 커졌기 때문이다. 희소성이 큰 재화는 경제적 가치가 높으며, 경제적 가치가 높은 재화일수록 비싼 가격에 거래되는 경향이 있다.

2. 예시 답안 (다)에서 과거에 산나물은 희소성이 없어 대가를 지불하지 않아도 구할 수 있는 무상재였다. 하지만 채취가 금지되면서 산나물이 희소성을 가지게 되었고, 대가를 지불해야 얻을 수 있는 경제재로 재화의 성격이 변화하였다.

 주제 02 우리나라의 경제 체제

 논술 SOLUTION

> 헌법 제23조 ①항은 개인의 사유 재산권 보장을 규정하고 있다.

⬇

> 헌법 제119조 ①항은 개인과 기업의 자유와 창의 존중을 규정하고 있으며, ②항은 경제의 민주화를 위해 개인과 기업의 경제적 자유를 국가가 규제 및 조정할 수 있다고 규정하고 있다.

⬇

> 헌법 제122조는 국토의 균형 발전을 위해 법률로써 이용과 개발을 제한할 수 있음을 규정하고 있다.

⬇

> 헌법 제126조는 민간 기업의 국유화 및 경영 통제 금지를 규정하고 있다.

● POINT ● 헌법 조항에 나타난 시장 경제 체제 요소와 계획 경제 체제 요소를 구분해 보고, 이를 통해 알 수 있는 우리나라 경제 체제의 특성에 대해 논술한다.

1. 예시 답안 ・시장 경제 체제 특성이 나타난 조항: 헌법 제23조 ①항, 제119조 ①항, 제126조
・계획 경제 체제 특성이 나타난 조항: 헌법 제119조 ②항, 제122조
2. 예시 답안 우리나라는 시장 경제 체제를 기반으로 필요한 경우 정부가 개입하는 혼합 경제 체제를 택하고 있다. 시장 경제 체제에 계획 경제적 요소를 도입하는 이유는 시장 경제 체제의 한계를 보완하기 위해서이다. 시장 경제 체제는 개인의 이익 추구라는 경제적 동기를 자극하여 사회적으로 자원 배분의 효율성을 증대할 수 있으나, 소득 불평등에 따른 빈부 격차와 급격한 경기 변동 등이 나타나기도 한다는 한계가 있다. 우리나라는 이와 같은 시장의 한계를 정부가 개입하여 해결함으로써 시장 경제 체제의 성과를 높이기 위해 혼합 경제 체제를 채택하였다.

 주제 03 경제 주체의 역할

 논술 SOLUTION

> (가)는 국민 경제의 순환을 나타낸 그림으로 A 시장은 생산물 시장이고, B 시장은 생산 요소 시장에 해당한다.

⬇

> (나)는 근로 연계형 소득 지원 제도인 근로 장려 세제에 대한 설명이다.

● POINT ● 생산물 시장과 생산 요소 시장에서 가계와 기업의 경제적 역할을 각각 서술한다. 그리고 소득 분배의 불평등을 완화하기 위한 정부의 소득 재분배 정책을 이해하고, 그 필요성에 대해 논술한다.

1. 예시 답안 A 시장은 생산물 시장이다. 생산물 시장에서 가계는 재화와 서비스의 수요자로서 소비 활동을 하고, 기업은 재화와 서비스를 생산하여 시장에 공급하는 역할을 한다. B 시장은 생산 요소 시장이다. 생산 요소 시장에서 가계는 기업에 노동, 자본, 토지

등을 공급하고, 기업은 재화와 서비스를 생산하기 위해 노동, 자본, 토지 등을 가계로부터 구입하며, 그 대가로 임금, 이자, 지대 등을 지불한다.

2. 예시 답안 (나)의 근로 장려 세제는 빈부 격차를 줄이고자 하는 정부의 소득 재분배 정책에 해당한다. 시장 경제 체제에서는 가계와 기업의 자율적인 경제 활동 과정에서 소득이 분배되므로, 사회 구성원 간 소득 격차가 커지는 문제가 발생할 수 있다. 소득 불평등이 심해지면 상대적 박탈감이 커질 수 있으며, 이는 사회 불안을 불러와 건전한 경제 성장을 저해할 수 있다. 따라서 정부는 소득 재분배 정책을 통해 빈부 격차를 줄이고자 노력해야 한다.

주제 04 이윤 극대화를 위한 가격 정책

논술 SOLUTION

제시된 사례는 퍼플 가격 정책을 실시함으로써 대학 스포츠 팀의 입장권 판매 수입이 획기적으로 늘었다는 내용이다.

퍼플 가격 정책의 첫 번째 핵심은 네덜란드식 경매 방식으로, 이를 통해 소비자가 기꺼이 지불하려는 가격에 입장권을 판매하였다.

퍼플 가격 정책의 두 번째 핵심은 차액 환불 정책으로, 이를 통해 입장권을 비싸게 산 사람과 싸게 산 사람 모두를 만족시켰다.

●POINT● 퍼플 가격 정책이 입장권 수요자의 소비자 잉여를 이용한 것임을 이해하고, 이 정책이 성공하기 위해 고려해야 할 점을 입장권 수요를 근거로 논술한다.

1. 예시 답안 퍼플 가격 정책은 비싼 가격을 지불하고라도 입장권을 사려고 하는 사람들에게 비싼 가격으로 입장권을 판매하여, 소비자 잉여의 일부를 판매자들이 가져오는 가격 정책이다.

2. 예시 답안 퍼플 가격 정책이 성공하기 위해서는 입장권의 최초 경매 가격 설정 때 입장권에 대한 수요를 고려해야 한다. 입장권에 대한 수요에 비해 턱없이 높은 가격에서 경매를 시작한다면 입장권 좌석을 모두 팔지 못하는 상황이 발생할 수 있다. 따라서 입장권에 대한 수요를 고려하여 합리적 수준에서 최초 경매 가격을 제시해야 한다. 그리고 입장권에 대한 수요가 너무 적어 마지막에 낙찰된 입장권 가격이 너무 낮을 경우 차액을 환불해주다 보면 오히려 판매 수입이 감소하는 결과가 초래할 수도 있다. 따라서 이를 방지하기 위해서는 입장권에 대한 수요를 고려하여 경매 가격의 하한선을 정해야 한다.

주제 05 시장 실패

논술 SOLUTION

(가)는 거래 당사자들이 가진 정보의 양과 질의 차이로 인해 정보의 비대칭성이 나타나고 있다는 내용이다.

(나)는 자신의 편익을 늘리기 위한 개인의 예방 접종이 사회 전체적으로 편익을 증진시키는 외부 경제가 나타나고 있다는 내용이다.

●POINT● (가), (나)가 시장 실패를 유발한다는 점을 알고, 그 원인과 대책을 서술한다.

1. 예시 답안 대학 입시에서 학생은 자신의 능력과 자질에 대한 정보를 대학보다 많이 가지고 있는데, 이처럼 거래 당사자 간에 정보의 차이가 나타나는 것을 정보의 비대칭성이라고 한다. 정보의 비대칭성은 사람들의 합리적 선택을 왜곡하기도 하고, 경우에 따라서는 서로에게 유익한 경제적 거래가 이루어지지 못하도록 방해할 수 있다.

2. 예시 답안 개인의 예방 접종은 다른 사람에게 혜택을 주지만 그에 대한 대가를 받지 않는 외부 경제에 해당한다. 외부 경제가 발생하는 경우에는 보조금 지급이나 세금 감면 등과 같은 경제적 유인을 제공함으로써 시장 실패를 개선할 수 있다.

주제 06 시장 실패와 정부의 시장 개입

논술 SOLUTION

갑은 남의 고통과 불행을 이용해 폭리를 취하는 업자들을 가격 폭리 처벌법에 의해 처벌해야 한다고 주장한다.

을은 업자의 높은 가격 요구는 폭리가 아니고, 수요와 공급에 의한 정상적인 경제 활동이라고 주장한다.

●POINT● 가격 폭리 처벌법에 대한 찬반 근거가 무엇인지 정확하게 파악하고, 이에 대한 자신의 입장을 정리해서 논술한다.

1. 예시 답안 • 갑의 입장: 허리케인의 피해를 입은 플로리다주는 정상적인 시장 상황이 아니다. 비상 상황에서 구매자에게 비정상적인 가격을 요구하는 행위는 가격 폭리 처벌법에 따라 처벌해야 한다.
• 을의 입장: 업자들의 높은 가격 요구는 시장의 정상적인 활동의 결과이며, 높은 가격은 주변의 공급자들의 유입을 촉진하여 허리케인 피해 복구 기간을 단축시켜 줄 것이다. 따라서 이를 처벌해서는 안 된다.

2. 예시 답안 • 찬성하는 경우: 시장 경제 체제는 시장의 자유로운 경쟁을 기반으로 한다. 하지만 허리케인의 피해를 입은 플로리다주의 시장 상황은 자유로운 경쟁 상태라고 볼 수 없다. 업자들이 높은 가격을 요구하는 것은 일시적인 초과 수익을 올리려는 독점 시장과 유사한 상황으로 파악할 수 있다. 따라서 정상적인 시장 상황으로 돌아오기 전까지는 가격 폭리 처벌법에 의해 처벌하는 것이 마땅하다.
• 반대하는 경우: 만약 가격 폭리 처벌법에 의해 가격 인상을 강제적으로 막는다면 허리케인 피해 복구를 지연시키는 결과를 초래할 것이다. 허리케인으로 피해를 본 것은 공급자도 마찬가지이다. 때문에 같은 가격 수준에서 공급자들은 공급을 늘릴 이유가 없으며, 주변의 공급자들도 허리케인 피해를 복구하기 위해 플로리다주에 새롭게 진입할 유인도 없다. 이러한 이유로 가격 폭리 처벌법은 집행되어서는 안 된다.

주제 07 국내 총생산(GDP)의 유용성과 한계

논술 SOLUTION

(가)는 우리나라의 경제 규모와 삶의 질 수준 간에 괴리가 나타나고 있다는 내용이다.

(나)는 국내 총생산이 개인을 둘러싼 자연·인문 환경의 질이나 주관적인 만족 상태가 악화되어 그것을 복구할 때 드는 비용이 늘어남에 따라 그 크기가 커지게 된다는 내용이다.

●POINT● 국민 경제 수준을 측정하는 지표인 국내 총생산의 특징을 알고, 그 한계를 서술한다.

1. 예시 답안 우리나라는 성장 위주의 경제 정책을 추진하면서 환경 파괴와 빈부 격차 등의 문제가 발생하였다. 이 때문에 한 나라의 전체적인 경제 규모를 나타내는 국내 총생산 순위는 높은 편이지만, 우리나라 국민의 삶의 질은 상대적으로 낮은 수준에 머물러 있어 더 나은 삶의 지수(BLI) 순위는 낮은 편이다.

2. 예시 답안 전염병의 증가, 환경 오염 등은 국민의 삶의 질을 떨어뜨리지만, 이러한 문제를 해결하는 과정에서 오히려 국내 총생산이 증가할 수 있다. 따라서 국내 총생산은 국민의 삶의 질 수준을 정확히 파악하기 어렵다는 한계가 있다.

주제 08 실업과 인플레이션

논술 SOLUTION

(가)는 고통 지수에 대한 내용으로, 실업률과 인플레이션율을 합한 수치로 계산한다는 내용이다.

(나)에서 A 씨는 채무자, B 씨는 채권자, C 씨는 실물 자산 소유자, D 씨는 화폐 자산 소유자, E 씨는 자영업자, F 씨는 봉급생활자이다.

●POINT● 실업과 인플레이션이 국민 경제에 어떤 영향을 미치는지 논리적으로 서술한다.

1. 예시 답안 개인적 측면에서 일자리를 잃은 사람은 생계 유지가 어렵게 되고, 자아실현의 기회를 잃게 되어 자아 존중감을 상실하는 등 정신적 고통을 겪을 수 있다. 사회적 측면에서 실업은 유용한 인적 자원이 낭비되는 결과를 초래한다. 이에 따라 국민 경제의 생산력이 저하되어 경제 성장에 걸림돌이 될 수도 있다. 그뿐만 아니라 실업이 증가하면 소득 분배 상황의 악화, 빈곤의 확산 등으로 인해 사회가 불안에 빠질 수 있다.

2. 예시 답안 인플레이션이 발생하면 화폐의 가치가 하락하여 실질 구매력이 떨어지는 반면, 실물 자산의 가치는 상승하므로 채권자, 화폐 자산 소유자, 봉급생활자 등은 불리해지고, 채무자, 실물 자산 소유자, 자영업자 등은 유리해진다. 따라서 B 씨, D 씨, F 씨는 불리해지고, A 씨, C 씨, E 씨는 유리해진다.

주제 09 경제 안정화 정책

논술 SOLUTION

> (가)는 갑국이 확대 재정 정책에 따른 경제적 부작용을 사전에 막기 위해서 출구 전략을 실시하였다는 내용이다.

⬇

> 경제 안정화를 위해 (나)는 정부가 개입해야 한다는 입장, (다)는 정부가 경제에 개입하는 것을 줄여야 한다는 입장이다.

●POINT● 경제 안정화 정책의 목적과 그 수단을 알고, 정부의 경제 개입에 대한 자신의 생각을 논술한다.

1. 예시 답안 중앙은행은 국공채 매각, 대출 축소, 지급 준비율 인상 등을 통해 통화량을 축소하는 긴축 통화 정책을 실시해야 한다. 긴축 통화 정책을 실시하면 소비 및 투자가 줄어들어 총수요가 감소함으로써 경기가 진정될 것이다.

2. 예시 답안 • (나)의 주장에 동의할 경우: 나는 정부가 시장에 개입해야 한다는 (나)의 주장에 동의한다. 시장 경제의 원리가 제대로 작동하기 위해서는 공정하고 자유로운 경쟁이 이루어질 수 있는 여건이 마련되어야 한다. 정부는 공정한 경쟁을 위한 규칙과 제도를 마련하고 공공재 공급 등을 통해 시장 기능의 한계를 보완하는 역할을 수행해야 한다.
• (다)의 주장에 동의할 경우: 나는 정부의 경제 개입을 줄여야 한다는 (다)의 주장에 동의한다. 정부가 시장에 개입하면 정부의 불완전한 정보와 지식, 정치적인 제약, 관료 집단의 이기주의 등과 같은 문제가 발생할 수 있다. 즉 정부의 시장에 대한 지나친 개입이 오히려 경제의 효율성을 떨어뜨리고 잘못된 결과를 가져올 수 있기 때문에 정부는 경제 개입을 줄여야 한다.

주제 10 무역 정책의 경제적 효과와 한계

논술 SOLUTION

> (가)는 정부가 인위적으로 수출이나 수입에 제한을 가하지 않는 국가 간의 자유로운 무역을 강조하므로, 자유 무역 정책에 해당한다.

⬇

> (나)는 관세, 비관세 장벽 등과 같은 규제를 통해 유치산업이 경쟁력을 갖출 때까지 무역에 대한 국가 개입의 필요성을 강조하므로, 보호 무역 정책에 해당한다.

●POINT● 자유 무역 정책과 보호 무역 정책의 한계를 이해하고, 관세 부과에 따른 경제적 효과를 논술한다.

1. 예시 답안 (가)에서는 자유 무역 정책을 강조하고 있다. 자유 무역 정책은 선진국과 개발 도상국 간, 공업국과 농업국 간에 무역의 이익이 불균등하게 배분될 수 있으며, 경쟁력이 없는 개인이나 기업 또는 산업에 불이익을 초래할 수 있다. 또한 국내 시장의 해외 의존도를 높여 국내 경제가 국제 경제의 상황 변화에 민감하게 반응하게 된다는 한계가 있다.

2. 예시 답안 관세는 외국에서 수입하는 상품에 부과하는 세금으로, 외국 상품의 수입을 억제하고 국내 산업을 보호하기 위해 사용하는 대표적인 보호 무역 정책 수단이다. 수입품에 관세를 부과하면 그만큼 수입품의 국내 가격이 상승하여 수입이 감소하며 관련 국내 기업 상품의 가격 경쟁력이 높아지므로 국내 산업과 일자리를 보호할 수 있다.

주제 11 환율의 변동

논술 SOLUTION

> (가)는 미국의 금리가 우리나라 금리에 비해 상대적으로 높아짐에 따라 미국에 투자하려는 내국인이 늘어나고 있음을 보여 준다.

> (나)는 세계 경제 흐름에 따라 원/달러 환율이 하락하고 있음을 보여 준다.

> (다)는 갑국의 대외 채무 가운데 단기 외채 비중이 크게 증가하였음을 보여 준다.

●POINT● 환율 변동에 영향을 미치는 요인을 외화의 수요와 공급 요인으로 구분하여 파악하고, 환율 변동이 국가 경제에 미치는 영향을 논술한다.

1. 예시 답안 (가)를 통해 미국의 금리 인상이 원/달러 환율 상승에 영향을 미친다는 것을 알 수 있다. 미국 금리가 우리나라 금리에 비해 상대적으로 높아지면 해외 투자에 따른 수익률이 높아지므로 해외에 투자하려는 내국인이 늘어나고, 이는 외화의 수요 증가로 이어질 수 있다.

2. 예시 답안 (다)에서는 가국에서 달러화 표시 대외 채무가 증가하였음을 나타낸다. (가)와 같이 원/달러 환율이 상승하면 수입 상품 및 원자재의 가격 상승으로 생산비가 증가하여 갑국의 물가가 상승하고, 달러화로 표시된 외채의 원화 환산액이 증가하므로 갑국의 외채 상환에 대한 부담은 증가할 것이다. 반면 (나)와 같이 원/달러 환율이 하락하면 수입 상품 및 원자재의 가격 하락으로 생산비가 감소하여 갑국의 물가가 하락하고, 달러화로 표시된 외채의 원화 환산액이 감소하므로 갑국의 외채 상환에 대한 부담은 감소할 것이다.

주제 **12** 경상 수지의 변동

🔷 **SOLUTION**

> (가)는 상품 수지와 서비스 수지의 흑자로 갑국의 경상 수지가 흑자를 기록하고 있음을 나타낸다.

> (나)는 서비스 수지와 본원 소득 수지의 적자로 을국의 경상 수지가 적자를 기록하고 있음을 나타낸다.

> ●**POINT**● 경상 수지 흑자와 경상 수지가 적자가 국가 경제에 미치는 영향을 논술한다.

1. 예시 답안 (가)에서 갑국은 다른 국가와의 상품이나 서비스 등의 거래를 통해 벌어들인 외화가 지급한 외화보다 많아지고 있으므로, 경상 수지가 흑자를 기록하고 있음을 알 수 있다. 경상 수지가 흑자이면 상품과 서비스의 수출이 늘어나 국내 기업의 생산이 증가하며, 이에 따라 고용이 확대되고 국민 소득이 증가한다. 그러나 지속적인 경상 수지 흑자는 국내 통화량이 증가하는 요인으로 작용하여 국내 물가 상승을 가져올 수 있다.

2. 예시 답안 (나)에 따르면 을국에서는 상품이나 서비스와 같이 실물 부문의 거래를 통해 수취한 외화가 지급한 외화보다 많아지고 있으므로, 경상 수지 적자가 나타나고 있음을 알 수 있다. 경상 수지가 적자일 경우 국내 통화량이 감소하여 물가가 안정될 수 있다. 그러나 경상 수지 적자로 인해 국내 기업의 생산이 위축됨에 따라 실업이 증가하고 국민 소득이 감소할 수 있다.

주제 **13** 신용 관리의 중요성

🔷 **SOLUTION**

> (가)는 신용 등급에 따라 대출 금리에 차이가 있다는 내용이다.

> (나)에서는 소득 대비 과도한 부채를 질 경우 나타날 수 있는 문제점을 제시하고 있다.

> ●**POINT**● 신용이 나쁠 때와 좋을 때의 차이점을 비교하여 신용의 중요성에 대해 논술한다.

1. 예시 답안 신용 등급이 1~2등급인 경우 천만 원을 대출받으면 1년에 35만 5천 원(1,000만 원 × 3.55%)을 이자로 낸다. 9~10등급의 경우 1년에 123만 6천 원(1,000만 원 × 12.36%)을 이자로 낸다. 따라서 신용 등급이 9~10등급인 경우 1~2등급보다 88만 천 원의 이자를 더 내야 한다.

2. 예시 답안 금융 기관으로부터 필요한 자금을 빌릴 때 신용도에 따라 이자 비용에 큰 차이가 발생하며 신용도가 낮으면 은행에서 자금을 빌리지 못할 수도 있다. 이 경우 은행 이외의 다른 금융 기관이나 대부업자로부터 자금을 빌려야 하는데 이때 은행에서보다도 훨씬 더 높은 금리가 적용된다. 한편 일반적으로 신용이 좋은 사람은 채무를 갚지 않을 가능성이 낮기 때문에 비교적 간단한 절차로 금융 거래가 가능하며 자금을 빌릴 때 이자 비용도 적게 든다. 한 사회에 속한 개인의 신용도가 높으면 불필요한 거래 비용을 줄이고 경제 활동을 원활하게 할 수 있으므로 경제 활성화와 성장에 도움이 된다.

주제 **14** 자산 관리의 중요성

🔷 **SOLUTION**

> (가)는 자산 관리의 의미와 자산 관리의 필요성에 대한 내용이다.

> (나)에서 갑은 수익성만을 고려하여 자신이 보유한 자산을 모두 주식에 투자하고 있고, 을은 안전성, 수익성, 유동성을 모두 고려하여 자신이 가진 자산을 여러 금융 상품에 골고루 투자하고 있다.

● **POINT** ● 자산 관리의 중요성을 파악하고, 합리적인 자산 관리 방법에 대해 논술한다.

1. 예시답안 오늘날 평균 수명이 늘어나 은퇴 후의 삶이 길어지고 소득의 흐름이 점점 불규칙해짐에 따라 자산을 확보하고, 그 자산의 가치를 높이는 자산 관리의 중요성이 커지고 있다.

2. 예시답안 갑은 수익성을 우선하여 보유 자산을 모두 최대의 수익을 올릴 수 있는 금융 상품에 투자하고 있으며, 을은 보유 자산을 다양한 금융 상품에 나누어 투자하고 있다. 자산 관리의 원칙에 따라 갑의 자산 관리 방법보다 을의 자산 관리 방법이 더 바람직하다고 생각한다. 자산 관리를 할 때 안전성만 고려하여 투자하면 수익성이 좋지 않아 자산을 불리는 데 한계가 있고, 수익성만 고려하여 투자하면 원금 손실을 보는 등 투자에 따른 위험이 높아질 수 있다. 따라서 자산 관리의 목적 및 기간에 따라 포트폴리오를 구성하여 여러 가지 금융 상품에 분산하여 투자할 경우 하나의 상품에만 집중적으로 투자했을 때보다 위험을 줄일 수 있다.

주제 **15** 재무 목표와 재무 설계

논술 SOLUTION

(가)는 노년기에는 은퇴하여 소득이 감소하지만 고령화로 퇴직 이후의 시간이 길어짐에 따라 노후 생활에 대한 대비가 중요해지고 있음을 보여 준다.

(나)에서는 생애 주기별로 정한 구체적인 재무 목표에 맞추어 자신의 소비와 지출을 계획하고 실행하는 재무 설계가 필요하다는 것을 보여 준다.

● **POINT** ● 생애 주기에 따른 재무 목표 설정의 중요성을 파악하고, 재무 목표와 관련하여 재무 설계의 필요성에 대해 논술한다.

1. 예시답안 개인의 소비 활동은 평생에 걸쳐 지속되는 반면, 개인이 소득을 벌을 수 있는 시기는 한정되어 있다. 따라서 안정적인 경제생활을 누리기 위해서는 현재의 소득이나 자산만을 기준으로 현재의 소비를 결정하는 것이 아니라 생애 주기에 따른 소득과 지출을 고려해 구체적으로 재무 목표를 설정해야 한다.

2. 예시답안 미래의 안정적인 경제생활을 위해서 재무 설계는 반드시 필요하다고 본다. (가)에 따르면 최근 평균 수명이 연장되면서 퇴직 이후의 생애 시간이 점차 길어지고 있다. 따라서 재무 설계를 통한 노후 생활에 대한 대비가 필요하다. 또한 (나)에 따르면 생애 주기의 각 단계에 따라 필요한 자금의 내용과 크기는 달라지며, 소득도 역시 달라진다. 따라서 재무 설계를 통해 전 생애 동안의 예상 소득과 지출을 고려해 재무 목표를 설정하고, 각 단계에 따라 필요한 비용을 구체적으로 산정하고 이를 마련하기 위해 저축 및 투자 계획을 수립하는 것이 필요하다.

Memo

완자가 PICK한 내신 기출의 모든 것

- 전국 학교 내신 기출문제 고빈출 유형 완벽 분석
- 시험 출제 가능성이 높은 내신 필수 문제 주제별/난이도별로 구성
- 1등급을 결정짓는 최고 수준의 고난도 문제 수록

통합과학 / 물리학I / 화학I / 생명과학I / 지구과학I
통합사회 / 한국사 / 생활과 윤리 / 사회문화 / 윤리와 사상 / 정치와 법

VISANG

발행일 2019년 3월 1일
펴낸날 2020년 11월 1일
펴낸곳 (주)비상교육
펴낸이 양태회
신고번호 제2002-000048호
출판사업총괄 최대찬
개발총괄 채진희
개발책임 송경화
디자인책임 김재훈
영업책임 이지웅
마케팅책임 이은진
품질책임 석진안
대표전화 1544-0554
주소 경기도 과천시 과천대로2길 54

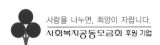
사랑을 나누면, 희망이 자랍니다.
사회복지공동모금회 후원 기업